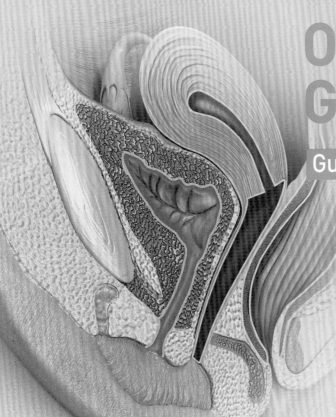

Obstetrics & Gynecology

Guidelines and Summary

Korean Society of
Obstetrics and Gynecology

| 다섯째판 |

산부인과학
지침과 개요

대한산부인과학회
Korean Society of Obstetrics and Gynecology

| 다섯째판 |

산부인과학 지침과 개요
Obstetrics & Gynecology

첫째판 1쇄 발행 | 2008년 05월 10일
둘째판 1쇄 발행 | 2010년 06월 20일
셋째판 1쇄 발행 | 2012년 12월 05일
넷째판 1쇄 발행 | 2015년 10월 02일
다섯째판 1쇄 인쇄 | 2021년 09월 01일
다섯째판 1쇄 발행 | 2021년 09월 15일

지 은 이 대한산부인과학회
발 행 인 장주연
출 판 기 획 최준호
책 임 편 집 이현아
편집디자인 주은미
표지디자인 김재욱
일 러 스 트 군자일러스트부
제 작 담 당 이순호
발 행 처 군자출판사(주)
         등록 제4-139호(1991. 6. 24)
         본사 (10881) **파주출판단지** 경기도 파주시 회동길 338(서패동 474-1)
         전화 (031) 943-1888   팩스 (031) 955-9545
         홈페이지 | www.koonja.co.kr

ISBN 979-11-5955-760-6

정가 48,000원

| 다섯째판 |

산부인과학
지침과 개요

산부인과학 지침과 개요
Obstetrics & Gynecology

편찬위원회

위원장	김 탁	고려대학교 의과대학 산부인과학		
위 원	김용범	서울대학교 의과대학 산부인과학	전명재	서울대학교 의과대학 산부인과학
	오민정	고려대학교 의과대학 산부인과학	조시현	연세대학교 의과대학 산부인과학
	이지영	건국대학교 의과대학 산부인과학		
간 사	신정호	고려대학교 의과대학 산부인과학		

집필진

집필진 |
(가나다 순)

강윤단	단국의대	이동윤	성균관의대
고현선	가톨릭의대	이미화	차의과학대
권한성	건국의대	이선주	건국의대
김미선	차의과학대	이은실	순천향의대
김성훈	울산의대	이은주	중앙의대
김승철	부산의대	이정렬	서울의대
김용범	서울의대	이준호	연세의대
김종현	전북의대	이지영	건국의대
김철홍	전남의대	장석준	아주의대
박찬욱	서울의대	전명재	서울의대
박현수	동국의대	전 섭	순천향의대
박현태	고려의대	전종관	서울의대
서용수	인제의대	정경아	이화의대
설현주	경희의대	조금준	고려의대
성원준	경북의대	조시현	연세의대
송재연	가톨릭의대	최영식	연세의대
신정호	고려의대	최우종	울산의대
오민정	고려의대	홍승화	충북대의대
오수영	성균관의대	황규리	서울의대
이경욱	고려의대	황종윤	강원의대
이근호	가톨릭의대		

첫째판 **서문**

산부인과학은 이 땅에 의학 교육이 도입된 이래 의과대학 혹은 전문대학원의 의대생들이 반드시 습득해야 할 주된 기본 의학 교육의 하나로 손꼽혀 왔습니다.

그동안 산부인과학을 전공으로 하는 과정에 있거나 전문의를 위한 교재는 대한산부인과학회나 산하 분과학회의 주도로 여러 차례 출판되었으나, 산부인과학을 전공하지 않은 의대생들이 공부하기에는 이들은 너무 방대하고 너무 전문적이어서 의대생들의 교육 자료로서는 적합지 못하였습니다.

현재에도 의대생을 위한 몇 권의 책이 출판되어 있으나 이들은 의사 국가 고시를 위해 정리되어 있어서 너무나 암기 위주이고 단편적으로 서술되어 있어, 전체적인 산부인과 흐름을 보기에는 적합지 못하다고 생각되었습니다.

이에 산부인과 학회에서는 의학 교육에 관심을 가진 교수님들을 주축으로 의대생이 필히 알아야 할 산부인과학의 기본적 지식을 담은 책을 출판하고자 하였습니다.

각 장마다 의대생들이 반드시 숙지해야 할 사항을 학습 목표로 제시하고 이를 중심으로 서술해 보고자하였습니다. 따로이 각장마다 참고 문헌을 제시하지는 않았으나 대한산부인과학회에서 출판된 한글판 교과서와 Berek & Novak's Gynecology, 미국에서 의대생들의 교재로 사용된다고 알려진 Obstetrics and Gynecology (Williams & Wilkins), Obstetrics and Gynecology (Lippincott Williams & Wilkins), Blueprints. Obstetrics and Gynecology 등을 공통적으로 참고하였으며, 그동안 일선에서 의대생들에게 강의하였던 내용을 중심으로 가급적 의대생들의 수준에 맞추고자 하였습니다.

처음 출판되는 책이어서 조금은 전체적인 짜임새가 어설프고, 용어의 선택에서 통일되지 않은 점이 있을 듯 합니다. 당분간은 집필진들이 매년 교정해 나감으로서 해가 지날수록 보다 의대생들의 눈높이에 맞는 훌륭한 교과서가 되도록 노력하겠습니다.

강의와 실습, 그리고 국가시험을 준비하는 의대생들의 곁에서 항상 사랑받는 필독의 산부인과 교재로 남기를 기대합니다.

2008년 4월

편집인 대표 **박형무**

대한산부인과학회 이사장 **강순범**

다섯째판에 부쳐

의학을 공부하는 학생들을 위한 교과서인 "산부인과학 지침과 개요"가 2008년에 처음으로 출판된 이후 2년마다 개정을 해 오다가 이번에는 6년 만에 새로이 제 5판 개정본이 출간되었습니다. 이 교과서는 산부인과학을 전공하는 전공의나 산부인과 전문의들을 위해서 집필된 것이라기보다는 의학을 전공하는 학생들이 처음 산부인과학을 배울 때 산부인과학이 무엇이며 임상실습을 위해서 무엇을 어느 정도까지 공부를 해야 하는지 나아가서는 의사국가고시 준비를 위해서 어느 깊이까지 공부해야 되는지를 알기 쉽게 필요한 내용을 요약하여 정리한 학생 교과서입니다. 예전에는 의과대학 학생들이 산부인과 전문의들을 위한 대한산부인과학회에서 출간한 "산과학"과 "부인과학", 그리고 영어교재인 "Williams Obstetrics"와 "Novak's Gynecology"을 사용하여 산부인과학에 대한 공부를 하여 왔는데, 이러한 교재들은 산부인과학을 전공하지 않는 단지 의학공부를 시작하는 의과대학/의학전문대학원 학생들에게는 너무 전문적이고 그 양이 방대하여 학생 수준에는 적합하지 않았습니다. 이에 따라 학생들만을 위한 표준화된 지침서가 절실히 요구되어 대한산부인과학회에서는 "산부인과학 지침과 개요"를 간행하게 되었습니다.

본 5판은 이전 4판과는 다르게 산과와 부인과의 각 파트에 집필을 주관하는 위원장을 새로 정하고 보다 많은 집필진을 구성하여 책의 내용을 보강하고 미비했던 부분을 수정, 보완하도록 하였습니다. 각 장의 학습목표는 다소 개선되어야 할 사항은 있지만 현재 의대생들이 반드시 숙지해야 할 사항이므로 그대로 유지하기로 하였습니다. 의학용어는 2020년에 개정된 대한의사협회의 의학용어집 제 6판을 따랐으며, 약어는 정리하여 책의 첫 머리에 두었습니다.

이번에 새로이 출간된 제 5판 "산부인과학 지침과 개요"를 가지고 열심히 공부해서 산부인과학에 대한 기초지식을 함양해서 의사국가고시 합격은 물론이고 향후 여성환자 진료에 많은 도움이 될 수 있기를 기대합니다.

2021년 9월
편찬위원장 **김 탁**
대한산부인과학회 이사장 **이필량**

Contents

PART I 기초산부인과학

일반부인과학

PART III 산과학

Chapter 30 **산과적 출혈**   **355**

PART IV 생식내분비학

PART

V

종양학

PART VI 비뇨부인과와 성학

약어

A

17OHP	17-alpha hydroxyprogesterone
ACOG	American Congress of Obstetricians and Gynecologists
ACTH	adrenocorticotropic hormone
ADD	androstenedione
AF	amniotic fluid
AFE	amniotic fluid embolus
AFI	amniotic fluid index
AFP	α-fetoprotein
AGA	appropriate for gestational age
AGC	atypical glandular cells
AGUS	atypical glandular cells of undetermined significance
AIDS	acquired immunodeficiency syndrome
AIS	androgen insensitivity syndrome
ALT	alanine aminotransferase
AMA	advanced maternal age
AMH	anti-Mullerian hormone
ANP	atrial natriuretic peptide
APA	antiphospholipid antibody
APAS	antiphospholipid antibody syndrome
aPTT	activated partial thromboplastin time
AROM	artificial rupture of membranes
ART	assisted reproductive technology
ASC	atypical squamous cells
ASC-H	atypical squamous cells cannot exclude high-grade squamous intraepithelial lesion

ASC-US	atypical squamous cells of undetermined significance
ASRM	American Society for Reproductive Medicine
AST	aspartate aminotransferase
AVM	arteriovenous malfomation

B

3β-HSD	3β-hydroxysteroid dehydrogenase
β-hCG	beta subunit of human chorionic gonadotropin
BBT	basal body temperatures
BEP	bleomycin/etoposide/cisplatin
BPD	biparietal diameter
bpm	beats per minute
BPP	biophysical profile
BSO	bilateral salpingo-oophorectomy
BV	bacterial vaginosis

C

CA 125	cancer antigen 125, carbohydrate antigen 125
CA 19-9	carbohydrate antigen 19-9, cancer antigen 19-9
CAH	congenital adrenal hyperplasia
cAMP	cyclic adenosine monophosphate
CBC	complete blood count
CCCT	clomiphene citrate challenge test
CEE	conjugated equine estrogens
CI	confidence interval
CIN	cervical intraepithelial neoplasia
CIS	carcinoma in situ
CKC	cold knife conization
COA	coarctation of aorta
COH	controlled ovarian hyperstimulation

COX	cyclooxygenase
CPD	cephalopelvic disproportion
CRP	C-reactive protein
CRS	congenital rubella syndrome
CST	contraction stress test
CT	computed tomography
CTG	cardiotocography
CVS	chorionic villus sampling
CYP17	cytochrome P450c 17 alpha

D

D&C	dilation and curettage
D&E	dilation and evacuation
DES	diethylstilbestrol
DHEA	dehydroepiandrosterone
DHEAS	dehydroepiandrosterone sulfate
DHT	dihydrotestosterone
DIC	disseminated intravascular coagulation
DM	diabetes mellitus
DMPA	depot medroxyprogesterone acetate
DNA	deoxyribonucleic acid
DOC	deoxycorticosterone
DRSP	drospirenone
DUB	dysfunctional uterine bleeding
DVT	deep vein thrombosis
DXA	dual energy x-ray absorbtiometry

E

E_1	estrone
E_2	estradiol

E_3	estriol
ECC	endocervical curettage
EDC	estimated date of confinement
EDD	estimated date of delivery
EFM	electronic fetal monitoring
EFW	estimated fetal weight
ELBW	extremely low birth weight
ELISA	enzyme-linked immunosorbent assay
EMACO	etoposide, methotrexate, actinomycin D, cyclophosphamide, oncovin
EMB	endometrial biopsy
ESR	erythrocyte sedimentation rate
ET	estrogen therapy, embryo transfer

F

FAS	fetal alcohol syndrome
FDA	Food and Drug Administration
FGR	fetal growth restriction
FHR	fetal heart rate
FIGO	International Federation of Gynecology and Obstetrics
FIO_2	fraction of inspired oxygen
FISH	fluorescent in situ hybridization
FSH	follicle-stimulating hormone
FTA-ABS	fluorescence treponemal antibody absorption
FTP	failure to progress

G

G	gravidity
GA	gestational age
GBS	group B streptococcus
GDM	gestational diabetes mellitus

GFR	glomerular filtration rate
GH	growth hormone
GIFT	gamete intrafallopian transfer
GnRH	gonadotropin-releasing hormone
GTD	gestational trophoblastic disease

H

H&E	hematoxylin-eosin
Hb A$_1$C	hemoglobin A1C
HBIG	hepatitis B immune globulin
hCG	human chorionic gonadotropin
HDL	high density lipoprotein
HELLP	hemolysis, elevated liver enzymes, low platelets
HIV	human immunodeficiency virus
HLA	human leukocyte antigen
hMG	human menopausal gonadotropin
HPF	high power field
HPL	human placental lactogen
HPO	hypothalamic-pituitary-ovarian
HPV	human papilloma virus
HRT	hormone replacement therapy
HSG	hysterosalpingography
HSIL	high-grade squamous intraepithelial lesion
HSV	herpes simplex virus
HT	hormone therapy

I

ICSI	intracytoplasmic sperm injection
IgA, IgG	immunoglobulin A, G
IGF	insulin-like growth factor

IGF-BP	insulin-like growth factor binding protein
ITP	immune thrombocytopenic purpura
IUD	intrauterine device
IUFD	intrauterine fetal demise or death
IUGR	intrauterine growth restricted (restriction)
IUI	intrauterine insemination
IUP	intrauterine pregnancy
IVF	in vitro fertilization
IVF-ET	in vitro fertilization-embryo transfer
IVIG	intravenous immunoglobulin
IVM	in vitro maturation
IVP	intravenous pyelography

L

L/S ratio	lecithin/sphingomyelin ratio
LAVH	laparoscopically assisted vaginal hysterectomy
LBW	low birth weight
LDL	low density lipoprotein
LEEP	loop electrosurgical excision procedure
LGA	large for gestational age
LH	luteinizing hormone
LMP	last menstrual period
LNG	levonorgestrel
LNG-IUS	levonorgestrel intrauterine system
LPD	luteal phase deficiency
LSIL	low-grade squamous intraepithelial lesion

M

MESA	microsurgical epididymal sperm aspiration
MeSH	medical subject headings

MIC	minimum inhibitory concentration
MMMT	malignat mixed mullerian tumor
MoM	multiples of the median
MPA	medroxyprogesteron acetate
MRI	magnet resonance imaging
MRKH	Mayer-Rokitansky-Kuster-Hauser (syndrome)
MSAFP	maternal serum α-fetoprotein
MTX	methotrexate

N

NICU	neonatal intensive care unit
NIH	National Institutes of Health
NK	natural killer
NSAID	nonsteroidal antiinflammatory drug
NST	nonstress test
NSVD	normal spontaneous vaginal delivery
NT	nuchal translucency
NTD	neural tube defect
NYHA	New York Heart Association

O

OC	oral contraceptives
OCT	oxytocin challenge test
OGTT	oral glucose tolerance test
OHSS	ovarian hyperstimulation syndrome
OMI	oocyte maturation inhibitor
OR	odds ratio

P

P_4	progesterone
$PaCO_2$	partial carbon dioxide pressure in arterial blood
PaO_2	partial oxygen pressure in arterial blood
PAO_2	partial oxygen pressure in alveolar gas
PAP	Papanicolaou
PCO_2	partial carbon dioxide pressure
PCOS	polycystic ovarian syndrome
PCR	polymerase chain reaction
PDA	patent ductus arteriosus
PGD	preimplantation genetic diagnosis
PGE_2, $PGF_{2\alpha}$	prostaglandin E_2, $F_{2\alpha}$
pH	hydrogen ion concentration
PI	pulsatility index
PID	pelvic inflammatory disease
PIF	prolactin inhibiting factor
PIH	pregnancy induced hypertension
PMS	premenstrual syndrome
PO_2	partial oxygen pressure
POF	premature ovarian failure
POP-Q	prolapse quantification
PPROM	preterm premature rupture of membranes
PRF	prolactin releasing factor
PROM	premature rupture of membranes
PSTT	placental site trophoblastic tumor
PT	prothrombin time
PTT	partial thromboplastin time
PTU	propylthiouracil
PUBS	percutaneous umbilical cord blood sampling
PUPPP	pruritic urticarial papules and plaques of pregnancy
PVL	periventricular leukomalacia

R

RCT	randomized controlled trial
RDA	recommended dietary allowance
RDS	respiratory distress syndrome
RI	resistance index
RIA	radioimmunoassay
ROM	rupture of membranes
RPL	recurrent pregnancy loss
RR	relative risk
RSA	recurrent spontaneous abortion

S

S/D	systolic/diastolic
SAB	spontaneous abortion
SaO_2	oxygen saturation in arterial blood
SEM	standard error of the mean
SERM	selective estrogen receptor modulators
SGA	small for gestational age
SHBG	sex hormone-binding globulin
SIL	squamous intraepithelial lesion
SNRI	serotonin and noradrenaline reuptake inhibitor
SpO_2	oxygen saturation as measured by pulse oximetry
SRY	sex-determining region of Y
SSRI	selective serotonin reuptake inhibitor
STD	sexually transmitted disease
SUI	stress urinary incontinence

T

T_3	triiodothyronine
T_4	thyroxine
TAH	total abdominal hysterectomy
TAH-BSO	total abdominal hysterectomy and bilateral salpingo-oophorectomy
TBG	thyroxine binding globulin
TCA	tricyclic antidepressant
TDF	testis-determining factor
TESE	testicular sperm extraction
TFT	thyroid function test
TOA	tubo-ovarian abscess
TORCH	toxoplasmosis, other viruses, rubella, cytomegalovirus, herpes simplex viruses
TRH	thyrotropin-releasing hormone
Tris	tris (hydroxymethyl) aminomethane ($C_4H_{11}NO_3$)
TSH	thyroid-stimulating hormone
TSS	toxic shock syndrome
TTTS	twin-to-twin transfusion syndrome
TVT	tension-free vaginal tape

U

UGS	urogenital sinus
UPI	uteroplacental insufficiency
US	ultrasound
UTI	urinary tract infection

V

VBAC	vaginal birth after cesarean
VDRL	venereal disease research laboratory
VEGF	vascular endothelial growth factor
VIN	vulvar intraepithelial neoplasia
VLBW	very low birth weight
VZV	varicella zoster virus

W

WHO	World Health Organization

Z

ZIFT	zygote intrafallopian transfer

해부학
Anatomy

1. 여성 외음부를 구성하는 기관을 설명한다.
2. 여성 외음부 구조물에 대응하는 남성의 상동기관을 기술한다.
3. 질의 길이와 구조를 설명한다.
4. 자궁의 크기, 형태 및 정상 위치를 기술한다.
5. 자궁을 지지하는 구조물의 이름을 열거하고 복막과의 관계를 설명한다.
6. 자궁의 조직학적 구조에 대하여 설명한다.
7. 난관의 길이, 위치, 형태 및 구조를 설명한다.
8. 난관과 난관의 난소 주기에 따른 변화에 대하여 설명한다.
9. 난소의 크기, 위치, 형태를 설명하고 이를 지지하는 구조물의 이름을 기술한다.
10. 여성생식기의 골격 구조의 명칭을 설명한다.
11. 여성생식기의 근육 구성을 설명한다.
12. 여성생식기의 혈관분포를 설명한다.
13. 질분만에 관련되는 해부학적 구조를 설명한다.

1. 외음부(External genital organs)

1) 음문(陰門, Vulva)

　여성의 바깥 생식기관 중 음문은 치구(恥丘, 불두덩, mons pubis)에서 회음(會陰, 샅, perineum)까지 외부적으로 볼 수 있는 구조물로서 대음순(大陰脣, labia majora), 소음순(小陰脣, labia minora), 음핵(陰核, clitoris), 질전정(膣前庭, 질어귀, vestibule) 등이 포함된다.

　양쪽 소음순이 아래쪽에서 만나 이루는 낮은 능선을 음순소대(陰脣小帶, frenulum of labia

3

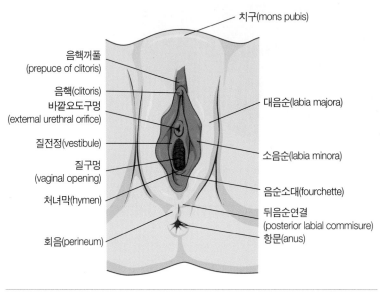

그림 1-1. 외음부

minora, fourchette)라고 하며 소음순이 위로 만나는 곳에 위치한 발기성 기관을 음핵(clito-ris)이라고 한다(그림 1-1).

2) 질(膣, Vagina)

처녀막환(hymenal ring)과 자궁경부 주위의 질천정(膣天庭, vaginal fomix)까지의 8 cm 정도되는 납작한 관과 같은 구조로 나이, 분만력, 수술력 등에 따라 길이는 다를 수 있다.

질은 근육, 막성 구조물로 앞으로는 방광과 뒤로는 직장(rectum) 사이에 위치하고 있다. 질의 윗부분은 뮐러관(mullerian duct, 중신방관, 中腎傍管)에서 유래하며 아래 부분은 요생식동(尿生植洞, urogenital sinus)에서 유래한다.

질은 혈행이 풍부하여 질상부는 자궁 동맥으로부터, 질 중간과 하부는 질동맥으로부터 혈액공급을 받으며, 질상부와 외음의 림프는 서혜림프절(鼠蹊림프節, 고샅림프절, inguinal nodes)로, 질의 하부는 내·외 장골림프절(내·외 腸骨림프節, 내외엉덩림프절, internal & external iliac nodes)로 흘러간다.

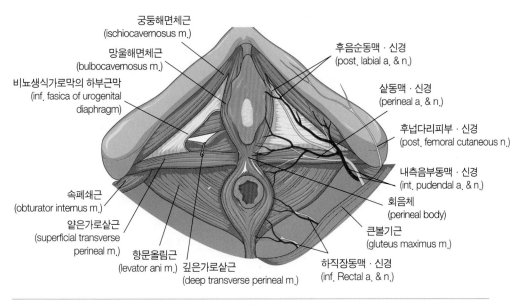

궁둥해면체근
(ischiocavernosus m.)

망울해면체근
(bulbocavernosus m.)

비뇨생식가로막의 하부근막
(inf. fasica of urogenital diaphragm)

후음순동맥 · 신경
(post. labial a. & n.)

샅동맥 · 신경
(perineal a. & n.)

후넙다리피부 · 신경
(post. femoral cutaneous n.)

내측음부동맥 · 신경
(int. pudendal a. & n.)

회음체
(perineal body)

속폐쇄근
(obturator internus m.)

얕은가로샅근
(superficial transverse perineal m.)

항문올림근
(levator ani m.)

깊은가로샅근
(deep transverse perineal m.)

큰볼기근
(gluteus maximus m.)

하직장동맥 · 신경
(inf. Rectal a. & n.)

그림 1-2. 얕은 회음 조직

3) 회음(會陰, 샅, Perineum)

회음부는 양측 볼기의 사이 줄기(trunk)의 하부에 위치한다. 골반출구의 경계와 마찬가지로 앞쪽으로는 치골(恥骨, 두덩뼈), 뒤쪽으로는 미골(尾骨, 꼬리뼈 coccyx), 양측으로는 좌골결절(坐骨結節, 궁둥뼈 결절, ischial tuberosity)로 경계 지워진다. 양쪽의 좌골결절을 잇는 선을 경계로 하여 앞쪽이 비뇨생식삼각(urogential triangle), 뒤쪽이 항문삼각(anal triangle)이 된다. 비뇨생식삼각은 외음부와 요도의 개구부를 포함하고 있다. 이러한 외부 구조물은 얕은 회음 조직(그림 1-2)과 깊은 회음 조직(그림 1-3)을 덮어서 외음부를 구성하고 있다. 얕은 회음 조직은 얕은회음근막(superficial perineal fascia)과 비뇨생식삼각의 비뇨생식가로막(urogenital diaphragm) 사이에 있는 조직들로 전정망울(vestibular bulb), 전정샘(vestibular gland), 궁둥해면체근(궁둥海綿體筋, ischiocavernosus muscle), 망울해면체근(망울海綿體筋, bulbocavernosus muscle), 얕은가로회음근(superficial transverse perineal muscle)으로 구성되어 회음체(perineal body)를 고정한다. 깊은 회음 조직은 아래쪽으로 비뇨생식삼각의 하부근막과 위쪽으로 좌골직장와(坐骨直腸窩, ischiorectal fossa)의 전 오목(anterior recess)과 비뇨생식삼각을 구분 짓는 심부 근막 사이에 존재하는 조직으로 요도괄약근(尿道括約筋, sphincter urethrae, urogenital sphincter)과 깊은가로회음근(deep transverse perineal muscle)을 포함한다.

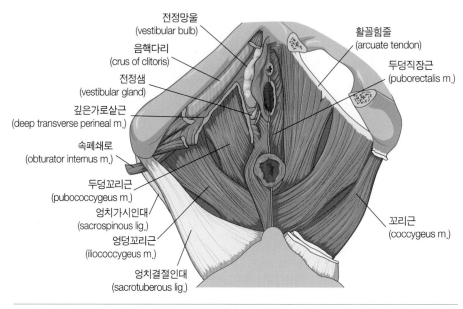

전정망울
(vestibular bulb)

음핵다리
(crus of clitoris)

전정샘
(vestibular gland)

깊은가로샅근
(deep transverse perineal m.)

속폐쇄로
(obturator internus m.)

두덩꼬리근
(pubococcygeus m.)

엉치가시인대
(sacrospinous lig.)

엉덩꼬리근
(iliococcygeus m.)

엉치결절인대
(sacrotuberous lig.)

활꼴힘줄
(arcuate tendon)

두덩직장근
(puborectalis m.)

꼬리근
(coccygeus m.)

그림 1-3. **깊은 회음 조직**

2. 내부생식기관(Internal genital organs)

1) 자궁(子宮, Uterus)

(1) 구조

자궁은 자궁체부(子宮體部, 자궁몸통, body of uterus)와 자궁경부(子宮頸部, 자궁목, cer-vix)로 구분한다(그림 1-4). 이 둘 사이에 약간 좁아진 부분을 자궁협부(子宮狹部, 자궁잘록, isthmus)라고 하는데 임신 중에는 이 부분이 자궁아래분절(lower uterine segment)을 형성하게 된다. 자궁벽은 장막(serosa), 근육(myometrium), 자궁속막(endometrium)의 세층으로 되어 있다. 자궁의 근육 섬유 수는 아래쪽으로 갈수록 점차 적어져 자궁목은 10%만이 근육조직이다. 임신 중 자궁 위쪽 부분의 자궁 근육층에는 현저한 비대가 생기는데 반하여 자궁목의 근육량에는 변화가 없다.

(2) 인대(靭帶, ligament)

자궁원인대(子宮圓靭帶, round ligament of uterus)가 자궁관(子宮管, uterine tube) 아래쪽에 자궁 옆면으로 붙어 있으며 이는 자궁넓은인대(子宮廣間膜, broad ligament)이라 부르는 주름막으로 덮여 있다.

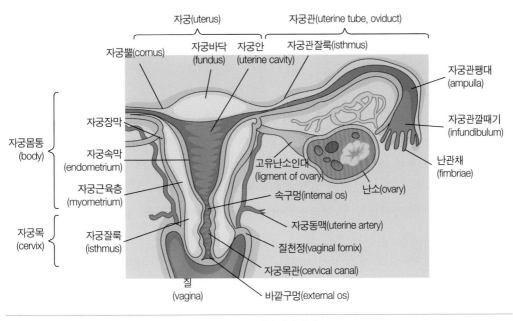

그림 1-4. **내부생식기관**

자궁넓은인대의 아래쪽은 넓어지면서 골반 바닥의 결합조직과 연결되고 결합조직이 밀집되어 근막을 이루는 부분을 기본인대(基本靭帶, cardinal ligament)라고 한다. 자궁천골인대(子宮薦骨靭帶, 자궁엉치, uterosacral ligament)는 질 윗부분 자궁목의 후외측에서 시작하여 직장을 둘러 천골의 근막에 부착한다.

(3) 혈관 및 림프관

자궁은 주로 자궁동맥(uterine artery)과 난소동맥(ovarian artery)에서 혈액 공급을 받는다. 정맥혈은 자궁정맥(uterine vein)과 난소정맥(ovarian vein)으로 흘러간다. 자궁목에서 나오는 림프관은 주로 하복림프절(下服림프節, hypogastric nodes)로 이어지며, 자궁몸통에서 나오는 림프관은 내장골림프절(內腸骨림프節, internal iliac nodes) 또는 난소부근의 림프관과 함께 대동맥주위림프절(paraaortic nodes)로 이어진다.

2) 자궁관(子宮管, 난관, 卵管, Oviduct, fallopian tube)

길이는 8~14 cm, 속지름은 1 mm 정도이며, 자궁에서 난소 쪽으로 가면서 간질부(間質部, interstitial portion), 협부(狹部, isthmus), 팽대부(膨大部, ampulla), 깔때기부분(infundibulum)으로 구분된다. 자궁관깔대기 끝에는 난관채(卵管采, fimbriae)가 달려있다.

3) 난소(卵巢, Ovary)

난소는 발생학적으로 남성의 고환에 해당하는 생식샘으로 자궁과는 고유난소인대(固有卵巢靭帶, ligament of ovary)로 연결되어 있고 깔때기골반인대(infundibulopelvic ligament)는 난소 위쪽 끝에서부터 골반벽까지 이어져 있다. 난소의 크기는 다양한데 가임기 여성은 길이 2.5~5 cm, 폭 1.5~3 cm 정도이며 폐경 후에는 현저히 작아진다.

난소의 속질은 섬유근조직 및 혈관조직이 풍부하고, 겉질은 난포, 황체(corpora lutea), 백체(corpora albicantia) 등이 분포한다.

난소는 입방상피(cuboidal epithelium)로 덮혀있으며, 과립막세포(granulosa cell)가 에스트로겐과 프로게스테론을 합성한다.

3. 뼈골반(Bony pelvis)

1) 구조

골반은 깔때기 모양으로 몸통의 하부를 받치고 있다. 뼈골반은 장골(腸骨. 엉덩뼈, ilium, hip bone), 천골(薦骨, 엉치뼈, sacrum), 미추(尾椎, 꼬리뼈, coccyx), 좌골(坐骨, 궁둥뼈, ischium), 치골(恥骨, 두덩뼈, pubis)로 구성된다. 뼈골반의 안쪽 공간은 아래쪽의 참골반(true pelvis)과 위쪽의 거짓골반(false pelvis)으로 나누는데 그 경계를 분계선(linea terminalis) 또는 활꼴선(골반테두리, arcuate line)이라고 부른다.

참골반은 산도(産道)로서 중요한 역할을 하는데 안쪽 공간은 비스듬히 놓인 굽은 원통형으로 앞쪽면의 길이는 5 cm, 뒤쪽면의 길이는 10 cm 정도이다. 참골반 안쪽 공간의 중간에 좌골가시(坐骨棘, 궁둥뼈가시, ishial spine)가 좌골 뒷부분에 달려 있는데 산도 중 가장 좁은 부분이어서 태아 선진부(先進部)의 높이를 평가하는 기준이기도 하여 산과적으로 중요한 구조물로 간주되며 이 부위를 골반중앙(midpelvis)이라고 부른다.

2) 골반의 면

산과앞뒤지름(obstetrical conjugate)은 천골(엉치뼈곶, sacral promontory)과 치골결합(pubic symphysis) 사이의 최단 거리로서 산과적으로 중요하며 정상적으로 10 cm를 넘는다. 출산앞뒤지름은 참앞뒤지름(true conjugate)보다 작다. 임상에서는 빗앞뒤지름(diagonal conjugate)을 사용하는데, 치골결합의 아래에서 천골갑각까지의 거리로 골반검사로 측정할 수 있으며 이 수치에서 1.5~2.0 cm을 뺀 수치를 산과앞뒤지름으로 추정하고 있다(그림 1-5).

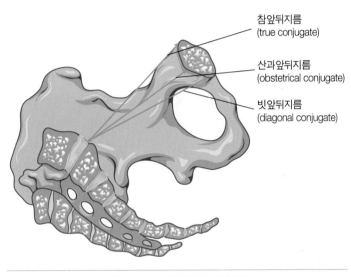

참앞뒤지름
(true conjugate)

산과앞뒤지름
(obstetrical conjugate)

빗앞뒤지름
(diagonal conjugate)

그림 1-5. 골반입구의 앞뒤지름

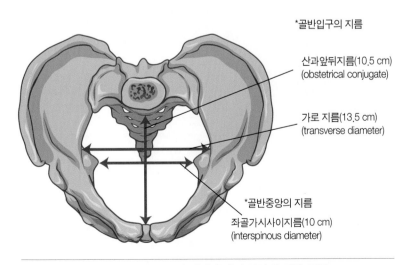

*골반입구의 지름

산과앞뒤지름(10.5 cm)
(obstetrical conjugate)

가로 지름(13.5 cm)
(transverse diameter)

*골반중앙의 지름

좌골가시사이지름(10 cm)
(interspinous diameter)

그림 1-6. 정상 성인 여성 골반의 앞뒤 및 좌우 지름

골반중앙(midpelvis)은 좌골가시가 있는 높이로, 좌골가시 사이 거리는 10 cm 남짓으로 대개 골반에서도 가장 좁은 곳이다(그림 1-6).

4. 골반 바닥(골반 저부, 骨盤底, Pelvic floor)

골반 바닥은 아래쪽의 피부에서 위쪽의 복막까지 골반 장기의 출구를 싸고 있는 모든 조직을 일컫는다. 골반 내 내장측 근막은 가운데로 뻗어서 골반 장기를 싸서 방광, 질, 자궁 및 직장의 근막 외피를 이루며 측방으로는 골반 세포조직(pelvic cellular tissue)과 신경혈관뿌리(neurovascular pedicles)로 연속된다. 골반벽측의 근막은 인대, 격막으로 두꺼워져 골반 바닥의 보강과 고정을 담당한다. 골반 바닥의 지지는 회음의 섬유–근육의 복합체인 골반 가로막(pelvic diaphragm)과 그 근막의 상호보완적인 역할에 의하며, 이 회음의 섬유–근육의 복합체는 전방으로는 비뇨생식가로막으로 후방으로는 회음체가 외항문괄약근에 의해 합쳐지는 항문미골봉합솔기(anococcygeal raphe)에 의해 지지된다. 이러한 이중의 배열은 손상을 받지 않은 상태일 때 골반 장기에 적절한 지지를 하며 이들 장기를 아래쪽으로 미는 중력이나 복강 내압의 증가 등의 힘에 대해서 평형을 이루게 한다(그림 1-7).

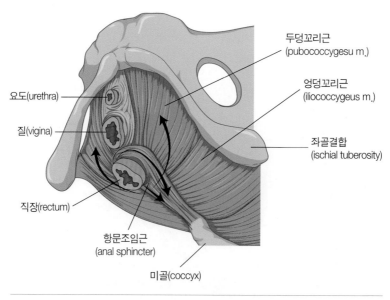

요도(urethra)

질(vigina)

직장(rectum)

항문조임근
(anal sphincter)

미골(coccyx)

두덩꼬리근
(pubococcygesu m.)

엉덩꼬리근
(iliococcygeus m.)

좌골결합
(ischial tuberosity)

그림 1-7. 골반 가로막의 지지 구조

태생학

Embryology

1. 성(sex)의 결정을 설명한다.
2. 난소와 고환의 발생을 설명한다.
3. 생식관(genital ducts)의 발생을 설명한다.
4. 성에 따른 생식샘, 생식관 및 외부 생식기의 발생의 차이를 설명한다.
5. 여성 내부 생식기의 발달 및 분화과정을 설명한다.

1. 성의 분화

성의 분화는 3가지 연속적인 과정 즉 유전적 성, 생식샘 성, 표현형 성으로 이루어진다. 유전적 성이 생식샘 성을 결정하며 생식샘 성이 표현형 성을 결정한다.

1) 유전적(Genetic) 혹은 염색체 성(Chromosomal sex)

유전적 성은 수정 시 결정된다. 난자가 22, Y의 정자와 수정시 남성(44, XY)으로, 22, X의 정자와 수정 시 여성(44, XX)으로 된다.

2) 생식샘 성(Gonadal sex)

원시 생식샘은 중신(mesonephros)의 내측 표면의 생식샘 능선(gonadal ridge 혹은 genital ridge)에서 발달된다. 미분화 원시 생식샘(primordial gonad)이 고환이나 난소로 분화되는 과정에서 Y-염색체가 결정적인 중요성을 갖는다. 즉 미분화 생식샘은 Y 염색체에 위치한 고환결정인자(testis determining factor, TDF 혹은 SRY 유전자) 유전자에 의해 임신 6~7주경 고환으로 분화되며 Y 염색체가 없을 때는 그 보다 2주 후에 난소로 분화된다. 미분화 생식샘(indifferent gonad)은 겉질(cortex)과 속질(medulla)로 이루어져 있으며 XX성염색체를 지닌 배아에서 겉질은 난소로 분화하고 속질은 퇴화한다. XY성염색체를 지닌 배아에서는 겉질은 대부분 퇴화되고 속질은 고환으로 분화한다.

3) 표현형 성(Phenotypic sex)

형성된 생식샘의 형태에 따라 표현형 성이 나타난다.

2. 생식 세포의 발달(Gametogenesis)

생식세포(germ cell)는 생식샘 밖에서 유래하며 이동(migration), 분열(division; mitosis), 성숙(maturation; meiosis)의 3단계를 거쳐 발달하게 된다.

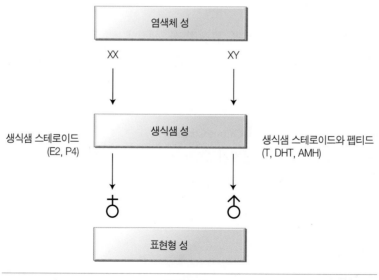

그림 2-1.

1) 이동

원시 생식세포(primordial germ cells)는 임신 3주경 원시장(primitive gut)과 난황낭(yolk sac)의 내배엽에서 유래하여 생식샘 능선(원시 생식샘이 나중에 난소로 분화)으로 이동한다. 약 300~1,300개의 생식 세포가 생식샘에 도달하게 된다. 여성 생식샘에 도달한 원시생식세포를 난조세포(oogonia)라고 한다.

2) 분열(유사분열)

난조세포는 수정 후 5주에 처음 나타나고 유사분열(mitosis)을 통해 급속히 증식하며 5개월에 약 260만개로 최대가 되며 약 7개월까지만 관찰된다.

3) 성숙(감수분열)

유사 분열을 끝낸 난조세포는 감수분열에 진입하면 난모세포(oocyte)가 된다. 제1 감수분열에 진입한 제1 난모세포들은 전기단계(prophase)의 diplotene stage까지만 발달하며 배란 직전까지 감수분열은 더 이상 진행되지 않는다. 난모세포는 수정 후 8주에 처음 나타나고 5개월에 약 420만개로 최대가 된다. 따라서 난소에 있는 생식 세포 수는 임신 5개월에 난모세포 및 난조세포를 합하여 약 700만개로 최대가 되며 출생 시에는 난조세포는 없으며 난모세포만 약 100만개가 있고 사춘기에는 약 40~50만개로 된다.

사춘기에는 LH surge에 의해서 감수분열이 재개된다. 배란 직전 난포의 성숙과 동시에 제1 감수분열이 끝나고 제2 난모세포(23X)와 제1극체(first polar body)를 형성한다. 즉 제1 감수분열이 끝난 후의 난모 세포를 제2 난모세포(secondary oocyte)라고 하며 이 상태로 배란된다. 제2 감수분열은 배란 후에 일어나는데 수정된 경우에만 완전히 끝나 난자(ovum; 23X)와 제2극체(second polar body)가 형성되며, 수정이 일어나지 않을 때는 중기 II(metaphase II)에서 중단된다.

3. 성기의 분화

내성기(internal genitalia)는 각기 다른 전구 조직인 울프관(Wolffian duct)과 뮬러관(Müllerian duct), 이 두 배관계(ductal system)에서 발달되며 외성기(external genitalia)는 공통 전구 조직(common anlagen) 으로부터 유래된다.

1) 남성 성기의 분화

남성 성기의 정상 분화는 태아 고환의 2가지 기능에 의해 결정된다.

태아 고환의 라이디히(Leydig) 세포에서 분비되는 testosterone은 2가지 방법으로 발달에 관여한다. 첫째, 울프관에 작용하여 울프관을 남성 내생식기로 분화시킴으로서 정관(vas deferans), 부고환(epididymis), 정낭(seminal vesicle)을 형성한다. 둘째, 외성기와 비뇨생식굴(urogenital sinus, UGS)에서 5α-reductase에 의해 디히드로테스토스테론으로 환원됨으로 남성외성기를 형성케 한다.

외성기와 비뇨생식굴은 양성기(bisexual period), 즉 미분화기(indifferent stage)를 거친 후 성분화가 일어나게 된다. 미분화기의 외성기는 1) 생식 결절(genital tubercle), 2) 요로생식 주름(urogenital folds), 3) 음순음낭 융기(labioscrotal swellings)로 특징지어진다.

디히드로테스토스테론에 의해 생식 결절은 glans penis로, 요로생식 주름은 융합되어 음경 shaft로, 음순음낭 융기는 융합되어 음낭으로 형성된다.

한편 태아 고환 세르톨리 세포(Sertoli cells)에서 분비되는 항뮬러관 호르몬(anti-Müllerian hormone; AMH)은 뮬러관을 퇴화시킨다. AMH의 영향은 국소적으로 일측에만 작용하며, 한 쪽 고환이 없을 시 같은 쪽의 뮬러관은 존속하게 된다.

비뇨생식굴에서는 전립선과 bulbourethral (Cowper's) 샘이 형성된다.

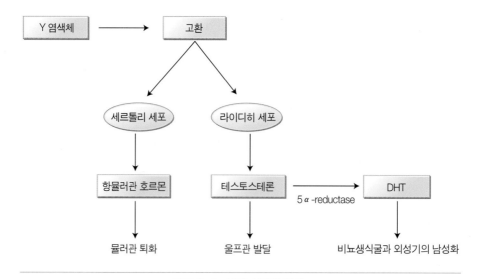

그림 2-2. **남성 성기의 분화**

2) 여성 성기의 분화

난소는 생식샘 능선에서 기원한다. 질의 하부 1/3은 비뇨생식굴(urogenital sinus)에서 기원하며, 난관, 자궁, 질의 상부는 뮬러관에서 기원한다. 테스토스테론과 AMH의 영향이 없으면 성적 분화(sexual differenciation)는 여성으로 분화가 일어나게 된다.

(1) 뮬러관의 발달 과정: 질, 자궁 난관의 형성

뮬러관의 발달은 1) 연장(elongation), 2) 융합(fusion), 3) 관형성(canalization), 4) 중격 흡수(septal resorption)의 4단계로 이루어진다. 뮬러관의 융합된 꼬리부분(caudal portion)은 자궁질원기(uterovaginal primordium; uterovaginal cord)라고 일컬으며 이 융합된 부분은 비뇨생식굴의 등쪽벽(dorsal wall)으로 돌출되어 뮬러관 결절(Müllerian tubercle)을 형성함으로서 비뇨생식굴과 연결된다.

(2) 여성 외성기의 형성

태아가 여성일 경우 고환이 없으므로 테스토스테론이 분비되지 않아 울프관은 퇴화된다.

AMH 또한 분비되지 않으므로 뮬러관은 4단계의 발달 과정을 통해 나팔관, 자궁, 질 상부가 형성된다. 남성호르몬이 없으므로 외성기와 비뇨생식굴도 여성으로 발달한다. 생식 결절은 음핵으로 비뇨생식 주름과 음순음낭 융기는 융합되지 않고 분리되어 각각 소음순(labia minora)과 대음순(labia majora)으로 발달한다.

한편 비뇨생식굴에서는 바르톨린(Bartholin)샘과 스킨(Skene)샘이 형성된다.

표 2-1. **외성기의 분화**

미분화기	여성	남성
생식결절(genital tubercle)	음핵(clitoris)	음경 glans
비뇨생식주름(urogenital folds)	소음순	음경 shaft
음순음낭융기(labioscrotal swelling)	대음순	음낭(scrotum)
비뇨생식굴(urogenital sinus)	바르톨린샘	전립선
	스킨샘	쿠퍼샘

생식 생리
Reproductive physiology

학습목표

1. 월경주기에 따르는 각 여성 호르몬의 혈중 농도 변화를 설명한다.
2. 월경주기에 따르는 난소의 주기적 변화를 설명한다.
3. 월경주기에 따르는 자궁의 주기적 변화와 월경을 설명한다.
4. 에스트로겐의 작용을 설명한다.
5. 프로게스테론(황체호르몬)의 작용을 설명한다.
6. 난소의 기능을 설명한다.
7. 배란 후 황체의 형성과 황체의 기능을 설명한다.
8. 난자의 감수분열 정지(meiotic arrest)와 난포 발달에 대해 설명한다.
9. 황체(corpus luteum)의 구조와 호르몬의 변화에 대해 설명한다.
10. 월경주기에 따른 GnRH의 분비 양상을 설명한다.

1. 시상하부(Hypothalamus)

1) 시상하부의 해부학

　시상하부는 앞으로는 시각교차(optic chiasma) 뒤로는 정중융기(median eminence) 사이에 있고 제3뇌실의 아래에 위치한다. 바깥쪽의 경계는 시신경이 교차한 뒤 뒤쪽을 달리는 시신경로(optic tract)이다. 뇌하수체 줄기(stalk)를 통해 뇌하수체 후엽으로 연결된다.

　시상하부는 크게 뇌실곁핵구역(paraventricular area)과 세포핵이 풍부한 내측(medial)구역, 그리고 신경섬유가 풍부한 외측(lateral) 구역의 세 부분으로 나눌 수 있으며, 기본적으로 신경세포가 밀집되어 있는 여러 개의 핵으로 구성되어 있다. 생식기능에 중요한 핵으로는 시

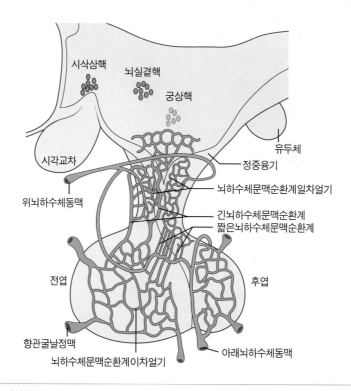

시삭상핵
뇌실곁핵
궁상핵
시각교차
유두체
정중융기
위뇌하수체동맥
뇌하수체문맥순환계일차얼기
긴뇌하수체문맥순환계
짧은뇌하수체문맥순환계
전엽
후엽
향관굴날정맥
뇌하수체문맥순환계이차얼기
아래뇌하수체동맥

그림 3-1. **시상하부-뇌하수체 문맥순환계(hypothalamohypophyseal portal system)**

삭상핵(supraoptic nucleus, SON), 뇌실곁핵(paraventricular nucleus, PVN), 궁상핵(arcuate nucleus), 시각교차 위핵(suprachiasmatic nucleus) 등이 포함된다.

2) 시상하부의 호르몬

(1) 생식샘자극호르몬분비호르몬(GnRH)

① 구조

10개의 아미노산으로 구성된 decapeptide 호르몬이다. 10개의 아미노산 중 6번 아미노산인 glycine의 앞뒤는 endopeptidase에 의해 쉽게 절단되어 반감기가 2~4분으로 아주 짧다.

② 합성

시상하부의 궁상핵(arcuate nucleus)에서 합성된다. 궁상핵은 발생 시 후각오목(olfactory pit)에서 시작되어 이동하기 때문에 궁상핵의 문제로 GnRH 분비장애가 생기는 Kallmann 증후군의 경우에 후각상실증(anosmia)의 증상을 동반한다.

③ 분비

가. 분비 장소

GnRH는 문맥(portal vein, 그림에서 파란색)으로 분비되어 뇌하수체 전엽으로 이동한다. 문맥이 뇌하수체 전엽의 주요 혈관이다. 뇌하수체까지 이동거리가 매우 짧기 때문에 반감기가 짧아도 작용이 가능하다.

나. 분비 양상

GnRH는 박동성 분비(pulsatile secretion)가 특징이다. 분비 빈도(frequency)는 난포기 초기에는 약 1~2시간마다 분비되다 배란시기가 가까워질수록 증가하며, 황체기에는 3시간마다 한번 분비된다. 분비강도(amplitude)는 난포기 후기에 배란시기가 가까워 질수록 증가한다. 황체기에는 난포기보다 증가한다. 짧은 반감기 때문에 지속적으로 유효한 혈중농도를 유지하는 것이 불가능하며, 이러한 이유로 말초 정맥에서 GnRH의 농도를 측정할 수 없다. 그러나 GnRH에 의해 분비된 FSH와 LH는 반감기가 길기 때문에 생식샘(난소 또는 고환)을 지속적으로 자극할 수 있다.

다. 분비 조절

긴 고리 되먹임, 짧은 고리 되먹임, 초단 고리(ultrashort-loop) 되먹임에 의해 합성과 분비가 조절된다. 이외에도 키스펩틴(kisspeptin), 도파민, 내인성 아편유사제(endogenous opiate), 노르에피네프린, 세로토닌, 렙틴(leptin), 그레린(ghrelin), 신경펩티드(neuropeptide)가 GnRH 분비 조절에 연관된다.

④ 작용

생식샘자극호르몬(gonadotropins: FSH와 LH)의 합성, 분비를 촉진한다.

⑤ GnRH의 유사체(analogue)

작용제(agonist)와 길항제(antagonist)가 있다.

가. GnRH agonist

GnRH 수용체를 계속 활성화 시킬 수 있는 유도체이다.

- **작용기전**: 처음 24시간 정도는 작용제로서 FSH와 LH 분비를 증가시키지만 뇌하수체

의 생식샘자극호르몬 분비세포(gonadotroph)가 GnRH agonist에 계속 노출되면 탈감작(desensitization) 또는 하향조절(down regulation) 되어 FSH와 LH 분비가 감소한다. 이런 현상이 나타나는 이유는 gonadotroph의 세포 표면에 있는 기능성 수용체 수가 감소하고 결합이 지속적이기 때문이다. 결국 성호르몬(에스트로겐, 안드로겐, 프로게스테론)의 형성이 감소된다.

- **구조**: 5GnRH는 5번과 6번, 6번과 7번, 9번과 10번 아미노산 사이가 주된 분리 지점이므로 6번 아미노산인 glycine을 다른 아미노산 혹은 아미노산 유도체로 치환하면 반감기가 길어진다. 생물학적 활성도를 결정하는 카르복실기(C-terminal 1,2,3번)를 바꾸면 antagonist를 만들 수 있다. GnRH antagonist는 flare 없이 투여 즉시 FSH와 LH의 분비를 억제한다.
- **임상적 적용**: 과배란유도시 자연적인 LH 분비폭발(surge)을 억제하여 주기를 조절하고 조발사춘기(precocious puberty), 난소의 안드로겐 과다증(hyperandrogenism), 자궁근종, 자궁내막증, 성호르몬 의존 악성 종양의 치료에 사용된다.

나. GnRH antagonist

수용체에 결합하여 생물학적 작용을 하는 부위인 1~3번 아미노산을 교체하여 길항제를 만들었으나 1, 2세대 길항제는 심각한 히스타민 분비 부작용으로 임상적으로 사용하지 못하였고 8번 아미노산을 교체하여 부작용을 최소화한 3세대 길항제가 현재 임상에서 적용되고 있다. GnRH agonist 투여시의 flare-up 없이 수용체에 직접 결합하여 신속하게 LH surge를 방지하므로 체외수정시에 편리하게 사용된다.

2. 뇌하수체(Pituitary gland)

1) 뇌하수체의 해부학

뇌하수체 후엽은 시상하부의 제3뇌실의 바닥이 돌출한 부분으로 신경성 조직이다. 뇌하수체 전엽은 발생 초기에 구강벽의 일부인 라트케주머니가 내분비조직으로 발달하여 후엽과 결합한 것으로 샘조직이다.

시상하부와 뇌하수체 전엽과의 직접적인 신경연결은 존재하지 않으나 시상하부-뇌하수체 문맥순환계(hypothalamohypophyseal portal system)를 통한 기능적 연계가 가능한데, 시상하부에서 생산되는 인자들은 일단 정중융기까지 뻗어 있는 축삭(axon) 말단에서 시상하부-

뇌하수체 문맥순환계로 분비되어 뇌하수체 전엽으로 이동함으로써 뇌하수체 호르몬의 분비를 조절하게 된다.

뇌하수체 후엽 쪽은 뇌하수체 동맥에서 직접 혈액공급을 받지만 뇌하수체 전엽은 80~90%를 긴 문맥혈관에서, 나머지 10~20%는 짧은 문맥혈관에서 공급받고 있다. 또한 정맥혈은 곧바로 해면정맥굴(carvenous sinus)로 들어가지 않고 짧은 문맥정맥을 통하여 뇌하수체 후엽 쪽의 모세관얼기(capillary plexus)로 들어간다. 이때 짧은 문맥정맥을 통하여 뇌하수체에서 정중융기 또는 안쪽 시상하부로의 역류가 발생하여 짧은 고리 되먹임이 가능해 진다.

2) 뇌하수체의 호르몬

(1) 생식샘자극호르몬(Gonadotropins): FSH, LH

① 합성, 구조

뇌하수체 전엽의 호염기세포(basophils)에서 합성된다. α와 β 두 개의 소단위체(subunit)가 합쳐진 당단백질(glycoprotein)이다. 생물학적 활성도는 탄수화물(carbohydrate)에 의해 달라진다. FSH, LH, hCG, 그리고 TSH는 α-subunit는 동일하지만 β-subunit가 서로 달라 각각의 독특한 기능을 수행한다.

② 분비

GnRH에 의해 분비되므로 역시 박동성으로 분비되지만 혈중농도는 비교적 오래 유지된다.

③ 작용

가. FSH

난포성장이 주작용이다. 남성에서는 고환의 Sertori 세포에 작용하여 정자를 성숙시킨다. 난포성장에 미치는 작용을 세분화하면, 과립막세포(granulosa cell)를 증식시키고 과립막세포에서 FSH 수용체를 증가시킨다. 이러한 현상을 후보충(replenishment)라 부른다. 과립막세포에서 aromatase를 활성화시켜 안드로겐을 에스트로겐으로 변환시킨다.

나. LH

LH는 난소에서는 난포막세포(theca cell)에 작용하고, 고환에서는 Leydig 세포에 작용하여 17 α-hydroxylase, 17-20 desmolase를 활성화시켜 안드로겐 합성을 촉진한다. LH와 hCG는 구조식도 유사하고 하나의 수용체(LH 수용체 혹은 LH/hCG 수용체라 부른다)를 통해 작용하므로 생물학적 작용은 완전히 동일하다. 반감기만 hCG가 더 길다.

④ 2세포 2생식샘자극호르몬계(Two-cell two-gonadotropin system)

난포막세포에는 LH 수용체가 있고 콜레스테롤로부터 안드로겐을 만드는 기전이 존재한다. 스테로이드 합성경로에서 필요한 효소가 존재한다. 과립막세포에는 FSH 수용체와 aromatase 의 작용이 있으나 안드로겐을 합성하지 못한다. 난포막세포에서 형성된 안드로겐이 과립막세 포로 넘어오면 FSH에 의해 활성화된 aromatase에 의해 에스트로겐으로 전환된다(그림 3-2)

(2) 유즙분비호르몬(Prolactin)

① 합성, 구조

198개의 아미노산으로 구성된 peptide이다. 뇌하수체 전엽 호산성세포(acidophil)에서 합성 된다.

② 분비

시상하부의 방해 인자(prolactin inhibiting factor: PIF) 및 분비 인자(prolactin releasing factor: PRF)에 의해 조절된다. 대표적 PIF는 도파민(dopamine)이고 대표적 PRF는 갑상선자극호르몬 분 비호르몬(TRH)이다. 기타 분비를 조절하는 요소에는 유방 자극, 스트레스, 운동, 특정 음식과 약 물(cimetidine, antipsychotics, antidepressants, α Methyldopa, 에스트로겐 등)이 있다.

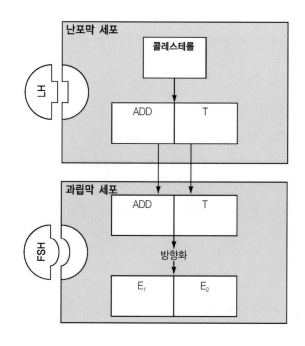

그림 3-2. **두 종류의 세포와 두 종류의 생식샘자극호르몬 이론**

③ 작용

모유 합성을 촉진하고 유선을 발달시킨다.

(3) 옥시토신(Oxytocin)

① 합성, 구조

9개의 아미노산으로 구성된 peptide이다. 주로 시상하부의 뇌실곁핵(paraventricular nucleus)에서 생성되는데 이 신경세포는 뇌하수체 후엽까지 연장되어있어 뇌하수체 후엽에서 분비된다.

② 분비

젖을 빨 때(suckling), 자궁 경부 혹은 질에 자극이 가해질 때(Ferguson reflex) 분비가 증가한다.

③ 작용

분만 중에 자궁근육을 수축시키고 유선의 유즙관(lactiferous duct)의 근육 수축(milk let down) 작용을 한다.

3. 생식샘에서 분비되는 호르몬: 성호르몬(Sex steroids)

에스트로겐, 프로게스테론, 안드로겐의 3개의 계열이 있다. 수용체도 에스트로겐 수용체, 프로게스테론 수용체, 안드로겐 수용체의 3가지가 있다.

1) 에스트로겐

Estrone (E_1), estradiol (E_2), estriol (E_3)이 에스트로겐에 포함된다.

(1) 합성, 구조

Aromatase에 의해 androstenedione (ADD)에서 E_1으로, testosterone에서 E_2로 전환된다. Aromatase는 난소 이외에 특히 지방조직에 많이 분포하는데 지방조직에서는 ADD을 E_1으로 전환시키는 양이 많고, testosterone을 E_2로 바꾸는 양은 매우 적다. E_2은 거의 전적으로 난소의 우성난포에서 합성된다.

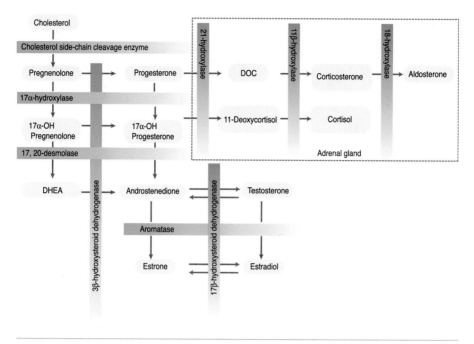

그림 3-3. 스테로이드 합성 경로

에스트로겐은 스테로이드의 4개의 고리 중 첫 번째인 A–고리의 구조가 다른 스테로이드와 달리 방향족탄소이다. 이 때문에 에스트로겐은 프로게스테론이나 안드로겐 수용체에는 거의 결합하지 못하므로 프로게스테론이나 안드로겐의 작용은 거의 없다.

(2) 분비

E_1과 E_2는 정상여성에서 분비되고 임신 중에는 E_3가 많이 분비된다. 가임여성에서 혈중의 주된 에스트로겐은 E_2이고, 사춘기 이전과 폐경 여성의 주된 에스트로겐은 E_1이다.

(3) 작용

E_1, E_2, E_3 모두 에스트로겐 수용체를 통해 작용을 하므로 작용은 같으나 효능(potency)은 다르다(E_2〉E_1〉E_3). 자궁내막과 자궁근육을 증식시키고 자궁경부의 점액을 증가시키며 유방에는 유선을 발달시킨다. 그 외에도 뼈, 심혈관계, 뇌, 피부 등 여러 장기의 기능을 조절한다.

(4) 대표적 유도체

Ethinyl estradiol은 거의 모든 경구피임약에 포함되어있다. 폐경여성에서 많이 사용하였던 conjugated equine estrogen (CEE)는 유도체가 아니고 말의 소변에서 추출한 자연 에스트로겐 이다.

2) 프로게스테론

(1) 합성, 구조

안드로겐, 에스트로겐과 달리 프로게스테론은 호르몬 계열의 이름이 되기도 하고 단일 호르몬의 이름이 되기도 한다. 스테로이드 합성경로에서 프로게스테론은 progesterone과 17α-hydroxyprogesterone을 들 수 있다. 그러나 17α-hydroxyprogesterone은 안드로겐의 작용도 강하므로 순수한 프로게스테론 계열의 호르몬은 progesterone 하나이다. Progesterone의 합성 유도체는 progestin이라고 부르며 progesterone과 progestin을 합쳐 progestogen이라 한다.

(2) 작용

자궁내막에 대해서는 항에스트로겐 작용을 나타낸다.

프로게스테론 제제에 따라 프로게스테론 수용체뿐 아니라 안드로겐 수용체, glucocorticoid 수용체와 결합하므로 다양한 부작용을 초래할 수 있다. 예를 들어 경구피임약의 흔한 부작용으로 여드름을 들 수 있는데 이는 피임약의 프로게스틴이 안드로겐의 작용을 가지기 때문이다.

(3) 대표적 유도체(Progestins)

Medroxyprogesterone acetate (MPA)는 프로게스틴 단독 제제로 아주 흔하게 사용된다. Levonorgestrel (LNG)은 프로게스틴 분비 자궁내 장치(미레나)와 일부 경구피임약에 사용된다. Drospirenone (DRSP)은 항안드로겐, 항염류코르티코이드(antimineralocorticoid)의 작용이 있어 안드로겐의 부작용이 없고 체중과 혈압이 감소한다. Dienogest는 제 4세대 프로게스틴으로 자궁내막증 치료제로 사용되고 있다.

3) 안드로겐

내분비샘에서 합성되는 DHEA, ADD, testosterone과 조직에서 합성되는 dihydrotestosterone (DHT)이 있다.

(1) 합성, 구조

일차적으로 생식샘(난소, 고환)과 부신에서 합성된다. 안드로겐을 합성하기 위해서는 CYP17이라는 유전자에서 만들어지는 17 α-hydroxylase와 17, 20-desmolase가 활성화 되어야한다. 생식샘(난소, 고환)에서 이들 효소는 LH에 의해 활성화되고 부신에서는 ACTH에 의해 활성화된다. 즉 내분비샘이 달라도 합성 효소는 같지만 자극하는 호르몬은 다르다.

스테로이드 합성경로에 나타나 있지 않은 DHT는 내분비샘에서 만들어지지 않는다. Testosterone을 DHT로 전환시키는 5 α-reductase는 안드로겐 의존 부위(외부 생식기, 겨드랑이, 남자들에게서 털이 나는 곳)의 조직에 분포한다. 즉 내분비샘에서 만들어진 testosterone이 조직으로 이동해서 DHT로 바뀌어 작용하므로 혈중 DHT 농도는 매우 낮다.

(2) 작용

모든 안드로겐은 작용은 같지만 효능에 큰 차이가 있다(DHT〉testosterone〉ADD〉DHEA).

안드로겐은 약 2/3가 성호르몬결합 글로불린(SHBG)에 결합한 형태로, 1/3은 알부민에 결합한 형태로 혈액 내에 존재하고 생물학적으로 활성을 가지는 자유형(free form)은 1~2% 밖에 되지 않는다. 따라서 혈중 SHBG의 농도 변화에 따라 안드로겐의 작용은 크게 달라진다. 그에 반해 에스트로겐과 프로게스테론은 1/3 정도만이 SHBG에 결합해 존재하고 자유형도 5% 수준이므로 SHBG의 농도 변화에 영향을 적게 받는다.

4. 월경주기(Menstrual cycle)

정상 월경주기는 21일에서 35일이며 2~6일 동안 월경이 지속되어 평균 20~60 ml의 혈액소실이 있다.

1) 난소주기(Ovarian cycle)

(1) 난포기(Follicular phase)

하나의 우성난포(dominant follicle)의 형성과 배란이 일어나는 시기이다. 평균 길이는 10~14일로 다양하다. 우성난포에서 합성되는 E_2의 증가와 그에 따른 음성되먹임(negative feedback)에 의한 FSH 감소가 나타난다. 난포기 후반에는 에스트로겐의 양성되먹임(positive feedback)에 의한 LH surge가 있다.

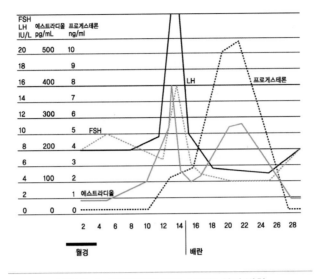

그림 3-4. **월경주기에 따른 호르몬 양의 변화**

(2) 황체기(Luteal phase)

배란부터 월경의 시작까지로 평균 길이가 14일이다. 에스트로겐과 프로게스테론이 합성되며 황체기 중간 절정(mid-luteal peak: 월경 21일 째) 이후 점차 감소한다. 이에 따라 황체기 후반에 FSH가 증가한다

2) 자궁 주기(Uterine cycle)

자궁내막은 조직학적으로 기능층(decidua functionalis 혹은 functional layer)과 기저층(decidua basalis 혹은 basal layer)으로 분류한다. 기능층은 월경시에 떨어져나가는 위쪽 2/3에 해당하며 치밀층(stratum compactum)과 해면층(stratum spongiosum)으로 나뉜다. 기저층은 매월 월경 후 자궁내막이 재생되는 원천이다.

(1) 증식기(Proliferative phase)

기능층의 유사분열 증식(mitotic growth)이 일어난다. 자궁내막 분비선은 좁은 직선형에서 길고 굽은 형태로 성장한다. 기질(stroma)은 계속 밀도가 높고 치밀해지며 혈관 구조는 매우 적다.

(2) 분비기(Secretory phase)

배란 후 48~72시간 이내에 프로게스테론 분비가 시작되어 자궁내막은 분비기의 조직학적 변화가 나타난다. 프로게스테론은 자궁내막에 대하여 항에스트로겐 효과를 보여 에스트로겐 수용체 농도 및 유사분열이 감소한다. 혈관과 당원(glycogen)이 풍부한 조직으로 바뀌어 착상과 배아 성장의 조건을 제공한다. 기질(stroma)은 배란 후 7일까지는 변화가 없다가 이후에는 부종(edema)이 증가한다.

(3) 월경(Menses)

착상이 되지 않으면 황체는 퇴화되고 에스트로겐과 프로게스테론의 생성이 중단되어 소퇴출혈(withdrawal bleeding)이 발생한다. 나선동맥(Spiral artery)의 혈관 수축에 의한 자궁내막의 허혈(ischemia)과 용해소체(lysosome)의 붕괴, 단백질분해효소(proteolytic enzyme)의 분비 작용에 의한 국소 조직의 파괴이다.

5. 난포의 성장(Ovarian Follicular Development)

1) 난포의 형성과 감수분열

임신 6주부터 난조세포(oogonia)가 나타나고 임신 8주가 되면 유사분열(mitosis)이 시작되어 세포수가 계속 증가한다. 임신 20주부터는 난조세포의 퇴화가 시작되어 난자의 수가 감소하기 시작한다.

일부 난모세포(oocyte)는 단일층의 과립막 세포에 싸여 있고 이를 원시난포(primordial follicle)라 부른다.

감수분열(meiosis)도 임신 8주부터 시작된다. 그러나 모든 원시난포는 1차 감수분열의 전기(prophase)의 복사기(diplotene stage)에서 정지(arrest)된다. 이는 과립막세포에서 분비되는 oocyte maturation inhibitor (OMI) 때문으로 생각된다.

2) 난포 성장의 단계

난포동원(recruitment), 난포선택(selection), 우성화(dominance)의 3단계로 구성된다.

(1) 난포동원(Recruitment)

특정 집단(cohort)의 원시난포가 성장을 시작하여 전동난포(preantral follicle)로 전환되는 과정으로 3개월 이상 소요된다. 원시난포는 FSH에 반응하지 않으나 난포동원이 시작되면 과립막세포는 FSH에 반응하기 시작한다. 이에 따라 과립막세포가 단일막(single layer) 세포에서 계속 증식하여 다중막(multilayer)의 입방세포(cuboidal cell)로 바뀌게 되고 난포막세포(theca cell)가 나타난다.

(2) 난포선택(Selection)

난포동원이 완료된 몇 개의 early antral follicle이 황체기 후기의 FSH 증가 시점부터 급속히 성장하다가 한 개의 우성난포(dominant follicle) 만을 남기고 소멸되는 과정이다. 황체기 후기부터 다음 난포기 중반까지 10일 정도 소요된다. FSH와 에스트로겐은 FSH 수용체 합성을 증가시킨다(재보충, replenishment).

난포기가 시작되고 몇 개의 난포에서 E_2와 과립막세포에서 인히빈 B의 합성이 증가하면 음

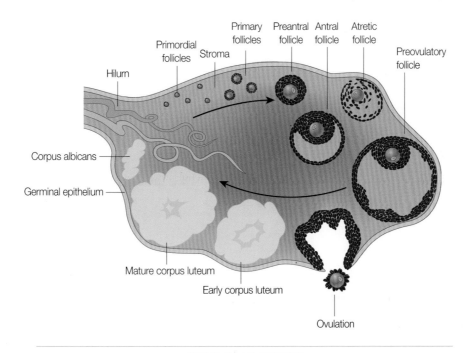

그림 3-5. **난포성장단계**

성 되먹임 기전에 의해 FSH는 감소한다. 낮은 FSH 상황에서 재보충(replenishment)은 처음부터 많은 FSH 수용체를 가진 난포는 계속 FSH 수용체를 만들어서 적은 양의 FSH를 흡수하여 계속 성장하지만 그렇지 못한 작은 난포는 FSH 부족으로 퇴화에 빠진다. 월경주기 5일째에 일어나며 효율적인 과배란 유도를 위해 중요한 결정적인 시간이다.

(3) 우성화(Dominance)

결국 여러 개의 난포 중에 한 개의 우성난포만 남고 이 우성난포는 계속 성장한다. 이를 우성화라 부른다. FSH는 우성난포에서만 과립막세포에 LH 수용체를 만든다.

에스트로겐이 고농도($>$200 pg/ml)에서 일정시간(48시간 이상) 시상하부–뇌하수체를 자극하면 양성 되먹임 기전으로 LH surge가 유발된다.

(4) 배란(Ovulation)

LH surge가 일어나면 우성난포에서는 단백질분해효소가 증가하여 난자와 과립막세포 사이의 결합(tight binding)이 분해되고 OMI가 난자에 대한 영향력을 상실해서 감수분열이 재개된다. 그러나 우성난포를 제외한 다른 난포에서는 과립막세포에 LH 수용체가 생기지 않으므로 LH surge의 영향을 받지 않는다.

또한 LH surge는 프로스타글란딘과 단백질분해효소를 증가시켜 난포 벽에 구멍을 만들고 여기로 난자가 빠져나간다. 배란시에는 난자와 난자를 눌러싼 과립막세포의 덩어리(cumulus oophorus), 일부 과립막 세포, 난포액이 같이 배출된다. 이 때문에 배란통(mittelschmerz)이 생길 수 있다.

(5) 황체기(Luteal phase)

배란 후에 남은 과립막세포 안에 지방이 증가한다. 황체기 초기에는 혈관이 배란 직후 기저막을 뚫고 안으로 들어와 혈관형성(angiogenesis)이 활발하다. 임신이 되지 않으면 황체(corpus luteum)는 12~16일 후 소멸되고 초기 임신시에는 hCG가 분비되어 태반이 충분한 프로게스테론을 생성할 때까지 황체 기능을 유지한다.

■ 참 고 문 헌 ■

1. 대한산부인과학회. 부인과학, 6판.
2. Berek JS, Jonathan S. Berek & Novak's Gynecology, 16th ed.
3. Rabe T, Strowitzki T, Diedrich K. Manual on Assisted Reproduction, 2nd updated ed.
4. Taylor HS, Pal L, Seli E. Speroff's Clinical Gynecologic Endocrinology and Infertility, 9th ed.

PART

II

일반
부인과학

생식기기형과 성의 이상발육

Genital anomaly and Disorders of sex development

---

1. 여성생식기의 비정상적인 발달 및 분화로 발생하는 질환을 열거한다.
2. 뮐러관 기형의 발생과정을 설명한다.
3. 성의 이상발육과 모호생식기의 정의를 이해하고 유사질환을 감별한다.

1. 외부생식기기형

1) 음순의 융합(Labial fusion)

일명 후음순융합(posterior labial fusion). 여아가 모체 내에서 과도한 남성호르몬에 노출되는 경우 발생한다. 여성의 외부생식기가 남성화하는 과정의 초기단계로 음핵비대가 흔하게 동반된다. 가장 흔한 원인은 21α-수산화효소 결핍에 의한 선천부신과다형성증(congenital adrenal hyperplasia, CAH)이다. 후음순소대(posterior fourchette)부터 항문까지의 길이가 길어지고 질 입구는 좁아진다. 기능 부전을 초래하는 음순의 융합과 모호생식기는 재건 수술(reconstructive surgery)을 시행해야 한다.

소음순 유착(Labial adhesions)

에스트로겐결핍, 피부표면의 손상 등으로 외음부 전정의 피부가 붙어서 발생한다. 생후 3개월에서 4세 사이에 흔하며 선천성기형은 아니나 질 입구가 보이지 않아 기형으로 오인되기 쉬운 질환이다. 대부분 자연히 분리되고 증상이 있는 경우 에스트로겐연고로 치료하거나 마취 하에 분리한다.

2) 질입구주름막힘증(Imperforate hymen)

일명 처녀막막힘증 또는 무공처녀막. 처녀막에 개구(opening)가 형성되지 않아서 초경이 시작되면 밖으로 배출되지 못하고 질혈종(hematocolpos)이나 자궁질혈종(hematometrocolpos)을 만든다. 발생빈도는 인구 2,000명당 1명이다. 사춘기에 원발성무월경과 주기적 하복통이 나타난다. 신생아기에 질수종(hydrocolpos) 상태로 발견되기도 한다. 외음부진찰에서 막힌 처녀막이 보이고 초음파로 확진한다. 치료는 처녀막절개술(hymenotomy)의 수술적 교정이다.

3) 가로질중격(Transverse vaginal septum)

질의 종적융합과 관형성이 제대로 되지 않으면 질을 가로막는 중격이 생긴다. 이로 인해 초경이 배출되지 않아 원발성무월경과 질혈종 또는 자궁질혈종이 나타난다. 외음부진찰에서 처녀막은 정상이고 질은 맹관으로 막혀있다. 초음파와 MRI로 진단한다. 질 상부의 중격은 자궁경관무형성증과 유사하고, 질 하부의 중격은 원위부질폐쇄와 감별해야 한다. 치료는 중격절제술의 수술적 교정이다. 중격이 두꺼우면 수술 후 모래시계 모양의 질협착(vaginal stenosis)이 발생할 수 있다.

4) 원위부질폐쇄(Distal vaginal atresia)

비뇨생식굴에서 질의 분화가 실패하면 질의 아랫부분이 섬유질로 대체되어 질하부가 막히게 된다. 사춘기에 원발성무월경과 질혈종 또는 자궁질혈종을 초래하고 주기적 하복통으로 내원한다. 외음부진찰에서 질 입구가 보이지 않는다. 초음파와 MRI로 진단하며 질을 재건하는 수술이 필요하다. 폐쇄부위가 넓어서 수술 후 질협착이 흔하기 때문에 분리 면에 피부이식을 하기도 한다. 수술 후 몰드치료가 질협착 방지에 도움이 되지만 환자의 대부분이 어린 청소년이기 때문에 몰드의 착용과 유지가 쉽지 않다.

5) 질무형성증(Vaginal agenesis)

질이 형성되지 않는 대표적인 질환은 뮐러관무형성증과 안드로젠무감각증후군이다. 두 가지 질환은 내부생식기기형 및 성의 이상발육에서 다룬다.

2. 내부생식기기형

1) 자궁경관무형성증(Cervical agenesis)

자궁경부가 형성되지 않는 기형으로 매우 드물다. 자궁에서 만들어진 월경혈이 배출되지 못하기 때문에 사춘기에 원발성무월경, 주기적 하복통, 자궁혈종의 증상을 보인다. 외음부 소견은 정상이며 초음파와 MRI로 진단한다. 치료는 수술로 자궁을 제거하는 것이다. 일부에서 자궁과 질을 연결하는 통로를 만드는 수술을 시행한 예가 보고되었으나 통로가 막히는 경우 패혈증 등 심각한 합병증이 발생할 수 있다.

2) 뮐러관무형성증(Müllerian agenesis)

일명 MRKH 증후군. 인구 5000명 당 1명꼴로 발생하며 원발성무월경의 흔한 원인 중 하나이다.

① 병인

태생기에 뮐러관의 발생이 이루어지지 않는 기관형성부전이 원인이다. 질은 없거나 짧은 맹관이며 대부분 자궁도 없으나 약 10%정도에서 흔적자궁이 확인된다. 1형과 2형으로 나누는데 비대칭 흔적자궁이나 동반기형이 있는 경우 2형이다. 동반기형은 비뇨기계기형이 가장 흔하고 골격계기형, 심장기형, 청력장애 등이 있다.

② 임상양상

소아기에는 별 증상이 없다. 난소 기능은 이상이 없으므로 사춘기가 되면 호르몬이 정상적으로 분비된다. 유방과 음모발달은 정상이며 초경을 하지 않아서 내원한다. 자궁부재로 임신이 어려우며 질이 형성되지 않아 치료를 하지 않으면 성생활도 힘들다.

③ 진단

이차성징은 정상이고 외음부진찰에서 질 입구가 보이지 않는다. 간혹 요도구가 넓어져서 질 입구로 오인될 수 있으므로 유의해서 살펴보아야 한다. 초음파에서 자궁이 없고 양측 난소는 확인된다. 외음부진찰과 초음파검사로 진단이 가능하며 비대칭 흔적자궁의 확인에는 MRI가 유용하다. 정맥신우조영술(IVP)로 비뇨기계기형 여부를 확인해야 한다.

④ 치료

성생활이 필요한 연령이 되면 질을 인위적으로 만들어주어야 한다. 환자가 직접 몰드를 이용해서 질을 확장시키는 비수술적 질확장법(vaginal dilation therapy)이 1차 치료이다. 비수술적 방법이 실패하면 질성형술(vaginoplasty)을 시행한다. Abbe-McIndo 법이 현재까지 가장 보편적으로 시행되는 수술기법이다. 이 수술은 맹관형 신생질을 만들고 내부를 부분층피부이식으로 덮어서 공간을 유지한다. 피부 대신 골반복막, 양막, 구불결장 등이 신생질 유지에 이용되기도 한다. 아크릴 물체를 회음부에 부착하고 복벽의 견인장치에 연결하여 당겨 올리는 복강경적 Vecchietti 수술도 많이 시행된다.

통증을 수반하는 기능성 흔적자궁이 발견되면 복강경수술 등으로 제거해야 한다.

3) 기타 뮐러관기형

태생기에 뮐러관의 기관형성, 융합 및 중격 재흡수과정에 이상이 생기면 다양한 형태의 기형이 발생한다. 자궁기형으로 자궁내강의 용적이 축소되고 형태가 왜곡되기 때문에 배아의 착상과 임신유지에 문제가 발생한다(표 4-1).

골반검진, 초음파 및 MRI로 진단한다. 일부 환자에서 3D 초음파, 자궁난관조영술(HSG)이나 진단복강경검사가 도움이 된다. 비뇨기계 동반기형이 흔하므로 IVP도 확인해야 한다.

① 단각자궁

두 개의 뮐러관 중 한 쪽이 형성되지 않는 기관형성부전으로 일측 자궁만 발생하므로 자궁용적이 줄고 내강의 형태가 바나나 모양으로 왜곡된다. 자궁은 부피가 감소한 상태로 중심선에서 벗어난 위치에 관찰되며 간혹 반대쪽에 흔적자궁이 확인된다. 약 40%에서 비뇨기계기형이 동반된다. 자궁이 작고 왜곡되어 유산, 조산, 역위태아, 태아발육부전 같은 산과적 합병증이 증가한다.

② 중복자궁

두 개의 뮐러관이 융합되지 못해서 발생한다. 자궁체부뿐만 아니라 경부도 분리되어 있으며 4명 중 3명꼴로 세로질중격이 동반된다. 두 개의 자궁 모두 정상에 비해 용적이 작고 형태가 왜곡되어 산과적 합병증이 증가한다.

세로질중격이 질벽에 붙어서 폐쇄공간을 만드는 일측질폐쇄(obstructed hemivagina)의 경우 질혈종으로 하복통이 발생하며 질을 통한 중격제거수술이 필요하다. 대부분 질폐쇄가 발생한 동측에 신장이 없어서 OHVIRA (obstructed hemivagina with ipsilateral renal anomaly)

표 4-1. 뮐러관 기형의 발생기전 및 합병증

		발생기전	합병증
단각자궁		일측 기관형성부전	유산/조산/태위이상
중복자궁		융합결함(전체)	상동
쌍각자궁		융합결함(부분)	상동
중격자궁		중격 흡수의 결함	습관성유산/조산/태위이상

또는 HWW (Herlyn‒Werner‒Wunderlich) 증후군이라고도 한다.

③ 쌍각자궁

뮐러관 융합이 자궁하부에서만 이루어져서 자궁상부가 분리된 기형이다. 유산과 조산의 위험뿐만 아니라 자궁경관무력증도 증가하기 때문에 임신초기에 자궁경부결찰술을 시행하기도 한다.

④ 중격자궁

뮐러관 융합 후 중격이 재흡수되지 않아서 발생한다. 자궁의 외형은 정상이며 중격의 길이에 따라 완전형과 부분형으로 구분한다. 습관성유산의 중요원인으로 자궁경수술로 중격을 제거하면 산과적 예후가 향상된다.

⑤ 궁상자궁

자궁저부 내측면이 경미하게 함입된 변형으로 산과적 예후가 정상인과 다르지 않기 때문에 정상의 변이로 간주한다.

3. 성의 이상발육(Disorders of sex development, DSD)

DSD는 염색체 성(chromosomal sex), 생식샘 성(gonadal sex) 및 해부학적 성(anatomical sex) 중 어느 한 가지 이상에서 비전형적인 발달을 보이는 경우를 말한다.

염색체 결과를 바탕으로 다음 3가지 유형으로 구분한다(표 4-2).

표 4-2. 성의 이상발육 질환 분류

	46 XX DSD	46 XY DSD	Sex chromosome DSD
Disorders of gonadal development	Ovotesticular DSD XX sex reversal Gonadal dysgenesis	• 46 XY gonadal dysgenesis – Complete (Swyer syndrome) – Partial (Denys–Drash, Frasier syndrome) • Ovotesticular DSD • Testicular regression syndrome – Vanishing testes syndrome	• 47 XXY (Klinefelter syndrome) • 45 X (Turner syndrome) • 45 X/46 XY (mixed gonadal dysgenesis) • Ovotesticular DSD
Disorders related to androgen synthesis or action	Androgen excess • Fetal androgen overproduction – CAH, 21α-hydroxylase deficiency (95%) – CAH, 11β-hydroxylase deficiency (5%) – CAH, 3β-HSD deficiency • Maternal androgen exposure – Androgen-producing tumor – Exogenous hormone use • Placental aromatase deficiency	Androgen synthesis defect • LH receptor defect • Testosterone biosynthesis enzyme defect – STAR, P450scc, 3β-HSD, 17β-HSD – 17α-hydroxylase, 17,20-lyase • 5α-reductase deficiency Androgen action defect • Androgen insensitivity syndrome	

1) 46 XX DSD

2) 46 XY DSD

3) Sex chromosomal DSD

모호생식기(ambiguous genitalia)는 외부생식기가 여성 또는 남성에 맞지 않고 비전형적인 모양을 보이는 것으로 DSD 환자의 일부에서만 모호생식기가 나타난다. 남아의 남성화가 부족하거나 여아의 남성화가 과도할 때 나타난다. 모호생식기에서 생식기결절은 남성의 음경과 여성의 음핵의 중간형태로 남성화가 심할수록 결절의 길이가 길어진다. 외요도구는 남성화가 심한 경우 음경귀두에 가까워지고 남성화가 약한 경우 회음부에 가깝게 위치한다. 생식기주름유합은 남성화가 경미한 후음순융합부터 심한 갈린음낭(bifid scrotum)까지 다양하게 나타난다.

1) 선천부신과다형성증(Congenital adrenal hyperplasia, CAH)

46 XX DSD 중 가장 흔하며 46 XX 모호생식기의 거의 대부분을 차지한다.

① 병인

남성호르몬이 증가하는 CAH의 95%는 21α-수산화효소 결핍이 원인이고 소수에서 11β-수산화효소, 3β-HSD 결핍과 관련된다. CAH 여아에서 난소의 발달은 정상이며 내부생식기도 여성으로 자궁이 형성된다. 외부생식기의 남성화는 임신 중 남성호르몬의 노출시기와 강도에 따라 다양하게 나타난다.

21α-수산화효소 결핍으로 부신피질 코티솔과 알도스테론 생산은 억제되고 전구물질인 17-수산화 프로게스테론(17-OHP)이 축적된다. 코티솔 결핍은 ACTH를 촉진해서 부신피질을 증식시킨다. 축적된 전구물질의 전환으로 남성호르몬(DHEA, A, T) 생성이 증가한다. 태내에서 증가된 남성호르몬에 의해 46 XX 여아의 외부생식기가 남성화하여 모호생식기가 초래된다.

② 임상양상

여아에서 21α-수산화효소 결핍의 정도에 따라 다음의 3가지로 분류한다.

1) 단순남성화형(simple virilizing)

2) 염분소모형(salt wasting)

3) 비전형후기발생형(nonclassic late-onset)

비전형후기발생형은 사춘기의 경미한 남성화와 불규칙월경 외에는 별 증상이 없다. 신생아 모호생식기는 단순남성화형과 염분소모형에서 나타난다. 염분소모형의 경우 코티솔과 알도스테론의 심한 결핍으로 출생 후 저혈당, 저나트륨혈증, 고칼륨혈증, 산혈증, 저혈압 등의 부신위기가 발생한다. 진단과 치료가 늦어지는 경우 성장지연, 반응저하, 구토 등의 증상이 극심하게 나타나며 신생아사망을 초래할 수 있다.

③ 진단

신생아에서 모호생식기가 확인되는 경우 핵형검사, 17-OHP, 코티솔, 남성호르몬, 전해질검사를 시행하고 특히 46 XX 핵형인 경우 17-OHP 증가를 신속하게 확인해야 한다.

④ 치료

글루코코티코이드 치료는 코티솔 결핍을 해소하고 남성호르몬 생성을 감소시킨다. 하이드로코티손(일일 $9 \sim 15$ mg/m^2)이 소아에서 유용하며 염분소실이 동반된 경우 플루드로코티손 치료도 병행한다.

내부생식기가 여성이므로 생식능력을 감안하여 성의 결정은 대부분 여성으로 진행되며 유아기에 외부생식기의 여성화수술을 시행한다. 남성화가 많이 진행된 일부 환자에서는 남성으로 성을 결정하기도 한다.

2) 완전 안드로젠무감각증후군(Complete androgen insensitivity syndrome, CAIS)(표 4-3)

일명 고환성여성화증후군(Testicular feminization syndrome, TFS). 46 XY DSD 중 가장 흔하다.

① 병인

고환의 발달과 남성호르몬 분비는 정상남성 수준이지만 세포의 안드로젠수용체유전자(AR gene) 돌연변이로 남성호르몬이 작용을 하지 못한다. X연관 열성유전이다. T 및 DHT에 의해 진행되는 내부 및 외부생식기의 남성화가 모두 이루어지지 않는다. 고환의 AMH는 정상적으로 기능하기 때문에 자궁도 발생하지 않는다. 결국 여성형 외부생식기에 맹관 질이 관찰되고 내부생식기는 없는 상태가 된다.

② 임상양상

소아기에는 수술을 요하는 탈장이 흔한 것 이외 별 증상은 없다. 사춘기에 초경을 하지 않

표 4-3. MRKH 증후군, Complete AIS 및 Swyer 증후군 비교

	MRKH 증후군	Complete AIS	Swyer 증후군
염색체	46 XX	46 XY	46 XY
발생기전	뮐러관 기관형성부전	안드로젠수용체 결함	생식샘 발생장애
유전성향	없음	X연관 열성	없음
생식샘	난소	고환	끈생식샘
자궁/난관	없음	없음	있음
부고환/정관/정낭	없음	없음	없음
외부생식기	여성	여성	여성
질형태	없음	맹관	정상
유방발달	정상	정상	없음
음모발생	정상	없음	불완전
호르몬 분비	정상 여성	정상 남성	호르몬결핍
생식샘 종양빈도	정상	2~5%	30%
생식샘 제거수술	불필요	16~18세 이후 제거	진단 시 제거

아 원발성무월경으로 내원한다. 사춘기에 증가하는 남성호르몬이 말초에서 여성호르몬으로 전환되므로 유방은 여성형으로 발달된다. 음모의 발생은 남성호르몬의 작용이므로 음모는 나타나지 않는다.

③ 진단

원발성무월경 환자에서 유방발육은 정상인데 음모가 없는 경우 이 질환을 감별해야 한다. 외부생식기는 여성이나 질은 맹관으로 막혀있다. 초음파에서 자궁이 없고 고환은 복강, 서혜부 또는 대음순 등 다양한 위치에서 확인된다. 호르몬검사에서 테스토스테론이 정상 남성의 수치를 보이는 것이 특징적인 소견이다. 염색체검사로 46 XY 핵형이 확인된다.

④ 치료

고환의 종양발생(2~5%)이 사춘기 전에는 드물기 때문에 사춘기의 유방발달이 완료된 16~18세 이후 고환을 제거한다. 고환 제거후에는 호르몬결핍이 초래되므로 여성호르몬 보충요법을 시작해야 한다. 맹관형 질이 성생활에 부적할 정도로 짧은 경우 비수술적 또는 수술적으로 질을 재건해 주어야 한다.

3) 부분 안드로젠무감각증후군(Partial androgen insensitivity syndrome, PAIS)

완전 안드로젠무감각증후군과 달리 안드로젠수용체 결함이 불완전하기 때문에 46 XY 남아에서 모호생식기가 발생한다. 수용체 결함이 가장 심한 경우 여성형 외부생식기에 음핵비대, 후음순융합으로 나타나며 결함이 경미한 경우 남성형 외부생식기에 요도하열, 무정자증으로 표현된다. 성 결정은 외부생식기의 남성화 정도, 고환 기능, 음경조직 유무를 종합해서 결정한다. 고환의 종양발생 위험으로 수술로 제거해야 한다. 특히 잠복고환인 경우 종자세포 악성종양의 발생위험이 50% 정도로 상당히 높기 때문에 진단 시에 고환제거수술을 해야 한다.

4) 완전형 XY 생식샘발생장애(Complete XY gonadal dysgenesis)

일명 스와이어증후군(Swyer syndrome). 46 XY 개체에서 태생 초기에 생식샘이 고환으로 분화하지 못하고 퇴화하면 테스토스테론과 AMH가 생성되지 않아 외부생식기와 내부생식기가 모두 여성형으로 분화한다. 따라서 정상적인 자궁이 형성된다.

임상양상은 터너증후군 등의 생식샘발생장애와 유사하며 사춘기에 여성호르몬 보충요법을 시작해서 자궁의 발육과 이차성징을 유도해야 한다. 퇴화된 끈생식샘(streak gonad)에서 생식샘모세포종(gonadoblastoma) 등 종양발생위험이 30% 정도로 높기 때문에 진단 시에 생식샘제거수술을 해야 한다.

유산
Abortion

1. 유산의 종류를 열거하고 정의한다.
2. 자연유산의 위험인자와 원인을 열거한다.
3. 유산방법을 열거하고, 그 합병증을 열거한다.
4. 반복유산 환자에게 시행할 검사의 종류를 열거하고, 그 의의를 설명한다.
5. 자궁경부무력증의 원인, 진단 방법, 치료에 대해 설명한다.

1. 정의

1) 유산

- 태아가 생존이 가능한 시기 이전에 임신이 종결되는 것이다.
- 제태연령 20주 이전, 또는 태아가 500 g 미만인 경우 임신이 종결된다.

2) 자연유산(Spontaneous abortion)

의학적 시술을 시행하지 않은 상태에서 임신 20주 이전에 임신이 종결되는 것이다.

(1) 절박유산(Threatened abortion)

- 임신 20주 이전에 자궁 경부로부터 출혈이나 출혈성 질분비물이 동반되는 경우
- 대다수의 경우에서 실제 유산으로 진행되지는 않는다.
- 임신 중, 후반기에 조산, 자궁내성장지연, 조기양막파수 등의 위험이 증가할 수 있다.

43

(2) 불가피유산(Inevitable abortion)

자궁경부가 열리고 양막파열로 인해 양수가 흘러나오는 경우로 임신의 종결이 불가피한 경우
이다.

(3) 불완전유산(Incomplete abortion)

- 임신 20주 이전에 자궁경부가 열려 있고 숙화되어 있으나 태아 또는 태반 조직이 나오
  지 않은 상태
- 많은 경우에서 복부 통증이 있으며, 자궁 출혈을 동반할 수 있다.

(4) 완전유산(Complete abortion)

수태물이 자궁에서 완전히 떨어져 자궁 밖으로 완전히 배출되고 자궁 경부의 내구는 닫혀
있는 경우이다.

(5) 계류유산(Missed abortion)

- 자궁경부는 닫혀있고 자궁강 내에 생존 징후가 없는 임신 상태
- 질식초음파에서 다음 소견이 관찰되는 경우에 진단
  i) 임신낭(gestational sac) 크기 > 25 mm, 배아극(fetal pole) 안보임
  ii) 배아머리엉덩길이(crown-rump length) > 8 mm, 심막동 없음

(6) 패혈유산(Septic abortion)

중증의 치명적인 감염이 유산에 동반되는 것이다.

(7) 반복유산(Recurrent abortion)

20주 이전의 혹은 500 g 미만의 태아가 3회 이상 자연 유산되는 경우이다.

3) 유발유산(인공유산, Induced abortion)

태아가 생존 가능성이 없는 시기에 내, 외과적 처치를 통한 임신 종결 되는 것이다.

(1) 치료유산(Therapeutic abortion)

의학적 적응증에 의해 혹은 rape의 경우 유발 유산을 유도하는 것이다.

(2) 선택유산(Elective abortion, voluntary abortion)

의학적 원인이 없이 산모의 요구에 의해 태아가 생존가능성이 없을 시기에 임신을 종결하는 것이다.

2. 자연유산

1) 빈도

- 자연유산의 80% 이상은 임신 1삼분기에서 발생(이중, 약 절반 정도는 염색체 이상)
- 임신 1삼분기가 지나고 나면 유산율 및 염색체 이상의 확률이 모두 감소한다.

2) 감별진단(표 5-1)

표 5-1. 임신 제 1삼분기에 질출혈이 있을 때의 감별진단
• 자궁경부 이상(매우 손상되기 쉬운 경우, 암, 폴립, 외상 등) • 자궁외임신 • 질 또는 자궁경부의 감염 • 포상기태 • 자연유산 • 융모막하출혈 • 질 외상 • 원인불명

① 문진 및 진찰

② 질 분비물의 액상도말검사

③ 온혈구계산

④ ABO/Rh

⑤ 혈청 베타사람융모생식샘자극호르몬(β-hCG) 농도

⑥ 초음파검사

- 임신 상태 및 자궁내 임신 여부 확인
- 질초음파검사에서 자궁강 내 임신낭이 보이지 않으면서 혈청 β-hCG가 증가되어 있는 경우, 48시간 후 다시 혈액검사를 시행함. 수치가 변동이 없거나 상승이 35% 미만이면

질식초음파를 시행하여 임신낭이 보이지 않고 β−hCG 수치가 3,510 mIU/mL 미만이면 다시 β−hCG 검사를 시행, 변동이 없거나 상승 정도가 35% 미만이면 비정상임신을 시사한다.

3) 원인

(1) 태아측 요인(Fetal factor)

염색체 이상

가. 수적이상(aneuploid abortion)

- 상염색체 세염색체(autosomal trisomy): 임신 1삼분기에 발생한 자연유산에서 가장 흔하게 발견되는 염색체 이상, 13,16,18,21,22번 상염색체의 세염색체가 가장 흔하다.
- 홑염색체 X(monosomy X; 45,X): 터너증후군(Turner syndrome), 염색체 이상 중 가장 흔한 염색체 이상
- 삼배수체(triploidy): 포상 기태와 관련
- 사배수체(tetraploidy)

나. 구조 이상(euploid abortion)

aneuploidy 태아에 비해 임신주수가 진행된 후에 유산되는 경향이 있다.

(2) 모체측 요인(Maternal factor)

① 감염

- mycoplasma, ureaplasma, chlamydia trachomatis, β−streptococcus 감염 등이 제시되나 연관성은 불확실하다.

② 만성 소모성 질환

③ 내분비 이상

- 갑상선기능저하증
- 당뇨: 인슐린 의존성 당뇨는 자연 유산 및 선천성 태아 기형의 확률을 높이며, 그 위험도는 임신 초기 산모의 혈당 조절 정도와 관련되어 있는 것으로 보인다.

④ 영양 결핍과 유산과의 연관성은 불분명

⑤ **약물 및 환경 요인**
- 흡연
- 알코올
- 과량의 카페인
- 방사선
- 환경 독소

⑥ **면역학적 요인**

반복유산과 연관되어 있다.

⑦ **유전성 혈전성향증**(thrombophilia)
⑧ **모체의 수술**(임신 초기에 난소 황체 제거)
⑨ **해부학적 이상**
- 선천성 자궁기형
- 자궁근종
- 자궁내막유착(Asherman syndrome)
- 자궁경부무력증

(3) 아버지측 요인(Paternal factor)

정자의 염색체 이상과 관련
- 대부분 수태물이 결국 자연배출 되는데, 그 증상은 다른 유산의 형태와 비슷하다.

(5) 패혈유산
- 자궁 내막염이 가장 흔하다.
- 드물게 자궁주위조직염, 복막염, 패혈증, 심내막염까지 발생할 수 있다.
- 치료는 빨리 정맥 내로 광범위 항생제를 사용하면서 소파술을 시행하여야 한다.

3. 유산 방법

1) 외과적 처치

(1) 자궁경부 개대 및 긁어냄술(Dilatation and curettage, D&C)(그림 5-1)
- 자궁경부를 먼저 개대 및 확장 시킨 후에 수태물을 기구를 이용하거나 진공흡입(vacuum aspiration), 흡입(suction) 등을 통해 제거하는 것
- 늦어도 임신 14~15주 이전에 시행해야 자궁천공, 자궁경부 열상, 출혈, 태아 또는 태반 조직의 불완전한 제거, 감염 등의 합병증이 적게 발생
- 시행 전 예방적 항생제 투여가 필요

(2) 자궁경부 개대 및 제거술(Dilatation and evacuation, D&E)
- 16주부터 시행
- 자궁경부를 기구 또는 흡습성 확장물로 개대시킨 후 태아를 기계적으로 분쇄시켜 제거하고, 잔류 수태물을 흡입소파술로 제거하는 것

(3) 자궁경부 개대 및 적출술(Dilatation and extraction, D&X)
- D&E와 비슷하지만 이 경우는 태아의 몸통을 먼저 자궁 밖으로 분만하고, 태아의 머리를 분만하기 전에 두개 내 조직을 흡입술로 제거한 후에 머리를 분만하는 것
- 기계를 이용한 소파술과 태아의 뼈로 인해 자궁과 자궁경부의 손상을 최소화하기 위한 것이다.

(4) 자궁경부 개대 방법
① 흡습성 자궁경부 확장물(Hygroscopic dilators)
- 금속 기구를 이용하여 물리적으로 자궁경부를 확장함으로써 발생할 수 있는 외상을 최소화하기 위해 자궁경부를 서서히 넓혀주는 기구
- 라미나리아(Laminaria digitata 또는 Laminaria japonica)(그림 5-2)
- 해초를 말려서 만든 것
- 자궁경부의 구성 성분인 proteoglycan으로부터 수분을 흡수하여 해리시킴으로써, 자궁경부가 부드러워지고 확장된다.

② 프로스타글란딘
- 흡습성 자궁경부 확장물 대신 다양한 형태의 프로스타글란딘 제제를 질후구개에 삽입할

수 있다.

- 흡습성 자궁경부 확장물과 동일 혹은 우수한 확장 효과가 있으며 삽입 시의 통증을 줄일 수 있으며 부작용은 비슷하다.
- 미소프로스톨(misoprostol): 400~800 μg 용량으로 질내, 경구, 설하(sublingual)로 투여 가능

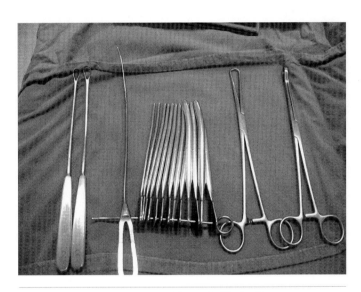

그림 5-1. 소파술에 필요한 기구들
(왼쪽에서부터 curet, uterine sound, Hegar dilators, cervical tenaculum, ring forceps)

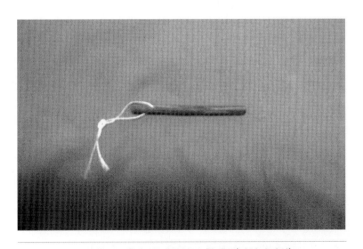

그림 5-2. 흡습성 자궁경부 확장물(라미나리아)

(5) 합병증
① 자궁천공
② 자궁경부무력증
③ 자궁내 유착
④ 중증 소모성응고병증
⑤ 감염
⑥ 마취 합병증

(6) 월경흡입법(Menstrual aspiration)
- 최종월경일 이후 월경예정일이 경과한 이후 1~3주 이내의 임신에서 사용
- 직경 5~6 mm의 Karman관과 주사기를 이용하여 수태물을 흡입
- 시술 전에 임신반응검사가 필수
- 초기임신이므로 임신 진단이 틀리거나 자궁외임신을 진단하지 못할 수 있다.
- 드물게 자궁천공이 발생할 수 있고, 수태물의 제거가 불완전할 수 있다.

(7) 개복술의 적응증
- 심각한 자궁질환이 있어서 자궁절제술을 하려는 경우
- 자궁질개술과 함께 난관결찰을 같이 하려는 경우
- 임신 중기에 약물을 이용한 임신중절에 실패하여 자궁절개술(hysterotomy) 혹은 자궁절제술을 시행해야 하는 경우

2) 약물을 이용한 유산(Medical abortion)
(1) 초기 임신 유산 시 사용되는 약제
미페프리스톤(mifepristone), 메토트렉세이트(methotrexate), 미소프로스톨(misoprostol)

약물을 이용한 유산의 금기증
- 약물 알레르기
- 자궁내 피임장치
- 심각한 빈혈
- 혈액응고장애가 있거나 항응고제를 투여 받는 임신부
- 활동성 간질환, 심장혈관질환, 조절되지 않은 발작질환 등과 같은 심각한 내과적 질환

- 부신 질환이 있거나 glucocorticoid 치료가 필요한 환자(미소프로스톨은 glucocorticoid 의 작용을 저하시킬 수 있음)

(2) 임신 제 2삼분기 유산

① 옥시토신

② 프로스타글란딘 E_2

③ 프로스타글란딘 E_1

3) 선택 유산의 결과

① **모성 사망**(Maternal mortality)

- 임신 초기 2개월 이내에 시행할 경우 모성 사망률은 10만건당 1건 미만
- 임신 8주이후부터는 제태연령이 2주씩 증가할 때마다 약 2배씩 증가

② **향후 임신에 대한 영향**

- 향후 수태능력은 감소하지 않는다.
- 자궁외 임신을 증가시키지 않는다.
- 여러 번의 sharp curettage에 의한 유산은 향후 임신의 전치태반 확률을 증가시킨다.
- 향후 조기분만의 위험도에 대해서는 논란이 있다.

4. 반복유산

- 대부분은 배아기 혹은 초기태아기에 일어나며, 소수에서 14주 이후에 일어난다.
- 두 번의 연속적 유산이 일어난 후 다음 임신에서 자연유산이 일어날 확률은 약 30%이나, 6번의 자연유산이 되었다고 할지라도 다음 번에 성공적으로 임신을 할 가능성은 50%에 해당한다.
- 산발성 유산과 구분하여야 하며, 유전적 원인에 의한 유산은 초기 배아기에 대부분 일어나며 자가면역 혹은 해부학적 이상에 의한 유산은 임신 두 번째 사분기에 보다 자주 일어난다.

1) 부모의 유전적 요인(Genetic factors)

- 전체 반복 유산의 2~4%
- 유전적 요인에 의한 반복유산에서 가장 흔한 선천적 염색체 이상(약 50%)
- 염색체 균형전좌(balanced translocation)는 대체로 예후는 좋은 편이며 균형전좌를 가진 부부의 약 85%는 적어도 한 명 이상의 건강한 아기를 낳는다.
- 가족력이 없다거나 이전에 만삭분만을 한 기왕력이 있다고 해서 부모의 염색체 이상을 배제할 수 없다.
- 염색체섞임증(mosaicism), 단일유전자결손(single gene defect)와 함께 역위(inversion)나 삽입(insertion) 또한 반복유산의 원인이 될 수 있다.

2) 해부학적 요인(Anatomic abnormality)

- 반복적 유산의 약 15%
- 치료에 대해선 논란이 있으나 자궁내막 유착의 경우 자궁경하 유착박리술이 도움이 되며, 점막하 자궁근종에서 증상이 있을 경우 자궁경을 통한 근종절제술을 시행.

반복유산과 연관된 해부학적 원인
- 자궁근종
- 자궁경부무력증
- 자궁강내 유착
- uterine anomaly (uterine didelphys, septate, bicornuate, unicornuate utreus)
- 자궁내 DES 노출에 의한 자궁 기형

3) 면역학적 요인(Immunologic factor)

- 반복 유산의 15%
- 발생기전은 자가면역적 요인과 동종면역학적 요인에 의해 발생한다고 생각된다.

(1) 자가면역 요인(Autoimmune factor)

- 임신 초기 태아 유산의 과거력이 있으면서 자가항체의 수치가 높을 경우 유산 재발율이 70%에 해당한다.
- 항인지질항체증후군(antiphospholipid antibody syndrome)

표 5-2. **반복유산의 원인**

Etiology	Proposed incidence
Genetic factors	3.5%~5%
Anatomic factors	12%~16%
Endocrine factors	17%~20%
Infectious factors	0.5%~5%
Immunologic factors	20%~50%
Thrombotic factors	5%
Other factors	10%

- 진단기준: 아래에 기술된 임상증상 중 한 개 이상, 이학적 검사 중 한 개 이상 해당하는 경우 진단

[임상증상]

① 정맥, 동맥 또는 작은 혈관에 혈전증

② 임신과 동반된 합병증

- 임신 10주 전 3번 이상의 연속적인 자연유산
- 임신 10주 이후에 1번 이상의 태아사망
- 34주 이전에 조기분만이 1번 이상인 경우

[이학적 검사]

① Anticardiolipin 항체(IgM/IgG) **양성**

② Lupus anticoagulant 양성

③ Anti-β2 gylcoprotein I 항체(IgM/IgG) **역가가 99 percentile보다 높은 경우 치료**

- 저용량 아스피린(75~81 mg/day 경구) + unfractionated heparin (5,000~10,000 IU 피하주사, 하루 2회)
- 임신이 진단됨과 동시에 시작하여 분만 시까지 치료를 유지

(2) **동종면역 요인**(Alloimmune factor)

4) 내분비적 요인(Endocrine factor)

(1) 황체기 결함(luteal phase defect)

- 임신 7~9주까지 황체(corpus luteum)의 프로게스테론이 임신유지에 중요한 역할
- 임신 7~9주 이후: luteal-placental shift가 일어난다.
- 임신 8~10주 이전에 난소의 황체낭종을 수술적으로 제거할 경우 프로게스테론의 공급 필요

(2) 당뇨병, 갑상선기능저하, 다낭성난소증후군, 고프로락틴혈증, 난소예비능 감소 등도 반복유산과 연관 가능성이 보고되었다.

5) 반복유산 환자의 평가

- 유산된 태아의 염색체 검사
- 부모의 핵형검사
- 자궁강 평가: 생리식염수주입초음파, 자궁경, 3D-초음파, 자궁난관조영술 등을 이용
- 갑상선기능검사
- Anticardiolipin 항체, anti-β2 gylcoprotein I 항체, lupus anticoagulant
- 프로락틴
- HbA_{1c}

5. 자궁경부 무력증

1) 정의

임신 제2삼분기(임신 16~28주)에 진통없이 자궁경부가 열린 상태에서 양막 혹은 태아가 질 밖으로 나온 상태이다.

2) 빈도

모든 분만의 0.05~2%, 조산의 10%, 임신 제2삼분기 태아 손실의 15%를 차지한다.

3) 원인 및 위험인자(표 5-3)

표 5-3. 임신 중 자궁경부가 짧아지는 원인

물리적 요인

• 생물학적 요인
• 자궁 용적 증가: 다태임신
• 자궁경부 손상
  – 산과적 손상: 과거의 자궁경부 열상, 분만 2기 진행 지연
  – 부인과적 손상: 자궁경부 원추절제술
• 자궁수축

생화학적 요인
• 감염 • 탈락막 출혈 • 유전적 요인

4) 임상 증상

임신 제2삼분기에 처음에는 특별한 증상이 없이 자궁경부가 열리고 질 내로 양막이 풍선처럼 탈출하여 미숙 태아가 만출. 적절한 치료를 하지 않으면 다음 임신에서도 같은 증상이 반복된다.

5) 진단

전형적 증상이 없고 비특이적 증상으로 인해 진단이 늦어질 수 있다. 표 5-4에 자궁경부무력증의 진단기준을 제시한다.

표 5-4. 자궁경부무력증의 진단 기준

과거 병력

• 진통 없이 자궁경부가 개대되어 조산한 병력
• 자궁경부에 산과적 손상을 받은 병력
  – 자궁경부 열상
  – 분만 2기의 지연으로 제왕절개술을 받은 병력
• 자궁경부 수술 병력
  – 원추절제술, 환상전기절제술(loop electrosurgical excision procedure, LEEP)
• 태아기에 diethylstilbestrol에 노출된 과거력

자궁경부 초음파검사(그림 5-3)
• 짧은 자궁경부길이 < 2.5 cm • 자궁경부 내구의(internal os) 깔때기형 변화(funneling)

6) 치료

자궁경부원형결찰술(Cerclage)

① 대표적인 방법으로는 맥도날드 방법과 쉬로드카 방법이 있다(그림 5-3, 5-4). 이 두 가지 수술은 질을 통해 시행하며, 질식 수술방법이 실패하거나 자궁경부의 파손 등으로 자궁경부 길이가 너무 짧아서 질식 수술이 불가능한 경우에는 복식 자궁경부원형결찰술을 시도해 볼 수 있다.

② 선택적 질식 수술방법의 수술 성공률은 75~90%. 응급수술인 경우에 성공률은 50% 내외.

③ 예방적으로 시행하는 경우 일반적으로 12~16주 사이에 시행하며, 일반적으로 23주 이후에는 시행하지 않으나, 임상적 상황에 따라 시행하는 경우도 있다.

④ 금기증
- 자궁 내 감염
- 양막파열
- 자궁수축 또는 질출혈
- 자궁내태아사망
- 태아기형

⑤ 합병증
- 자궁내 감염
- 양막파열
- 조기진통
- 자궁경부 혹은 자궁의 열상(tear)

■ 참고문헌 ■

1. Berek JS, Novak E, editors. Berek & Novak's gynecology. 16th ed. Wolters Kluwer; 2020. pp.814-34.
2. Williams Obstetrics. 25th ed. McGraw-Hill; 2018. pp346-370.

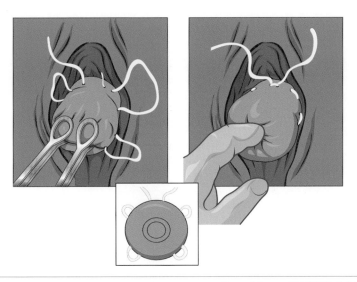

그림 5-3. 맥도날드 원형결찰술. 봉합사로 자궁속구멍 가까운 주변을 4~6회 봉합하면서 통과하여 결과적으로 자궁경부를 원형으로 돌려 묶는 방법이다.

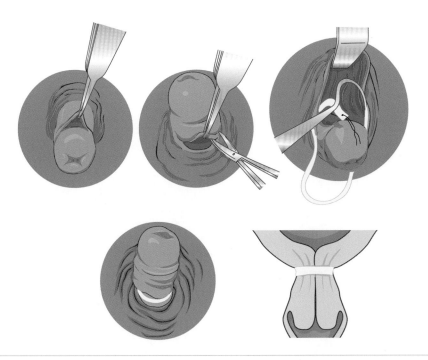

그림 5-4. 쉬로드카 원형결찰술. 자궁경부의 전후면 점막의 일부를 절개하여 박리한 후 봉합사를 자궁경부 점막 아래로 통과하여 자궁경부를 원형으로 돌려 묶는 방법이다. 결과적으로 봉합사가 질 내로 노출되지 않는다.

자궁외임신
Ectopic pregnancy

1. 자궁외임신을 유발하는 원인을 열거한다.
2. 자궁외임신의 발생 부위를 열거한다.
3. 자궁외임신의 증상과 진단 방법을 설명한다.
4. 자궁외임신의 자연 관해 및 약물 치료 요법을 설명한다.

1. 정의, 빈도 및 발생 부위

1) 정의

배아가 자궁강(uterine cavity) 이외의 부위에 착상되는 것.

*자궁경부 임신과 자궁 간질부 임신은 해부학적으로 자궁이지만 자궁강 내부가 아니므로 자궁외 임신에 포함된다.

2) 빈도

일반적으로 1~2% 이상이다. 또 계속 증가하는 추세이다.

■ 자궁외 임신이 증가되는 이유

　① 난관 감염 및 손상(골반염, 성전파성 질환)

　② 난관수술(이전 자궁외임신, 난관성형술, 난관결찰술 등) 증가

③ 보조생식술(assisted reproductive technology) 증가

④ 진단기법의 발달에 의해 과거에는 자연적으로 흡수되어 모르고 지나쳤을 자궁외임신의 진단

⑤ 기타: 수술의 기왕력, 흡연, 자궁내막증 등도 약간의 관련이 있다.

최근 자궁외임신에 의한 사망은 매우 드물지만 미국을 포함한 많은 나라에서 아직도 임신 첫 3분기에서 모성사망의 가장 큰 원인이다.

3) 발생 부위별 빈도

(1) 난관임신(Tubal pregnancy)

- 선진국은 자궁외임신의 99%가 난관임신이다.
- 국내 통계에서는 89~93%가 난관임신이다.
- 난관내 발생부위: 팽대부(ampula), 협부(isthmic), 채부(fimbrial), 간질부(interstitial)의 순서이다.

* 간질부임신은 cornual pregnancy라고 부르기도 하며 일부에서는 난관임신이 아닌 별개 의 부위로 분류하기도 한다.

(2) 난관외 자궁외임신 발생 빈도

난소임신(ovarian pregnancy), 자궁경부임신(cervical pregnancy), 복강임신(abdominal pregnancy)의 순서이다(그림 6-1).

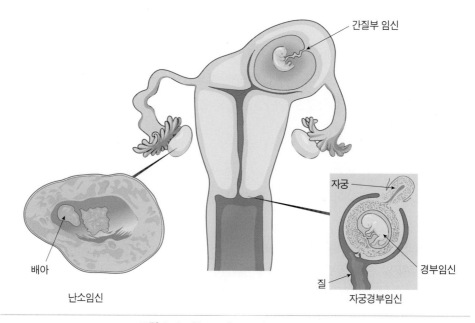

그림 6-1. **Sites of ectopic pregnancy**

(3) 이소성(복합성) **임신**(Heterotopic pregnancy)

동시에 두 곳 이상에 임신이 된 경우이다. 자궁내 임신과 난관임신의 동반이 가장 흔하다. 과거에는 매우 드물었지만 1980년 이후 체외수정에서 여러 개의 배아를 이식하기 때문에 증가하고 있다.

2. 난관임신의 원인 및 위험인자

1) 난관손상

(1) 수술−난관 결찰술(tubal ligation), **난관복원수술**(reversal), **난관 성형술**(fimbrioplasty) **등 난관 수술**

기타 골반 수술도 난관 주변에 유착을 유발할 수 있다.

(2) 감염−난관염, 기타 감염에 의한 난관 유착−Chlamydia가 가장 중요한 원인균이다.

2) 보조생식술

GIFT, ZIFT는 물론이고 자궁강 내에 배아를 이식하는 체외수정(IVF−ET)에서도 자궁외임신의 빈도는 증가한다. 이는 난관의 이상보다는 배아가 난관으로 역류하기 때문이다.

3) 피임의 실패

어떠한 형태의 피임방법도 임신 기회가 감소되므로 절대적인 자궁외임신 빈도는 감소한다. 그러나 피임에 실패하면(난관 결찰, 자궁내 삽입장치 등)자궁외임신의 상대적 빈도는 증가된다.

4) 호르몬 요인
5) 흡연

흡연은 난관의 섬모운동(ciliary movement)을 저해하고, 주머니배의 착상의 변화를 일으킨다.

3. 난관임신의 병태생리

- 난관은 점막하층(submucosal layer)이 없기 때문에 수정된 난자는 신속히 상피를 통해 파고들어 근육층 내에 위치하게 된다.
- 치료를 하지 않고 지속되면 난관유산, 혹은 난관파열로 이어진다.
- 자궁외임신에서 태아는 없거나 성장이 안 되는 경우가 많다.

1) 난관 유산

- 난관임신이 자연 유산되는 것
- 팽대부에서 흔하다.
- 태반분리가 완벽히 되는 경우에는 난관채(fimbriae)를 통해 태아조직이 복강 내로 배출되며, 출혈이 멈추고 증상이 사라진다.

2) 난관 파열

- 주로 임신 8주 전후에 발생
- 자발적으로 파열되거나 성관계나 내진을 통한 외상으로 파열되기도 한다.
- 복강 내 파열시 심한 출혈이 발생되며, 복통과 저혈량증 증상이 나타난다.

4. 임상적 증상

- 자궁외임신의 임상적 특징은 다양하며 초기에는 증상이 없다.
- 자궁외임신의 가장 흔한 증상은 질출혈이고 그 다음이 복통이다(여기에 무월경을 포함해 triad라는 표현을 쓰기도 한다).

1) 비정상적 질출혈

생리 예정일 보다 늦게 소량의 출혈로 나타나는 경우가 많으며 생리로 오인되는 경우가 있다.

2) 복부 통증

- 주로 한쪽에서 나타난다.
- 파열 시 갑작스런, 찌르는 듯한, 혹은 찢어지는 듯한 복통이 나타난다.
- 자궁경부를 움직일 때 압통이 있다.
- 어깨와 등까지 방사통(radiating pain)이 있는 경우 혈복강(hemoperitoneum)을 의심해야 한다.

3) 골반 종괴
4) 기타 증상

어지럼증, 파열 시 혈압 감소, 맥박 상승

5. 진단

과거에는 진단에 여러 가지 방법이 모두 동원되었지만 최근에는 경질 초음파의 해상도가 높아지고 혈청 β-hCG측정의 민감도가 증가하여 위의 두 가지 만으로 진단을 내리는 경우가 대부분이다.

혈청 프로게스테론, 자궁소파술 등은 진단목적으로는 잘 쓰이지 않으며 더글라스와 천자 (culdocentesis)도 초음파만으로 액체가 고인 것이 확인 가능하고 또 고인 액체가 혈액이라는 것을 확인한다고 해도 난소 낭종 출혈 등의 가능성을 배제하지 못하므로 culdocentesis 시술 은 최근에는 시행하지 않는 추세이다.

1) 연속적인 β-hCG 측정

정상 임신인 경우에는 배가시간(doubling time)이 거의 일정하다(즉 log 그래프에서 linear increase를 보인다).

정상임신이면 48시간 이후 최소 66%, 일반적으로 100% 증가한다.

① 48시간 후 감소한다면 - 유산되는 과정이다.

② 48시간 후 66% 이상 증가한다면 - 정상임신의 가능성이 높다.

③ 48시간 후 66% 이하의 증가 혹은 안정기(plateau) - 자궁외임신 혹은 유산의 가능성이 높지만 정상임신의 15%에서도 48시간 후 66% 이하의 증가가 나타난다. β-hCG 증가 기준을 35% 로 낮추면 더 높은 확률로 정상임신을 배제 할 수 있다.

2) 질식 초음파

최근 질식 초음파는 지름 2 mm의 액체로 형성된 구조물을 식별할 수 있는 해상도를 가진다. 따라서 정상임신의 경우 빠르면 임신 4+2일에도 임신낭의 확인이 가능하며 늦어도 5주에는 확인이 가능하다.

(1) 감별 구간(Discriminatory zone)

- 정상임신(viable pregnancy)이라면 반드시 질식 초음파로 임신낭의 확인이 가능한 β-hCG의 수치를 말한다. 질초음파로 정상 자궁내임신을 확인할 수 있는 식별 구역은 보통 1,000~2,000 mIU/ml이지만, 검사자의 숙련도, 장비, 다태임신등의 상황에 따라 달라 질 수 있어 3,510 mIU/ml까지 볼 수 있다.
- 감별구간(discriminatory zone) 이상의 β-hCG 수치이면서 초음파상 임신낭이 보이지 않으면 자궁외임신의 가능성이 매우 높다.
- 초음파상 자궁강에는 임신낭이 없고 자궁 부속기에 임신낭이 보이면 확진이 가능하다. 그러나 확실히 임신낭이라고 진단할 수 있는 경우는 많지 않다. Double decidual sac sign (DDSS)이나 난황막이 보이면 확진에 도움이 된다.

(2) 자궁강에 임신낭이 보이지 않는 경우에 β-hCG 수치에 따른 처치

① β-hCG가 3,510 mIU/ml 이하인 경우

정상 자궁내 임신, 유산, 자궁외임신 등 모든 경우가 가능하므로 48시간 뒤 β-hCG와 초음파 재검사한다.

② β-hCG가 3,510 mIU/ml 이상인 경우

자궁외임신의 가능성이 높다. 이 경우에는 자궁외임신으로 간주하고 내과적치료를 하거나 진단및 치료목적으로 복강경을 할 수 있다.

3) 복강경

진단이 매우 애매하거나 복강내 출혈이 계속된다고 판단될 때

4) 혈청 프로게스테론 측정

- 25 ng/ml 이상: 정상임신이 대부분이다.

- 5 ng/ml 이하: 생존 불가능한 임신이 대부분이다.

6. 치료

1) 수술적 치료
쇼크상태가 아니라면 복강경 수술이 원칙이다.

(1) 난관절제술(Salpingectomy)
임신을 원하지 않고, 난관을 보존해도 재발위험이 높은 경우에 시행한다.

(2) 난관개구술(Salpingostomy)
- 난관을 절개하고 안에 있는 임신조직을 제거한다.
- 파열이 안 된 경우, 향후 임신을 원하는 경우에 시행한다.
- 태반영양세포(trophoblast)가 남아있을 수 있으므로 β-hCG로 추적 관찰한다.

난관을 절제하거나 보존한 경우 향후 임신에서 다시 자궁외임신이 될 확률은 비슷하다.

2) 내과적 치료
주로 Methotrexate (MTX)가 사용된다.

(1) 작용기전
엽산 길항제(folic acid antagonist)로서 DNA 합성을 억제

(2) methotrexate의 적응증
자궁외임신이 확진되거나 강하게 의심되며, 난관파열이 되지 않았으며, 혈역동학적으로 안정적인 상태여야 한다.

(3) methotrexate의 금기증
- 혈역동학적으로 불안정한 경우
- 난관파열

- 내과적치료 과정에서 추적관찰이 어려울 때
- 모유수유
- 면역기능저허
- 알콜성 간질환, 만성 간질환
- 활동성 폐질환
- 활동성 소화성 궤양
- 임상적으로 중요한 간기능부전, 신장기능부전
- 중등도 또는 중증의 빈혈, 백혈구 감소증 또는 혈소판 감소증
- 자궁내임신
- Methotrexate 에 과민반응

* 임신낭의 지름이 4 cm 이상이거나 태아심박동이 있는 경우도 상대적 금기증이다.

(4) 투여방법

1회(single-dose) 요법, 2회(two-dose) 요법, 다회(multidose) 요법이 있다. 약물치료 후에는 외래에서 β-hCG가 비임신 수준으로 떨어질 때까지 매주 검사한다.

(5) 성공률

78~96%

(6) 부작용

백혈구 감소증, 혈소판 감소증, 골수 억제, 구강염, 설사 등

(7) 치료 후

적어도 2개월간은 임신하지 않도록 권유한다.

3) 치료 실패

① 지속적인 융모조직(trophoblast)이나 지속적 자궁외임신(persistent ectopic pregnancy)의 형태로 나타난다.
② 난관을 남기는 보존적치료(내과적 치료, 난관개구술, 난관채부를 통한 임신조직 제거 등) 후 임신조직이 남는 경우에 발생한다.
③ 치료는 MTX 혹은 반복적인 난관개구술, 난관절제술 등 모두 고려할 수 있다.

4) 자궁외임신 후 다음 임신에서의 예후

① 정상임신(50~80%)

② 난관임신(10~25%, 10배 정도 확률이 증가)

③ 불임

7. 난관이외 부위의 자궁외임신

1) 자궁경부임신(Cervical pregnancy)

(1) 빈도

1,000~18,000 임신 당 한 명

(2) 위험인자

- 이전의 치료적 유산
- Asherman's syndrome
- 제왕절개술
- 자궁근종
- 체외수정

(3) 임상양상: 진단기준

① 자궁경부는 풍선처럼 부풀어 있으며, 자궁과 함께 보면 모래시계 형태를 보인다.

② 자궁경부 internal os는 열려있지 않다.

③ 자궁소파술을 시행하여 병리 검사를 했을 때 태반조직이 없다.

④ 자궁경부 external os는 자연유산에서보다 더 일찍 열린다.

(4) 치료

- 임신낭에 직접 KCl 또는 MTX를 주사
- 자궁경부 혈관 결찰
- 자궁경부 봉축술(cerclage)
- 자궁경부내 Foley catheter 삽입 후 ballooning
- 혈관색전술, 자궁동맥 내장골동맥 결찰, 자궁절제술

2) 난소임신(Ovarian Pregnancy)

(1) 빈도

1,500~60,000 임신 당 한 명

(2) 치료

난소부분절제나 난소 낭종 절제술(ovarian cystectomy)이 선호된다.

3) 복강임신(Abdominal Pregnancy)

(1) 빈도

1~1.4% (통계가 많지 않다.)

(2) 병태생리

원발성은 드물며, 난관유산, 난관파열, 자궁파열 후 이차적으로 발생될 수 있다.

(3) 진단

초음파, MRI, CT

(4) 치료

① 임신이 진행된 후 진단 된 경우에는 개복수술이 일차적 치료(태반처리 시 모든 혈관을 결찰해야한다.)
② 최근에는 초기에 진단되어 복강경 수술로 치료하는 경우도 많다.

(5) 예후

사망률이 높다.

가족계획
Family planning

학습목표

1. 여성 피임 방법의 종류를 열거한다.
2. 여성 경구피임약의 장점 및 부작용을 기술한다.
3. 여성 피임 방법들의 장단점을 비교하여 설명한다.

1. 피임효과

일반적으로 피임의 유효성은 1년간 특정 피임방법을 사용한 100명의 여성 중 임신된 수의 펄 지수(Pearl Index)로 표시한다. 피임을 하지 않을 경우 1년 내 임신이 될 확률은 85%이다.

피임방법 중 특정 조건에서 건강상의 위해가 있는 것도 있으나 이들의 위험도도 임신 출산에 비하여 위험도가 낮다. 일부 피임법은 피임 외적인 이점을 가지고 있다.

2. 피임법의 분류

1) 비호르몬 요법(Nonhormonal Methods)

① 월경주기조절법
② 질외사정
③ 수유중 피임

④ 차단피임법 (barrier)

⑤ 구리 자궁내장치(IUD)

⑥ 자궁관불임법 (tubal ligation)/정관불임수술

2) 호르몬 요법(Hormonal Methods)

① 복합경구피임약

② 경피형 복합호르몬 패치

③ 질링

④ 프로게스틴 단일피임약

⑤ 레보노게스트렐 자궁내장치

⑥ 피하이식제(임플란트)

⑦ 데포 프로게스틴 (데포 메드록시프로게스테론 아세테이트)

3) 응급피임법(emergency contraception)

① 프로게스틴 단일응급피임약

② 선택적 프로게스틴 수용체 조절제 단일응급피임약

③ 항프로게스틴

④ 구리 자궁내장치

피임방법에는 호르몬제제를 사용하지 않는 피임법과 호르몬 제제를 사용하는 피임법 및 응급피임법으로 크게 나뉜다. 주기적 금욕, 질외사정 등의 방법은 실패확률이 높으므로 의학적으로는 권유의 대상이 아니지만 부부의 종교적, 정신적 신념과 의지에 따라 적용할 수 있다.

표 7-1. **각피임법에 따른 첫 1년간의 피임 실패율**

피임방법	첫 1년간의 피임실패율	
	최저실패율 (%)	일반실패율 (%)
피임안함	85	85
질외사정	4.0	22.0
월경주기법		24.0
남성콘돔	2.0	18.0
여성콘돔	5.0	21.0
살정제	18.0	28.0
호르몬피임제		
복합경구피임약	0.3	9.0
프로게스틴단일경구피임약	0.3	9.0
피하이식제(임플란트)	0.05	0.05
데포프로게스틴(3개월 주기)	0.2	6.0
피임패치	0.3	9.0
질링	0.3	9.0
자궁내장치		
구리자궁내장치	0.6	0.8
레보토게스트렐자궁내장치	0.2	0.2
불임수술		
정관불임수술	0.1	0.15
자궁관불임수술	0.5	0.5

3. 비호르몬요법

1) 월경주기조절법

월경주기조절법은 매 월경주기당 하나의 난자가 배란되고, 배란된 난자는 12~24시간동안 수정 능력이 있으며, 사정된 정자의 생존기간은 3~5일이고, 여성이 스스로 월경주기를 파악하고 증상과 징후를 알 수 있다는 근거하에 사용할 수 있다. 건강이나 개인적 이유로 호르몬 피임법이나 다른 피임법을 사용할 수 없거나 사용하고 싶지 않을 때 이용할 수 있다.

(1) 캘린더 방법

과거 6개월 동안 가장 짧았던 주기에서 21을 빼서 이 날짜를 가임기의 첫째 날로, 가장 길었던 주기에서 11을 빼서 가임기의 마지막 날로 추정하고 결정된 가임기 동안 금욕하도록 한다. 예를 들어 지난 6개월간 가장 짧았던 주기가 24일이고 가장 길었던 주기가 34일이라면 월경주기 3일째부터 23일까지 가임기간이다.

(2) 자궁경부점액 관찰법

여성의 질분비물에서 월경 이후 점액이 관찰되는 날부터 금욕하여 점액의 양이 최고점을 지난 후 4일까지 금욕하도록 한다.

(3) 기초체온 측정법

배란 후 프로게스테론 농도가 상승하면서 체온이 상승하는데, 기초체온이 상승하고 3일째까지 금욕한다.

2) 질외사정(Coitus interruptus)

성교 시 남성이 사정 전에 음경을 질에서 빼내어 질 밖에서 사정하여 임신을 피하는 방법이다.

3) 수유(Lactation amenorrhea)

(1) 수유기간 초기에는 프로락틴의 증가로 GnRH 분비가 감소하여 배란이 억제된다. 출산 후 6개월 미만, 완전한 수유(분유를 먹이지 않아야 함), 무월경의 3가지 조건이 갖추어 있어야 한다.

(2) 출산 후 6개월이 지났거나 월경이 재개되면 피임을 하여야 한다.

(3) 수유 중인 여성의 피임법

수유 중인 여성이 복합 호르몬피임법을 사용하면 모유의 양과 질이 감소할 수 있으므로, 모유의 양과 질에 영향을 미치지 않는 프로게스틴 단독 피임법을 사용한다.

① 프로게스틴 단독 호르몬 피임법(국내에서는 Implanon, depo-provera)

② 자궁 내 장치, 차단피임법, 살정제

4) 차단피임법

(1) 콘돔(Condom)

① 작용기전

- 정액에 대한 장벽

② 장점

- 성전파성질환(STD) 위험성 감소
- 자궁경부암 위험성 감소

③ 단점

- 라텍스 알레르기가 있는 경우 남여 모두에서 생명을 위협할 정도의 과민반응 발생가능
- 콘돔이 파손되거나 질내에서 벗겨진 경우 응급피임법이 필요

(2) 여성콘돔(Female condom)

- 질 안에 넣는 주머니라고 할 수 있다. HIV를 포함한 성전파성질환(STD) 위험성 감소
- 남성용 콘돔보다 파손이 적고 이물감이 적다.
- 질 안에 손가락을 넣어 착용해야 하고, 바깥쪽 링의 일부가 질 밖에 보이는 것에 거부감을 느낄 수 있다.

(3) 질 내 살정제(Vaginal spermicides)

- 화학물질인 nonoxynol-9과 octoxynol-9 등의 성분으로 젤리, 크림, 거품정제, 질좌제 등의 형태로 시판
- 국내에서는 nonoxynol-9의 좌제(suppository)인 "노원질좌제"가 사용 가능하다.
- 단독사용으로는 콘돔보다 효과가 적고, 단독으로는 성전파성질환을 예방하지 못한다.

① 작용기전

- 정자의 세포막을 파괴하여 정자를 죽이거나 운동성을 저하시킨다.

② 장단점

- 성교 10~30분 이전에 사용해야 한다.
- 감염을 증가시키는지의 여부에 대한 논란이 있다.
- 사용 실패 후 임신이 되었어도 기형이나 자연유산이 증가하지 않는다.

(4) 기타 차단 피임법

질격막(Vaginal diaphragm), 경부캡(Cervical cap) 등이 있으나 국내에서는 쓰이지 않는다.

5) 영구피임 방법(Sterilization)

- 영구피임방법은 성생활에 해로운 영향을 주지 않는다.
- 영구피임방법은 월경통, 월경주기 이상 등의 비정상월경을 초래하지 않는다

(1) 자궁관 불임수술(Tubal ligation)

- 영구피임법은 시술 전에 충분한 설명과 상담이 필요하다.
- 시술하는 날까지 피임을 해야하며 시술 당일 임신검사를 시행한다.
- 1.7%의 합병증만이 있는 매우 안전한 시술이다.
- posttubal ligation 증후군은 없다. 난소암의 위험을 감소시킨다.

① 술기

- 개복한 상태에서(주로 제왕절개 시에)는 Pomeroy 방법이 주로 사용되며 수술시간이 약간 길어지는 것 외에는 부작용은 거의 없다.
- Pomeroy나 modified Pomeroy는 1000예에 1~4예의 실패가 보고되고 있다.
- 복강경을 이용한 방법은 Yoon's ring과 전기소작술(bipolar)이 국내에서 사용된다.

② 복원력

- 다시 복원을 할 경우 복원된 난관의 길이가 4 cm 이상이면 임신 예후가 좋다.
- 복원을 하는 나이가 젊을수록 예후가 좋다. 30세 이전에 복원할 경우 최대 88%의 성공률을 보이고 40세 이후에 복원할 경우 36%까지도 낮아진다.
- Yoon's ring (mechanical occlusion)을 이용한 방법이 전기소작보다 복원성공률이 우수하다.

③ 여성불임술: 자궁경(Hysteroscopy)

- 자궁경을 이용하는 영구피임법으로 부분마취 혹은 진정 정도로 외래에서 시행한다.
- 자궁경을 보면서 자궁에서 자궁관으로 이어지는 통로 근위부에 특수하게 고안된 코일을 넣는다.
- 안전도, 비용, 장기간의 효과면에서 우수하다.
- 시술 12주 후에 HSG로 자궁관이 막혔음을 확인하며 92%에서 양측난관이 폐쇄된다.

(2) 정관불임수술(Male Sterilization)

- 정관결찰술(Vasectomy): 정관(vas deferens) 일부를 절제한다.
- 수술에 의한 합병증은 거의 없으며 정액이 감소하거나 사정의 속도가 빨라지지 않는다.
- 성생활 능력 감퇴는 없다.
- 시술 후 3~4개월 후, 정관절제술 후 적어도 20회 이상 사정을 한 후 무정자증을 확인할 수 있다.
- 복원시 임신률은 70~80%이며, 복원까지 기간이 길수록 성공률이 감소한다.
- 항정자 항체(antisperm antibody)가 나타나지만 이로 인한 장기간의 합병증(면역 질환 및 심혈관질환)은 없다.

4. 자궁내 장치(Intrauterine Devices: IUD)

1) 종류

① 구리 자궁내장치(Copper-releasing IUD, 상품명 NovaT®, Multiload®)
② Levonorgestrel 자궁내 장치(LNG-IUD, 상품명 Mirena®, Kyleena®, Jaydess®)

2) 작용기전

(1) 구리 자궁내장치(Copper IUD)

- 자궁내막에 무균성 염증반응을 유발하여 수정 및 착상을 방해한다.
- 배란에 영향을 주지 않으며 유산유도제는 아님.

(2) 레보노게스트렐 자궁내장치(LNG-IUD)

자궁내에 국소적으로 프로게스틴(LNG)을 분비하여 자궁내막이 얇아지고 자궁경관 점액이 두꺼워지면서 정자의 이동을 방해한다.

3) 합병증

(1) 감염

현재 시판되는 자궁내 장치는 삽입 후 처음 20일까지는 골반염의 빈도가 증가하지만 그 후에는 증가하지 않는다.

■ **방선균증**(Actinomycosis)

과거 플라스틱제는 사용연도가 증가 할수록 골반방선균 감염의 빈도가 증가하였다. 그러나 구리자궁내장치의 경우 방선균증 감염빈도가 낮고 LNG-IUD는 통계가 아직 없다.

방선균증이 있다 하더라도 대부분 무증상이며, 증상이 있는 방선균증은 자궁내장치를 제거하고 경구 페니실린 G500mg을 하루 4회 한 달 동안 투약한다.

(2) 자궁 통증 및 출혈

주로 삽입 직후

(3) 생리과다, 생리통

구리자궁내장치

(4) 전위(translocation)

자궁 근육층에 박히거나 관통하는 경우

(5) 자연탈출(expulsion)

(6) Fertility

미산부에서 구리 자궁내장치를 사용하여도 난관요인으로 인한 불임이 증가하지 않음,

(7) 자궁외 임신

Copper-releasing IUD, LNG-IUD의 경우 역학적 연구 결과, 피임을 안 한 여성에 비해 자궁외 임신의 발생을 50% 정도 감소시킨다고 나타났다. 자궁내장치가 삽입된 상태에서 임신이 된다면 자궁외임신의 가능성이 증가하지만, 자궁내장치가 임신을 매우 효과적으로 예방하므로 자궁내장치를 삽입한 여성에 자궁외 임신이 발생할 가능성은 희박하다.

즉, 현재 사용되는 IUD는 자궁외 임신의 전체적인 발생을 오히려 감소시킨다.

4) 자궁내 장치의 금기증

① 임신

② 산욕기 패혈증

③ 최근 3개월 이내의 골반염의 과거력

④ 자궁내막암 또는 자궁경부암

⑤ 진단되지 않는 질 출혈

⑥ 구리알레르기(Wilson's disease)

⑦ 자궁강의 모양이 비정상인 경우(절대적 금기는 아니며 정도에 따라 다르다.)

5) 자궁내 장치 삽입 시기

고위험 여성인 경우 임균과 chlamydia screening 검사

① 생리 직후: 현재 임신일 가능성이 떨어지고 자궁 경관이 삽입에 용이한 상태

② 임신이 아닌 경우 생리주기 어느 때나 가능

③ 유산직후

④ 분만 4~8주 후

⑤ unprotected intercourse 후 5일 이내 구리 자궁내장치삽입: 응급피임 효과

6) 임신 시 자궁내 장치

자궁내장치를 가진 상태로 임신이 되면 자연유산, 조산의 가능성이 증가한다.

자궁내장치실이 보이면 즉시 제거, 자궁내장치 실이 보이지 않으면 초음파 및 CO_2 혹은 식염수 자궁내시경하에 제거한다.

7) 자궁내 장치의 사용기간

- 사용기간이 증가할수록 임신율, 자연탈출이나 부작용에 의한 제거율이 감소한다.
- FDA에서는 LNG-IUS(Mirena®, Kyleena®)은 5년, Jayness®는 3년, Copper IUD는 5~10년 사용승인

8) 자궁내 장치의 선택

LNG-IUS은 월경양과 월경통의 감소, 구리 자궁내 장치는 월경양의 증가가 있으므로 환자의 특성에 따라 선택

9) 출혈과 심한 복통의 처치

자궁내장치를 제거하는 가장 많은 이유는 출혈과 골반통이지만 첫 수개월간 있다가 사라지며 NSAID가 도움이 된다.

그 후에 출혈과 골반통이 생기면 PID, 자궁내장치의 부분 이탈, 점막하 근종을 의심

5. 호르몬 요법

1) 성분에 따른 분류

- 합성 에스트로겐과 프로게스틴의 복합제제: 가장 널리 사용되는 호르몬 피임제
- 프로게스틴 단독 제제

2) 에스트로겐과 프로게스틴의 종류

- 합성에스트로겐은 거의 모든 경우에 ethinyl estradiol이며 최근 사용되는 피임제에는 ethinyl estradiol 20~35 μg이 함유되어 있으며, ethinyl estradiol 대신 estradiol valerate를 함유한 제품도 있다.
- 프로게스틴은 종류가 매우 다양하다. 프로게스틴을 사용하면 에스트로겐의 투여량을 줄일 수 있고 자궁경관 점액을 진하게 하고 자궁내막을 얇게 만들어 피임효과를 높일 수 있다.
- 프로게스틴은 최근 3세대 프로게스틴 (desogestrel, gestogene, norgestimate, etonogestrel) 혹은 4세대 프로게스틴(drospirenone, dienogest이 사용되면서 항안드로겐효과를 보여 여드름 등의 부작용이 감소되었다.

3) 투여 경로

경구(oral contraceptives), 피하이식(implants), 질링제제(vaginal ring), 주사제제가 국내에서 사용된다.

4) 작용기전

성호르몬을 투여해서 음성 되먹임 기전(negative feedback)에 의해 FSH의 분비를 억제하여 난포성장을 막고 LH surge를 억제하여 배란을 막는 것이 주된 기전이다.

프로게스틴은 추가적으로 자궁내막을 얇게 하고 경관점액을 진하게 하여 피임효과를 높인다.

5) 합성 에스트로겐과 프로게스틴의 복합 제제

경구피임약이 가장 대표적이다. 그외에 국내에는 vaginal ring이 시판된다. 외국에는 경피 패취나 주사제도 있다.

(1) 종류
① 복합 경구 피임제(Combination OC)

단상성(monophasic), 다상성(multiphasic)의 두 가지 방법이 있다. 단상성은 일정량의 에스트로겐과 프로게스틴을 21일간 계속 사용하고 7일을 쉬는 방법 혹은 최근에는 24일간 사용하고 4일 쉬는 방법도 있다. 다상성은 21일 혹은 28일동안 에스트로겐과 프로게스틴을 다른 용량으로 사용하는 방법이다. 대표적으로 국내에서는 삼상성(triphasic)인 트리퀼라 (Triquilar®)와 5상성(5-phasic)인 클래라(Qlaira®)가 시판되고 있다.

② 질륜제제(vaginal ring)

- NuvaRing®이라는 상품명으로 시판된 바 있으며 하루에 15 μg의 ethinyl estradiol과 120 μg의 etonogestrel (3-keto-desogestrel)을 분비한다.
- 질내에 3주간 넣었다가 1주는 뺀다.
- 병원에 가지 않고 여성이 직접 넣고 뺀다. 피임효과는 경구피임약과 유사하다.
- 현재 한국에서 판매 중지되었다.

(2) 안정성
① 혈전증(venous thrombosis)

- 에스트로겐의 용량에 따라 혈액응고경향(procoagulation)이 증가된다.
- Fibrinogen, Factors II, VII, IX, X, XII, XIII이 증가된다.
- 심부정맥 혈전증(deep vein thrombosis)는 연령에 의해 가장 큰 영향이 있다. 경구피임제 사용 첫 일년에 가장 위험이 높다. factor V Leiden mutation인 경우 위험이 더 높다.

- 3세대 및 4세대 프로게스틴(progestin)이 포함된 피임약에서 위험이 더 증가한다는 보고가 있다.

② 심장질환과 뇌졸중(heart disease, stroke)

과거 고용량 경구피임약을 사용할 당시에는 허혈성 심장질환과 뇌졸중이 경구피임제와 관련된 사망의 주된 원인이었다. 특히 심근경색증은 고령, 흡연시 증가한다. 그러나 최근 사용되는 저용량 피임제는 현재까지의 결과로 보아 건강한 비흡연자에서 연령에 관계없이 심근경색증 혹은 뇌졸중을 증가시키지 않는다. 다만 고혈압이 있는 나이든 여성에서는 출혈성 뇌졸중의 위험이 약간 증가할 수 있다. 따라서 35세 미만의 비흡연여성이 고혈압 외 다른 심혈관질환이 동반되어 있지 않다면 약물치료로 혈압을 조절하면서 저용량 경구피임약을 복용할 수 있다.

③ 혈압

에스트로겐 용량에 따라 혈압이 증가하는 경향이 있다. 그러나 최근 사용되는 저용량피임제는 드물게 특이체질반응(idiosyncracy)이 있지만 혈압이 증가한다는 증거는 없다.

④ 당대사

에스트로겐은 당대사와 무관하고 프로게스틴은 항인슐린작용이 있지만 현재 사용중인 저용량 피임제는 인슐린 및 혈당에 임상적으로 의미있는 영향을 주지 않는다.

⑤ 지방대사(lipid metabolism)

- 에스트로겐은 LDL-콜레스테롤을 감소시키고, 중성지방과 HDL-콜레스테롤을 증가시킨다.
- 프로게스틴은 각 프로게스틴의 안드로겐 효과에 따라 작용이 다르다.
- 저용량 경구용 피임제는 나쁜 영향이 적다.

⑥ 그 외 효과들

- 담즙의 이동을 저해하므로 급성 혹은 만성 담즙정체질환이 있다면 복용을 금한다.
- 오심과 유방통이 복용 후 첫 몇 개월간 나타날 수 있으나 점차 소실된다
- 담즙정체(cholestasis)가 올 수 있다.
- 여드름은 1, 2세대 프로게스틴을 포함한 피임약에서 흔하다.
- 체중 증가는 성호르몬의 동화작용으로 인해 발생할 수 있으나 저용량 피임제 사용시 체중증가부작용은 매우 드물다.

⑦ 자궁내막암과 난소암

프로게스틴의 작용으로 자궁내막암의 위험성이 감소하고 배란을 억제하므로 난소암의 위험성도 감소한다.

⑧ 자궁경부암

피임약 복용이 자궁경부암을 증가시킨다는 데는 논란이 되고 있으며, 자궁경부암이 증가하더라도 인유두종 바이러스 양성인 경우에만 국한된다.

⑨ 유방암

- 유방의 양성질환은 감소한다.
- 현재 혹은 최근의 경구피임약 복용은 폐경 전 여성의 유방암 발생을 증가시킬 수 있으나 이는 피임약을 복용중인 여성이 더 자주 검사를 받는 경향과 이미 악성 세포가 있었던 여성에서 호르몬으로 인해 기존의 악성세포가 성장했을 가능성으로 인한 증가로 생각된다.
- 과거의 피임약 복용 및 피임약 복용기간은 유방암의 발생에 영향을 주지 않는다.
- 유방암의 가족력이 있는 여성이나 양성유방질환이 있는 여성에서 경구피임약 복용으로 인해 유방암의 위험이 더 증가하지는 않는다.

⑩ 간 선종

- 호르몬에 반응하며 치명적인 출혈을 유발할 수 있는 양성 선종과 관련되어 있으나 저용량 경구피임약이 발달되면서 그 빈도가 매우 드물다.
- 급, 만성 간염의 경과, 간경화의 진행, 만성 간염환자에서 간암의 발생, B형 간염 보균자에서 간기능에 영향이 없다.

(3) 경구피임제의 이점(표 7-2)

(4) 절대적 금기

- 혈전색전질환(thromboembolic disease)
- 관상동맥질환(coronary artery disease) 혹은 뇌혈관질환(cerebrovascular disease)의 과거력
- 이미 있거나 의심되는 유방암
- 확실히 진단되지 않은 비정상자궁출혈
- 심한 간기능 저하
- 임신
- 35세 이상 흡연자

- 전조증상이 동반된 편두통
- 혈관질환이 합병된 당뇨병
- 중증 고콜레스테롤혈증 혹은 고중성지방혈증
- 조절되지 않는 고혈압
- 출산 21일 내의 모유수유중인 여성
- 장시간 움직일 수 없는 수술
- 산욕기 심근병증 과거력

표 7-2. **복합경구피임제의 피임 이외의 건강상 이점**

월경관련	가능한 잇점
- 월경주기 조절	- 류마티스관절염 감소
- 월경량, 월경통 감소	- 동맥경화증 예방
- 빈혈 감소	
배란억제	**경구피임약으로 치료 가능한 질환**
- 난소낭종 감소	- 비정상 자궁출혈
- 자궁외임신 감소	- 월경통
암 관련	- 배란통
- 자궁내막암 감소	- 자궁내막증의 예방
- 난소암 감소	- 여드름/다모증
- 대장암 감소	- 시상하부성 무월경
기타	- 무배란성 출혈
- 양성 유방질환 감소	- 기능성 난소낭종
- 자궁내막증 감소	- 월경전증후군
- 골밀도 증가	

6) 프로게스틴 단독 제제

- 프로게스틴 단독경구피임제(Minipill) 프로게스틴주사제(Depo-Provera: DMPA) 피하이식제(Implant)의 세 가지가 있다. 국내에서는 피하이식제와 프로게스틴 주사제가 시판된다.
- 에스트로겐에 의한 부작용을 피하면서 효과적으로 피임효과가 있다. 제재와 용량에 따라 작용이 다르다.
  - 배란억제: LH surge가 억제된다. 그러나 FSH는 완전히 억제되지 않아서 난포성장은 가능하다.
  - 자궁경관 점액을 진하게 하고 자궁내막을 얇게 만들어 착상을 어렵게 한다.

(1) 피하 이식제

- Implanon이라는 상품명으로 국내에서 시판된다.
- Etonogestrel을 분비하는 성냥개비 크기의 막대이다.
- 지속적으로 낮은 양의 steroid를 분비함으로써 효과적으로 피임효과를 보인다(Pearl Index 0.01).
- 배란을 억제하며 자궁경관 점액, 자궁내막, 난관운동성에 영향을 미친다.
- 삽입 후 3년간 유효하다.
- 팔의 안쪽 이두박근과 삼두박근의 사이홈의 2~3 cm 뒤쪽에 이식한다.
- 임신율은 1% 이하이다.
- 불규칙한 질출혈이 흔하다.
- 골밀도 및 탄수화물, 지질, 혈액응고 등의 대사지표에는 영향을 미치지 않는다.

(2) DMPA (Depot medroxyprogesterone acetate)

- 150 mg의 DMPA를 매 3개월마다 투여하면 pearl index 0.3으로 효과적인 피임 방법이다.
- 지속적인 질출혈과 체중증가로 사용을 중단하는 경우가 많다.
- 사용 중에 골소실이 일어날 수 있으나 중단하면 회복된다.
- 수유기간 중에 피임제로 사용할 경우 산후 한달 후(6주 후)에 시작한다.
- 자궁경부암과 연관성은 없으나 자궁내막암, 난소암의 위험을 감소시키지만, 유방암의 위험을 증가시킬 수 있다는 우려가 있다.

6. 응급 피임(Emergency Contraception)

수정 후 6일째 착상이 된다는 것에 근거하여 배란을 지연시키거나 수정란의 착상을 방해하는 방법을 이용한다.

현재 가장 많이 사용하는 방법은 상용화된 프로게스틴 단독제제이다.

1) 상용화된 프로게스틴 단독제제

- levonorgestrel 1.5 mg 1정이 하나의 포장 단위이다. 0.75 mg 두 정도 시판된다.
- 국내상품명은 노레보, 레보니아 등 여러 가지 이다. 미국에서 상품명은 Plan B이다.
- 성교 후 72시간 이내에 한번에 1.5 mg을 복용한다.
- 72시간 이내라는 것은 일반적 지침, WHO에서는 120시간 이내 복용 권장하지만 성교 후 빨리 복용할수록(24시간 이내 복용할 때) 피임 효과가 높다.
- 72시간 이내 복용시 임신 위험을 85% 감소시킨다.
- 배란 전에 사용하였을 때만 효과가 있으므로 낙태약이 아니다.

2) 선택적 프로게스테론 수용체조절제(Selective progesterone receptor modulatot, SPRM)
: uﾞlipristal acetate (UPA)

- UPA 30 mg 단일세세는 2009년 유럽에서, 2010년 미국에서 각각 승인을 받았으며, 국내에도 출시된 약물이다.
- UPA는 프로게스테론 수용체에 결합하여 난포의 성장을 억제하고 자궁내막의 성숙을 지연시켜, 복용 후 월경이 지연되기도 한다.
- 120시간까지 피임 효과가 있으며, levonorgestrel 단독제제보다 효과가 좋다.

3) Antiprogestins

- mifepristone (RU486) 200 mg은 낙태효과가 있으나 10 mg은 응급피임제로 사용된다.
- 성교 후 120시간 이내 복용 시 임신위험도를 80~85% 감소시킨다.

4) 구리 자궁내 장치(Copper-IUD)

- 착상을 방해한다.
- 7일 이내에 사용이 권장된다. 5일 이내에 사용하면 100%, 7일 이내에 사용해도 거의 100% 효과를 나타낸다.

응급피임약 복용 첫 24시간 동안 가장 흔한 부작용은 오심, 구토, 두통, 어지럼증, 피로, 유방통이다. 응급피임약을 복용한 여성의 약 50%는 오심을, 20%는 구토 증세를 경험한다. 약을 복용한 지 2시간 이내에 구토를 한다면 응급피임의 효과를 저해할 수 있으므로 다시 복용할 것을 권한다.

응급피임 후 3주 후에는 병원에 방문하여 임신 여부 등을 확인하여야 하며, 차후 지속적인 피임방법에 대하여 상의해야 한다.

자궁근종

Uterine leiomyoma

1. 자궁근종의 형태학적 특징을 기술한다.
2. 자궁근종 및 난소종양 등 골반내 종양으로 야기되는 임신과 분만의 문제점을 설명한다.
3. 자궁근종을 발생 위치에 따라 3가지 형태로 구분한다.
4. 자궁근종의 2차성 변화에 따른 임상적인 특징을 설명한다.
5. 자궁근종의 내과적, 외과적 치료와 그 적응증을 설명한다.

자궁근종(uterine fibroids or leiomyomas)은 자궁 평활근(smooth muscle)의 부분적 증식으로 인해 발생하는 단일클론 종양(monoclonal tumor)으로 자궁에서 발생하는 가장 흔한 양성 종양이다. 가임기 여성에서 흔히 발생하며, 35세에서 40~60%, 50세에서 70~80%의 빈도로 발견된다.

1. 병태생리

자궁근종의 정확한 원인은 잘 알려져 있지 않지만, 가능한 원인으로 유전자이상과 호르몬의 영향이 제시되고 있다. 자궁근종은 한 개의 세포에서 발생(unicellular origin)하며 비정상적인 유전자 발현을 보인다. 약 40%에서 염색체이상을 보이지만, 이러한 유전학적 이상은 자궁육종(leiomyosarcoma)과는 차이가 있기 때문에 자궁근종의 변성에 의해 자궁육종이 발생하는 것은 아니다. 자궁근종은 호르몬 반응성 종양으로 에스트로겐(estrogen)과 프로게스테론(progesterone)에 의해 커지며, 폐경 후에는 더 이상 커지지 않거나 크기가 감소할 수 있다.

2. 위험 인자

① 나이가 많을수록
② 초경이 빠를수록
③ 산과력: 불임 및 출산한 적이 없는 경우
④ 가족력: 일차친척(first degree relative)의 가족력에서 발생이 2.5배 증가
⑤ 인종: 흑인에게서 백인보다 2.9배 발생 증가
⑥ 비만
⑦ 복합경구피임제 복용은 근종의 발생을 증가시키지 않는다.

3. 증상

대부분 무증상을 보이나 아래와 같은 증상(들)이 나타나는 경우에는 삶의 질이 저하된다.

1) 비정상 자궁출혈(abnormal uterine bleeding)
2) 통증

목있는(pedunculated) 근종의 염전, 급성 고사, 염증성 변화 등으로 인한 복부의 급성 통증이나 성교통, 월경통, 근종의 변성(degeneration)에 의한 골반통증 등이 관찰될 수 있다.
 * 근종의 이차 변성: 유리질(hyaline), 낭성(cystic), 출혈성(hemorrhagic), 석회화(calcification)

3) 압박증상

종양이 방광이나 요관을 압박하는 경우 빈뇨, 배뇨곤란, 수신증을 유발할 수 있으며, 소화기 장기를 압박하면 변비, 배변통, 소화장애 등의 원인이 되기도 한다.

4) 기타 증상

목있는 점막하 근종이 자궁 밖으로 탈출될 수 있다.

4. 위치에 따른 분류

자궁근종의 위치에 따른 분류를 FIGO 에서 제시하였으므로 이를 기준으로 위치에 따른 분류를 할 수 있으며(표 8-1, 그림 8-2), 그 외에도 기본적인 분류를 다음과 같이 한다.

1) 근층내 근종(intramural myoma)
70~80%, 가장 흔한 유형

2) 장막하 근종(subserosal myoma)
방광이나 장을 누르면 빈뇨나 소화불량을 유발할 수 있으나 크기에 비해 증상을 유발하는 정도가 약하다(그림 8-1).

3) 점막하 근종(submucosal myoma)
5~10%, 자궁내막으로 돌출한 형태의 근종으로 월경과다, 부정자궁출혈 및 지속적인 질출혈 증상을 흔히 동반한다. 자궁내강의 형태를 변화시켜 불임이나 유산의 발생에도 영향을 준다.

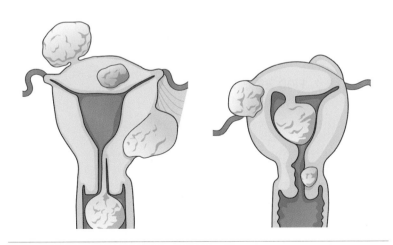

그림 8-1. 자궁근종의 위치에 따른 분류.
* 목있는 근종(pedunculated myoma)
 – 장막하 또는 점막하 근종이 늘어지면서 생기는 형태
* 기생근종(parasitic myoma)
 – 목있는 근종이 복강 벽이나 장막, 또는 다른 장기에 부착되어 혈액공급을 받게 되고, 이후 자궁과 붙어 있던 부분이 소실되면서 발생한다.
 – 난소 종양 등과의 감별이 필요하다.

표 8-1. FIGO Leiomyoma classification system (Munro et al, Int J Gynecol Obstet 2015)

Type 0	자궁내강으로 완전히 돌출된 목있는 점막하 근종(pedunculated intracavitary)
Type 1	50% 미만이 자궁 근층에 위치한 점막하 근종(< 50% intramural)
Type 2	50% 이상이 자궁 근층에 위치한 점막하 근종(≥ 50% intramural)
Type 3	자궁내강에 노출된 부분 없이 자궁내막에 인접한 근종(contact endometrium, 100% intramural)
Type 4	자궁내막이나 장막에 접하지 않고 온전히 근층내에 위치한 근층내 근종(intramural)
Type 5	50% 이상이 근층에 위치한 장막하 근종(subserosal ≥ 50% intramural)
Type 6	50% 미만이 근층에 위치한 장막하 근종(subserosal < 50% intramural)
Type 7	목있는 장막하 근종(subserosal pedunculated)
Type 8	자궁 근층과 동떨어진 위치의 기생 근종(예; 자궁경부, 인대에 위치한 근종)

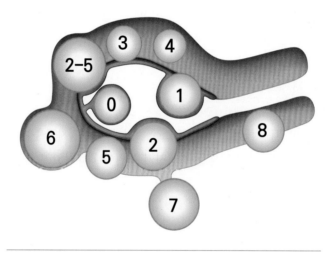

그림 8-2. FIGO 근종 classification

5. 진단

1) 병력

약 반수 이상에서는 무증상(50~65%)이다. 가장 흔한 증상은 자궁출혈이며 월경과다(heavy menstrual bleeding)나 비정상 자궁출혈(abnormal uterine bleeding)로 만성 철결핍성 빈혈, 어지럼증 등을 보일 수 있다. 하복부 압박감이나 빈뇨, 배뇨곤란, 변비 등과 같은 이차적인 증상이 있을 수 있으며, 불임과도 관련이 있을 수 있다.

2) 신체검사(physical examination)

근종의 크기 및 위치에 따라 골반내진(pelvic examination)에서 압통이 없는, 울퉁불퉁하고 단단한 종괴로 만져질 수 있다.

3) 초음파검사(ultrasonography)

가장 쉽고 비용효과적으로 사용할 수 있는 검사이다. 초음파검사에서 자궁근종은 정상 자궁 근층보다 저에코(hypoechoic)의 종괴가 피막에 쌓인 형태로 관찰된다. 자궁근종은 평활근 세포가 눌리면서 생긴 가성 피막(pseudocapsule)에 싸여 있는데, 자궁근종과 자궁선근증(adenomyosis)을 감별하는 데 도움을 준다.

4) 생리식염수주입 초음파자궁조영술(saline infusion sonohysterography)

점막하 근종의 진단에 유용하며 위치와 크기 등을 판단할 수 있다. 자궁내막폴립과 같은 다른 내막 질환과의 감별에 유용하다.

5) 자기공명영상(magnetic resonance imaging, MRI)

자궁근종의 정확한 위치, 크기, 수를 파악할 수 있어 자궁근종절제술을 계획하는 단계에서 유용하게 사용된다. 자궁선근증과의 감별 진단에도 유용하다(그림 8-3).

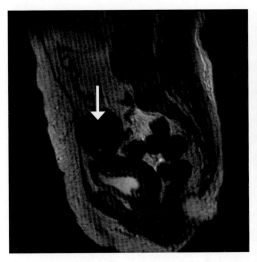
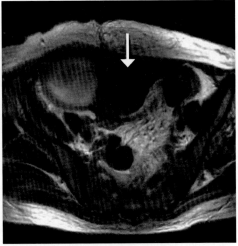

그림 8-3. **자기공명영상(T2-weighted)에서 관찰되는 점막하 자궁근종(⟹)**

6. 감별진단

① 비정상 자궁출혈(abnormal uterine bleeding)

② 자궁선근증(adenomyosis)

③ 자궁내막폴립(endometrial polyp)

④ 자궁내막증식증(endometrial hyperplasia)

⑤ 자궁내막암(endometrial cancer)

⑥ 기능성자궁출혈(dysfunctional uterine bleeding, DUB)

⑦ 골반 종괴(pelvic mass)

⑧ 임신

⑨ 난소 낭종(ovarian cyst)

⑩ 난소의 종양(ovarian neoplasm)

⑪ 난소난관농양(tubo-ovarian abscess)

⑫ 자궁육종(leiomyosarcoma)

7. 생식능력(fertility)에 대한 근종의 영향

근종의 위치에 따라 임신에 대한 영향이 다르다.

1) 점막하 근종

생식능력을 감소시키기 때문에 점막하 근종을 제거하면 생식능력이 증가한다.

2) 장막하 근종

생식능력에 영향을 주지 않으며 제거하여도 생식능력의 의미 있는 변화는 없다.

3) 근층내 근종

다소 생식능력을 감소시키지만 제거해도 생식능력에 영향을 주지는 않는다.

8. 임신과 자궁근종

대부분의 자궁근종은 임신에 악영향을 미치지 않는다. 그러나 제왕절개율은 두배 가량 증가시키며, 조산이나 전치태반, 산후출혈의 위험이 증가한다.

1) 임신 중 근종의 변화

크기가 커지는 경우도 있으나 출산 후 다시 크기가 감소하는 경우가 많으므로 추적 관찰이 필요하다.

2) 임신에의 영향

(1) 근종 부위에 착상

유산, 조산, 태반조기박리, 산후 출혈을 일으킬 수 있다.

(2) 다발성 근종

태아의 비정상적 위치나 조산 등과 관련이 있다.

(3) 자궁경부의 근종

위치나 크기에 따라 분만 중 태아의 하강을 방해할 수 있다.

(4) 적색 또는 출혈성 변성(red or hemorrhagic degeneration)

임신 또는 산욕기 중에 근종이 출혈성 경색을 일으킬 수 있다. 호르몬의 영향으로 근종이 자라는 속도에 비해 혈액 공급은 적어서 유발된다. 증상은 국소적인 통증 및 압통, 미열과 혈액검사에서 중등도의 백혈구 증가를 보일 수 있다. 치료는 진통제로 통증을 조절하면서 관찰하며, 보통 수일 내에 증상이 완화된다.

3) 임신 중의 근종절제술

임신 중 근종절제술 대량 출혈을 유발할 수 있으며, 대부분의 환자에서 분만 후 크기가 감소될 수 있으므로 임신 중의 근종절제술은 선택적인 경우에만 시행하는 것이 좋다.

9. 치료

　자궁근종과 연관된 증상이 없는 경우에는 주기적 관찰을 할 수 있다. 심한 통증을 동반하거나 다량의 또는 불규칙한 자궁 출혈, 불임, 압박감 등의 증상을 동반하는 경우나, 근종 크기의 빠른 증가, 폐경 후 새로 생기거나 크기가 커지는 근종은 치료가 필요하다. 치료방법은 환자의 연령, 임신여부, 향후 임신계획 및 근종의 크기와 위치를 고려해서 결정한다(ACOG, 2000).

1) 기대요법(expectant management)

　대부분의 무증상 근종은 치료가 필요 없으며, 정기적으로 근종의 크기 변화와 증상의 유무를 확인한다.

2) 내과적 치료

(1) 증상완화를 위한 약물 치료

　비스테로이드성 소염제(NSAID)나 경구피임제는 월경통의 감소와 월경량의 감소를 기대할 수 있으며, 트랜사민산(Transamic acid)나 레보노게스트렐 함유 자궁내장치의 사용은 월경과다 증상의 감소를 위해 사용할 수 있다. 그러나 증상의 치료를 기대할 뿐, 근종 크기의 감소 등을 기대할 수는 없다.

(2) 생식샘자극호르몬분비호르몬작용제(GnRH agonist)

　생식샘자극호르몬의 분비 억제에 의해 이차적으로 에스트로겐의 혈중농도를 저하시킴으로서 자궁근종의 크기를 40~60% 정도로 감소시킬 수 있으나 약 반수에서는 수개월 이내에 다시 성장한다. 근종의 크기가 큰 환자에서 생식능력(fertility)의 유지를 원할 경우, 근종절제술이나 자궁절제술 시행 전 크기 감소나 빈혈의 교정을 위해, 폐경이 가까운 여성에서 수술적 치료의 대체요법, 내과적인 문제로 수술을 할 수 없는 경우 등에 사용할 수 있다. 가성 폐경(pseudomenopause) 상태에 의해 가역적인 골감소증(bone loss), 홍조(hot flush) 등의 증상이 동반될 수 있다. 이러한 저에스트로겐혈증에 의한 부작용을 감소시키기 위해 에스트로겐과 프로게스틴을 병용 투여하는 추가요법(add-back therapy)을 시행한다(Broekmans 등, 1996).

(3) 생식샘자극호르몬분비호르몬길항제(GnRH antagonist)

주사제는 3주간 사용시 29%의 근종 크기 감소가 보고되었다. 작용제의 초기 길항작용이 없다는 장점이 있으며, 경구용 약제의 도입이 연구되고 있다.

(4) 프로게스테론 차단제

프로게스테론 차단제인 mifepristone은 근종의 크기 감소에는 효과적이나, 자궁내막증식증을 일으키는 문제의 해결이 필요하다.

(5) 프로게스테론 분비 자궁내장치(progesterone-releasing intrauterine device)

Levonorgestrel releasing intrauterine system (LNG-IUS)는 근종의 크기를 감소시키지는 않지만, 근종으로 인한 월경과다를 효과적으로 줄여줄 수 있다.

3) 수술적 치료

(1) 적응증

① 호르몬 치료에 반응이 없는, 빈혈을 동반한 부정 질출혈
② 월경통, 성교통, 하복부 통증 등의 만성 통증
③ 급성 통증(목있는 근종의 염전) 또는 점막하 근종이 질로 탈출된 경우
④ 비뇨기계 증상(압박에 의한 빈뇨, 수신증 등)
⑤ 급속히 크기가 커지거나 폐경 후에도 크기가 커지는 경우
⑥ 반복유산 또는 불임의 조사에서 자궁근종 이외의 다른 원인이 없을 때

(2) 방법

① 근종절제술(myomectomy)

근종의 위치 및 크기에 따라 개복술(laparotomy)을 하거나 복강경(laparoscopy) 또는 로봇(robotic) 자궁경(hysteroscopy)을 통한 근종절제술이 가능하다. 향후 임신을 원하는 경우에 시행되는 방법으로 수술 후 약 30~40% 정도의 환자에서 재발할 수 있다. 수술 후 임신을 할 경우 자궁파열의 위험성이 증가하므로 제왕절개술로 분만을 시행한다.

② 전체자궁절제술(total hysterectomy)

임신을 원하지 않는 환자에서 근본적인 치료방법이다.

4) 자궁동맥색전술(uterine artery embolization)

수술적 치료보다 비침습적인 치료로서 자궁근종으로의 혈액공급을 차단하여 근종의 퇴축 또는 괴사를 유발하는 방법이다. 대퇴동맥을 통해 도관을 삽입한 후, 자궁동맥을 영구적 거즈(pledget)로 차단한다. 자궁동맥색전술 후 임신에 대한 영향은 아직 논란이 있으나 난소기능이 감소될 수 있고, 임신 합병증을 증가시킬 가능성이 있어서 향후 임신을 계획하는 환자에게는 권장되지 않는다.

5) 고강도초음파집속술(HiFU, High-intensity focused Ultrasound)

초음파에너지를 모아 열에너지를 발생시켜 조직을 태우는 술기이다. 유도방식에 따라 MRI 유도식, 초음파 유도식으로 나뉜다. 근종의 제거가 아닌 근종 조직을 태워 중심부 괴사를 유도하는 방법이며, 근종의 부피가 크거나, 피부로부터 먼 부위에 있거나, 혹은 너무 피부와 가까운 거리에 있는 경우 등에도 피부, 방광, 장, 난소, 난관 등의 주위 조직의 화상을 초래할 위험성이 있다. 치료 후 임신에 대한 안정성은 아직 논란이 있어 향후 임신을 계획하는 환자에게는 권장되지 않는다.

자궁내막증
Endometriosis

1. 자궁내막증의 발생기전에 대하여 설명한다.
2. 자궁내막증의 증상을 설명한다.
3. 자궁내막증이 수태 과정에 미치는 영향을 설명한다.
4. 자궁내막증의 호발 부위를 열거한다.
5. 자궁내막증의 진단 방법을 설명한다.
6. 자궁내막증의 치료에 대해 설명한다.

1. 정의

자궁내막조직(샘과 기질)이 자궁 바깥에 존재하는 것이다.

2. 호발 부위(그림 9-1)

- 가장 흔한 곳은 난소이다.
- 다음으로 흔한 곳은 직장질중격(rectovaginal septum), 자궁인대(자궁천골인대, 원인대, 광인대) 등이며, 직장이나 방광을 덮는 복막에도 잘 발생한다.
- 드물게는 배꼽, 개복 상처, 탈장 주머니, 충수(appendix), 질, 외음부, 자궁경부, 폐, 뇌, 코의 점막 등에도 생길 수 있다.

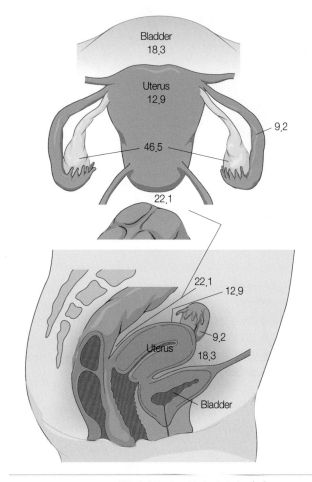

그림 9-1. **자궁내막증의 부위별 발생빈도(%)**

3. 역학

- 에스트로겐이 가장 중요한 요소이므로 가임기 여성에서 주로 발생하지만 사춘기나 호르몬요법을 받는 폐경기 여성에서도 발생 가능하다.
- 나라마다 보고된 유병율은 다양하다(미국은 전체인구의 10% 정도).
- 정상인보다 만성골반통이 있거나 불임인 여성에서 발견 빈도가 높다(미국의 경우 만성골반통 환자의 50% 이상, 불임여성의 30~40%).

4. 위험인자

- 초경이 빠를수록, 생리주기가 짧을수록, 생리양이 많고 생리기간이 길수록, 임신경력이 없는 경우, 키가 큰 경우, 태아기에 DES (diethylstilbestrol)에 노출된 경우, 뮬러관 기형인 경우 자궁내막증의 빈도가 높다.
- 다산부, 수유, 흡연, 높은 체질량지수, 운동, 채식 위주의 식이 등은 자궁내막증의 빈도를 낮춘다.

5. 병인론(etiology)

1) 발생가설

(1) 자궁내막조직의 이소성 착상(ectopic implantation): Sampson 가설
① 생리 중 자궁내막조직이 생리혈과 함께 난관을 통해 역류하여 복강으로 들어와서 착상되어 성장한다는 가설
② 증거
- 70~80%의 여성에서 생리혈의 역류가 발견된다.
- 생리 출구가 폐쇄된 경우 발병이 증가한다.
- 생리 주기가 짧거나 생리기간이 길면 발병이 증가한다.
- 난관에서 가장 가까운 난소와 골반강의 체위의존부위(dependent portion)인 직장자궁오목(Douglas pouch)에 잘 생긴다.
- cf.) 혈관성 또는 림프관성 전파(vascular or lymphatic dissemination): Halban 가설
  골반강 외부의 자궁내막증 발생에 대한 가설로 생리 중 자궁내막조직이 혈관이나 림프관으로 들어가 퍼진다고 설명하고 있다. Sampson 가설과는 약간 다르지만 자궁내막조직이 퍼져나간다는 점에서는 유사하다.

(2) 체강화생설과 유도이론(coelomic metaplasia & induction theory): Meyer 가설
① **체강화생설**
체강상피(coelomic epithelium)가 자궁내막으로 변환(metaplasia)되어 발생한다는 설

② 유도이론

생화학적 요소들에 의해 미분화(undifferentiated) 복막세포가 자궁내막조직으로 분화한다는 가설

위의 두 가설 모두에서 발생의 가장 중요한 요인은 에스트로겐이다.

2) 유전적 요인

일등친(first degree relative)이 자궁내막증에 이환되었거나 본인이 쌍둥이인 경우에 발병 위험이 증가한다.

3) 면역학적 요인 및 염증반응

- 복강내 대식세포 증가
- 복강내 사이토카인(cytokine)들의 분비 증가
- 성장인자들(growth factors)과 혈관생성인자들(angiogenic factors)의 증가
- 자연살해세포(natural killer cell, NK cell)의 활성 저하

결과적으로 복강에 들어온 자궁내막소식이 죽시 않고 복강에 침윤하여 성장할 수 있는 환경을 만들어 주는 경우에 자궁내막증이 발생한다.

4) 환경적 요인

디옥신(dioxin)이 자궁내막증의 발병에 관여한다는 보고가 있으나 결론을 내리기 위해서는 대규모 연구가 필요하다.

6. 임상 양상

많은 여성에서 무증상인 경우가 있음을 염두에 두어야 한다.

1) 통증

- 월경통이 가장 흔하고 월경이 시작되기 전에 시작되어 월경주기 동안 지속되는 통증이 특징이며, 만성 골반통이나 성교통도 유발할 수 있다.
- 통증은 국소적 복막의 염증반응, 조직 손상, 섬유성 비후, 유착 등에 의한 조직의 긴장으로 유발된다.
- 통증의 정도와 자궁내막증의 심한 정도는 일치하지 않을 수 있다.

2) 생식능력저하(subfertility)

난임과 자궁내막증의 관계

- 자궁내막증은 생식 능력을 감소시키며 자궁내막증의 병기가 심할수록 자연임신율이 감소하는 것으로 보고되고 있다.
- 자궁내막증에서 난임이 유발되는 기전은 유착으로 인한 난관의 운동성 장애, 난소의 배란 저하, ≤자궁내막의 착상 방해, 난자의 질적 저하 및 난소 예비력 감소 등이 있다.

3) 골반외(extrapelvic) 자궁내막증

골반 이외의 부위에서 생리주기에 따라 통증이 발생하거나 덩이가 만져질 경우 골반외 자궁내막증을 의심할 수 있다. 특히 대장을 침범한 경우 복통이나 복부팽만, 생리주기에 따른 혈변 등이 발생할 수 있고 요관을 침범한 경우에는 요관폐색과 혈뇨 그리고 폐에 발생한 경우에는 생리하는 동안 객혈, 기흉, 혈흉 등이 발생할 수 있다.

7. 진단

1) 증상 및 신체검사

① 월경통, 성교통, 난임이나 불임, 만성 골반통이 있는 환자는 자궁내막증을 의심해야 한다.
② 골반내진에서 자궁내막증을 의심할 수 있는 소견
- 난소 덩이(mass) 촉지
- 자궁 골반 인대나 직장질중격 부위에서 압통이 있는 결절이나 비후 부위 촉지
- 후굴(retroversion)되고 가동성이 저하된 자궁

2) 종양표지자: CA-125

① 체강상피에서 유래한 세포표면항원(cell surface antigen)

② 자궁내막증 이외에도 비점액성 상피성 난소종양, 자궁선근증, 자궁근종, 골반결핵 및 월경 중에도 증가하는 비특이적 표지물질이다. 따라서 선별검사(screening test)로는 부적합하지만 자궁내막증 치료 중 추적 검사에 도움이 된다.

3) 영상 진단법

① 초음파검사

② 자기공명영상(MRI): 특히 심부(deep) 자궁내막증의 진단에 도움이 된다.

4) 진단복강경검사

가장 확실하고 표준화된 진단 방법이다.

8. 복강경 소견

1) 전형적 병변(typical lesion)

① 흑갈색의("powder-burn"or "gunshot") 복막 병변

- 조직의 출혈과 혈색소의 축적에 의해 갈색으로 바뀐다.

② 생리 중 병변으로부터의 출혈에 의해 주위에 유착과 반흔을 형성한다.

2) 비전형적 병변(subtle lesion)

적색병변(red implants), 장액성 또는 투명한 수포(serous or clear vesicle), 백색판(white plaque), 복막의 황색 또는 갈색 변색, 난소하유착(subovarian adhesion)

3) 자궁내막종(endometrioma)

자궁내막증이 난소에 발생하여 초콜릿색의 점액성 내용물을 포함한 낭종을 형성한 것이다.

(1) 조직학적 진단

조직학적으로 음성이라도 자궁내막증의 가능성을 배제할 수 없다.

(2) 병기 분류(staging)

① 미국생식의학회(ASRM)의 병기분류 체계가 비교적 많이 이용되며 병변의 양상, 크기, 깊이 등에 의해 병기가 정해진다(그림 9-2).

② Endometriosis Fertility Index (EFI)는 자궁내막증 수술 이후 자연임신 가능성을 예측하는 지표로 사용되는데 환자의 나이, 난임기간, 과거 임신 등의 환자 병력 정보와 수술 당시 난소와 나팔관의 상태를 이용하여 점수를 매기고 이에 따라 자연임신 가능성을 예측한다(그림 9-3).

9. 치료

■ 자궁내막증의 치료 방법 결정에 영향을 주는 요소

- 증상의 종류, 정도
- 연령
- 임신을 원하는지 여부
- 자궁내막증 병변의 정도(병기)와 위치

1) 기대요법(expectant management)

- 치료를 안 하거나 비스테로이드항염증제(NSAIDs) 등으로 통증만을 억제하는 방법이다.
- 병변자체가 호전되지는 않는다.
- 증상이 심하지 않으며 당장 임신을 원하지 않는 미혼 여성에게 시도할 수 있다.

2) 수술요법

- 수술의 목적은 보이는 모든 자궁내막증의 병변을 제거하고, 해부학적 이상을 교정하는 것이다.
- 가임 여성은 보존적 수술이 원칙이며, 최근에는 대부분 복강경수술을 시행한다.

Patient's Name _____

Stage I(Minimal) - 1~5

Stage II(Mild) - 6~15

Stage III(Moderate) - 16~40

Stage IV(Severe) - >40

Total _____

Date _____

Laparoscopy _____ Laparotomy _____ Photography _____

Recommended Treatment _____

_____

Prognosis _____

PERITONEUM		ENDOMETRIOSIS	<1 cm	1–3 cm	>3 cm
		Superficial	1	2	4
		Deep	2	4	6
	R	Superficial	1	2	4
		Deep	4	16	20
	L	Superficial	1	2	4
		Deep	4	16	20
	POSTERIOR CULDESACOBLITERATION		Partial		Complete
			4		40
	ADHESIONS		<1/3 Enclosure	1/3–2/3 Enclosure	>2/3 Enclosure
OVARY	R	Filmy	1	2	4
		Dense	4	8	16
	L	Filmy	1	2	4
		Dense	4	8	16
TUBE	R	Filmy	1	2	4
		Dense	4*	8*	16
	L	Filmy	1	2	4
		Dense	4*	8	16

Denote appearance of superficial implant types as red [(R) red, red-pink, flamelike, vesicular blobs, clear vesicles], white [(W) opacification, peritoneal defects, yellow-brown], or black [(B) black, hemosiderin, deposits, blue]. Denote percent of total described as R____ %, W____ % and B____ %. Total should equal 100%.

* If the fimbriated end of the fallopian tube is completely enclosed, change the point assignment to 16.

Additional Endometriosis : _____

_____

Associated Pathology : _____

_____

To Be Used with Normal Tubes and ovaries To Be Used with Abnormal Tubes and/or ovaries

그림 9-2. 미국생식의학회 개정 자궁내막증 병기분류(American Society for Reproductive Medicni e Revised Classification of Endometriosis)

ENDOMETRIOSIS FERTILITY INDEX (EFI) SURGERY FORM

LEAST FUNCTION (LF) SCORE AT CONCLUSION OF SURGERY

Score	Description		Left	Right
4 =	Normal	Fallopian Tube		
3 =	Mild Dysfunction			
2 =	Moderate Dysfunction	Fimbria		
1 =	Severe Dysfunction			
0 =	Absent or Nonfunctional	Ovary		

To calculate the LF score, add together the lowest score for the left side and the lowest score for right side. If an ovary is absent on one side, the LF score is obtained by doubling the lowest score on the side with the ovary.

Lowest Score [ ] + [ ] = [ ]
   Left   Right   LF Score

ENDOMETRIOSIS FETILITY INDEX (EFI)

Historical Factors			Surgical Factors		
Factor	Description	Points	Factor	Description	Points
Age			LF Score		
	If age is ≤35 years	2		If LF Score = 7 to 8 (high score)	3
	If age is 36 to 39 years	1		If LF Score = 4 to 6 (moderate score)	2
	If age is ≤40 years	0		If LF Score = 1 to 3 (low score)	0
Years Infertile			AFS Endomertriosis Score		
	If years infertile is ≤3	2		If AFS Endometriosis Lesion Score is ≤16	1
	If years infertile is >3	0		If AFS Endometriosis Lesion Score is ≥16	0
Prior Pregnancy			AFS Total Score		
	If there is a history of a prior pregnancy	1		If AFS total score is <71	1
	If there is no history of a prior pregnancy	0		If AFS total score is ≥71	0
Total Historical Factors			Total Historical Factors		

EFI = TOTAL HISTORICAL FACTORS + TOTAL SURGICAL FACTORS: [ ] + [ ] = [ ]
Historical   Surgical   EFI Score

ESTIMATED PERCENT PREGNANT BY EFI SCORE

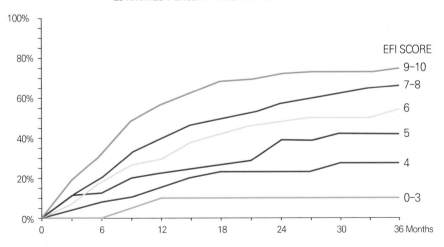

그림 9-3. Endometrial fertility index (EFI) 병기 분류

- 확진을 위해 진단적 복강경을 시행하면서, 수술적 치료를 병행하는 것이 보편적이다.

(1) 보존적 수술(conservative surgery)
① 방법
- 절제(excision), 방전요법(fulguration), 레이저 증발법(laser vaporization)
- 낭종절제술(난소 낭종의 경우)−장기 부분절제(직장, 방광에 자궁내막증이 깊이 침투한 경우)
- 유착박리

② 치료 성적
- 통증: 보존적 복강경 수술 후 약 74%에서 호전된다.
- 생식능력의 향상
  - 생식기관의 변형이 있는 불임 환자의 경우는 필수적인 치료이다.
  - 수술 후 임신율은 경중의 경우 자궁내막병변 제거 및 유착박리술을 시행한 경우 진단 복강경만 시행한 경우보다 임신율이 증가하였다. 중증의 경우 자궁내막증 병변 제거 이후 자궁내막증 병기와 자연임신율이 역상관관계를 가지는 것으로 생각되어지고 있으나 3개의 RCT 중 한개의 연구만이 통계학적인 유의성을 나타내었다.
  - 수술 후 6~12개월에 임신율이 가장 높다.

(2) 근치적 수술(radical surgery)
- 전자궁절제술과 양측부속기절제술을 말한다.
- 폐경기에 가깝고 보존적 수술이 어려운 심한 경우에만 적용한다.

3) 약물요법
- 약물로 자궁내막의 퇴화를 유도하는 방법이며 일시적 호전만을 기대할 수 있다.
- 해부학적 이상의 교정은 불가능하여 임신을 원하지 않는 환자에서 증상 완화에 적용된다.

(1) 성선자극호르몬유리호르몬작용제(GnRH agonist)
- GnRH 수용체의 하향조절(down−regulation)에 의해 내과적 뇌하수체 절제(medical hypophysectomy) 상태를 유도한다.
- 성호르몬의 혈중농도가 낮으므로 가성폐경(pseudomenopause) 상태라고 말할 수 있다.

- 3~6개월간 사용한다.
- 대표적인 부작용으로는 폐경증상이 흔하며 골소실이 일어난다. 이를 예방 또는 감소시키기 위해 티볼론이나 소량의 에스트로겐과 프로게스틴을 병용투여 하는 보충요법(add-back therapy)을 시행하기도 한다.

(2) 다나졸(danazol, 17-ethinyltestosterone 유도체)

① 작용 기전

- 혈중 안드로겐 농도가 높은 환경(high-androgen environment)을 만든다.
- GnRH, FSH, LH의 분비를 감소시켜 난포의 성장을 억제한다.
- 결국 에스트로겐의 혈중농도가 감소되므로 가성폐경이라고 말할 수 있다.
- 하루 400~800 mg의 용량으로 4~12개월 정도 사용할 수 있다.

② 부작용

폐경증상 이외에도 안드로겐의 작용으로 여드름, 다모증(hirsutism), 목소리 변화 등이 나타날 수 있다.

(3) 경구피임제와 프로게스틴

- 프로게스틴의 지속적 항에스트로겐작용에 의해 자궁내막 조직이 얇아지는 것을 이용하여 가성임신(pseudopregnancy) 상태로 만든다.
- 경구피임제: 지속 또는 주기적 요법 모두 가능하다.
- 자궁내장치: LNG-IUS (levonorgestrel intrauterine system)
- dienogest, medroxyprogesterone acetate, megestrol acetate

4) 복합치료

수술 후 약물 치료로 생식샘호르몬분비호르몬 작용제(GnRH agonist)나 프로게스틴(dienogest), 경구피임제를 사용한다.

- **장점**: 재발율을 감소시킨다(수술 후 남은 병변 치료).
- **단점**: 임신의 최적시기(수술 후 6~12개월)를 놓치고, 치료비용이 증가한다.

5) 보조적 약물치료

- 임신계획이 없는 경증의 자궁내막증 환자가 월경통, 성교통, 만성골반통을 호소할 때 시행한다.
- 비스테로이드항염증제, COX-2 길항제도 증상 조절 목적으로 사용할 수 있다.

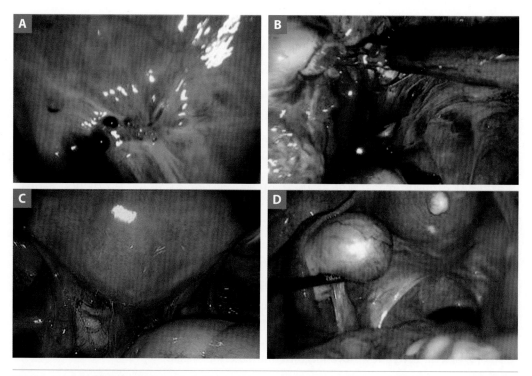

그림 9-4. **자궁내막증의 복강경 소견.** (A) 자궁내막증의 전형적인 병변. (B) 자궁내막종과 그 내부의 초콜릿빛 액체. (C), (D) 자궁내막증에 의한 유착소견

골반통과 월경통
Pelvic pain and Dysmenorrhea

1. 원발성 및 속발성 월경통의 원인을 열거하고 각각의 원인에 따른 병태생리를 설명한다.
2. 월경곤란증에 나타날 수 있는 전신증상들의 기전을 설명한다.
3. 원발성 월경곤란증의 치료 원칙을 설명한다.
4. 가임기 여성 및 임신부에서 급성복증을 유발하는 질환을 제시한다.

1. 서론

부인과적 통증은 급성 통증, 주기성 통증 그리고 만성 골반통증 등으로 크게 세 가지로 분류된다. 급성 통증은 갑작스러운 시작과 예리하고 급속한 경과를 특징으로 한다. 주기적 통증은 월경 주기와 연관성을 보이면서 주기적으로 나타나는 골반통증으로 월경통이 가장 흔하며 원발성 월경통과 속발성 월경통으로 분류할 수 있다. 만성 골반통은 월경주기에 관련없이, 생활에 지장을 주거나 의학적 치료를 필요로 하는 해부학적 골반부의 통증으로 6개월 이상 지속되는 골반통이다.

2. 급성 골반통

1) 진단

갑작스런 통증의 발생은 일반적으로 장관 구조물의 파열이나 허혈에 의하여 발생하는 경

표 10-1. **급성 골반통의 감별 진단**

급성 통증
1. 임신 합병증 　① 자궁 외 임신 　② 절박 또는 불완전 유산 2. 급성 염증 　① 자궁 내막염endometritis 　② 골반염증(급성 골반염) 또는 난관난소염 　③ 난관난소농양 3. 부속기 질환 　① 출혈성 기능성 난소 낭종 　② 부속기 염전 　③ 기능성, 신생물성, 염증성 난소 낭종의 파열

반복적 골반통	
1. 배란통(Mittelschmerz)	2. 일차성 월경통
3. 이차성 월경통	

소화기계	
1. 위장염	2. 맹장염
3. 장폐색	4. 게실염
5. 염증성 장질환	6. 과민성 장 증후군

비뇨기계	
1. 방광염	2. 신우신염
3. 요관결석	

근골격계	
1. 복벽 혈종	2. 탈장

기타	
1. 급성 포르피리아증	2. 골반 혈전색전증
3. 대동맥류	4. 복부 허혈

우가 많다. 산통(colic pain)이나 심하게 쥐어짜는 듯한 통증(cramping pain)은 보통 위장관 근육의 수축이나 폐쇄에 의해 일어나는 경우가 흔하다. 이에 반하여 복부 전체에서 감지되는 통증은 혈액, 염증성 분비물, 난소의 낭종액과 같은 복강 내에 자극이 되는 액체가 고인 경우 나타난다.

급성 골반통의 감별 진단은 다음의 표에 예시되어 있다(표 10-1).

2) 원인

급성 골반통의 평가에서 그 진단은 매우 중요한데 진단의 지연은 바로 환자의 이환(morbidity)이나 사망과 직결되기 때문이다. 진단 과정에서 가장 중요한 것은 정확한 병력 청취이다.

(1) 생식기관계

① 자궁외 임신(ectopic pregnancy)

골반통을 호소하는 경우 소변임신반응검사에서 양성을 보인다면 자궁외 임신을 고려해야 한다. 태아가 나팔관에 착상한 경우에는 나팔관에 가해지는 팽창력에 의하여 통증이 발생하고 만일 자궁외 임신부위의 파열이 발생한다면 국소적이던 통증은 없어지고 혈복강에 의한 복부와 골반 전체에 걸친 통증이 발생한다.

진찰 소견에서는 복부에서 압통, 반발압통을 관찰할 수 있으며 혈복강이 존재한다면 그 부위는 더 넓어지고 강도 역시 증가하며 어깨로 연관통(referred pain)을 호소할 수도 있다.

골반 내진에서도 자궁외 임신이 발생한 부위 주변으로 현저한 압통을 관찰할 수 있다.

② 난소낭종의 파열(Rupture) 또는 누출(leakage)

난소의 기능성 낭종은 가장 흔한 난소 낭종이며 양성/악성 신생물(neoplasm, tumor)보다 더 쉽게 터지는 경향을 가지고 있다.

가. 배란시 난포의 파열로 인한 통증을 배란통(mittelschmerz)이라고 부르기도 한다. 이러한 통증은 보통 그리 심하지 않으며 보통 자연 소실되는 경과를 취한다.

나. 출혈성 황체낭종은 황체기에 주로 발생하며 파열되면 소량의 출혈이 일어날 수도 있으나 때로는 혈복강이 발생할 정도의 출혈의 유발하기도 한다. 이 경우 증상은 자궁외 임신의 파열과도 거의 유사하다.

다. 양성 신생물 중에서 양성 낭성 기형종(benign cystic teratoma)이나 낭성 선종(cystadenoma), 자궁내막종과 같은 낭종 역시 파열, 누출이 일어날 수 있다. 이로 인하여 혈복강이나 화학적 복막염(chemical peritonitis)이 발생할 수 있다.

진단에는 소변 임신반응 검사, 전혈구 계산치(CBC), 초음파, 더글라스와 천자와 같은 검사가 필요하다.

가장 중요한 징후는 복부의 상당한 강도의 압통과 반발통의 존재이다. 빈혈, 어지러움, 더글라스와천자에서 16% 이상의 혈색소 소견을 보인다면 혈복강을 시사하는 소견이며 복강경이나 개복술에 의한 수술적 처치가 필요할 수 있다.

③ 자궁부속기 염전(Torsion)

난소 염전은 난소, 난소 낭종, 난관, 난관 옆 낭종, 드물게 유경성 근종(pedunculated myoma)의 뿌리(pedicle)를 축으로 하여 장기가 회전하여 허혈이 발생하며, 이로 인해 급성 골반통이 발생하게 된다. 염전으로 인한 통증은 강도가 매우 심하고 지속적인 양상을 보이며 진찰에서 국소화된 반발압통이 특징적인 소견이다. 부분적인 염전이 발생한 경우에는 간헐적인 통증이 발생할 수도 있다.

치료는 수술적인 요법이 필수적이다. 염전 부위를 풀고 낭종 절제술을 시행하는데, 괴사된 난소로 보이는 경우라도 난소를 보존하면 이후 생식능과 내분비능이 유지되는 것으로 보인다.

④ 급성 난관 난소염 및 골반염

하복부통증에 대한 흔한 원인 질환 중 하나로 진찰에서 가장 중요한 징후는 자궁경부의 운동성 압통(motion tenderness)과 양측부속기의 압통이다.

충수돌기염과 같은 질환과의 감별을 요하며 정확한 진단을 위해 복강경이 사용될 수 있다.

⑤ 난관 난소 농양

급성 난관염의 후유증으로 보통 양측성이나, 일측성으로도 발생할 수 있다.

- 증상과 징후는 급성 난관염과 매우 유사하다.
- 진찰 상 매우 단단하고 압통을 동반하는 고정된 종물이 만져지는 소견을 관찰할 수 있다.
- 진단은 초음파를 통해서 내려질 수 있고 다른 종류의 난소낭종과 감별이 이루어져야 한다.
- 이학적 검사, 초음파 검사에서 분명한 결론이 나오지 않는 경우 복강경이나 개복술이 시행되어야 한다.
- 농양이 파열된 경우 그람음성균에 의한 내독소 쇼크(endotoxic shock)가 발생할 수 있으므로 응급수술이 필요하다.
- 난관 난소 종양은 반드시 입원하여 광범위 항생제를 투여하고 보존적 치료를 하여야 한다. 한 연구에서 치료 성공률이 75%로 보고되었다. 만약 항생제 치료에 반응이 없이 환자가 발열이 지속되고 임상적으로 호전을 보이지 않는다면, 수술이 필요하다.

⑥ 자궁 근종

- 성교통이나 비주기성 통증을 주로 유발하며 월경통도 유발한다. 특히 임신한 경우에 근종의 적색변성으로 급성 통증을 유발할 수 있다.
- 임신하지 않은 여성에서 근종의 변성은 아급성 골반염과 혼동되어 잘못 진단되기도 한다.
- 진단에는 초음파 검사를 이용하여 자궁부속기 종양과 구별할 수 있다.

(2) 소화기관계

① 급성 충수돌기염(acute appendicitis)

② 급성 게실염(acute diverticulitis)

③ 장 폐쇄(intestinal obstruction)

(3) 비뇨기관계

요로 결석의 전형적인 증상은 극심한 산통이다.

늑골척추각(옆구리 부분, costovertebral angle)에서부터 사타구니까지 전파되는 통증을 호소할 수 있으며, 보통 혈뇨를 동반한다.

방광염은 둔한 치골상부통증과 빈뇨, 긴박뇨, 배뇨장애(dysuria), 혈뇨의 임상상을 보인다.

요로 결석은 요검사에서 혈뇨 소견을 확인하고 영상 검사(초음파, 복부컴퓨터단층촬영, 경정맥 신우조영술)에서 결석을 확인하여 진단할 수 있으며 요로 감염의 진단은 요검사와 요 배양 검사에 근거하게 된다.

3) 급성 골반통에 대한 진단적 검사

모든 환자에서 혈색소(CBC with differential count), 적혈구침강검사(ESR), 요검사, 임신반응 검사를 시행해야 한다. 복부 X-ray 검사 및 골반초음파 검사, 복부컴퓨터단층촬영(CT)을 시행할 수 있으며 필요한 경우 더글라스와 천자(culdocentesis)를 시행한다.

진단적인 복강경은 불확실한 원인의 급성 복통 소견에서 애매한 자궁부속기 종물에 대한 판단을 위해서 시행할 수 있다.

3. 주기성 통증: 일차성과 이차성 월경통

월경통은 가임 여성의 약 60%에서 발생하며 일차성 월경통은 특별한 원인 질환을 동반하지 않은 경우이며 이차성 월경통은 특정한 골반내 병소에 의한 월경통을 의미한다.

	일차성 월경통	이차성 월경통
정의	기저질환이 없는 월경통	기저 질환을 동반하는 월경통
발병연령	초경으로부터 1~2년 이내	초경으로부터 수년 후
배란	대개 배란을 동반	대개 무배란 동반
시작시기	생리 시작과 함께 또는 시작 직후	생리 시작 1~2주 전
기간	48~72시간 지속	생리 후 수일간 지속
비스테로이드성 소염제 (NSAIDs)에 대한 반응	통증 경감	통증 경감이 덜함

1) 일차성 월경통

일차성 월경통은 월경기간동안 자궁 내막에서 프로스타글란딘(prostaglandin)의 과도한 분비로 자궁근의 수축과 혈류량 감소로 인해 자궁의 과수축, 자궁으로 가는 혈류 감소, 말초 신경의 과감작 등이 통증을 유발시킨다.

(1) 증상 및 징후

보통 초경 1~2년 이내 시작될 수 있으며 월경의 시작과 동시에 또는 수시간 전에 발생하여 48~ 72시간 동안 지속될 수 있다.

(2) 진단

주의 깊은 병력청취와 골반진찰소견에서 정상일 때 진단할 수 있다. 골반내 병변이 없어야 하고 월경 주기와 일치하는 주기적인 통증이어야 한다. 증상 발생 시기에 골반 내진을 시행하면 자궁의 압통 소견을 보일 수도 있으나 자궁경부를 움직이거나 부속기를 촉진할 때 심한 통증이 발생되지는 않는다.

(3) 치료

프로스타글란딘 합성억제제, NSAIDs 계열의 약물이 치료에 쓰일 수 있으며 월경 시작 1~3일 전에 투여하거나 월경 주기가 불규칙한 경우 약한 통증이 시작되거나 월경혈이 보일 때 바로 투여한다. 매 6~8시간마다 복용하여야 새로운 프로스타글란딘의 재합성을 억제할 수 있다. 4~6개월 간의 복용으로 치료의 반응 여부를 알 수 있다.

또한 경구용 피임제에 대한 금기에 속하지 않고, 피임을 원하면서 NSAIDs 계열의 약물에 반응하지 않는 일차성 월경통 환자에서 피임제가 효과적이다. 에스트로겐과 프로게스트로겐 복합제제의 피임약이나 프로게스테론 단일제제, 질내 삽입 링이나 레보노게스트렐(levonorgestrel)을 함유한 자궁내장치 등도 월경통을 감소시킨다.

2) 이차성 월경통

골반내 병소를 동반하면서 주기적으로 발생하는 월경통을 말한다. 통증은 월경 1~2주 이전에 발생하며 월경 이후에도 수일간 지속된다.

(1) 자궁선근증

자궁선근증은 자궁 내막이 복강내 존재하는 자궁내막증과 달리, 자궁 근층 내에 자궁 내막의 기질과 샘조직이 존재하는 것으로 주로 가임기 후반(40세 이상)의 여성에서 월경과다와 골반통을 일으킨다. 치료는 환자의 나이와 향후 임신을 원하는지 여부에 따라 달라진다. 자궁선근증에 의한 이차성 월경통의 확실한 치료는 자궁 적출술이지만, NSAIDs나 호르몬 치료, 또는 경구, 자궁내, 주입식 프로게스틴이나 성선자극호르몬 길항제 등을 통한 월경 억제같은 비침습적인 방법을 먼저 시도할 수도 있다.

(2) 자궁내막증

자궁내막증과 연관된 이차 월경통이면서 호르몬 치료에 반응하지 않는 환자에게는 개복이나 복강경을 통한 수술적 치료가 적당하다.

4. 만성 골반통

만성 골반통이란 같은 부위에 6개월 이상의 비주기성 통증이 지속되는 경우를 말하는데, 생식기, 소화기, 비뇨기 계통 통증이나 근막통증후군, 신경통까지 아우르는 광범위한 표현이다. 유병율은 정확하게 알려져 있지 않으나 18~50세 여성의 약 15~20%에서 만성골반통을 호소하는 것으로 알려져 있으며 종종 불안감과 우울감을 동반한다.

1) 만성 골반통의 평가

첫 번째 방문에서 철저한 병력 청취가 이루어져야 한다. 통증의 양상, 위치, 전파, 정도, 악화시키거나 완화되는 요인, 월경주기와의 관계, 스트레스, 직업, 운동, 성행위, 극치감에 의한 영향 등의 사항을 포함시켜야 한다.

통증의 원인이 복벽 또는 내장인지를 구별해 주는 검사로 Carnett 검사가 있으며 침대에 누워 다리 또는 머리를 들어올려 복부 근육에 긴장감을 줄 때 복부통증이 심해지면 복벽에서 오는 통증이며 통증이 줄어들면 내장에서 기원한 통증이다

통증의 원인이 무엇이던지 통증이 일정시간 지속되면, 정신사회적 요인이 통증의 지속과 연관이 된다. 통증은 종종 불안과 우울을 동반하므로 이러한 상태에 대하여도 세심한 평가와 치료가 필요하다. 다각도로 접근이 필요한 통증 클리닉에서 정신과 의사는 중요한 역할을 할 수 있다.

2) 부인과적인 원인

(1) 자궁내막증(Chapter 9 참고)

일반적으로 자궁내막증의 위치와 증상과는 상관관계가 없는 것으로 알려져 있으며 자궁내막증의 병기와 증상 역시 상관관계를 보이지 않는다.

자궁내막증 관련 통증 증후군은 새로 대두되는 개념으로 정도가 경한 경우에도 적절한 내과적 또는 외과적 치료를 가해도 반응이 없는 경우를 말한다.

(2) 유착

수술 시 유착 소견을 통증 발생부위와 같은 곳에서 발견하는 경우도 있지만 유착의 특정한 위치, 심한 정도와 통증의 증상과는 관계가 없다고 알려져 있다. 소화기계, 비뇨기계 또는 섬유 근통이나 신경통 등 다른 원인이 배재되고, 성신과적인 검사도 음성일 경우에 진단적 복강경이 권유된다. 골반통이 생기는 데 있어서 유착의 기여가 얼마나 되는지에 대하여 알려진 바가 없는데다, 유착 박리가 오히려 추가로 유착을 형성하거나, 장기의 손상을 유발할 수 있으므로 장폐쇄나 불임이 생기지 않는 한 유착 박리술은 권장되지 않는다.

(3) 골반울혈(Pelvic congestion)

주로 가임기 여성에서 발생하며 진단에는 혈관조영술(transuterine venography)이 사용된다. 골반울혈이 의심되는 경우, 경구 피임약, 고용량 프로게스틴, 생식샘자극호르몬분비호르몬 작용제(GnRH agonist)와 같은 덜 침습적인 치료에서부터 난소정맥 색전술이나 자궁절제술 및 부속기 절제술 같은 침습적 치료까지 시행될 수 있으며 다면적인(multidisciplinary) 치료를 적용하기도 한다.

(4) 아급성 난관난소염

(5) 난소잔유증후군(Ovarian remnant syndrome)

이 질환은 난소절제술을 시행하고 2~5년 후에 일부 남아 있는 난소 조직에 의해 발생한다. 남아 있는 난소조직은 유착에 둘러싸여 통증을 동반하는 낭종을 형성한다. 그러나 수술 이후의 정상적으로 존재하는 난소와는 구별해야 한다.

3) 소화기계 원인

해부학적으로 여성생식기와 소화기계는 신경 지배를 공유하고 위치상으로 가까워 통증의 원인을 구별하기 매우 힘들다. 과민성 장증후군은 하복부 통증의 흔한 원인이며 만성골반통으로 산부인과에 의뢰되는 환자의 60% 정도에서 발견된다. 주된 증상은 복통, 복부팽만, 잦은 방귀, 변비와 설사의 반복, 장운동 항진, 장운동에 의해 증가하는 통증과 이후의 통증 해소로 나타난다. 진단은 병력청취와 이학적 검사로 하는데, 젊은 여성에게서 질환이 의심이 되더라도 양상은 비특이적인 경우가 많다. 치료는 안심시키기, 교육, 스트레스 감소, 변비약이나 증상에 따른 약물치료, 저용량 삼환계 항우울제 등이 있다.

4) 비뇨기계 원인

만성 골반통은 반복적인 방광요도염, 요도증후군, 원인이 불분명한 절박뇨, 간질 방광염등과 연관이 있을 수 있다.

(1) 요도증후군(Urethral syndrome)

이 증후군은 요도와 방광에 이상이 없는데도 배뇨곤란, 빈뇨, 절박뇨, 치골상부 동통, 또는 성교통등이 나타나는 복합적인 증후군이다.

(2) 간질 방광염/방광통 증후군(Bladdeer pain syndrome or Painful bladder syndrome)

여성에서 자주 발생하며 40~60대에서 호발한다. 방광통 증후군은 염증이나 다른 기저 병변 없이, 방광이 채워질 때 동반되는 치골상부 동통을 일으킨다.

그 병인은 잘 알려져 있지 않고 자가면역에 의해 발생한다는 가설이 일반적으로 받아들여지고 있다. 병인이 확실하지 않으므로 치료방법 또한 경험적으로 이루어져 왔다. 식이습관의 변화, 스트레스 경감, 배뇨 일지 작성, 골반근육 훈련과 같은 행동요법을 시행할 수 있다.

5) 신경 및 근골격계 원인

(1) 신경 감입(Nerve entrapment)

(2) 근육 근막 통증(Myofascial pain, fibromyalgia)

보통 남성보다 여성에서 자주 발생하며 만성피로와 밀접하게 연관되어 있다. 보통 명확한 통증 유발 부위(trigger point)를 가지고 있다.

(3) 요통 증후군(Low back pain syndrome)

골반통 없이 허리 통증만 호소하는 환자는 대부분 부인과적인 원인을 가지고 있지 않지만 드물게 이를 동반하기도 한다.

7) 정신과적인 원인

우울증과 통증은 밀접한 관계를 갖는다. 유년기 시절의 신체적, 성적 학대의 병력이 만성 골반통을 호소하는 환자에서 자주 발견된다.

8) 만성 골반통의 치료

(1) 다면적인 접근(Multidisciplinary approach)

원인을 찾을 수 없거나 확실하지 않은 환자들에게는 다면적인 치료가 적합하다. 부인과, 정신과 치료와 물리치료의 도움을 병행해야 한다. 만성 통증 환자에게는 치료적이고 낙관직이고 지지적인 공감을 갖은 의료진의 태도가 중요하다.

(2) 내과적 치료

NSAIDs나 Opioid계열이 일차치료약제이나 치료 반응이 없는 경우 삼환계 항우울제(TCA, tricyclic antidepressant), 항경련제, 선택적 세로토닌 재흡수 억제제(SSRI, selective serotonin reuptake inhibitors)와 같은 약물을 사용해 볼 수 있다. 자궁내막증이나 자궁선근증, 골반울혈 증후군 등에서는 호르몬 치료를 해볼 수 있다.

(3) 수술적 치료

NSAIDs나 경구 피임약에 반응하지 않는 주기성 통증에는 복강경을 시행 한다. 진단적 복강경은 만성적이고 비주기적인 골반통 평가를 위한 표준적인 술기로 권고되고 있으나 부인과 이외 통증의 원인을 모두 배제한 이후에 시행해야 한다. 복강경에서 자궁내막증이나 유착이 확인되면 수술을 시행하며, 만성골반통 환자의 30% 이상에서는 복강경에서 명확한 병변이 관찰되지 않을 수 있다.

만성골반통 환자에서 천골전신경절제술(presacral neurectomy)이나 자궁천골신경절단술(uterine nerve ablation)과 같은 신경용해술을 할 수 있다.

자궁적출술은 만성골반통 환자에서 고려되는 수술적 치료법이며 임상에서 시행되는 자궁절제술의 약 19%는 골반통의 치료하기 위해 시행되고 있지만 골반통을 호소하는 환자들의 약 30%는 이미 자궁절제술을 시행한 후에도 통증을 호소한다. 미국 산부인과학회에서는 골반통의 치료 목적으로 시행되는 자궁절제술은 교정 가능한 원인 없이 6개월 이상 통증이 지속되는 경우로 한정하고 있다.

비정상 자궁출혈
Abnormal uterine bleeding

1. 정상 월경과 비정상 월경의 개념을 알아본다.
2. 기능성 자궁출혈의 원인 및 발생 기전을 설명한다.
3. 비정상 자궁출혈의 감별진단 및 치료방법을 알아본다.

1. 서론

비정상 자궁출혈은 매우 흔한 부인과 증상이다. 비정상 자궁출혈의 원인은 연령에 따라 다양한데 무배란성 자궁출혈은 사춘기와 폐경이행기에 주로 나타나며 자궁내막용종이나 자궁근종 등 기질적 원인에 의한 출혈은 다른 연령대보다 가임이 여성에서 더 자주 발생한다. 이런 환자를 대할 때 가장 우선적으로 해야 할 일은 진찰을 통해 출혈 부위가 어디인지 확인하는 것이다. 질과 자궁경부의 출혈이 아니라면 자궁출혈이다.

비정상 자궁출혈을 서술할 때에는 이전에 사용되던 월경과다(menorrhagia) 또는 불규칙과다월경(menometrorrhagia) 등의 용어 대신 월경 주기의 규칙성, 빈도, 기간과 월경 양을 직접 서술하도록 권장되며, 기능성 자궁출혈 또는 기능장애자궁출혈(dysfunctional uterine bleeding, DUB)이라는 용어는 더 이상 사용되지 않는다.

2. 정상 월경의 양상

표 11-1. **정상 월경의 양상**

	정상	비정상
기간	8일 이하	8일 초과
양	40~80 mL/ 주기	80 mL/주기 이상
주기	24~38일	23일 미만, 38일 초과

3. 여성호르몬에 의한 자궁내막의 출혈 반응

1) 에스트로겐 파탄성 출혈(Estrogen breakthrough bleeding)

프로게스테론의 분비없이 에스트로겐이 지속적으로 분비되어 생긴다. 즉 배란이 안 되어 프로게스테론의 분비없이 에스트로겐에만 노출되어 과증식된 자궁내막이 불규칙적으로 출혈을 일으키게 된다.

낮은 농도의 에스트로겐은 불규칙하고 지속적인 출혈을 야기하게 되고, 높은 농도의 에스트로겐은 무월경 후에 갑작스러운 대량의 질출혈을 유발하게 된다.

사춘기, 폐경이행기의 출혈과 PCOS가 대표적인 경우이다.

2) 에스트로겐 소퇴성 출혈(Estrogen withdrawal bleeding)

상승되었던 에스트로겐치가 자궁내막의 통합성을 유지하는데 필요한 문턱값(threshold) 이하로 급격히 감소되어 출혈이 발생한다.

배란 직전에 에스트로겐 감소로 인해서도 출혈이 있을 수 있으며 이외에도 양측 난소를 적출한 경우나 에스트로겐 치료를 중단한 경우 등에서 발생할 수 있다.

3) 프로게스테론 파탄성 출혈(Progesterone breakthrough bleeding)

에스트로겐에 비해 상대적으로 높은 프로게스테론이 계속 공급이 될 경우 낮은 농도에 의한 에스트로겐 파탄성 출혈과 비슷한 양상의 출혈이 유발된다.

주로 progestin만 들어있는 경구피임약이나 levonostel이 함유된 자궁내 피임장치를 사용하는 경우에 발생한다.

4) 프로게스테론 소퇴성 출혈(Progesterone withdrawal bleeding)

자궁내막이 에스트로겐에 의해 증식 후 프로게스테론에 노출되었다가 프로게스테론의 공급이 중단되면 발생한다. 정상월경이 여기 속한다. 이외에도 황체의 제거나, progestin을 외부에서 공급하다가 중단하였을 때 발생한다.

4. 비정상 자궁출혈의 원인

국제산부인과학회(International Federation of Gynecology and Obstetrics, FIGO)와 미국산부인과학회(American College of Obstetricians and Gynecologists, ACOG)는 비정상 자궁출혈의 원인을 체계화 한 PALM-COEIN 약어를 사용하도록 권장한다(표 11-2).

해부학적 원인에 의한 비정상 출혈은 다른 연령대의 여성보다 가임기 연령의 여성에서 더 자주 발생한다. 가임기 여성에서 비정상 출혈의 가장 흔한 원인은 호르몬에 의한 것이며 유산, 자궁외임신 등 임신으로 인한 출혈의 가능성도 항상 고려해야한다.

1) 자궁내막용종(Polyp, AUB-P)

자궁내막용종은 월경기간 사이 출혈, 과다한 월경 출혈, 불규칙한 출혈, 폐경 후 출혈의 원인이 될 수 있으나 대부분 무증상이다. 자궁내막용종은 타목시펜 사용 및 불임과 관련이 있으며 월경통을 일으킬 수 있다.

표 11-2. **PALM-COEIN**

해부학적 원인	PALM
AUB-P	Polyp
AUB-A	Adenomyosis
AUB-L	Leiomyoma
AUB-M	Malignancy and Hyperplasia
비해부학적 원인	COEIN
AUB-C	Coagulopathy
AUB-O	Ovulatory dysfunction
AUB-E	Endometrial
AUB-I	Iatrogenic
AUB-N	Not otherwise classified

2) 자궁선근증(Adenomyosis, AUB-A)

자궁선근증은 자궁내막조직이 자궁근층안으로 침범하는 질환으로 월경과다를 유발할 수 있다. 전통적으로 자궁절제술 후 조직학적 검사를 통하여 진단하였으나 현재는 영상 진단법의 발달로 초음파, MRI로 진단 가능하다.

3) 자궁평활근종(Leiomyoma, AUB-L)

자궁 평활근종은 자궁 및 부속기에서 가장 흔한 종양으로 35세 이상의 여성에서는 그 발생률이 절반에 가깝다. 대부분 무증상이나 증상이 있는 경우 출혈이 가장 흔하다. 근종의 수와 크기는 비정상 출혈의 발생에 영향을 미치지 않으나 점막하 근종(submucosal myoma)은 출혈을 일으킬 가능성이 높다.

4) 악성종양 및 자궁내막증식증(Malignancy and Hyperplasia, AUB-M)

자궁내막이 프로게스테론 없이 에스트로겐에만 장기적으로 노출되는 경우(unopposed estrogen) 자궁내막 증식증 및 자궁내막암이 발생할 수 있으며 비정상 자궁 출혈의 원인이 된다.

또한 비정상 자궁 출혈은 침습성 자궁경부암의 가장 흔한 증상이다.

5) 응고병증(Coagulopathy, AUB-C)

월경과다가 있는 모든 여성 중 5~20%는 진단되지 않은 응고병증이 있는 것으로 알려져 있다. 특히 초경때부터 출혈양이 많은 경우 혈액학적 원인을 감별해야 한다. 알코올 중독이나 기타 만성 간질환 환자들에서는 부적절한 응고인자의 생산으로 인해 월경과다가 있을 수 있다. 산부인과 의사가 응고병증을 의심해야하는 경우는 표 11-3과 같다.

6) 배란장애(Ovulatory dysfuction, AUB-O)

대부분의 무배란성 출혈(anovulatory bleeding)은 에스트로겐 파탄성(estrogen breakthrough)으로 발생한다.

배란장애의 많은 경우 내분비장애와 관련이 있다. 갑상선 기능 저하증(hypothyroidism), 갑상선 기능 항진증(hyperthyroidism) 모두 비정상 출혈과 관련이 있을 수 있다. 또한 시상하부기능장애(hypothalamic dysfunction), 고프로락틴혈증(hyperprolactinemia), 조기난소부전

표 11-3. **산부인과 의사가 출혈 장애를 의심해야 하는 경우**

초경 이후 심한 월경 출혈
출혈 장애의 가족력
아래와 같은 과거력이 있는 경우
　작년에 비출혈(epistaxis)이 있었던 경우
　부상 없이 발생한 2 cm 초과하는 멍
　경미한 상처의 출혈
　해부학적 병변 없이 발생한 구강 또는 위장관 출혈
　발치 후 지속되는 많은 출혈
　수술 후 예상할 수 없는 출혈
　난소 낭종으로 인한 출혈
　수혈이 필요한 출혈
　출산 후 24시간 이후에 발생한 산후출혈

(premature ovarian insufficiency, POI) 및 원발성 뇌하수체 질환(primary pituitary disease) 등은 무월경의 원인이면서 불규칙한 출혈의 원인이 될 수 있다.

기타 원인으로 섭식 장애[거식증(anorexia nervosa) 및 과식증(bulimia nervosa) 등], 과도한 신체 활동, 만성 질환, 알코올 및 약물 남용, 스트레스, 당뇨, 다낭성난소증후군(polycystic ovary syndrome, PCOS)을 포함한 안드로겐 과다 증후군(androgen excess syndrome) 등이 있다.

7) 자궁 내막의 장애(Endometrial, AUB-E)

염증 및 감염 등 자궁 내막 자체의 이상에 의해 비정상출혈과 월경과다가 발생할 수 있다. 자궁내막염은 월경과다와 월경통을 유발하며, 또한 클라미디아에 의한 자궁경부염이 있는 경우 불규칙 출혈 및 성관계 후 점출혈이 있을 수 있다.

8) 의인성 외부 호르몬에 의한 출혈(Iatrogenic, AUB-I)

경구 피임약 사용의 첫 1~3개월 동안 파탄성 출혈(breakthrough bleeding)이 있을 수 있으나 이는 시간이 지나면서 점차 감소하며, 경구 피임약의 불규칙한 복용에 의해서도 출혈이 발생할 수 있다.

9) 기타(Not otherwise classified, AUB-N)

달리 분류할 수 없는 원인에 의해 발생한 경우를 말한다.

5. 감별진단

비정상 자궁출혈의 원인은 국제 부인과 및 산부인과 연맹(International Federation of Gynecology and Obstetrics, FIGO)에서 말한 바와 같이 PALM-COIEN 분류를 이용하여 감별할 수 있다. PALM (polyps, adenomyosis, leiomyomata, and malignancy/hyperplasia)은 구조적인 원인으로 인한 출혈인 경우를 말하며 COEIN (coagulopathy, ovulatory dysfunction, endometrial factors, iatrogenic, and not yet classified) 구조적인 원인이 아닌 경우 출혈을 나타낸다.

1) 연령에 따른 비정상 자궁출혈의 원인

표 11-4. **연령에 따른 비정상 자궁출혈의 원인(빈도 순)**

신생아	모체 유래 에스트로겐의 감소
사춘기 이전	외음출혈, 질출혈, 조발사춘기, 종양
사춘기	무배란, 외인성 호르몬 사용, 임신, 혈액질환
가임기	외인성 호르몬 사용, 임신, 무배란, 자궁근종, 자궁경부/내막 용종, 갑상선질환
폐경이행기	무배란, 자궁근종, 자궁경부/내막 용종, 갑상선질환
폐경 이후	질출혈, 자궁내막 용종, 자궁내막암, 호르몬 요법, 외음/질/자궁경부암

2) 사춘기 이전 출혈

초경 이전이나 9세 이전의 출혈은 검사를 해야 한다. 유방발육이 Tanner 3, 4에서 초경을 시작 하므로 유방발육이 없거나 이차 성징 없이 질출혈이 있다면 검사를 해야 한다. 요로계 원인과 변비 등 소화기계 원인, 성폭력 등에 의한 출혈의 감별이 필요하다.

3) 임신과 관련된 출혈

가임기 여성에서 비정상 질출혈이 발생하였을 때에는 유산, 자궁외 임신 등 임신과 관련된 출혈을 가장 먼저 배제해야 한다. 특히 의도하지 않은 임신은 청소년과 40세 이상의 여성에서 많이 발생한다.

4) 폐경 후 비정상 출혈

① 폐경 후 여성의 비정상 질출혈의 원인은 외부 호르몬 투여(30%), 위축성 자궁내막염과 위축성 질염(30%), 자궁내막암(15%), 자궁내막용종/자궁경부용종(10%), 자궁내막증식증(5%), 기타(10%) 순이다.

② 폐경 후 여성에서 비정상 출혈의 원인을 찾기 위해 Pap test가 가장 먼저 시행되어야 한다.

③ 호르몬 치료를 하지 않은 폐경여성(마지막 월경으로부터 1년이 지난 후)에서 질출혈이 있는 경우, 특히 내막의 두께가 4 mm 이상인 경우 자궁내막 생검을 해야 한다.

④ 폐경여성에서 발견된 자궁내막용종은 폐경 전보다 악성일 가능성이 많다.

⑤ 비정형증식이 동반된 자궁내막증식증(endometrial hyperplasia with atypia) 또는 자궁내막 상피내 종양(endometrial intraepithelial neoplasia, EIN)이 있는 여성의 약 40~50%에서 자궁내막의 악성 종양이 함께 있는 것으로 알려져 있다.

6. 진단

1) 병력

출혈 양상의 평가가 가장 중요하다. 월경기간 사이의 출혈 또는 성관계 후 비정상적인 출혈은 자궁내막과 경부의 폴립이나 염증 등과 같은 자궁 경부의 병변으로 인해 발생할 수 있다. 체중 및 BMI와 성매개 감염질환의 위험인자, 빈혈, 혈액질환 또는 내분비적 질환의 증상 등을 평가한다.

2) 신체검사

출혈 부위와 출혈량을 확인한다. 질경검사, 골반진찰을 포함한 전반적인 신체검사가 필요하다.

3) 초음파

① 질 초음파

자궁내막을 포함한 전체 자궁 윤곽 및 자궁부속기를 확인하여 비정상 자궁출혈의 기질적 원인을 진단하는 데 매우 유용하다.

② **초음파 자궁 조영술**(sonohysterography)

생리식염수를 넣어 자궁내강을 팽창시킨 후 초음파를 시행하여 영상을 얻는 방법이다. 자궁내막용종, 점막하근종 등 자궁내막과 자궁강 내의 병변을 확인하는 데 특히 유용하다.

4) CT/MRI

비정상 자궁 출혈의 초기 평가수단으로서는 유용하지 않으나 복강 내 다른 병변을 확인하는 등의 특수한 적응증에서 고려할 수 있다. 특히 MRI는 자궁근종의 위치 확인, 자궁내막암의 수술 전 평가, 자궁선근증의 진단, 자궁부속기 병변의 확인을 위한 추가 검사로서 유용하다.

5) 실험실 검사

① 임신 확인: urine hCG
② 빈혈, 혈소판 감소증과 기능 평가: CBC, PT, aPTT
③ 자궁경부 병변 확인: Pap smear, chlamydia test
④ HPO axis 평가: FSH, LH, Estradiol (E_2), AMH, TSH, Prolactin
⑤ 혈액응고질환 선별검사: VWF (ristocetin cofactor activity and antigen, factor VIII), fibrinogen

6) 자궁내막 조직검사

자궁내막용종, 자궁내막증식증이나 자궁내막암 등의 가능성이 있다고 판단되는 경우에 시행한다. 질초음파상 자궁내막이 두꺼운 경우, unopposed estrogen exposure, 45세 이상의 여성에서 무배란성 출혈이 있는 경우, 비만한 환자, 지속적인 무배란의 과거력이 있는 경우, 폐경 이후, 약물치료에 반응없이 출혈이 계속되는 경우 등이 이에 해당한다.

① **자궁내막조직검사**(endometrial biopsy)

비정상 자궁 출혈을 평가하기 위해 광범위하게 사용될 수 있다.

② **자궁내막 흡인술**(endometrial tissue aspiration)

플라스틱 캐뉼라를 이용하여 자궁내막 조직을 얻는다. 자궁내막의 악성종양 및 자궁내막증식증에 대한 진단 정확도는 자궁내막조직검사와 비교하여 떨어지지 않는 것으로 연구되었지만 지속적인 출혈이 있는 경우 추가 검사가 필요하다.

③ 자궁경(hysteroscopy)

진단 및 치료에 모두 이용할 수 있다. 자궁경을 이용한 조직검사는 자궁내막의 병변을 확인하는데 자궁내막조직검사보다 민감하다. 악성병변 의심 시 자궁경은 금기이다.

7. 치료

1) 내과적 치료

(1) Progestin(합성 프로게스틴)

무배란성 출혈은 대개 희발월경상태에서 간간히 장기간의 과다출혈양상을 보인다. 프로게스테론은 정상월경주기에서 주요한 조절 역할을 하기 때문에 무배란성출혈에서 주된 치료제로 간주된다. 강력한 항에스트로겐 효과가 있으며 또한 자궁내막의 성장을 방해하므로 자궁내막 증식증 또는 조기 자궁내막암에서 자궁 보존을 원하는 경우 사용할 수 있다. 빠른 지혈 효과를 위해서 progesterone in oil 100~200 mg을 근육주사할 수 있으며 출혈이 감소한 후 경구용 progestin을 10일 이상 복용한다.

① 경구 프로게스틴의 주기적 요법

통상 초산화 메드록시프로게스테론(MPA) 5~10 mg/일을 매달 14일씩 주기적으로 경구 투여하면 과도한 자궁내막증식 및 unopposed estrogen 자극에 의한 불규칙한 출혈을 막을 수 있다.

② 비경구적 프로게스틴 요법

LNG-IUS (levonorgestrel-intrauterine system), Depot medroxyprogesterone acetate (DMPA) 주사요법이 있다. 주기적 프로게스틴 요법에 비해 출혈 조절에 효과적이며, 과도한 출혈 위험이 있는 여성에서 무월경을 유도하는 데 사용될 수 있다. 하지만 치료 초기에는 일부 부정출혈을 야기하기도 한다.

(2) 경구피임약(combined estrogen-progestin)

임신을 원하지 않는 경우, 경구용 피임약을 복용하면 규칙적 월경주기를 회복하고 월경량이 감소되기 때문에 무배란성 출혈에서 최선책으로 알려져 있다. 특히 청소년에서 중등도 이상의 출혈을 보일 경우 6시간 간격으로 4~7일 동안 사용하며, 출혈이 감소하면 서서히 감량하여 1일 1회 복용하다가 중단한다. 첫 복용 후 발생하는 출혈은 양이 많을 수 있음을 설명하고, 약 3~6주기의 경구피임약을 복용하는 것을 권고한다.

(3) 에스트로겐

불규칙한 자궁출혈은 종종 낮은 수준의 에스트로겐 자극과 관련이 있는데(estrogen break-though bleeding), 이런 경우 자궁내막은 굉장히 얇은 경우가 대부분이어서 progestin 치료는 효과가 별로 없을뿐 아니라 오히려 상황을 악화시키게 된다. 또한 장기간의 과다출혈 후에도 자궁내막이 얇아져서 비슷한 상황에 처할 수 있는데 이런 상황들에서는 에스트로겐 치료가 가장 효과적인 초기치료이다. 입원을 요할 정도의 과다출혈일 경우 결합에스트로겐(conjugated estrogen, CEE) 25 mg을 출혈이 멈출 때까지 혹은 24시간 동안 매 4~6시간 간격으로 IV하는 방법이 효과적이다. 또는 CEE 2.5 mg을 6시간 간격으로 경구 투여할 수 있다. 출혈이 안정화되면 경구 progestin을 추가 투여하거나 경구피임약을 사용할 수 있다.

(4) NSAIDs

프로스타글란딘(prostaglandin) 생성을 억제해서 월경량을 줄이는 것으로 생각되고, 생리 기간 중 투여는 실혈량을 30~50% 정도 감소시키는 것으로 알려져 있다.

(5) 항섬유소용해제(antifibrinolytics)

Tranexamic acid와 같은 항섬유소용해제는 월경과다를 치료하는 데 효과적이다.

(6) 생식샘자극호르몬방출호르몬작용제(GnRH agonist)

단독으로, 또는 다른 호르몬요법들과 함께 비정상 출혈의 단기 치료에 사용된다.

2) 외과적 치료

내과적 치료에 실패하였거나, 내과적 치료가 금기인 경우 시행한다.

① 자궁경관확장 소파술(D&C, dilatation and curettage): 진단적 소파술 이외에도 치료 목적으로 시행할 수 있다.

② 자궁 내막융해술(endometrial ablation): 임신을 원하지 않는 경우에 고려해 볼 수 있다.

③ 자궁동맥색전술(uterine artery embolization, UAE): 자궁근종으로 인한 출혈에 선택적으로 시도해 볼 수 있다. 급성 출혈의 조절에도 효과적이나 이후 임신을 원하는 경우에는 금기이다.

④ 자궁절제술(hysterectomy): 다른 치료에 반응하지 않고, 증상이 심하며, 임신을 원하지 않는 경우에 고려해 볼 수 있다.

성매개병과 요로감염

Sexually transmitted disease and Urinary tract infection

Obstetrics & Gynecology

산부인과학 지침과 개요

학습목표

1. 외음부의 염증성 질환 및 궤양성 질환을 설명한다.
2. 질내의 정상 균주에 대해 설명한다.
3. 여성생식기계에 염증을 유발하는 원인균을 열거한다.
4. 여성생식기계에 성접촉으로 전염되는 원인균을 나열한다.
5. 질염의 원인에 따라 질내 분비물의 생리식염수 도말 및 KOH 도말 소견을 설명한다.
6. 세균질증과 위축성 질염의 치료법을 설명한다.
7. 자궁경부염을 일으키는 대표적인 원인균을 열거한다.
8. 임균성 난관염과 비임균성 난관염의 차이점을 비교한다.
9. 비임균성 난관염의 흔한 원인균을 열거한다.
10. 골반염의 원인균을 기술한다.
11. 골반염의 진단법을 설명한다.
12. 골반염의 치료원칙을 설명한다.
13. 골반염의 후유증을 열거한다.

여성의 생식기(genital tract) 및 요로(urethra)는 해부학적으로 근접한 위치에 있기 때문에 성관계나 위생불량 등에 의한 감염이 동시에 발생하기 쉽다. 일반적으로 생식기의 해부학적 위치에 따라 자궁경부(cervix) 이하의 하부생식기(lower genital tract) 감염과 자궁내막(endometrium)을 포함한 골반까지 발생하는 상부생식기(upper genital tract) 감염으로 분류하며, 요로감염은 주로 하부 생식기 감염과 자주 동반된다.

1. 외음부 감염(Vulvar Infection)

정상 외음부는 땀샘(sweat gland), 피지선(sebaceous gland), 아포크린선(apocrine gland) 등이 존재하는 중층편평상피(stratified squamous epithelium)로 구성된 피부와 바르톨린선 (Bartholin's gland)이 존재하는 피하조직으로 구성되어 있다. 산부인과 환자들의 약 10%는 외음부의 소양감 및 작열감을 주증상으로 내원한다.

1) 첨형콘딜로마(Condyloma acuminatum)

생식기 혹은 음부사마귀라고도 알려져 있으며 외음부, 질(vagina), 자궁경부에 인유두종바이러스(human papillomavirus, HPV)가 감염되어 상피세포의 변화가 나타나는 질환이다. 외장형콘딜로마(exophytic condyloma)를 유발하는 인유두종바이러스 6 혹은 11형은 일반적으로 암을 유발하는 인유두종바이러스 16, 18, 31, 33 및 35형과는 달리 암으로 발전하지 않는 것으로 알려져 있다(그림 12-1).

(1) 역학
① 15세에서 25세 사이에 가장 많이 발생한다.
② 임신부와 면역저하 환사, 당뇨환자에서 그 위험도가 증가한다.

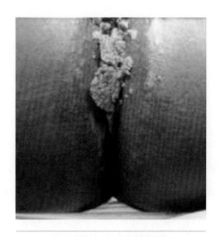

그림 12-1. **첨형콘딜로마**

(2) 증상 및 증후

일반적으로 점막이나 피부 표면에 다양한 크기와 형태의 부드러운 돌기형 병변(soft and pedunculated lesion)을 보인다. 보통 증상이 없어서 인지하지 못하다가 외상이나 이차 감염에 의해서 출혈 및 통증이 발생하여 알게 된다.

(3) 진단

① 육안적인 병변을 확인한다.

② 질확대경검사(colposcopy): 자궁경부나 질부의 병변을 확인한다.

③ 조직생검표본(biopsy specimen) 및 자궁경부질세포진검사(Papanicolaou smear): 인유두종바이러스에 의한 조직학적 변화를 확인한다.

④ 인유두종바이러스에 대한 DNA 유형검사(DNA typing)를 시행할 수도 있다.

⑤ 2기 매독(secondary syphilis)의 편평콘딜로마(condyloma lata)를 감별해야 한다.

(4) 치료

병변 제거가 치료목적이며 바이러스는 박멸되지 않는다. 따라서 재발이 흔한데, 주로 재감염보다는 무증상감염의 재활성화에 기인한다. 성 파트너도 반드시 치료해야하는 것은 아니지만 성 파트너에서도 대부분 병변을 보이므로 같이 치료하는 것이 도움이 된다.

① 외과적 병변 제거

가. 수술적 제거

나. CO_2 레이저소작술

다. 전기소작술

라. 냉동치료

② 국소 도포제 적용

가. 80~90% trichloroacetic acid 또는 bichloroacetic acid

나. Imiquimod 5% cream

다. Podophyllin (solution 또는 gel) – 임신 시 사용 금지

③ 인유두종바이러스 백신으로 예방 가능하다.

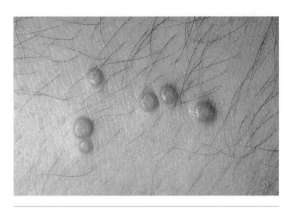

그림 12-2. **전염성 연속종**

2) 전염성 연속증(Molluscum contagiosum)

물사마귀라고도 알려진 전염성 연속증은 폭스바이러스(poxvirus)에 의한 피부감염으로 성적 접촉이나 비성적 접촉에 의해 전파된다. 잠복기간은 수주에서 수개월이다.

(1) 증상 및 증후

돔형의 구진(dome-shaped papule)이 나타나며 돔의 중심부의 지름은 1~5 mm 정도이다. 다발성병변이 발생할 수도 있지만 일반적으로 20개 이하이다(그림 12-2). 보통 무증상이지만 간혹 가려움증이 있을 수 있다. 대개 저절로 호전(self-limited)되며 6~9개월간 지속된다.

(2) 진단

① 육안적인 병변을 확인한다.

② Wright 및 Giemsa 염색법: 결절의 유백색 물질에서 세포질내 연속종체(intracytoplasmic molluscum body)가 있으면 확진한다.

(3) 치료

① 외과적 결절 절제: 백색 물질을 배출시키거나, ferric sulfate (Monsel's solution) 혹은 85% 트리클로로아세트산을 기저부위에 도포한다.

② 액체 질소를 이용한 냉동요법 치료를 한다.

③ 성 파트너도 검사와 치료를 함께 받아야 한다.

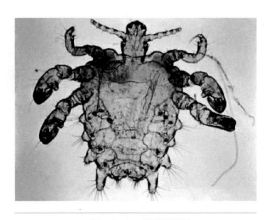

그림 12-3. **사면발이증**

2. 기생충(Parasite) 감염

1) 사면발이증(Pediculosis pubis)

가장 흔한 전염성 성병 중의 하나로 성적 접촉 외에도 침대 시트나 수건과 같은 매개물의 비성적 접촉을 통해서도 전염된다. 일반적으로 치골 그리고 회음부, 회음부주위에 한정되지만 눈꺼풀이나 신체의 다른 부위로 감염될 수 있다. 잠복기간은 30일이다.

(1) 증상

치골부위에 알레르기성 과민증으로 인한 심한 소양증을 유발하며 외음부에 반점구진성 병변(maculopapular lesion)을 동반한다. 짧은 시간 내에 많은 부위를 물기 때문에 미열이나 불쾌감, 자극과민성 같은 전신증상을 보이기도 한다.

(2) 진단

치골모에서 육안으로 이(lice), 유충(larvae) 혹은 서캐(nits) 등을 관찰할 수 있으며 현미경으로는 기름 속에 있는 게 모양의 이(crab-like lice)를 확인할 수 있다(그림 12-3).

2) 옴(Scabies)

옴은 가까운 접촉에 의해 전염되고, 신체의 어떤 부분이라도 감염되며 특히 팔꿈치, 손목, 손금부분, 겨드랑이, 생식기나 엉덩이 같이 피부가 접혀진 부분에 감염될 수 있다(그림 12-4).

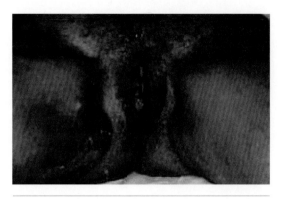

그림 12-4. **옴**

(1) 증상

① 간헐적인 심한 소양증이 갑자기 나타나며 밤에 더 심해질 수 있다.

② 구진, 소포(vesicle), 수도 구멍(burrow) 등이 나타나기도 한다.

(2) 진단

피부를 긁어(scrapping) 오일에 묻혀 현미경으로 검사한다.

(3) 치료

사면발이증과 옴의 치료 방법은 알과 성충을 사멸하는 약물을 사용하는 것이다.

① Permethrin (Nix) 크림

가. 사면발이증은 Permethrin 1% 크림을 환부에 바른 뒤에 10분 후 세척한다. 빗살이 촘촘한 빗으로 빗어낸다.

나. 옴은 Permethrin 5% 크림을 목부터 온몸에 바른 뒤에 8~14시간 후에 씻어낸다.

다. 유아, 어린이, 임신부나 수유부도 Permethrin 크림으로 치료할 수 있다.

② Gamma-benzen hexachloride 1% 혹은 Lindane (Kwell) 로션, 크림, 샴푸

가. 사면발이증은 환부에 바른 뒤 4분 후에 완전히 세척한다.

나. 옴은 어른의 경우 30~60 ml 로션을 전신 피부에 얇게 바르며 특별히 손과 발에 세심한 주의를 한다. 8~12시간 동안 환부에 로션을 바른 채로 놔둔다. 소양증이 며칠간 지속되면 항히스타민제를 바른다.

다. Lindane 독성에는 간질성 발작과 재생불량성 빈혈 등이 있다. 임신부, 수유부, 2세 이하의 어린이와 광범위한 부위에 피부염이 있는 환자에게는 Lindane 사용을 권장하지 않는다.

③ **의복소독 및 관리**
가. 의복은 뜨거운 물에 세탁한 후 열 건조시키거나 최소 72시간이 지난 후에 착용한다.
나. 성 파트너도 함께 치료를 받아야 한다.

3. 생식기 궤양(Genital Ulcer)

생식기 궤양의 가장 흔한 원인은 단순포진바이러스와 매독이며 무른궤양(chancroid)이 세 번째 흔한 원인이다. 이들 질환은 사람면역결핍바이러스(human immunodeficiency virus, HIV) 감염과 관련이 있다. 또한 병력청취와 검진만으로 생식기 궤양의 원인을 진단하는 것은 매우 부정확하므로 모든 생식기 궤양 환자에서 매독검사와 HIV 검사를 시행하여야 한다.

헤르페스감염은 통증을 동반한 다발성 소수포 형성이 특징적이다. 헤르페스바이러스배양은 위음성결과가 흔하므로 재발성 헤르페스는 항체분석(type-specific glycoprotein G-based antibody assay)이 확진에 유용한 검사이다. 억제요법(suppressive therapy)이 증상/무증상의 바이러스흘림(viral shedding)을 줄여 전이 가능성을 낮춘다.

통증 없이 약간의 압통을 보이는 경결궤양(indurated ulcer)은 매독의 가능성이 있다.

서혜부헤르페스와 매독이 미국의 서혜부궤양의 주된 원인이다. 다음으로 경성하감(chancroid)이 흔하며, 서혜부육아종(granulosa inguinalis), 성전파성임파선육아종(lymphogranuloma venerum)은 드물지만 생식기궤양을 일으키는 또 다른 감염이므로 매독이나 단순포진바이러스와 관련이 없는 것처럼 보이는 궤양에서 이러한 질환들을 고려해 보아야 한다. 또한 서혜부궤양질환은 HIV 감염 위험의 증가와 관련이 있다. 임상양상과 신체검진만으로 진단은 불확실하므로 서혜부궤양을 보이는 모든 환자에서 매독에 대한 혈청검사를 시행해야 한다.

1) 생식기 헤르페스(Genital herpes)
단순포진바이러스(herpes simplex virus, HSV)에 의해 생식기궤양이 발생하는 재발성 병변이다. 단순포진바이러스 1형과 2형이 있으며, 외음부 궤양은 대부분 HSV type 2에 의한다. 잠복기간은 3~7일이다.

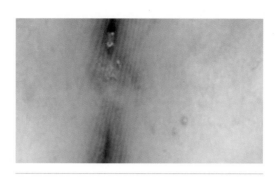

그림 12-5. 생식기 헤르페스

(1) 증상 및 증후

① 일차감염 시 국소적인 증상뿐 만 아니라 권태감과 발열 등 바이러스감염과 같은 전신 증상과 외음부 감각마비를 보일 수 있다. 그 후 소포(vesicles)가 생기며 종종 다발성이 며 깊지는 않은 통증성 궤양들을 형성하며 서로 합쳐지기도 한다(그림 12-5). 징후들은 약 14일간 지속되며 7일째에 최고조에 달한 후 저절로 호전된다. 바이러스 전염기간은 병변 발현 후 2~3주 동안 지속된다. 자궁경부병변은 전형적인 일차감염에서는 흔하다.

② 재발성 헤르페스 발현은 헤르페스바이러스가 신경절후근의 S2~4에 잠복하다가 재활 성화되면서 나타난다. 보통 증상은 심하지 않고 기간은 평균 7일로 짧다. 보통 환부의 가려움이나 작열감 같은 전구증상이 먼저 일어난다. 일반적으로 전신증상은 없다. 감 염된 여성의 50%가 6개월 이내에 첫 번째 재발을 경험하고 첫해에 평균 4번의 재발을 경험한다. 임신부와 같이 면역성이 저하된 상태에서는 재발이 촉진될 수 있다.

(2) 합병증

요도감염과 드물게 헤르페스뇌염이 발생할 수 있다. 요도감염시 요저류나 통증이 생길 수 있다.

(3) 진단

① 육안적인 병변을 확인한다.

② 바이러스배양(viral culture): 정확한 진단이 필요할 때 시행한다.

③ 형특이당단백 G항체분석(type-specific glycoprotein G-based antibody assay): 서혜 부 혹은 재발성 헤르페스 확진에 유용하다.

(4) 치료

① 생식기헤르페스감염의 치료 시 고려해야 할 사항

가. 치료 목적은 치료 과정을 단축하고 전이를 억제하며 합병증과 재발을 막는데 있다.

나. 바이러스를 완전히 소멸시킬 수는 없다.

② 치료약제

가. Acyclovir: 보통 400 mg PO tid 7~10일간

나. Valacyclovir: 1g PO bid 7~10일간

다. Famcyclovir: 250 mg PO tid 7~10일간

(5) 환자 상담

① 단순포진바이러스감염은 사람면역결핍바이러스 감염을 용이하게 할 수도 있다.

② 편평상피세포내병변으로 진행될 가능성은 없다.

③ 억제요법(suppressive therapy)은 부분적으로 증상/무증상 바이러스흘림(viral shedding)을 감소시켜 전이 가능성을 낮춘다. 또한 1년에 6회 이상의 재발을 보인 환자의 75%에서 재발빈도를 낮춘다.

(6) 임신 중 처치

① 임신 중 일차적인 단순포진바이러스감염이 있는 여성은 항바이러스치료(Acyclovir)를 받아야 한다.

② 임신 중 단순포진바이러스감염의 재발이 있었던 경우 임신 36주부터 Acyclovir를 복용하는 억제요법이 필요하다.

③ 활성병변(active lesion)이 있거나 분만 시 단순포진바이러스의 전구증상이 있는 여성은 분만 시 제왕절개술이 권고된다.

2) 매독(Syphilis)

*Treponema pallidum*에 의한 만성 전신성질환으로 다양한 임상적 증상이 있다. 1기와 2기 그리고 잠복기의 첫해 내내 전염성이 있다. 이 균주는 피부나 점막을 침투할 수 있으며 잠복기는 10~90일이다.

(1) 1기 매독(Primary syphilis)

① 보통 외음부나 질 또는 경부에 한 개의 딱딱하면서 통증이 없는 경성하감(chancre)을 보인다.

② 흔히 자궁경부나 질 속에 발생하는 병변은 모르고 지나가는 수도 있으며 생식기 이외의 다른 부위에도 발병할 수 있다.

③ 서혜부임파선병증(inguinal lymphadenopathy)이 흔히 동반한다.

④ 치료를 하지 않아도 2~6주 안에 일차 경성하감이 사라지기도 한다.

(2) 2기 매독(Secondary syphilis)

① 일차감염 후 6주에서 6개월 후에 균주가 혈액을 통해 전파되어 전신질환으로 나타난다.

② 주로 피부나 점막에 병변이 발생한다: 손바닥과 발바닥에 반점구진성 발진(maculo-papular rash), 점막반점(mucous patches), 편형콘딜로마(condyloma latum), 전신성 임파선병증

③ 2~6주 내에 저절로 소실된다.

(3) 잠복기 매독(Latent-stage syphilis)

① 2기 매독을 치료하지 않으면 잠복기 매독이 나타나고 2~20년간 지속될 수 있다.

② 혈청 검사에서는 양성이지만 증상은 없다.

③ 초기 잠복 매독(2기 매독 후 1년 미만): 전염력 있으며, 점막병변이 전염성을 갖는 2기 매독의 악화도 포함된다.

④ 후기 잠복 매독(2기 매독 후 1년 이상): 성 접촉에 의해서는 전염되지 않고, spirochete가 태반을 통해 태아에 감염 가능하다.

(4) 3기 매독(Tertiary syphilis)

① 매독의 치료를 받지 않거나 치료가 충분하지 않은 경우 환자의 3분의 1정도에서 나타난다.

② 다양한 발현 증상

가. 심혈관계(예: 동맥내막염, 대동맥류, 대동맥판폐쇄부전증)

나. 중추신경계: 전신성 부전마비, 척수배면근위축(tabes dorsalis), 정신상태의 변화, 시력위축, 그리고 3기 매독질환 특유의 증상인 Argyll Robertson pupil 등

다. 골격근계: 3기 매독의 후반에 피부와 뼈에 생기는 고무종(gummata)

③ 뇌척수액 FTA-ABS 반응검사: 매독을 1년 이상 앓은 경우 신경매독(neurosyphilis)를

배제하기 위해 시행한다.

(5) 진단

① 암시야검사법(dark-field examination)과 직접형광항체테스트: 병변의 삼출물 혹은 조직으로 시행한다.

② 비특이적 혈청 테스트(screening)

가. Veneral Disease Research Laboratory (VDRL)와 Rapid Plasma Reagin (RPR)

나. 임신, 자가면역질환, 만성 활동성 간염, 마약 사용, 열성질환, 면역접종에 의해 비록 수치가 낮기는 하지만 생리학적인 위양성의 결과가 나올 수 있다(약 1%).

③ 특이적인 혈청 테스트검사(진단)

가. Treponema pallidum에 대한 항체를 FTA-ABS와 microhemagglutination 분석을 이용한다.

나. FTA-ABS 검사 결과는 영구적으로 양성으로 남는다.

다. 혈청 검사는 감염 4~6주 후에 양성을 나타내며 보통 일차 경성하감이 발현된 후 1~2주에 양성 반응을 나타낸다.

(6) 치료

① Benzathine penicillin G 240만 단위 근주

1기, 2기 및 초기 잠복 매독의 경우 1회 근주, 후기 잠복 매독은 1주 간격 3회 근주한다.

(Jarisch-Herxheimer reaction: 매독을 치료하는 과정에서 첫 24시간 내에 발생하는 두통, 근육통을 동반하는 급성 열성 반응)

② Penicillin 알레르기가 있는 경우

가. Doxycycline 100 mg PO bid × 14일

나. Tetracycline 500 mg po qid × 14일

③ 임신 중 매독

가. Penicillin 이외에 선천성 매독을 예방할 수 있는 치료제는 없다.

나. Penicillin 알레르기가 있는 경우: penicillin desensitization 후 penicillin으로 치료한다.

(7) 사후 관리

① VDRL이나 RPR 역가 검사

가. 초기 매독을 치료한 후에는 1년 동안 매 3개월마다 검사한다.

나. 1년 이상 감염된 경우에는 2년간 검사한다.

다. 1년 후 25% 이상 역가감소를 보이지 않으면 재치료 한다.

라. 특이적인 검사인 FTA-ABS 검사 결과는 영구적으로 양성으로 남는다.

② 궤양을 보이는 환자에서 매독과 감별진단해야 할 질환

서혜부육아종(granulosa inguinalis), 성전파성임파선육아종(lymphogranuloma venerum), 무른궤양(chancroid)

3) 무른궤양(Chancroid)

Haemophilus ducreyi 감염이 원인이며 성매개병이다.

(1) 증상 및 증후

통증이 심한 궤양과 압통이 있는 서혜부림프절증이 보이면 임상적으로 chancroid로 진단할 수 있다.

(2) 진단

주로 임상적으로 진단하며 특수한 배지를 이용하여 H. ducreyi를 동정할 수 있다.

(3) 치료

① Azithromycin 1 g PO 1회 요법

② Ceftriaxone 250 mg IM 1회 요법

③ Ciprofloxacin 500 mg PO bid 3일 요법

④ Erythromycin 500 mg PO tid 7일 요법

(4) 추적 관찰

치료 후 3~7일 내에 경과 관찰을 하여야 한다. 궤양이 매우 크지 않다면 대부분 2주 이내에 호전되며 그렇지 않을 경우 다른 원인을 고려하여야 한다.

4. 질염(Vaginitis)

질염은 소양증, 분비물, 냄새, 성교통, 배뇨곤란 등의 증상을 특징으로 외래에서 산부인과 의사가 접하는 가장 흔한 부인과적 질환이다. 생리적인 질 분비물은 백색이며 솜 모양으로서 냄새가 없고, 정상적인 미생물이 집락을 이루고 있어(Lactobacillus acidophilus, 디프테리아 종, Candida 및 다른 미생물총 등) pH 4.0 정도이므로 병원성 세균이 과도하게 자라는 것을 억제한다(표 12-1). 질염은 대개의 경우 외래에서 간단한 검사로 진단할 수 있다.

1) 세균질증(Bacterial vaginosis, BV)

세균질증은 질염의 가장 흔한 원인으로 한 가지 감염원에 의해 발생하기 보다는 질의 정상 세균총의 구성 변화 즉, 질 속의 정상 세균총을 구성하고 있는 Prevotell, Gardnerella vagina-lis, Mobiluncus 종 같은 혐기성세균이 10배까지 증가하고 Lactobacillus 종의 농도가 감소할 때 발생한다. 성적인 접촉 때문에 발생하는 것으로 생각되지는 않는다. 세균질증은 골반염과 자궁절제술 후 질 봉합부위 감염의 위험을 증가시킨다. 세균질증을 가진 임산부는 조기양막 파열, 조산, 융모양막염 등의 위험이 높다.

(1) 증상 및 증후

특징적으로 맑고 균질한 회백색의 질분비물로 생선냄새가 난다. 분비물의 양은 많고 외음 부나 질의 소양증과 통증은 드물다.

표 12-1. 질염의 특성

	세균성질염	칸디다질염	트리코모나스질염
질분비물 pH	>4.5	<4.5	>4.5
분비물의 양상	얇은 회백색의 끈적끈적한 분비물	두꺼운 백색의 굳은 분비물	얇은 거품이 있는 회백색 및 노란색의 분비물
습식도말검사 (wet mount)	다형백혈구 Clue세포	Budding yeast Pseudohyphae	운동성 편모가 있는 원충 (민감도 38~82%)
그람염색	Clue세포 정상세균총 감소 그람음성 곡선간균/간구균 우세	다형백혈구 Budding yeast Pseudohyphae	다형백혈구 트리코모나스류 편모충 (Trichomonads)
KOH검사 (whiff검사)	양성	음성	양성

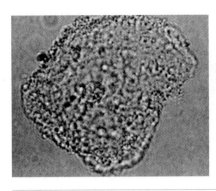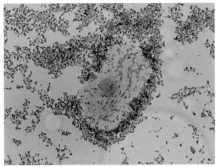

그림 12-6. Clue cell

(2) 진단

① 직접도말 표본법(wet smear)으로 clue cell (20% 이상 들어 있는)을 현미경으로 확인한다.

② Clue cell이란 세포막에 부착된 세균 덩어리를 가진 점상모습의 질상피세포를 말한다 (그림 12-6). 백혈구 및 lactobacillus 등은 거의 관찰되지 않는다. 분비물 pH는 4.5 혹은 그 이상이다.

③ 분비물에 10~20%의 수산화칼륨(10~20% KOH) 용액을 가하면 암모니아와 같은 생선냄새가 난다(Whiff 검사 양성반응).

④ 질의 홍반(erythema)은 드물다.

⑤ 자궁경부질세포검사에서 때때로 질의 세균총 변화를 시사하는 소견을 보일 수 있으나 이는 질염 진단도구로 유용하지는 않다.

(3) 치료

① Metronidazole 투여방법

가. Metronidazole이 혐기성균에 탁월한 항균효과를 나타내므로 세균질증의 선택적 치료제이다. 500 mg 하루 2회 투여로 7일 복용하는 다회요법으로 투여해야 한다. 복용 24시간 후까지 음주는 삼가해야 한다.

나. Metronidazole gel (0.75%) 5 g 질내로 1회 5 g 총량을 5일간 도포한다.

② Clindamycin 투여방법

가. Clindamycin ovules 100 mg 매일밤 자기전에 3일간 질내삽입한다.

나. Clindamycin bioadhesive cream (2%) 100 mg 1회 요법으로 질내 도포한다.

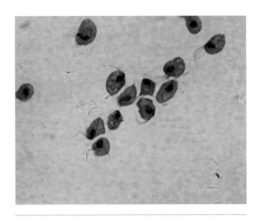

그림 12-7. **트리코모나스**

다. Clindamycin cream (2%) 5 g 매일밤 자기 전에 질내로 5 g 총량 도포를 7일간 한다.

라. Clindamycin 300 mg 하루 두 번 7일간 복용한다.

③ **성파트너를 같이 치료하는 것이 치료효과를 향상시키지 않으므로 성파트너를 같이 치료하는 것은 권고하지 않는다.**

(4) 사후 관리

세균질증의 재발이 흔히 생기지만 장기적인 유지요법은 권장되지 않는다.

2) 트리코모나스 질염(Trichomonas Vaginitis)

성적 접촉을 통해 Trichonomas vaginalis와 같은 원충류에 의한 감염에 의해 발생한다. 질염 원인의 25%를 차지한다. 트리코모나스는 젖은 수건이나 기타 다른 물건의 표면에서도 살 수 있을 정도로 강하기 때문에 성적인 접촉이 아니더라도 전달될 수 있다. 잠복 기간은 4~28일이다. 트리코모나스 질염의 60%에서 세균성질염이 동반된다.

(1) 증상 및 증후

① 전형적인 회색, 백색 혹은 연녹색의 거품이 있는 분비물로 묽고 악취가 나며 양이 많다.

② 외음부와 질에 홍반이나 부종이 있고 자궁경부에도 홍반("strawberry"cervix)이 있어 짓무른 것처럼 보인다.

(2) 진단

① 직접도말 표본법: 단세포의 원충류 확인(백혈구보다 약간 큰 서양배모양으로 운동성을 보이며 편모를 가짐) 백혈구를 많이 확인할 수 있다(그림 12-7).

② 분비물의 수소이온지수(pH)는 5.0~7.0이다.

③ 무증상 환자에 있어서는 자궁경부질세포진검사에서 Trichomonas의 발견으로 판별할 수 있다.

④ 세균성질염과 동반되어 clue cell이 관찰되고 Whiff 검사 양성반응을 보일 수 있다.

(3) 치료

① Metronidazole이 트리코모나스질염의 선택적 치료제이다: 2 g 단 1회 경구투여 혹은 500 mg을 1일 2회 일주일간 투여하는 것 모두 효과적으로 95%의 완치율을 보인다. Metronidazole gel은 세균질증 치료효과는 있으나 트리코모나스 질염의 치료에는 효과적이지 않으므로 사용되지 않는다.

② 환자의 성 파트너 또한 치료를 함께 받아야 한다.

③ 임신 첫 3개월 동안은 이 약물을 투여하지 않을 것을 권고하고 있다.

④ 후천성 면역결핍증환자에게는 보다 조기에 상기의 치료제를 투여하여야 한다.

(4) 사후 관리

① 환자에게 치료가 끝나고 증상이 사라질 때까지 성관계를 피할 것을 교육한다.

② 재치료: 치료가 실패하였다면 1일 metronidazole 2 g 1회 요법을 5일 동안 또는 tinidazole 2 g 1회 요법을 5일간 시행한다.

3) 외음부 질칸디다증(Vulvovaginal candidiasis)

외음부 질칸디다증은 성관계에 의해 전염되는 감염증이 아니다. Candida albicans가 외음부 질칸디다증의 80~95%에서의 원인균이며 그 외 Candida glabrata 및 Candida tropicalis가 원인균이다. 질칸디다증의 위험인자로서는 면역억제 특히 후천성 면역결핍증, 당뇨병, 호르몬의 변화(예: 임신), 광범위 항생제 치료, 그리고 비만 등이 있다.

(1) 증상 및 증후

주된 증상은 소양증으로 종종 배뇨곤란, 외음부 작열감, 성교통, 질 동통을 동반하기도 한다. 전형적인 질 분비물은 백색이고 묵과 비슷하며(curd-like) 무취이다. 음순과 외음부에 홍반과 부종이 보일 수 있고 질벽에 홍반성 변화와 응유 모양의 분비물이 붙어있기도 한다.

(2) 진단

① KOH 표본: 균사나 bud 관찰

　* 10~20% 수산화칼륨 용액은 적혈구와 백혈구를 녹이기 때문에 진균의 동정을 용이하게 해준다. KOH 표본에서 균이 발견되지 않았다고 해서 반드시 감염이 없다는 것은 아니다.

② 균이 발견되지 않더라도 분비물 pH가 정상이고 질과 외음부에 홍반이 있으면 추정 진단이 가능하며 확진을 위해 배양 검사가 추천된다.

(3) 치료

임산부를 포함하여 증상이 있는 환자는 다음과 같이 치료한다.

① azole 계 약물을 3일간 국소적 투여: 가장 흔히 사용되는 치료이고 nystatin보다 효과적이다.

② Fluconazole 150 mg 1일 단 1회 경구투여요법: 질칸디다증에 공인된 치료법 국소투여와 동등한 효과를 보인다.

③ 재발성 혹은 심한 질칸디다증 또는 면역기능저하의 환자: 첫 투여 72시간 후 150 mg을 한 번 더 투여한다.

④ 외음부가려움증 및 자극증상은 1% hydrocortisone cream같은 약한 스테로이드를 국소 도포하는 것이 도움이 된다.

⑤ 골반검진 소견상 정상이고 현미경 검사에서 곰팡이 감염의 증거가 없다면 외음부 질칸디다증의 가능성은 적으며 질검체 배양검사에서 양성이 나오지 않은 한 경험적으로 치료해서는 안된다.

(4) 재발성 질칸디다증

① 정의: 일년에 4회 이상의 질칸디다증의 병력을 보이는 경우를 지칭한다.

② 증상: 주로 외음부와 vestibule(전정부)에 지속적인 가려움증을 호소한다.

③ 진단: 질분비물을 직접현미경으로 관찰하거나 곰팡이 배양으로 진단한다.

④ 대개는 만성 위축성 질염이나 피부염이 소양증의 원인인 경우가 많은데, 많은 환자들이 만성 곰팡이성 감염이 있다고 잘못 생각하는 경향이 있다.

⑤ 치료: 만성증상의 완화요법(Fluconazole 150 mg 매 3일마다 투여를 3회) 후 억제요법(Fluconazole 150 mg을 매주 투여)으로 6개월간 유지한다.

4) 위축성 질염(Atrophic vaginitis)

(1) 증상 및 징후
① 폐경 여성, 자연적 폐경 혹은 난소를 수술적으로 제거한 뒤 흔히 생기는 염증성 질염
② 질성교통, 질과 외음부 상피 위축으로 인해 성교 후 질출혈 등의 증상을 호소한다.

(2) 진단
① 질점막의 육안 소견: 질 주름이 소실되고, 외성기의 위축 및 질점막이 약해진 것이 관찰된다.
② 질분비물의 현미경소견: parabasal epithelial cells의 분포가 우세해지고, 백혈구가 증가된다.

(3) 치료
① 에스트로젠 질크림: 매일 1 g을 국소적으로 질에 바르면 1~2주 후에 증상이 호전된다.
② 에스트로젠 전신적 투여: 재발을 막기 위해 고려해 볼 수 있다.

5. 자궁경부염(Cervicitis)

- 자궁경부염은 자궁경부의 점막이나 점막하부의 염증을 일컫는다.
- 흔히 세균질증과 연관이 있고, 동시에 치료하지 않으면 경부염 증상과 징후가 지속된다.
- 자궁경부는 편평상피와 선상피로 구성되어 있고, 자궁경부 편평상피세포의 염증은 질점막세포와 연결되어있어 질염의 원인균, 즉 트리코모나스, 캔디다, 헤르페스 등에 의해 생긴 염증이다.
- 점막화농성 자궁경부염은 임질균(Neisseria), 클라미디아(Chlamydia trachomatis)가 주요 원인균으로 선세포(내경부, endocervix)에 일으킨 염증이다.

1) 자궁경부염 진단

(1) 육안 검사
외경부 분비물을 제거한 뒤 작은 면봉으로 내경부 점액을 채취하여 녹색 혹은 노란색의 점액농(mucopus)을 관찰된다.

(2) 그람염색법

보통 호중구가 30/HPF (high power field) 이상 관찰되고, 세포내 그람 음성의 쌍구균이 관찰되면 임질로 간주할 수 있다. 그람 음성의 쌍구균이 관찰되지 않으면 클라미디아 감염으로 간주할 수 있다.

(3) 핵산증폭법을 이용한 검사

요즘 많이 선호되고 있다.

2) 클라미디아 감염

클라미디아 감염은 활발한 성생활을 하는 여성의 20~40%는 microimmunofluorescent Chlamydia 항체가에 양성결과를 나타낸다. 위험인자로는 24세 이하, 낮은 사회경제적 위치, 다수의 성 파트너, 그리고 미혼 등이 있다. Chlamydia trachomatis는 세포 내에만 존재하는 균주로 squamocolumnar 세포를 주로 감염시킴으로써 자궁경부 부위로 옮겨간다.

(1) 증상 및 증후

① 무증상(30~50%)으로 수년 동안 지속될 수도 있다.

② 보통 질분비물, 반점, 성교 후 출혈을 호소한다.

③ 육안 검사: 자궁경부미란, 황록색의 점막화농성 분비물이 관찰된다.

④ 그람염색: oil immersion field 당 10개 이상의 다형핵 백혈구가 나타난다.

(2) 진단

① 배양법

② 직접형광항체법(direct fluorescent monoclonal antibody staining of chlamydial elementary bodies test)

③ 효소면역법: Chlamydia 항체를 발견하기 위한 enzyme-linked immunosorbent assay

④ DNA 동정분석법: 핵산 hybridization 기법

⑤ PCR 검사: 유병율이 낮고 무증상의 환자에게서조차 Chlamydia 감염증을 찾아낼 수 있는 간단하면서도 정확하고 신뢰할 수 있는 검사법으로 97%의 민감도와 99.7%의 특이도를 보인다.

(3) 치료

① 치료 지연시 골반염 등의 합병증이 발생할 수 있으므로 성 파트너를 포함하여 즉각적인 치료가 필요하다.

② Azithromycin 1 g PO 1회 투여 요법 – 임신시 사용가능하다.

③ Doxycycline 100 mg PO bid 7일 요법을 사용한다.

④ 완치 여부에 대한 검사는 임산부 혹은 증상이 지속될 때만 필요하다.

3) 임질(Gonorrhea)

(1) 역학

① 위험인자는 근본적으로 클라미디아감염의 위험인자와 같다.

② Neisseria gonorrhoeae는 그람음성 쌍구균으로서 원주 또는 위중층상피(pseudostratified epithelium)를 감염시키므로 비뇨생식계가 흔한 감염 부위이다. 인두 및 파종성 임질을 보이기도 한다.

③ 배양기간은 3~5일이다.

(2) 증상 및 증후

① 흔히 무증상이나 질분비물, 배뇨곤란, 비정상적 자궁출혈을 보이기도 한다.

② 가장 흔한 감염 부위는 자궁경부이다.

(3) 진단

① 선택 배지(Thayer–Martin 배지)로 배양: 임질의 정확한 검사법

② 그람염색법: 세포내 쌍구균을 확인. 그러나 민감도는 60%에 불과하다.

③ DNA 검사법

(4) 치료

① 성 파트너도 함께 치료받아야 한다.

② Fluoroquinolone 제제는 내성균이 흔하므로 권장되지 않는다(미국 질병 관리 센터).

③ 경구 Cephalosporin 제제는 더 이상 1차 치료제로 추천되지 않는다(미국 질병 관리 센터).

④ 권장요법: Ceftriaxone 250 mg IM 1회 투여 요법 – 임신 시에도 사용 가능하다.

⑤ 클라미디아감염과 동시에 발생하는 경우가 흔하기 때문에 Doxycycline 100 mg bid를

추가하기도 하고, Azythromycin 1 g 단 1회 경구투여가 두 균 모두를 치료로 권장되기
도 한다.

4) 방광염과 요도염(Cystitis and urethritis)

① 성인 여성에 있어서 가장 흔한 세균감염증이며 임산부의 가장 흔한 합병증이다.

② 평생 동안 비뇨기계감염증을 경험할 위험률은 20%이다.

③ 여성들은 요도가 짧고 질 전정에 있는 세균이 요도말단에 집락화되기 때문에 남성보다
더 흔히 생긴다.

④ 증상 및 징후: 배뇨곤란, 빈뇨, 긴박뇨, 치골상복부압통 등을 보인다.

⑤ 가장 흔한 병원균: Escherichia coli 및 Staphylococcus saprophyticus

(1) 진단

① 청결한 중간뇨 검체로 현미경검사, 배양/감수성검사를 시행한다.

② 배양검사: ml 당 10^5개 이상의 균주를 발견하면 확진할 수 있다.

③ 골반검사: 외음부질염, 자궁경부염, 기타 원인들을 배제할 수 있다.

(2) 치료

다음과 같은 치료가 효과적이다.

① Trimethoprim/sulfamethoxazole, 160/800 mg PO 하루 2회 3일간 혹은

② Nitrofurantoin, 100 mg 하루 2회 5일간 투여한다.

* Ciprofloxacin 250 mg 1일 2회 7~10일간의 경구투여와 같은 quinolone의 사용은 위에
서 열거한 치료요법에 내성이 있는 균주의 치료를 위해서 유보되어야 한다고 권고하고
있다(미국 산부인과학회).

(3) 예방

① 대상: 성교 후 비뇨기계 감염증이 자주 재발되는 환자가 대상이다.

② 예방적 항생제 투여와 성교 후 즉시 배뇨할 것을 권고한다.

③ 에스트로겐(estrogen) 보충요법을 받고 있지 않은 폐경기 여성은 에스트로겐 보충요법
이 재발 예방에 도움이 될 수 있다.

6. 골반염(Pelvic inflammatory disease, PID)

골반염은 상부생식기에 염증이 발생한 질환으로 자궁내경부로부터 자궁내막, 난관, 난소, 자궁근, 자궁주위 조직, 자궁복막의 감염증을 포함한다.

골반염의 치료는 불임, 자궁외임신을 일으키는 난관손상의 예방과 만성 감염증의 예방이 궁극적인 목표이다. 따라서, 고위험 여성에서는 항상 골반염을 의심해야 하고 의심되는 경우 적극적으로 치료해야 한다. 많은 환자들이 조기에 통원 치료하는 것으로 성공적인 치료효과를 보이므로 통원치료가 초기 치료법이 되어야 한다(cefoxitin 2 g 근주 혹은 ceftriaxone 250 mg 근주와 함께 1일 doxycycline 100 mg 2회 14일간 투여). 그러나, 임상증상이 심하거나, 고름집이 의심되거나 통원치료에 반응하지 않을 때 집중치료가 요구된다.

(1) 골반염의 병태생리

Neisseria gonorrhoeae 및 Chlamydia trachomatis와 같은 성전파성 병원균이 골반염의 주된 원인균이다. 세균질증의 균들도 상부생식기계에 급성 염증과정을 일으키는데 이로 인해 조직손상이 생겨 질이나 자궁경부에서부터 상부생식기에 이르기까지 다른 균주들의 접근을 가능하게 한다.

(2) 위험인자

① 골반염의 과거력
② 단기간 다수의 파트너와 성교
③ 성병원인균, 비복합성 항문성기임균(uncomplicated anogenital gonorrhea)을 가진 15%의 환자는 생리 직후 또는 생리가 끝난 후 골반염으로 발전할 가능성이 있다.
④ 자궁내피임장치의 사용은 골반염의 위험을 3배 내지 5배로 증가시킬 수 있다. 골반염의 위험이 가장 큰 시기는 자궁내에 자궁내피임장치를 삽입할 때와 삽입 후 첫 3주이다.

(3) 증상 및 증후

전형적으로 복부골반통증, 자궁경부 운동성 압통, 그리고 부속기 압통이 임상적 삼증상(triad)이나 골반염을 가진 환자에서 다양한 증상과 징후를 보이며 심지어 아무런 징후를 보이지 않는 경우도 있기 때문에 골반염 진단이 매우 어렵다.

(4) 진단

골반염은 증상 및 징후를 기초로 진단하며 불임, 자궁외임신, 그리고 만성골반통을 유발할 수 있으므로 고위험 여성에서는 항상 골반염을 의심하고 적극적으로 치료해야 한다.

① 임상적 징후

가. 골반장기 압통(pelvic organ tenderness)

나. 질분비물(leucorrhea) 혹은 점액화농성 자궁내경부염(mucopurulent endocervicitis)

② 진단을 위한 추가적인 기준

가. 자궁내막조직검사 상 자궁내막염 소견

나. 38도 이상의 체온

다. 백혈구증가(leukocytosis)

라. 상승된 적혈구침강률 또는 상승된 C-reactive protein (CRP) 수치

마. Neisseria gonorrhoeae 및 Chlamydia trachomatis 감염검사 양성

③ 특별기준

가. 초음파검사에서 자궁난관난소농양의 확인

나. 복강경검사에서 난관염의 확인

(5) 치료

① 골반염의 치료는 불임, 자궁외 임신을 일으키는 난관손상의 예방과 만성 감염증의 예방이 궁극적인 목표이다.

② N. gonorrheae, C. trachomatis, gram-negative bacteria, 혐기성균, streptococci 등을 포함함 병원균에 항균력을 가지는 경험적 광범위 항생제를 투여한다.

③ 경도 또는 중등도의 골반염에서 통원치료가 입원치료만큼 효과적이므로 초기에 이 방법을 적용한다(표 12-2). 하지만 다음과 같은 경우 입원 치료가 권장된다.

가. 골반 농양

나. 중증 골반염

다. 통원치료에 대한 순응도가 낮은 경우

라. 임신 중 골반염

마. 경구 항생제 치료에 반응하지 않는 경우

바. 급성 충수염 등의 수술적 응급 질환을 배재할 수 없는 경우

표 12-2. 골반 염증성 질환의 CDC 치료지침(2015)

경구요법
권고요법 Ceftriaxone 250 mg 1회 근주 또는 Cefoxitin 2 g 근주와 동시에 Probenecid 1 g 경구투여 또는 다른 3세대 cephalosporin (예, ceftizoxime 또는 cefotaxime) 비경구투여 　+ Doxycycline 100 mg 하루에 두 번씩 14일간 경구복용 　+ 필요하면 Metronidazole 500 mg 하루에 두 번씩 14일간 경구복용
대체 가능한 요법 (cephalosporin 비경구투여가 불가능하고 임균의 유병률이 낮은 경우) Levofloxacin 500 mg 하루에 한 번씩 14일간 경구복용 또는 Ofloxacin 400 mg 하루에 두 번씩 14일간 경구복용 　+ 필요하면 Metronidazole 500 mg 하루에 두 번씩 14일간 경구복용
경구피임약으로 치료 가능한 질환
권고요법 A Cefotetan 2 g 매 12시간마다 정맥주사 또는 Cefoxitin 2 g 매 6시간 마다 정맥주사 　+ Doxycycline 100 mg 매 12시간마다 경구복용 또는 정맥주사
권고요법 B Clindamycin 900 mg 매 8시간마다 정맥주사 　+ Gentamicin 정맥 또는 근육주사로 부하용량(2 mg/kg) 투여 후 유지 용량(1.5 mg/kg)을 매 8시간 마다 투여
대체 가능한 요법 Ampicillin-sulbactam 3 g 매 6시간마다 정맥 주사 　+ Doxycycline 100 mg 매 12시간마다 경구복용 또는 정맥주사

④ 입원 치료 시 다음과 같은 경우 퇴원을 고려할 수 있다.

가. 체온 37.5℃ 이하

나. 백혈구수 정상화

다. 반발통 소실

라. 골반 압통 완화

⑤ 골반염에 세균질증이 동반되어 있다면 Metronidazole을 포함하여 골반염 치료를 해야 한다.

⑥ 골반염이 있는 여성의 성 파트너도 클라미디아와 임질균에 대한 검사 및 치료를 받아야
　한다.

(6) 후유증

① Long-term sequelae (약 25%): 불임, 자궁외 임신(6~10배 증가), 만성 골반통증, 성교
　통증

② Fitz-Hugh-Curtis 증후군: 골반감염증의 결과로 생긴 섬유성 간주위유착으로 급성 우상복부사분역(right upper quadrant)의 통증과 압통이 유발된다.

7. 난관난소농양(Tuboovarian abscess)

① 골반검진(bimanual examination): 급성 골반감염증의 최종단계로 골반감염증에서 골반종괴가 촉지되어 진단
② 치료
가. 입원하여 항생제 투여: 약 75%에서 치료반응을 보인다.
나. 절개하여 배농(abscess drainage): 보통 수술적 배액술이 시도되나 초음파 혹은 컴퓨터 단층촬영술 하 피부경유배액술로도 좋은 치료효과를 보인다. 항생제 치료 후 72시간 내에 반응이 없는 경우 배액술로 90%에서 증상호전을 보인다.

8. 자궁내막염(Endometritis)

(1) 역학

① 자궁내막염은 자궁경부에서 자궁내막으로 병원균이 상승하여 유발된다. 주로 자연분만, 제왕절개, 자궁내막소파술, 자궁내막조직검사, 자궁내피임장치 삽입 등으로 인해 자궁내강을 파괴하거나 조작하는 술기 후에 생길 위험이 높다.
② 주된 병원균은 Neisseria gonorrhoeae, Chlamydia trachomatis, Streptococcus agalactiae, cryptomegalovirus, 단순포진바이러스, Mycoplasma hominis 등이다.
③ 자궁내막염은 골반감염증의 중요한 원인이 되기도 하고 골반감염증의 70~80%에서 자궁내막염을 동반하기도 하며 난관으로 감염증을 확산시키는 중간 단계일 수 있다.

(2) 증상 및 증후
① 만성 자궁내막염(chronic endometritis)
만성 자궁내막염이 있는 여성들은 대개 무증상이지만, 증상이 있으면 월경 사이 기간의 질출혈이 전형적이고, 성교 후 출혈과 월경과다 혹은 묵직한 양상의 지속적인 하복부통증을 호소하기도 한다.

② **급성 자궁내막염**(acute endometritis)

자궁내막염과 급성 골반염이 같이 있을 때에는 자궁압통이 흔하다. 난관 또는 자궁내막염 중 중 어느 것이 골반통증을 일으키는 지를 결정하는 것은 어렵다.

(3) 진단

자궁내막생검과 배양: 자궁내막기질에서 단핵구(monocyte)와 혈장세포(plasma cell)의 염증성반응(high power field 당 5개의 혈장세포) 및 기질괴사를 보이며 자궁내막염의 중증도와 관련된다.

(4) 치료

① Doxycycline 100 mg을 1일 2회로 10일 동안 경구 투여
② 세균질증이 있는 경우 혐기성 세균까지 포함하는 광범위항생제 투여를 고려한다.
③ 자궁내막염이 급성 골반감염증과 관련이 있을 때는 Neisseria gonorrhoeae 및 Chlamydia trachomatis를 포함한 주요한 원인균들에게 광범위하게 항균력이 있어야 한다.

PART

III

OBSTETRICS & GYNECOLOGY

산과학

서론
Introduction

1. 산과학의 정의

산과학은 임신의 시작에서 출산 후까지 임산부와 태아 및 신생아의 건강을 다루는 의학의 한 분야이다. 산과(obstetrics)란 단어의 유래는 "옆에서 대기하다(stand by)" 또는 "옆에 서 있다(stand next to)"라는 뜻을 가진 "obstare"라는 동사에서 유래되었다고 한다.

오늘날의 산과학은 임산부와 태아 및 신생아의 건강과 관련된 학문을 다루는 모체태아의학(maternal fetal medicine)과 주산기학(perinatology)이라는 전문화된 산과학을 지향하고 있으며 이 분야는 정상 및 비정상 임산부, 태아 및 신생아의 신체구조, 생리, 질병의 진단 및 치료 등을 광범위하게 다루고 있다.

2. 산과학 용어의 정의

세계보건기구의 제10차 개정 국제질병분류에 따른 한국표준질병사인분류(2010)에서 사용하고 있는 정의를 주로 사용하였고, 일부는 미국국립건강통계센터(2012)의 용어 정의를 사용하였다.

- 주산기(perinatal period): 임신기간 만 22주(154일) 또는 출생체중 500 g 이상 또는 신체길이 25 cm 이상일 때부터 출산 후 만 7일까지를 말한다.
- 출산(birth): 제대의 절단이나 태반의 부착 여부에 관계없이 모체로부터 태아가 완전만출 또는 적출된 경우로 태아체중이 500 g 미만일 때는 출산이 아닌 유산이라 한다.
- 출생률(birth rate): 인구 1,000명당 출생 수(live birth)를 말한다.
- 생식률(fertility rate): 15세부터 44세까지의 여성인구 1,000명 당 생존 출생 수를 말한다.
- 출생(live birth): 임신 기간에 관계 없이, 태아가 모체로부터 완전히 배출 또는 만출한 것으로 태아가 숨을 쉬거나, 심장의 고동, 탯줄의 박동 또는 수의근의 명확한 운동과 같이 생명의 징표를 나타내는 경우를 말한다.
- 사산(stillbirth, fetal death): 수태에 의한 생성물이 그 모체로부터 완전히 만출 또는 적출되기 전에 사망하는 경우를 말하는데, 유산과 구분하여 사산은 임신 20주 또는 그 이후에 태아가 자궁 내에서 사망한 경우를 말한다.
- 신생아사망(neonatal death): 조기 신생아사망(early neonatal death)은 생후 7일 이내의 사망, 후기 신생아 사망(late neonatal death)은 생후 8일부터 28일까지의 사망을 말한다.
- 사산율(stillbirth rate, fetal death rate): 출생 및 사산을 포함한 1,000명의 태어난 신생아 당 사산아 수를 말한다.
- 신생아사망률(neonatal mortality rate): 1,000명 출생 당(live birth) 신생아 사망 수를 말한다.
- 주산기사망률(perinatal mortality rate): 1,000명 출산 당(birth) 사산아 수와 신생아 사망수를 합친 수를 말한다.
- 영아사망(infant death): 출생한 신생아의 일년 미만(<365일)의 사망을 말한다.
- 영아사망률(infant mortality rate): 1,000명 출생 당 영아 사망 수를 말한다.
- 출생체중(birth weight): 분만 후 최대한 빨리 측정된 신생아 체중으로 최근접 그람으로 표시한다.
- 저 출생체중(low birth weight): 출산 후 계측한 신생아 체중이 2,500 g 미만인 경우를 말한다.
- 최저 출생체중(very low birth weight): 출산 후 계측한 신생아 체중이 1,500 g 미만인 경우를 말한다.
- 극저 출생체중(extremely low birth weight): 출산 후 계측한 신생아 체중이 1,000 g 미

만인 경우를 말한다.

- 만삭아(term neonate): 임신의 만 37주부터 41주 6일(259~293일) 사이에 출생한 신생아를 말한다.
- 조산아(preterm neonate): 임신의 만 37주 미만에 출생한 신생아를 말한다.
- 만기 후 출생아(postterm neonate): 임신의 만 42주(294일) 또는 그 이후에 출생한 신생아를 말한다.
- 낙태아(abortus): 임신의 만 22주 이전 또는 체중 500 g 미만으로 자궁으로부터 제거 또는 배출된 태아 또는 배아를 말한다. 임신 20주 이전을 기준으로 하는 경우도 있다.
- 인공 임신중절(induced termination of pregnancy): 자궁 내 임신을 생존 신생아의 출산을 목적으로 하지 않고 의도적으로 중절(종결) 하는 것을 말한다
- 직접모성사망(direct maternal death): 임신, 분만 또는 산욕기 중에 산과적 합병증이나, 부적절한 치료, 치료의 소홀 또는 이들 요인들의 연쇄적 진행결과에 의한 모성사망을 말한다.
- 간접모성사망(indirect maternal death): 모성사망의 원인이 직접적인 산과적 원인에 의한 것이 아닌 경우로 임신부의 임신 전 지병 또는 그 지병이 임신, 분만 그리고 산욕기 중에 발병 하였거나 임신부가 임신에 적응하는 과정 중에 악화된 해당 지병에 의한 모성사망을 말한다.
- 비모성사망(nonmaternal death): 임신과 관련이 없는 사고 또는 우발적 원인에 의한 모성사망을 말한다.
- 모성사망비(maternal mortality ratio): 10만 생존 출생 당 임신, 분만, 산욕기에 발생한 모성사망 수를 말한다.

3. 역학 및 통계

1) 모성사망

한국의 모성사망비 추세를 보면 추세를 보면 1995년 20에서 2008년에는 12.4까지 감소하였다. 그러나 이후 다시 증가하여 2011년에 17.2로 증가하였고 이후 다시 감소하여 2013년에는 11.5를 기록하였다. 이후 점차 크게 감소하여 2017년 7.8명으로 최저치를 기록하였다.

최근까지 우리나라의 모성사망비가 OECD의 평균에 비해 높은 이유로는 저출산, 낮은 분만수가, 의료분쟁에 대한 부담감으로 인한 분만 병의원과 산부인과 전문의 수의 감소, 분만이

가능한 산부인과 병의원의 지역적 편중 현상, 그리고 고령임신의 증가 등을 들 수 있다.

모성사망의 세부 원인을 살펴보면 1995~1996 2년간 진통 및 분만의 합병증이 28.1%로 가장 많았으며, 다음이 산욕기 합병증 17.0%, 단백뇨 및 고혈압성 장애 12.6%, 유산된 임신 7.8%, 태아, 양막강, 분만문제와 관련된 산모관리 5.8% 순이었다.

모성사망의 원인 중 단일원인으로는 분만 후 출혈이 21.2%로 가장 높았으며 다음은 산과적 색전증 15.7%, 단백뇨 및 고혈압성 장애 16.3%로서 위 세 가지 원인이 전체의 53.2%로 절반 이상을 차지하였다.

2007년까지도 분만 후 출혈을 포함한 진통 및 분만 합병증이 34.7%로 가장 많은 비중을 차지하였으나, 2008년에는 분만 후 출혈이 14%로 감소하고, 산과적 색전증이 33%를 차지하였으며, 산욕기에 관련된 합병증이 37.9%로 가장 많았다.

2) 영아사망

한국의 영아사망률은 1993년 출생아 1,000명당 9.9명에서 2013년 3.0명으로 19.5% 감소하였고(OECD평균 4명) 2017년 2.8명(OECD평균 3.9명)을 기록하였다. 2017년 우리나라 영아사망의 사인분포를 보면 전체 사망의 51.7%가 출생전후기에 기원한 특정 병태이고 16.8%가 선천기형, 변형(deformity) 및 염색체 이상으로 보고되고 있어 우리나라도 이미 영아사망 양상이 선진국형 저출산 시대의 사망 양상으로 접어들고 있음을 보여주고 있다.

주산기사망률은 1996년 출생아 1,000명당 6명에서 2006년 3.6명으로 감소한 뒤 2013년 3.3명으로 현재까지 등락을 반복하며 감소 추세를 보이고 있다.

태아의 성장과 발달

Fetal growth and
development

1. 배아기와 태아기를 이해한다.
2. 태반의 형성과정을 이해하고, 태아의 성장과 발달에 태반의 중요성을 설명한다.
3. 태아의 기관별 발달을 이해한다.
4. 태아 순환 및 출생 후 순환의 특징을 설명한다.

1. 태아의 성장

1) 배아기

배아기: 배아 형성(embryogenesis)이 일어나는 시기로 수정 후 3~8주(임신 5~10주)
약물노출시 기형발생의 위험에 있어 가장 취약한 시기

2) 태아기(그림 14-1)

태아기: 태아의 기관이 발달하는 시기로 수정 후 9주(임신 11주)부터 태아로 구분된다.

– 임신 32주까지: 기관의 발달 및 성장
– 임신 32주이후 에너지 증대(글리코겐 및 지방축적)

기간	착상	배아시기(기관발달)				태아기(성장)					
주수	1 2 3	4 5 6 7 8 9	12	16	20	24	28	32	36	38	
CRL (cm)			6-7	12	16	21	25	28	32		
몸무게 (g)				110	320	630	1100	1700	2500		
뇌	신경관	뇌반구, 소뇌, 뇌실들, 맥락총			측두엽, suici, cellular maigration, myelinization						
얼굴		입술, 혀, 구개, cavitation, fusion									
눈		optic cups, 렌즈, eyelids									
귀		canals, 코클리어, 내이, ossicles									
귀바퀴							pinnae(귀바퀴)				
횡격막		가로격막									
폐		기관지-식도격막, 세기관지, 엽			canaliculi			terminal sacs			
심장	원시관, 대혈관, 밸브, 방										
장		전장, 간, 췌장, 중장 / 복벽, 장회전									
비뇨		중간 콩팥 관, 뒤콩팥관			사구체						
생식기		genital folds, phal-lus, labioscrotal swelling									
			남: penis, 요도, scrotum								
			여: clitoris, labia								
골격		척추, 골화									
사지		buds, rays, webs, separate digits									
피부				finger nails		vernix		lanugo hair			

그림 14-1. **월경시작첫날(last menstrual period, LMP)기준 임신주수에 따른 기관발달과 태아 성장**

2. 태반의 형성

1) 영양막 침습(trophoblast invasion) 및 태반형성

주머니배의 영양외배엽에서 분화한 영양막은 태반을 형성하는 가장 중요한 세포가 되며, 태반은 태아의 호흡, 영양공급, 임신유지에 필요한 호르몬 합성 등의 중요기능을 담당하게 된다.

- 수정 후 6~7일: 주머니배가 자궁내막상피세포에 접촉하면서 주머니배 바깥쪽의 영양막이 증식하면서 자궁안쪽 탈락막(decidua)을 침습하게 된다.
- 수정 후 7~8일: 탈락막 내에 침습한 융합세포들이 융모사이공간(lacunae) 형성 및 모체 혈액유입
- 수정 후 8일 이후: 영양막 세포들이 융모를 발달시키며 융모의 바깥층을 구성하고, 1차, 2차, 3차 융모로 점차 발달, 융모 안에는 태아의 신생모세혈관이 존재하게 됨. 융모사이공간에 유입된 모체 혈액의 산소나 영양소는 융모 내의 태아모세혈관을 통과하여 태아에게로 전달된다.

2) 영양막의 나선동맥(spiral artery) **침습 및 개조**(remodeling)

영양막 중 일부는 혈관내영양막으로 분화하여 자궁나선동맥을 침습하여 나선동맥 개조를 일으킨다.

- 나선동맥의 내피세포와 평활근이 소실됨으로써, 자궁태반혈관의 저항 감소를 일으켜, 임신진행에 따른 급격한 혈류증가시에 혈액이 저항없이 태반과 태아에 잘 전달될 수 있도록 하는 역할
- 산소와 영양분이 태아에 잘 전달될 수 있도록 한다.
- 혈관개조가 정상적으로 일어나지 않을 경우: 혈관저항이 감소되지 않음으로써 임신 중기 이후 자간전증, 자궁내 태아성장제한과 같은 합병증을 일으킬 수 있다.

3. 태아의 발달

1) 조혈기관

적혈구 및 골수구계 생성은 임신 약 10주까지는 난황낭, 임신 약 6주부터 출생시까지는 간, 임신 8~16주에 비장, 임신 20주경 이후에는 골수에서 주로 일어나게 된다.

2) 호흡기계

① 폐발달

- 구역속 기관지나무(intrasegmental bronchial tree)가 임신 6~16주에 발달하고, 소기관지는 임신 16~26주에 발달하며 선포세포(acinus)와 혈관생성이 이루어지고, 종말낭(terminal sac)이 26~32주에 발달하여 폐포는 종말낭인 원시폐포 가 된다.
- 이후 제2형 폐세포가 표면활성제(surfactant)를 생성하여 출생 후 숨을 내쉬면서, 폐포의 조직-공기 경계면(tissue-air-interface)에서 압력이 떨어질 때 폐포가 쭈그러들지 않게된다.

② 호흡운동

임신 11주경부터 나타나며, 점차 그 빈도가 늘어난다. 저산소증이 있으면 호흡운동은 감소한다.

3) 비뇨기계

임신 1삼분기 후반에 콩팥단위(nephron)가 사구체 여과를 통하여 배뇨의 기능을 갖게 되어, 임신 12주부터 소변의 생산과 배출이 시작되며, 임신 중기 이후에는 태아 소변이 양수의 약 2/3를 차지하게 되며, 양수의 약 2/3는 태아가 마심으로써 위장관계와 폐내로 들어가게 된다. 따라서, 콩팥의 발달이상이나 요관, 요도 등의 비뇨기계 이상으로 인하여 소변배출이 정상적으로 일어나지 않을 경우 양수과소증이 발생될 수 있다.

4) 중추신경계

- 신경관은 임신 5주~6주경에 닫히기 때문에, 엽산보충은 임신 전부터 복용하는 것이 도움이 된다. 임신 12주경부터 뉴런의 증식과 이동이 급격하게 일어나고, 뇌발달이 일어난다. 임신 8주경 연접기능이 발달하여 몸의 굴절운동이 가능해지고, 뇌척수신경과 뇌간의 수초화(myelination)은 임신 약 6개월부터 시작된다.
- 방사선 노출시 신경발달지연 또는 소두증의 위험이 가장 큰 시기는 임신 8~15주, 임신 16~25주 순으로 보고된다.

5) 면역계

- 면역글로블린 G는 태반을 통과하여 태아에게 전달되는데, 임신 약 16주경에 시작되어 임신이 지속될수록 증가한다.
- 면역글로블린 M은 태반을 통과하지 못하므로, 신생아나 태아에서 면역글로블린 M이 나타난다면, 이는 직접 생성된 것이므로 자궁내감염을 시사한다.

6) 소화기계

태아의 연하운동은 임신 4개월 경부터 발달하지만, 임신 중기 이후 삼키는 양이 증가하여 임신 후반기에는 하루 약 500~1,000 ml의 양수를 삼키기 때문에, 상부위장관의 해부학적 이상 (식도 폐쇄, 십이지장 폐쇄 등)이나 연하운동장애가 있으면, 양수과다증이 발생될 수 있다.

7) 심혈관계

• 정상 태아 순환(Normal Fetal Circulation)

태반으로부터 오는 탯줄정맥의 산소포화도가 높은 혈액의 일부는 정맥관(ductus venosus)을 경유하여 하대정맥의 내측면을 따라 우심방으로 들어가며 곧바로 난원공(foramen ovale)을 통과하여 좌심방으로 흐른다. 좌심방으로 들어온 산소포화도가 높은 혈액은 좌심실을 거쳐 상행 대동맥에서 뇌와 심장에 산소와 영양분을 공급한다. 생존에 필수적인 심장과 뇌에 산소포화도가 높은 혈액을 공급하기 위하여 폐순환을 거치지 않고 우회하는 것이다(그림 14-2).

정맥관을 통과하지 않은 일부 탯줄정맥의 혈류는 간–문맥정맥계(hepatic–portal venous system)를 거쳐서 하대정맥으로 연결된 후 우심방–우심실로 들어간다. 우심실혈류는 폐동맥을 거쳐 동맥관(ductus arteriosus)을 통해 하행 대동맥으로 흐르게 된다. 또한 뇌를 거친 후 산소포화도가 낮아진 혈액은 상대정맥을 거쳐 우심방, 우심실로 들어오고 역시 폐동맥을 거쳐 동맥관을 통해 하행대동맥으로 흐르게 된다. 심장을 거친 혈액도 관상정맥(coronary sinus)을 통해 우심방, 우심실로 들어오고 폐동맥을 거쳐 동맥관을 통해 하행대동맥으로 흐른다. 결과적으로 산소포화도가 낮은 혈액은 우심방, 우심실을 거쳐 동맥관을 통해 횡격막 아래로 가서 하지에 혈액을 공급하거나 탯줄 동맥을 거쳐 태반으로 가게 된다.

동맥관을 지나가는 혈류의 1/3 가량이 몸으로 가고 나머지는 하복동맥(hypogastric artery)을 거쳐 탯줄동맥을 통해 태반으로 돌아간다.

우심실에서 나간 혈액 중 80~90%가 동맥관으로 가고 15%가 폐동맥을 통해 폐로 간다.

분만 전에는 폐가 공기로 확장되지 않은 상태이므로 폐동맥의 저항성이 높아 혈류량이 적다. 한편으로 동맥관, 탯줄–태반 순환계는 상대적으로 혈관 저항성이 낮아 혈류가 원활하게 흐른다.

4. 출생 후 순환(Postnatal Circulation)

1) 동맥관(Ductus arteriosus)

출생 후에는 혈류 방향이 바뀌게 되는데, 이에 관여하는 인자는 ① 폐동맥과 대동맥 사이의 압력 차이, ② 동맥관을 지나가는 산소분압 등이다. 분만 후 호흡을 시작하면서 폐에 공기가 들어차면, 폐의 저항이 낮아지면서, 폐동맥의 혈류 흐름이 동맥관이 아닌 폐로 바뀌게 된다. 이와 함께 폐혈류 산소화가 이루어져서 PO2가 55 mmHg 이상 되면 동맥관 혈류는 더욱 감소하게 된다. 이러한 작용은 프로스타글란딘을 통해서 일어나는데, PGE2를 이용하면 동맥

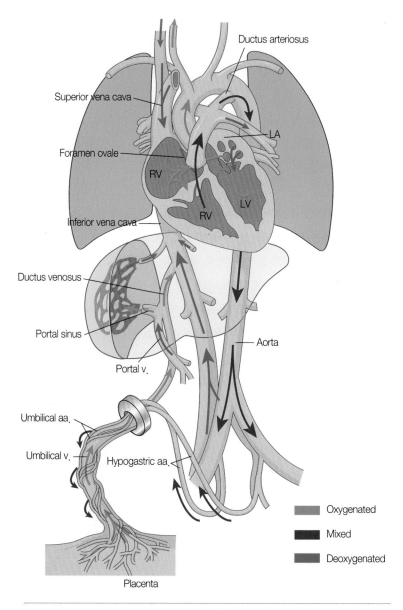

Ductus arteriosus

Superior vena cava

LA

Foramen ovale

RV

RV   LV

Inferior vena cava

Ductus venosus

Portal sinus

Aorta

Portal v.

Umbilical aa.

Umbilical v.

Hypogastric aa.

Oxygenated

Mixed

Deoxygenated

Placenta

그림 14-2. **태아순환(fetal circulation)**

관 개통상태가 유지되고, 프로스타글란딘 합성억제물질을 쓰면 동맥관조기폐쇄가 발생할 수 있으며, 이는 분만 후에 생길 수 있는 동맥관개존증(patent ductus arteriosus, PDA)을 치료하기 위해 쓰기도 한다.

기능적으로 동맥관은 10~96시간 내에 막히고, 해부학적으로는 약 2~3주 후에 막히게 된다.

2) 탯줄동맥

하복동맥에서 탯줄동맥으로 가는 경로는 탯줄 결찰과 함께 더 이상 혈액이 흐르지 않으면서, 출생 후 3~4일 내에 막혀서 배꼽인대(umbilical ligament)가 된다.

3) 정맥관(Ductus venosus)

출생 후 탯줄결찰로 탯줄정맥이 막히면서 정맥관(ductus venosus)으로 혈류가 흐르지 않아 정맥관 인대(ligamentum venosum)가 된다.

4) 탯줄정맥

탯줄정맥의 잔유물은 간원인대(ligamentum teres)가 된다.

모체의 변화

Maternal adaptation

산 부 인 과 학　지 침 과　개 요　Obstetrics & Gynecology

CHAPTER

15

1. 대사기능의 변화

모체는 임신기간 동안 필요한 영양과 대사량을 충족시키기 위하여 해부학적, 생리학적, 대사적 변화가 크게 일어난다. 이 중 외형적으로 가장 현저한 변화는 체중 증가이다.

1) 체중 증가

임신 중 체중 증가는 주로 태아, 태반, 양수, 자궁, 유방, 혈액량 및 세포외액의 증가 등에 의해 일어나며, 그 외에도 세포내액과 지방이나 단백질의 축적 등도 영향을 미친다.

2) 수분 대사

임신 중에는 삼투압 감소(약 10 mOsm/kg) 및 레닌-안지오텐신계의 변화에 의해 활성 나트륨 및 수분의 저류가 나타난다. 만삭에 추가로 증가하는 수분의 양은 6.5~8.5 L로 이 중 태아, 태반 및 양수가 3.5 L를 차지하고, 모체의 혈류량 증가가 3 L가량 차지한다. 그 외에 자궁과 유방의 크기 증가, 지방조직의 증가도 수분을 증가시키며 이로 인해 모체의 체중 증가, 혈액희석, 생리적 빈혈, 모체의 심장박출량 증가 등이 나타난다.

3) 단백질 대사

만삭이 되면 단백질의 총 증가량은 약 1,000 g으로, 500 g은 태아와 태반, 나머지 500 g은 자궁근육, 유방의 분비샘 그리고 모체 혈액의 혈색소와 단백질에 축적된다.

4) 탄수화물 대사

정상 임신부의 혈당 변화는 공복 시 경증의 저혈당과 식후의 고혈당 고인슐린혈증이 특징이다. 임신으로 인해 유발된 말초 인슐린 저항성 증가로 인해 식후 지속적인 고혈당과 고인슐린혈증 그리고 글루카곤의 감소가 나타난다. 이는 지속적으로 태아에게 당을 공급하기 위함이다. 임신 중에 이러한 인슐린 저항성이 나타나는 기전은 아직 분명하지는 않지만 에스트로겐과 프로게스테론, 사람태반락토겐(Human Placental Lactogen, hPL) 그리고 코르티솔 등의 역할이 거론되고 있다. hPL은 임신 중에 점차 증가하며, 유리지방산의 분비나 지방분해를 증가시켜 인슐린에 대한 조직저항을 증가시킨다. 이외에도 종양괴사인자-α(Tumor necrosis factor-α; TNF-α)도 인슐린의 신호전달체계를 약화시켜 인슐린 저항성을 증가시키는 것으로 알려져 있다.

5) 지방 대사

임신 중 혈장 지질과 지질단백, 아포지방단백이 증가하며 임신 제3삼분기가 되면 임신 전에 비해 삼아실글리세롤(triacylglycerol)과 콜레스테롤이 증가한다. 지질 합성과 음식 섭취의 증가로 인해 임신 제2삼분기까지 지방 축적이 증가하지만 임신 제3삼분기가 되면 체내 지방의 저장이 감소하거나 정지한다. 임신 기간 중 이러한 지질대사의 전환은 모체가 지방을 에너지 원천으로 사용하면서 포도당과 아미노산을 태아를 위해 비축하는 의미가 있다.

6) 전해질과 무기질 대사

임신 중 나트륨과 칼륨의 혈중 농도는 혈장량의 증가로 인해 감소한다. 이는 사구체여과는 증가하지만 세뇨관 재흡수도 증가하여 결국 분비는 일정하기 때문이다. 총칼슘 농도는 임신 동안 감소하며, 이는 혈장 알부민 농도의 감소로 인한 결합칼슘 농도의 감소 때문이다. 그러나 칼슘이온의 농도는 변하지 않는다. 이와 달리 마그네슘 이온의 농도는 감소하여 임신은 마그네슘 부족상태가 된다. 혈청 인 농도는 변하지 않는다. 임신 중에는 요오드 요구량이 늘어난다. 그 이유로 첫째는, 모체의 정상 갑상샘 기능 유지를 위해서이고, 둘째로, 임신 초기에 태아의 갑상샘이 아직 기능하지 못할 때에 모체의 티록신이 태아로 전달되어야 하기 때문이며, 셋째로는, 임신 후반기로 접어들면서 태아의 갑상샘 호르몬 생산이 증가하기 때문이고, 마지막으로, 임신 중에는 콩팥에서의 요오드 청소율이 증가하기 때문이다.

2. 내분비계의 변화

1) 갑상샘(Thyroid gland)

(1) 기능의 변화

① 티록신-결합 글로불린(Thyroxin Binding Globulin, TBG)농도가 에스트로겐의 영향으로 증가한다.

② 갑상샘자극호르몬(Thyroid Stimulating Hormone, TSH)과 사람 융모생식샘자극호르몬(Human Chorionic Gonadotropin, hCG)의 이중 조절은 풍부한 갑상샘 자극 요인으로 작용한다.

(2) 갑상샘기능검사(Thyroid Function Test, TFT)의 변화(그림15-1)

① TBG가 증가한다.

② 전체 트리요오드티로닌(Triiodothyronine, T3), 티록신(Thyroxine, T4)이 증가한다.

③ 유리 T4는 임신 제1삼분기에 약간 증가 후 정상으로 돌아온다.

④ 임신 전 TSH 농도가 정상이던 임신부의 80%가 임신 제1삼분기에 TSH 농도의 감소를 보인다.

⑤ 임신 중 TRH의 농도는 변화가 없다.

⑥ 갑상샘의 크기가 약간 증가한다.

(3) 태반 통과

갑상샘호르몬은 소량 통과하고 갑상샘자극분비호르몬(Thyrotropin-Releasing Hormone, TRH)은 미미하게 통과하며, 갑상샘자극호르몬은 통과하지 못한다.

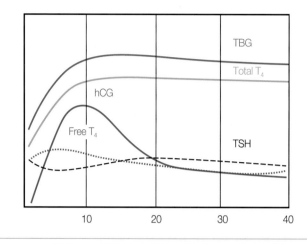

그림15-1. **임신주수에 따른 모체 갑상샘 기능의 변화**

(4) 태아의 갑상샘

태반은 요오드와 소량의 티록신이 태아로 이동하는 것을 조절한다. 태아는 임신초기에 정상적인 신경발달을 위해서 모체의 티록신공급에 절대적으로 의존하지만 임신 제1삼분기 이후에 태아의 갑상샘은 모체와는 독립적으로 기능한다.

2) 부갑상샘(Parathyroid gland)

뼈 대사와 관련된 표지자들은 임신기간 동안 증가하고, 출산 후 12개월이 되면 기저 수치로 돌아온다. 태아 성장과 수유에 필요한 칼슘의 일부는 모체의 뼈로부터 나온다. 태아 뼈의 무기질화는 주로 임신 제3삼분기에 이루어진다.

(1) 부갑상샘 호르몬과 칼슘의 관계

① 임신 중 총 칼슘 농도는 감소하나 칼슘이온은 약간 감소한다.
② 부갑상샘호르몬은 임신 제1삼분기 동안 감소하고 이후 점차적으로 증가하는데 결국 태아에게 적절한 칼슘 공급을 위한 생리적 부갑상샘항진증을 보인다.

(2) 칼시토닌(Calcitonin)

임신 및 수유 중의 칼슘 스트레스 상태에서 골격 석회화를 유지하기 위하여 증가되어 있다.

(3) 임신 중 비타민 D

활성형인 1,25-dihydroxyvitamin D3이 임신 전에 비해 증가한다.

3. 혈액학적 변화

1) 혈액량

임신 제1삼분기 때부터 증가하기 시작하여 임신 중반기에 증가 속도는 최고가 되어, 임신 32~34주가 지나면서 혈액량은 임신 전에 비해 평균 40~45% 증가한다. 이 때 혈장의 증가가 적혈구 증가보다 많아, 생리적 빈혈이 생긴다. 이는 커진 자궁과 팽창된 혈관계의 요구를 충족시키기 위함이고 태반과 태아에게 필요한 산소와 영양소를 공급하며, 임산부가 눕거나 서 있을 때 정맥혈 환류감소로부터 모체와 태아를 보호하는 역할을 한다. 또한 분만 전후 혈액 손실로 인한 위해로부터 임산부를 보호하는 역할을 한다.

2) 혈색소 농도 및 적혈구용적률

적혈구 용적에 비해 혈장량이 더 증가하기 때문에 모체 적혈구용적률은 약간 감소하게 된다. 평균 혈색소 농도는 만삭에 12.5 g/dL인데, 11.0 g/dL 이하인 경우는 비정상으로 간주할 수 있으며 철결핍성 빈혈을 의심해야 한다.

3) 철 대사

정상임신에서 필요한 철의 총량은 약 1,000 mg이다. 이 중 300 mg은 태아와 태반에 사용되고, 200 mg은 모체의 철소모량으로, 500 mg은 모체 적혈구의 증가에 사용된다. 임신 중기 이후부터 철 요구량이 증가하게 되어 하루에 6~7 mg의 철이 필요하다. 따라서 흡수량을 고려하면 임신 중 철 섭취 권장량은 하루에 30 mg 이상이며 다태임신, 빈혈 등에서는 이보다 더 많이 섭취하여야 한다. 철을 보충하지 않고 철이 함유된 음식물만 섭취한 임산부는 빈혈이 아니더라도 임신말기에는 철이 상당히 부족하다. 따라서 임신동안 철을 보충하는 이유는 모체의 혈색소치를 높이거나 유지하기 위해서라기보다 모체 내에 철을 정상적으로 유지하기 위함이다. 철은 주로 임신 3분기에 능동적 운반을 통해 태아에게 공급된다. 따라서 모체와 태아의 헤모글로빈 농도는 상관관계가 없다.

4) 백혈구 기능과 면역계

임신 시 백혈구는 점차 증가하며, 이후 증가했던 백혈구는 출산 후 1주 정도 지나면 임신 전 수준으로 돌아온다. 백혈구의 증가는 주로 호중구와 과립구의 증가 때문이다. 태아는 배우자의 항원을 띄는 반동종이식체(semi-allograft)이지만 거부반응이 일어나지 않는다. 이는 모체의 내성기전으로 설명되었다. 임신 중 세포면역의 감소는 자가면역질환이 일부 호전되는 이유에 대한 설명이 될 수 있다. 모체의 면역글로불린 A와 G는 임신 3분기에 최고조로 증가하면서 태반을 통해 태아에게 면역글로불린 G가 전달되거나, 모유를 통해 전달하여 신생아를 감염으로부터 보호하는 역할을 한다. 또한 글로불린과 섬유소원(fibrinogen)의 증가로 인해 염증표지자인 C반응성 단백(C-reactive protein, CRP)과 적혈구침강속도(Erythrocyte Sedimentation Rate, ESR)는 증가하게 된다.

5) 혈소판과 혈액응고 기능

임신 중에는 혈장증가로 인한 혈액희석효과와 혈소판 소비증가로 인해 혈소판 수가 감소한다. 임신 제3삼분기에 임신부의 8%에서 70,000~150,000/mm^3 정도의 임신성 혈소판감소증이 생기지만 이로 인한 합병증은 없고 분만 후 1~2주 내에 정상으로 돌아온다.

임신 중 혈액응고 연속단계(coagulation cascade)는 활성화된 상태이다. Factor XI, XIII을 제외한 모든 응고인자의 농도는 증가되어 있으며 섬유소원의 농도도 증가하여 결과적으로 출산 시 다량의 출혈에 대비하게 된다. 이러한 혈액 응고 성향의 증가는 임신 중 정맥저류의 증가 및 혈관벽의 손상 등과 더불어 임신 중 혈전색전증의 위험을 높인다.

4. 심장혈관계의 변화

1) 심장의 변화(그림 15-2A)

임신 중 횡경막이 올라감에 따라, 심장은 좌측 상방으로 이동하고 장축을 따라 회전한다. 이로 인해 흉부 사진 촬영 시 심장이 약간 커 보이며 심전도에서는 좌측편위(left axis deviation)가 있다. 소량의 심낭 삼출이 발생하는 경우 중등도의 심장 비대와 구분이 어려울 수 있다. 심박출량은 임신 초부터 증가하는데 이는 혈관저항성이 감소하고 혈액량이 늘어나기 때문이다. 임신말기에는 똑바로 누워있을 경우 커진 자궁이 하대정맥을 눌러 심장으로 복귀하는 혈액량이 감소한다. 그러나 좌측 옆으로 누운(lateral decubitus) 자세로 바꿀 경우 심박출량은 20% 정도 증가한다. 맥박은 증가하여 안정시 분당 약 10회 정도 더 빠르다.

2) 순환과 혈압의 변화

동맥압은 임신 중기에 감소하나 이후 증가한다(그림 15-2B). 임신 중에는 자궁이 커짐에 따

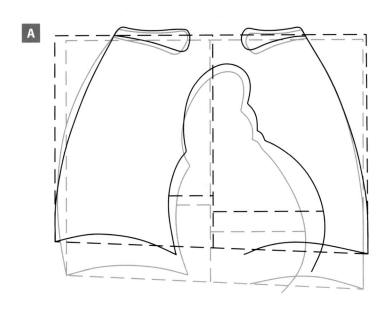

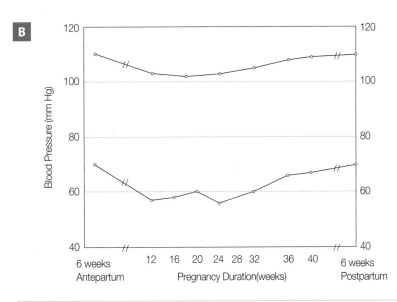

그림 15-2. **(A) 임신 중 심장 실루엣의 변화 (B) 임신 중 수축기, 이완기 혈압의 변화**

라 골반 정맥과 하대정맥이 눌려 임신 후반기가 되면 하지에 혈액이 정체하게 된다. 이로 인해 중력을 받는 곳에 부종이 생기게 되고 하지와 외음부의 정맥류, 치질 등이 자주 발생하게 된다.

동맥압은 또한 자세에 따라 영향을 받는다. 임신 후반기에 똑바로 눕게 되면 저혈압이 발생하는데 이는 자궁이 복부정맥계(venous system)를 압박하여, 정맥혈 복귀를 감소시키기 때문이다. 임신 중에는 레닌, 안지오텐신 및 알도스테론이 모두 증가하는데, 염분과 수분의 균형을 통하여 콩팥을 통한 혈압 조절에 많은 기여를 한다.

5. 호흡기계의 변화

1) 해부학적 변화

임신 동안 횡격막의 높이는 약 4 cm 올라가며 늑골밑각(subcostal angle)이 현저히 넓어져 흉곽의 둘레길이는 6 cm가량 늘어난다(그림 15-3).

2) 폐기능의 변화(그림 15-4)

호흡수, 최대호흡용적(maximum breathing capacity), 강제폐활량(forced vital capacity) 및 폐탄성에는 변화가 없다. 일회 호흡량(tidal volume), 분당 호흡량(minute ventilatory volume), 분당 산소섭취량, 들숨 용적(inspiratory capacity) 및 공기 전도도(airway conductance)는 증가한다. 기능적 잔류 용량(functional residual capacity), 잔기량(residual volume) 및 총 폐저항은 감소한다.

임신으로 인해 증가된 산소요구량은 일회호흡량의 증가를 통해 충족이 된다. 또한 총 혈색소의 양이 증가하고 산소 운반 능력이 증가하여 모체의 동정맥간의 산소 차이는 줄어든다. 그러나 임신이 지속될수록 호흡곤란을 자주 호소한다.

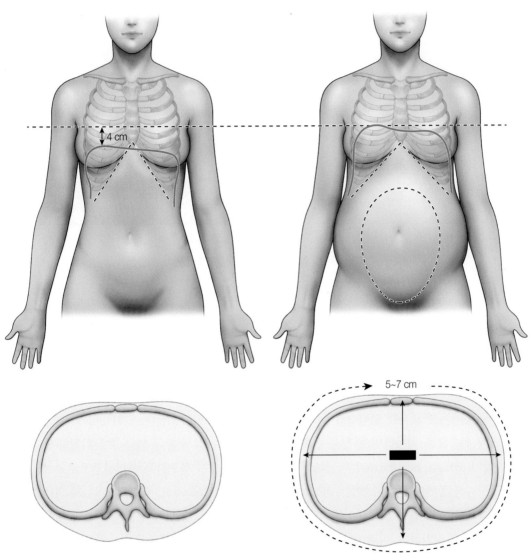

그림 15-3. **임신 중 흉곽의 변화**

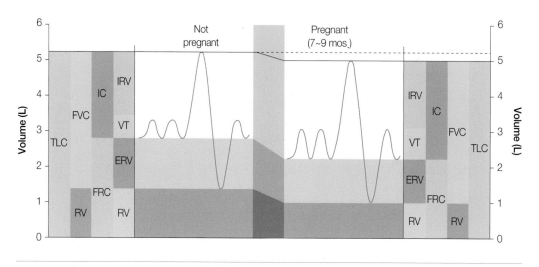

그림 15-4. **임신 중 폐기능검사 지표의 변화**

6. 소화기계의 변화

1) 위장관

임신 중에는 호르몬의 영향으로 위의 수축력과 운동성이 감소한다. 또한 위장과 장은 자궁에 의해 위쪽으로 이동하며 맹장은 위쪽, 바깥쪽 위로 밀려 오른쪽 옆구리에 위치하게 된다. 가슴앓이(pyrosis, heartburn)는 산성도가 높은 위 내용물이 식도하부로 역류함으로써 생기는 것으로 임신 동안에 흔하다. 이는 식도하부 괄약근의 긴장도 저하, 식도내압 감소, 위내압 증가 그리고 식도의 연동운동 감소에 의한다. 위배출시간은 크게 변하지 않으나 분만 진통 중에는 눈에 띄게 지연된다. 따라서 분만 시에 전신마취는 흡인성 폐렴의 위험요인으로 작용할 수 있다. 또한 변비와 자궁 아래의 정맥압의 증가로 인해 치핵이 흔히 발생한다.

2) 간

정상임신에서 알칼리성인산분해효소(alkaline phosphatase)는 두 배로 증가하는데 이는 대부분 간이 아니고 태반에서 생성되는 동종효소 때문이다. 혈청 내 아스파라긴산 아미노전이효소(aspartate transaminase, AST), 알라닌 아미노전이효소(alanine transaminase, ALT), gamma-glutamyl transferase (γ-GT), 그리고 빌리루빈 농도는 거의 변화가 없거나 약간 감소한다. 혈청 알부민 농도는 감소하지만 분포된 양이 많기 때문에 총 알부민 양은 증가한다.

혈청 글로불린 농도는 정상적으로 약간 증가하고 알부민 농도가 감소됨에 따라 알부민/글로불린 비가 간 질환과 유사하게 줄어든다.

3) 담낭

콜레시스토키닌(cholecystokinin)-매개 평활근 자극이 프로게스테론에 의해 방해받기 때문에 담낭의 수축력이 저하되고 담즙의 잔류가 늘어나게 되어 콜레스테롤 담석이 잘 생긴다.

7. 비뇨기계의 변화

1) 콩팥

콩팥의 크기는 임신기간 동안 약간 증가한다. 임신 초기에 사구체여과율(glomerular filtration rate, GFR)과 콩팥 혈장의 흐름(renal plasma flow, RPF)이 증가하여, 아미노산과 수용성 비타민은 임신 전에 비해 더 많이 배설된다. RPF는 임신 후반에 줄지만 GFR은 만삭까지 유지한다. 임신 중에 소변검사에서 당이 나온다고 해서 반드시 비정상인 것은 아니다. 이는 GFR의 증가와 요세관의 재흡수 능력 감소로 인한 것일 수 있다. 그러나 반복적으로 나타날 경우 당뇨의 가능성을 염두에 두어야 한다. 혈뇨는 채뇨 중 오염된 경우를 제외하고는 비정상이므로 비뇨기계질환을 의심해야 한다. 비임신 시에는 하루 150 mg의 단백질이 소변에서 검출되면 단백뇨로 정의하지만 임신 중에는 GFR이 증가하고 세뇨관에서 재흡수가 감소할 수 있기 때문에 하루 300 mg 이상 배설될 때 의미 있는 단백뇨로 간주한다. 임신 중에는 콩팥기능검사의 변화가 오는데, 혈청 크레아티닌과 요소질소(urea nitrogen)의 농도는 감소하여, 혈청 크레아티닌 수치는 0.7 mg/dL에서 0.5 mg/dL로 감소하고. 0.9 mg/dL이 넘으면 콩팥질환을 의심해야 한다.

2) 요관

커진 자궁으로 인해 골반 언저리에서 요관이 눌리게 되고 황체호르몬의 효과가 더해져 요관은 확장된다. 특히 우측에 많이 발생하는데 그 이유로, 왼쪽 요관의 경우 구불창자(sigmoid colon)에 의해 쿠션 효과를 받아 압박을 덜 받으며, 우측 요관은 임신 중 정상적으로 우회전한 자궁과 상당히 확장된 우측 난소정맥총의 압박을 함께 받기 때문이다.

3) 방광

임신 중 방광압은 증가하며 줄어든 방광용적을 보완하기 위해 절대적 및 기능적 요도길이가 증가한다. 또한 배뇨자제를 유지하기 위해 최대요도내압이 증가한다. 그럼에도 불구하고 절반 이상의 여성이 요실금을 경험한다. 진통이 오면 선진부의 압박으로 인해 방광 기저부의 혈액 및 림프액의 배출이 감소하기 때문에 방광은 잘 붓고 쉽게 손상을 받아 감염에 취약해진다.

8. 피부의 변화

1) 복부

임신 후반기가 되면 복부의 피부에 붉고 약간 가라앉은 줄무늬가 흔히 관찰되는데 복부 뿐 아니라 유방과 허벅지 피부에 나타나기도 한다. 이를 임신선(striae gravidarum)이라 한다. 때로는 복벽의 근육들이 장력을 이기지 못해 복직근이 갈라지게 되어 복직근 분리(diastasis recti)가 발생하기도 한다. 심한 경우는 한 층의 피부층과 얇아진 근막, 복막만으로 복벽이 이루어지기도 한다.

2) 색소침착

대부분의 임신부에게 복부피부의 정중앙에 수직으로 색소가 침착되어 흑갈색을 띠게 되어 흑색선(linea nigra)을 형성하게 된다. 얼굴과 목에 다양한 크기의 갈색반이 나타나는데 기미(chloasma) 또는 임신기미(melasma gravidarum)로 나타난다.

3) 피부혈관의 변화

거미혈관(vascular spiders)은 얼굴, 목, 상부흉부, 그리고 팔 등의 피부에 작고 붉게 솟아올라 중심부로부터 가지 치는 양상으로 나타난다. 손바닥 홍반(palmar erythema)의 임상적 의의는 없으며 임신이 끝난 후 대부분 사라진다.

9. 근골격계의 변화

임신이 경과함에 따라 척추앞굽음증(lordosis)이 진행된다. 이는 자궁이 앞으로 나오는 것을 보완하기 위해 무게중심이 하지 위로 후방 이동되기 때문이다. 임신 중에는 엉치엉덩(sacroiliac), 엉치꼬리(sacrococcygeal), 두덩뼈(pubic bone)의 관절 유연성이 증가하는데, 이는 모체의 자세를 변하게 하고 허리통증을 유발한다.

10. 중추신경계의 변화

임신 및 산욕기 초기에 주의력, 집중력, 기억력, 공간 식별 능력이 감소되는 것으로 알려져 있으며, 기억력 감퇴는 임신 3분기에 국한되며 일시적이고 출산 후 대부분 회복된다. 임신 12주 경부터 분만 후 2개월까지 잠들기 어려워하며 밤에 자주 깨고 밤에 자는 시간이 줄어들어 수면 효율성이 떨어진다. 분만 후에 수면 방해를 받게 되면 산후우울기분(postpartum blue) 또는 우울증이 발생할 수 있다.

11. 유방의 변화

임신 초기에 간혹 유방의 통증이나 저린 증상을 경험할 수 있다. 2개월 이후에는 유방의 크기가 커지고 피하정맥이 보이게 된다. 유두는 커지며 색소가 침착되고 더욱 발기성 조직으로서의 특성을 띠게 된다. 임신 중 유두를 부드럽게 마사지 할 경우 초유가 나오기도 한다. 유륜은 넓어지고 더욱 짙은 색을 띠게 된다. 몽고메리선이라는 다수의 작은 융기가 유륜 근처에 산재하게 되는데, 이는 피지선이 비대해져서 형성된 것이다. 임신 전 유방의 크기와 모유생성량과는 관계가 없다.

12. 생식기 계통

1) 자궁

(1) 해부학적 변화

임신 전에 10 mL 용적이었던 자궁내강은 만삭 시 내용물의 평균 용적이 약 5 L까지 증가하며 20 L까지도 가능하다. 자궁무게는 임신 전 70 g에서 만삭에는 약 1,100 g까지 증가한다. 이러한 자궁크기의 증가는 주로 저부(fundus)에서 일어나며 근육세포들의 신전과 비대 때문으로 근육세포가 새로 생기는 일은 드물다. 자궁의 크기는 임신 12주 말에는 골반을 벗어날 정도로 커지며 계속 커짐에 따라 전복벽과 맞닿게 되어 장을 측상방으로 밀기 시작하여 나중에는 간이 위치한 곳까지 도달하게 된다. 자궁은 보통 우측으로 회전하게 되는데 이는 아마도 직장 및 구불결장이 좌측에 있기 때문일 것이다.

(2) 기능적 변화

임신 제1삼분기부터 정상적으로 불규칙적이고 통증이 동반되지 않은 수축이 시작된다. 임신 제2삼분기에는 이러한 수축이 촉지될 수 있다. 이러한 수축을 Braxton Hicks 수축이라고 부르는데, 예측 불가능하며, 산발적으로 드물게 리듬 없이 발생한다. 임신 마지막 1~2주 동안은 횟수가 증가하고 어느 정도의 리듬을 가지기도 한다. 그러나 임신 말에는 수축이 불편감을 일으킬 수도 있어 소위 가진통을 일으킨다. 태반관류는 임신이 진행함에 따라 점차 증가하여 임신 말기에는 450~650 mL/min에 이른다. 이러한 태반관류는 자궁-태반 혈관의 재구성으로 인한 혈액 공급 증가 때문이다. 자궁태반 혈류의 엄청난 증가에 적응하기 위해서는 이러한 변화가 필수적이다.

2) 자궁경부

임신 중에는 자궁경부샘의 비대와 증식이 일어나며 전체 자궁경부에 부종이 발생하고 혈관이 증가한다. 이로 인해 자궁경부는 부드러워지며 청색을 띠게 된다. 자궁경부는 주로 콜라겐이 풍부한 결체조직으로 이루어져 있어 임신이 만삭까지 유지되고 분만과정에서 확장된 후 분만 후 다시 복구되어 다음 임신이 반복될 수 있도록 한다.

자궁경부의 샘들은 임신 전에는 전체 자궁경부의 일부만을 차지하지만 임신 말기에는 절반을 점유하게 된다. 이로 인해 자궁경관은 외번(eversion)되게 된다. 이 조직은 붉고 부드러우며 자궁경부세포진 검사와 같은 작은 손상에도 출혈을 일으키기도 한다. 자궁경부 점막세포들은 임신 후 많은 양의 점액을 분비하여 자궁경관을 막는다. 분만진통이 시작되면 점액마

개(mucus plug)가 빠져 나오는데, 이것을 혈성 이슬(bloody show)이라 한다.

3) 난소 및 난관

황체는 임신 초기에 프로게스테론을 분비해 임신 유지에 중요한 역할을 한다. 이후에는 태반이 역할을 인계받는다(그림 15-5). 따라서 임신 7주 이전에 황체를 제거하면 모체 내 프로게스테론이 급격이 감소하면서 유산이 된다. 임신황체종(pregnancy luteoma)은 정상 난소의 과장된 황체화 반응으로 생기는 고형성 종괴로, 진정한 의미의 종양은 아니다. 분만 후 자연 소실되나, 다음 임신 시 재발할 수 있다. 난포막황체낭종(theca-lutein cyst, hyperreactio luteinalis)은 과장된 생리적 난포 자극으로 생기는 낭성 종괴로, 혈중 hCG 농도의 과도한 증가와 연관이 있으며 종종 임신영양모세포질환(gestational trophoblastic disease, GTD)과 동반되기도 한다. 대부분 무증상이며 자연소실 되지만 낭종의 출혈로 인해 복통을 일으킬 수 있다.

4) 질과 회음부

임신 중 질의 혈관 증가로 인해 질이 특징적인 보라색을 띠며 이를 Chadwick 징후라고 한다. 질벽은 늘어날 준비를 하게 된다. 이러한 변화로 점막 두께의 상당한 증가, 결체조직의 이완, 평활근세포의 비대 등을 들 수 있다. 질 내에는 약간 두텁고 하얀 자궁경부 분비물이 상당히 증가되어 있으며, Lactobacillus acidophilus가 질상피 내의 글리코겐으로부터 젖산(lactic acid)의 생성을 증가시키므로 pH는 3.5~6 사이의 산성을 나타낸다.

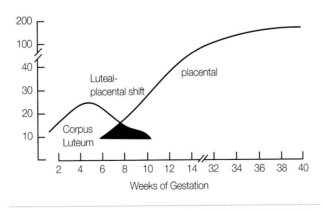

그림 15-5. **임신 주수에 따른 프로게스테론 생성과 농도의 변화**

산전관리

Antenatal care

1. 가임기 여자에서 임신의 확진에 필요한 진찰과 검사계획을 세울 수 있다.
2. 임신부에게서 임신분만력과 병력청취를 통하여 분만예정일을 계산하고 고위험 임신부를 선별할 수 있다.
3. 임신부에게서 개별적인 상황을 고려하여 적합한 산전진찰 계획을 세울 수 있다.
4. 임신부에게 적절한 영양 섭취를 교육하고 영양소(철분,엽산)보충이 필요한 임신부를 선별할 수 있다.
5. 임신부에게 임신 중 바람직한 생활관리에 대해 교육할 수 있다.

1. 산과용어

- 배아(embryo): 수정 후 8주(임신 10주 0일)까지의 수태물
- 태아(fetus): 임신 10주 0일부터 출생까지의 수태물
- 제1삼분기(first trimester): 최종월경주기의 첫째 날부터 임신 14주 0일까지
- 제2삼분기(second trimester): 임신 14주 1일부터 28주 0일까지
- 제3삼분기(third trimester): 임신 28주 1일부터 42주 0일까지
- 임신력(gravidity): 한 여성의 임신 총 횟수
- 출산력(parity): 임신 20주 0일 이후, 또는 500 g 이상의 태아를 출산한 횟수
- 분만부(Para): 임신 20주 0일 이후에 생존 또는 사망한 태아를 분만한 여성
- 미분만부(nullipara): 임신 20주 0일 이후 분만 경험이 없는 여성으로 자연유산이나 선택 유산의 경험은 관계없음.
- 초분만부(primipara): 임신 20주 0일 이후에 생존 또는 사망한 태아를 분만한 횟수가

1번인 여성
- 다분만부(multipara): 임신 20주 0일 이후에 생존 또는 사망한 태아를 분만한 횟수가 2번 이상인 여성
- 임신부(gravida): 임신의 결과와는 관계없이, 현재 임신 중이거나 과거 임신했던 여성.
- 미임신부(nulligravida): 임신한 경험이 한 번도 없는 여성
- 초임신부(primigravida): 임신한 횟수가 한 번인 여성
- 다임신부(multigravida): 임신한 횟수가 두 번 또는 그 이상인 여성
- 분만진통부(parturient woman): 현재 분만진통 중에 있는 여성
- 산후부(puerpera): 분만을 막 끝낸 여성

2. 임신의 진단

모든 의사들은 임신 가능한 연령에 있는 여성의 질병을 진단, 치료할 때 항상 "임신을 하지 않았을까?"하고 의심하여야 한다.

1) 임신의 증상과 징후

(1) 월경의 중지

정상적으로 주기적인 월경을 하는 여성에게 월경의 중지는 임신을 의심할 수 있는 징후이다. 월경의 주기는 사람에 따라 다양하고 한 여성에서도 그때마다 다를 수 있지만, 다음 월경 예정일보다 10일 이상 월경이 시작되지 않으면 임신을 의심할 수 있고 연속적인 2번의 월경 중지는 임신을 강력히 암시한다. 그러나 심한 질병, 정서 장애, 환경의 변화, 만성질환이 있는 경우 배란 장애로 월경이 중지되기도 한다. 임신 초기 자궁출혈을 월경으로 오인할 수도 있다.

(2) 태동의 지각

대개 임신 16~18주 경부터 첫 태동을 느끼게 되지만, 20주 경부터는 검사자도 태동을 인지할 수 있게 된다.

(3) 피부 착색의 증가와 임신선의 발달

(4) 유방의 비대 및 유두 색소 침착 증가

(5) **자궁 및 하부 생식기의 변화** (자세한 내용은 15장 참조)

① 자궁경부 점액의 변화

② 질 점막의 변색

2) 사람융모생식샘자극호르몬(human chorionic gonadotropin, hCG)의 검출

hCG는 착상된 이후 융합세포영양막(syncytiotrophoblast)에서 만들어져 분비되며 모체의 혈장과 소변에서 수치가 빠르게 상승하기 때문에 임신 진단에 널리 사용된다. 혈장 내에서 두배로 증가하는 시간(doubling time)은 1.4~2일이며, 임신10주 경에 최고치에 도달(약 100,000 mIU/mL)하고 이후로 감소하여 16주 경에 최저치(20,000~30,000 mIU/mL)가 되어 임신기간 내내 낮은 농도로 유지된다.

3) 초음파에 의한 임신의 확인

최종 월경일 기준 임신 4~5주 때부터 질 초음파를 통해 임신낭을 확인할 수 있으며, 임신 35일에는 모든 정상 임신부에게서 임신낭을 볼 수 있다. 하지만 자궁외 임신에서도 임신낭과 비슷한 거짓임신낭(Pseudogestational sac)이 관찰될 수 있어서 진단에 주의해야한다. 임신 6주부터는 태아 심장박동을 확인할 수 있고, 임신 12주까지는 머리 엉덩 길이(crown-rump length, CRL)를 측정하여 임신 주수를 예측할 수 있고 이때 임신 주수 계산에 대한 오차는 ± 4일 정도로 정확하다.

초기 임신 진단에 있어서 질초음파는 복부초음파보다 보다 더 일찍, 더 정확한 영상을 제공한다. 임신 4주(β-hCG 1,500~2,000 mIU/mL에 해당)에 4~5 mm의 임신낭을 관찰할 수 있으며, 임신 5주에는 난황주머니(yolk sac)를 관찰할 수 있다. 임신 6주(β-hCG 5,000~6,000 mIU/mL에 해당)에 태아 심장박동을 확인할 수 있다.

4) 임신과 감별진단 해야 할 질환

자궁근종, 자궁샘종, 골반내 종양, 그리고 자궁혈종(hematometra) 등이 있다.

3. 임신주수 판정과 출산예정일 계산

- 정상 임신기간은 마지막 월경주기의 첫째 날로부터 280일이며, 주수로는 40주이다.
- Naegele's rule: 분만예정일은 최종 월경주기의 첫째 날의 일수에 7을 더하고, 월수에는 9를 더하거나 3을 빼서 계산할 수 있다(예: 마지막 월경일이 9월 22일이면 출산예정일은 다음해 6월 29일이 된다). 그러나 이 계산법은 월경주기가 28일로 규칙적인 여성을 가정한 것으로 모든 경우에 적용할 수 없는 단점이 있다.
- 임신주수를 평가하는 가장 정확한 방법은 임신 제1삼분기 CRL 측정이다.

4. 초기 산전평가

산전관리의 목적은 임신의 전 기간 동안 모성 건강 유지에 영향을 주는 여러 가지 장애요인 없이 건강한 아이를 분만하도록 하는 것이다. 이를 위해서 매 방문 때마다 모체 및 태아의 건강을 평가하고, 임신 주수를 확인하며 다음 산전 진찰 계획을 수립해야 한다.

1) 병력청취
(1) 일반적인 측면
연령, 직업, 월경력, 흡연력, 음주력, 임신 전 피임제 복용여부, 자궁내 장치 사용여부 등을 물어본다.

(2) 산과적 측면
임신력, 출산력, 이전 임신의 분만방법, 이전 임신의 결과(유산, 조산, 태아기형, 태아 체중 등), 산전과 산후 그리고 분만 중 합병증 등을 물어본다. 특히 유산, 조산 및 태아 기형은 재발 가능성 때문에 자세한 병력청취가 필요하다.

(3) 내외과적 측면
심장혈관질환, 콩팥병, 대사병, 감염병(결핵, 매독, 요로감염, 바이러스 감염), 과민증, 혹은 알레르기, 최근 사용 중인 약제, 수술력 등을 파악한다.

(4) 가족력

고혈압, 당뇨병, 간질, 유전질환, 기형, 다태임신 등을 파악한다.

(5) 정신사회적 측면

임신기간 중 흡연 및 음주 여부, 가정폭력, 우울증, 스트레스 정도 등을 포함한 임신부의 정신사회적 측면에 대한 병력청취를 통해 향후 임신에 안 좋은 영향을 미칠 가능성이 있는지 여부를 파악하도록 한다.

2) 진찰

(1) 신체진찰

임신 후 첫 방문 시에는 신장, 체중, 혈압 및 골반진찰을 포함한 완전진찰이 필요하다. 이후 추적 산전관리에서는 매 방문 시마다. 체중과 혈압의 측정이 필요하다.

(2) 산과진찰

먼저 외음부의 병적소견 여부를 관찰한다. 질벌리개(speculum)를 이용하여 질염 여부를 관찰한 후 자궁경부세포진검사(Pap smear)를 시행한다. 내진과 질초음파 검사를 통해서 자궁 및 난소 나팔관 상태를 확인한다.

3) 첫 번째 산전 방문 시 검사실 검사

(1) 혈액

임신 시기별로 시행하는 산전검사 일정은 표 16-1과 같다. 첫 방문 시 시행하는 일상검사(routine test)에는 ABO/Rh 혈액형 및 항체선별검사, 혈색소와 적혈구 용적률, 매독혈청검사, 풍진항체검사, B형간염항체검사, 사람면역결핍바이러스 혈청검사가 필수 혈액검사에 포함된다.

(2) 소변

요단백 평가, 소변 검사와 소변배양검사를 모든 임신부에게 시행하며, 요단백은 첫 검사 이후 산전관리를 받는 중에 고혈압이 발생하지 않는다면 추가검사를 할 필요는 없다.

(3) 자궁경부

임신 후 첫 방문 시 자궁경부세포진검사를 시행한다.

표 16-1.

	첫 방문	임신 주수		
		15~20	24~28	29~41
병력청취	★	★	★	★
신체진찰				
전신진찰	★			
임신부체중	★	★	★	★
혈압	★	★	★	★
내진	★			
태위와 태아심음측정	★	★	★	★
검사				
혈액형(ABO/Rh)	★			
항체선별검사	★		(A)	
일반혈액검사	★		★	
자궁경부질세포진검사	★			
경구당부하검사	(B)		★(B)	
태아목덜미 투명대 측정	★(C)			
모체혈청선별검사	(D)	★(D)		
요단백 평가	★			
소변검사	★			
풍진항체검사	★			
매독혈청검사	★			(E)
B형간염 항원항체검사	★			(E)
사람면역결핍바이러스 혈청검사	★			(E)
항-D 면역글로불린 주사			(F)	

(A) 적응증에 해당하는 경우 임신 28주에 시행한다. 임신부가 Rh 음성이면 항체선별검사를 먼저 시행해서 민감화(sensitization)되지 않았음을 확인하고 항-D 면역글로불린을 투여한다.

(B) 고위험 임신부는 첫 방문 시에 혈당검사를 시행한다. 다음 위험인자 중에서 1개 이상 존재하면 고위험군에 해당한다. ① 심한 비만, ② 2형 당뇨병의 가족력, ③ 임신당뇨병의 과거력, 당대사장애 또는 요당배출(glucosuria)이 있는 경우. 첫 방문 검사에서 임신당뇨병으로 진단되지 않았을 경우 24~28주 또는 고혈당의 증상 및 징후가 있을 때 재검사를 시행한다.

(C) 임신 11~13주에 시행한다.

(D) 제1삼분기 모체혈청선별검사는 임신 11~14주에 시행한다.

(E) 고위험 임신부는 임신 제3삼분기가 되면 재검사를 해야 한다.

(F) Rh 음성인 임신부에서 감작되지 않았을 경우 임신 28주 경에 투여한다.

표 16-2. 대한산부인과학회 고위험 임신 분류

	산과적 위험 요소	내과적 위험 요소	신체적 위험 요소	현재 임신 위험 요소
경증 (Grade I)	• 전자간전증의 과거력 • 태아기형의 과거력 • 자궁경부원추절제술의 과거력 • 임신성 당뇨의 과거력 • 불임 시술로 인한 임신	• 당뇨병의 가족력 • Rh 음성 임신부	• 저체중(BMI <18.5 kg/m²) • 과체중 (BMI 23~25 kg/m²)	• Hb ≥9 g/dL의 빈혈 • 흡연 ≥ 1 갑/일 • 정신과적 문제 • 임신과다구토 • 절박유산
중등도 (Grade II)	• 반복유산 • 자간증의 과거력 • 제왕절개술 과거력 • 자궁절개수술 과거력 • 조산의 과거력 • 유착태반의 과거력 • 유전자이상의 가족력 또는 개인력 • HIFU, 자궁근종용해술 등의 자궁근종 치료의 과거력	• 간질 • NYHA class I 심부전 • 혈청학적 검사상 성매개 질환 양성 • 폐질환 • 갑상선 질환 • 자가면역질환	• 산모의 나이 (35~39세, <19세) • 비만 (BMI 25~30 kg/m²) • 다분만부(>4) • 짧은 자궁경부길이 (<2.5 cm) • 자궁근종(≥5 cm) • 자궁선근증	• 약물/알코올 남용 • 신우신염 • Hb<9 g/dL 의 빈혈 • 바이러스성 질환 감염 • 임신성 당뇨 (인슐린 치료 안한 경우) • 만기 후 임신(≥42주) • 조기분만진통(34~36주) • 조기양막파수(34~36주) • 비정상 태위 • 거대아 • 쌍태임신 • 양수과다증 • 양수과소증 • 융모양막염 • 자궁내 태아 사망
중증 (Grade III)	• 이전의 사산 과거력 • 이전의 신생아 사망 과거력 • 용혈성 질환으로 인한 태아 수혈 • 산후출혈(자궁파열 포함)의 과거력 • 근치적자궁경부절제술(trachelectomy)의 과거력	• 만성 고혈압 • NYHA class II-IV 심부전 • 당뇨병 (pregestational DM) • 중등도 및 중증 심질환 • Rh 감작 임신부 • 기타 중증 내과적·외과적 질환[1]	• 산모의 나이(≥40세) • 고도비만(BMI ≥30 kg/m²) • 자궁경관무력증 • 자궁기형	• 조기분만진통(<34주) • 조기양막파수(<34주) • 자궁내 성장 제한 • 저체중아(<2.5 Kg) • 태아기형 • 임신성 고혈압, 전자간증, 자간증, 가중합병 전자간증 • 임신성 당뇨(인슐린 치료 하는 경우) • 삼태이상의 다태 임싞 • 태반조기박리 • 전치태반 • 자궁파열 • 산후출혈 • 색전증·

1) 악성종양, 뇌혈관질환, 뇌성마비, 척수손상, 백혈병, 재생불량성빈혈, 혈소판 감소증, 혈액응고질환, 심부정맥혈전증, 폐색전증, 근무력증, 장기이식, 간경화, 활동성B형간염보균, 사람면역결핍바이러스 감염, 정신과적 질환, 약물로 조절되지 않는 간질, 활동성 자가면역질환, 임신 중 수술 등

Hb, hemoglobin; NYHA, New York Heart Association; BMI, body mass index;

4) 임신 위험도 평가

고위험 임신은 임신이나 출산 중에 임신부 및 태아의 위험도가 높은 임신으로, 임신 전 부터 위험 요소를 가지고 있을수 있지만, 많은 경우에는 임신 기간 동안 발생 한다. 고위험 임신 이라는 용어는 의미가 모호하고 범위가 넓기 때문에 특정 질환이 진단이 된다면 고위험 임신 이라는 용어를 사용하기 보다는 해당 질환명을 사용하는게 좋다. 2017년 대한산부인과학회, 대한모체태아의학회, 대한주산의학회에서는 고위험 임신을 분류하여 발표하였다(표 16-2).

2017년 미국산부인과학회와 소아과학회에서 모체태아의학 전문의에게 자문을 구해야 할 질환들을 명시하였다(표 16-3). 표 16-2, 16-3에 제시된 질환들은 임신의 위험성을 증가시키기 때문에 산전 관리에서 확인되어야 하며, 다음 임신의 관리에도 상당한 주의가 필요하다.

표 16-3. 모체-태아의학 전문가에게 자문 협진을 구해야 할 질환

내외과적 병력
심장병: 청색증, 심근경색증의 기왕력, 중등도 또는 중증 판막협착 또는 판막역류, 마르팡증후군(Marfan syndrome), 인공판막, 미국심장학회 분류 2등급 이상의 상태
종말기관(end-organ)손상이 있거나 조절되지 않는 고혈당이 있는 당뇨병
유전자 이상의 가족력 또는 개인력
혈색소병증
심장 또는 콩팥질환을 동반하거나 조절되지 않는 만성고혈압
1일 500 mg 이상의 단백뇨, 혈청 크레아티닌 1.5 mg/dL 이상 또는 고혈압과 연관된 콩팥부전
중증 제한폐병 또는 폐쇄폐병(중증 천식도 포함됨)
사람면역결핍바이러스 감염
폐색전증 또는 심부정맥혈전증의 기왕력
중증전신질환
비만수술력
조절이 안되거나 또는 한 가지 항경련제로 조절되지 않는 간질
암, 특히 임신 중 치료해야 하는 암
산과 병력 및 합병증
Rh 또는 다른 혈액형 동종면역(ABO 및 루이스는 제외)
이전 태아 또는 현재 태아의 구조이상 또는 염색체이상
산전진단 및 태아치료를 요하는 상태
수태전후에 알려진 기형유발물질에 노출된 경우
선천성감염을 일으킬 수 있는 균에 감염 또는 노출된 경우
고차(higher-order) 다태임신
양수양의 중증 장애

5. 추적 산전관리

정상임신인 경우에는 임신 28주까지는 4주마다, 36주까지는 2주마다, 그리고 그 이후에는 매주 정기적인 산전관리를 한다. 임신 위험도가 높은 경우에는 정상임신보다 더 자주 산전관리를 하여야 한다.

방문할 때마다 임신 주수를 확인하고, 혈압, 체중, 자궁바닥높이, 태아심장박동수를 측정하며, 초음파검사를 할 경우에는 태아 크기, 양수양, 태아의 자세, 그리고 태동 등을 평가한다. 이 외에도, 두통, 시야흐림, 복통, 오심, 구토, 출혈, 질에서의 액체 유출, 배뇨곤란, 간접흡연 노출, 스트레스 수준, 우울증 및 신체적, 감정적 상태 등에 대해 문진을 하여야 한다.

1) 태아염색체 홀배수체(aneuploidy) 선별검사

임신 제1삼분기(임신 11~14주)에 시행할 수 있는 선별검사로는 초음파검사를 통한 태아 목덜미투명대(nuchal translucency) 측정, 임신부 혈청을 이용한 이중 표지자 검사인 임신관련혈장단백질(pregnancy-associated plasma protein A)과 hCG 또는 유리 β-hCG 측정검사가 있다. 제2삼분기(임신 15~20주)에는 임신부 혈액에서 삼중표지자(triple marker) 또는 사중표지자(quadruple marker, Quad) 검사를 시행할 수 있는데, 삼중표지자인 모체혈청 알파태아단백질(MSAFP), hCG, 비결합에스트리올(unconjugated estriol, uE3)에 인히빈(inhibin)이 추가되면 사중표지자검사가 된다.

신경관결손에 대한 모체혈청선별검사는 임신 15~20주에 모체혈청 알파태아단백질로 시행하는데 이는 삼중표지자 또는 사중표지자에 포함되어 있으며 경우에 따라 단독으로 시행하기도 한다.

최근에는 10주 이후 태아 세염색체 증후군의 선별검사법으로 태아 DNA 선별검사를 시행하기도 한다.

2) 태아 염색체 분석 또는 유전진단

필요한 경우에는 임신 10~13주에 융모막융모생검을 하거나 16~18주에 양막천자를 시행한다.

3) 선별초음파검사

임신 20~24주에 태아의 구조적 이상 유무를 알기 위해 초음파 검사를 정밀하게 시행한다.

4) 임신당뇨병 선별검사

임신 24~28주에 50 g 경구당부하 검사를 시행한다. 이의 문턱값(threshold)은 135 또는 140 mg/dL 중 하나를 채택하여 사용하며 문턱값을 상회하였을때 100 g 경구포도당부하 검사를 시행한다.

5) 항-D 면역글로불린 투여

감작되지 않은 Rh음성인 임신부에게는 임신 28~29주에 항체선별검사를 시행하여 항체가 없는 경우에는 항-D 면역글로불린을 투여한다.

6. 임신 중 영양

1) 임신 중 체중증가

정상 미분만부는 전체 임신기간 중 평균 12.5 kg 정도 체중이 증가한다. 정상 신체비만지수를 가진 여성은 임신 중 11.5~16 kg의 체중증가를 권장한다. 증가된 체중의 분포를 보면 태아, 태반, 양수, 자궁의 증대, 모체 혈액량의 증가, 유방의 발육, 세포외액 등 정상 생리적 현상으로 약 9 kg이 증가하고, 나머지 3.5 kg은 모체에 지방으로 축적된다.

2) 영양권장량

(1) 열량(calorie)

임신 중에는 임신 전에 비해 하루 평균 100~300 kcal를 추가로 섭취하여야 한다. 이를 임신 삼분기별로 나누어 보면, 임신 제1삼분기에는 추가로 필요한 열량이 없고, 임신 제2삼분기에 340 kcal, 임신 제3삼분기에는 450 kcal가 필요하다.

(2) 단백질

태아, 태반, 자궁, 유방의 성장과 발달, 모체의 혈액량 증가에 필요하며, 임신 후반기 5개월 동안에 약 1000 g의 단백질이 더 필요하며, 이는 하루 평균 5~6 g에 해당한다. 동물성 단백질 이 더 추천되며, 우유 및 유제품이 임신, 수유부에게 이상적인 칼슘과 단백질 공급원으로 알 려져 왔다.

(3) 무기질

철과 요오드를 제외한 무기질은 균형 있는 식사를 할 때 대개 섭취되므로 추가 공급이 필 요하지 않다.

① 철

임신 중기 이후에 대략 1,000 mg의 철이 필요한데, 그 중 300 mg은 태아와 태반으로 500 mg은 모체의 적혈구량 증가에 필요하고, 나머지 200 mg은 여러 경로를 통해 배설된다. 임신 후반기에 하루에 7 mg의 철이 배출되고 있어서 한국영양학회에서는 매일 24 mg의 철 섭취 를 권고하고있으며, 미국 산부인과 학회에서는 매일 27 mg의 철 섭취를 권장한다.

② 칼슘

임신 전 기간에 걸쳐 대략 30 g의 칼슘이 축적되는데, 대부분은 임신 후기에 태아에게 축적 된다. 한국여성에서는 임신 시 1일 280 mg, 수유 시 1일 370 mg의 칼슘 추가 섭취가 권장된다.

③ 아연

심한 아연 부족시에는 식욕저하, 성장저하, 상처치유 지연, 난쟁이증(dwarfism), 생식샘저 하증(hypogonadism)을 유발할 수 있다. 한국영양학회 권고안에 의하면 임신부의 경우 1일 권장량보다 1.5 mg의 추가 섭취가 필요하나, 표준적인 식사를 하는 건강한 임산부에게 아연 보충제를 투여하였을 때 도움이 된다는 근거는 없다.

④ 요오드

한국 여성인 경우에 가임기에는 하루 150 µg의 요오드 섭취가 권장되며, 임신 중에는 임신 전보다 90 µg의 요오드가 추가로 더 필요하다.

⑤ 칼륨

심한 입덧 시 저칼륨혈증이 나타날 수 있다.

(4) 비타민

① 엽산

엽산의 결핍이 신경관 결손의 원인이므로, 가임기 여성은 신경관 결손의 예방을 위해 매일 400 µg의 엽산을 섭취해야 한다. 또한 이전 신경관 결손아이를 분만한 경험이 있거나 간질약을 복용중인 경우에는 임신 최소 한 달 전부터 4 mg의 엽산을 임신 제1삼분기까지 섭취하도록 권장한다.

② 비타민 A

임신 중 비타민 A는 별도로 섭취하지 않는다. 여드름 치료제에 포함된 이소트레티노인 (isotretinoin)은 기형유발약제이나, 과일이나 채소에 들어있는 베타카로틴(beta-carotene)은 태아에게 독성이 없다.

③ 비타민 B_{12}

동물성 식품에만 함유되어 있기 때문에 채식주의자는 이를 보충해야 한다.

④ 비타민 B_6

일반적으로 임신부에게 비타민 B_6 추가 보충이 필요하지 않지만 입덧이 있을 경우 비타민 B_6와 함께 항히스타민제인 독실아민(doxylamine)의 복용이 증상완화에 도움이 된다.

⑤ 비타민 D

한국영양학회 권고안에 의하면 임신부의 경우 1일 충분섭취량 10 µg을 권장하고 있으나 아직까지 임신 중 적절한 수준이 확립되어 있지 않아 혈중 농도를 측정해서 낮아져 있을 경우 어느정도 용량을 보충해 줄 것인지에 대해서는 지침이 없는 실정이다.

7. 임신 중 동반되는 증상과 일반 상식

1) 운동

임신한 여성에게 운동을 제한할 필요는 없다. 절대적 금기 상황을 제외하고는 임신 중 중등도의 규칙적인 운동을 하루 30분 또는 그 이상 적절하게 해야 하나, 안하던 운동을 새로 시작하거나, 탈진할 정도나 신체 손상의 위험이 있는 과격한 운동을 하는 것은 피한다. 임신성 고혈압, 다태임신, 조산 위험이 있거나 질출혈이 있는 경우, 심한 심장질환, 또는 자궁내성장지연 등의 합병증이 있는 경우는 운동을 제한한다.

2) 직업

임신 중 합병증이 없는 건강한 여성은 진통이 시작될 때까지 일을 해도 된다. 그러나 피곤을 유발할 정도의 노동은 조산, 태아성장지연, 고혈압, 조기양막파열의 위험을 증가시키므로 적절한 휴식을 취하는 것이 좋다.

3) 여행

임신 36주까지 비행기 여행을 할 수 있으며, 장기간 앉아 가는 여행은 정맥혈액의 정체와 혈전색전증의 위험을 증가시키므로 적어도 한 시간마다 하지를 규칙적으로 움직여 정맥순환을 촉진시켜 주어야 한다.

4) 목욕

임신 중이나 산욕기의 목욕은 큰 문제가 없다. 그러나 임신 초기에는 사우나나 뜨거운 욕조목욕은 태아에 대한 안정성 문제로 피해야 한다.

5) 변비와 치핵(Hemorrhoids)

임신 중에는 생리적으로 장운동이 감소하여 변이 딱딱해지고 커진 자궁에 의해 직장이 압박되어 변비가 잘 생긴다. 딱딱한 변을 배출할 때 출혈과 항문 틈새(anal fissure)가 생기고 치질핵도 발생할 수 있다. 신선한 과일 채소의 섭취로 변의 양을 증가시키고, 충분한 물의 섭취, 규칙적 운동이 변비를 예방하는 데 도움을 준다. 치핵의 경우 국소마취연고, 좌욕, 대변연화제 등을 임신 중에 일차치료로 사용해 볼 수 있다.

6) 임신 중 성교

건강한 임산부에서 임신 전 기간에 걸쳐 성교는 해롭지 않다. 다만 유산이나 조산의 위험, 전치태반이 있는 경우는 피해야 한다.

7) 예방접종

일반적으로 생백신, 독성약화 백신의 임신 중 접종은 감염에 의한 기형유발의 원인이 될 수 있어 금기이다. 홍역, 볼거리, 수두(varicella), 풍진 백신은 생바이러스 백신으로 임신 중 금기이나 수유 중에는 금기가 아니다. 생박테리아 백신인 장티푸스 백신은 위험지역으로 여행을 가거나 계속적으로 노출되었을 때를 제외하고는 일반적으로 권장되지는 않는다. 황열병 (yellow fever)도 생박테리아 백신으로 위험지역에 노출되었을 때만 접종한다. 불활성화 바이러스 또는 박테리아 백신, 변성독소, 면역글로불린은 임신 중 접종할 수 있다. 인플루엔자백신은 임신 주수에 상관없이 접종이 가능하고, 일본뇌염과 콜레라는 득실을 고려하여 접종한다. 파상풍-디프테리아-백일해 백신을 임신 27~36주 사이에 접종하는 것이 권장된다. B형 간염에 노출되었을 때는 B형 간염 면역글로불린과 B형 간염백신을 예방적으로 접종하고 그 뒤 1, 6개월에 B형 간염백신을 추가 접종하면 된다.

8) 흡연

임신 중 흡연은 유산, 자궁외임신, 태아기형, 태아사망, 조산, 태아 성장제한, 저체중출생아, 전치태반, 태반조기박리, 조기양막파열, 영아돌연사증후군, 또는 출생아의 정신운동장애 등의 위험을 증가시킨다. 그러므로 임신 전에 담배를 끊어야 한다.

9) 음주

에탄올은 강력한 기형유발 물질로 태아 알코올증후군을 유발할 수 있다. 임신 중에는 절대 음주를 하지 않는다.

10) 구역과 구토

대개 임신 6주경부터 시작하여 14~16주까지 지속되며 일명 '입덧(morning sickness)'이라고 한다. 주로 아침에 심하지만 하루 종일 지속되기도 한다. 이럴 경우에는 적은 양을 자주 먹는 것이 좋고, 구역과 구토를 유발하는 음식은 피하는 것이 좋다. 심한 경우에는 임신과다구토(hyperemesis gravidarum)가 나타날 수 있다. 구토에 의해 체중이 감소하는 경우 입원치료를 하거나 항구토제를 투여할 수 있다.

11) 명치쓰림(Heart burn)

임신 중 가장 흔한 증상의 하나로 자궁이 커지면서 위가 눌려 위액이 역류하기 때문이다. 이런 경우 적게 자주 먹고 식후 1시간 내에는 눕지 않는다. 심한 경우 제산제를 투여한다.

12) 요통

임신한 여성에게 매우 흔하여 70% 정도에서 나타난다. 앉아있을 때 허리를 베개같은 것으로 받쳐주고 높은 굽의 신발은 피하며 마사지, 온찜질, 비스테로이드 계열의 소염제가 도움이 될 수 있다. 중증의 요통을 호소할 경우 정형외과 진료를 받도록 조언해야 한다.

13) 정맥류(Varicosities)

임신 후반기에 하지 또는 외음부에 잘 나타난다. 주기적으로 쉬거나 탄력스타킹을 착용할 수 있고 출산 6개월 후에도 남아 있으면 수술을 할 수 있다.

14) 부종

하대정맥 또는 골반 내 정맥이 눌려서 하지에 잘 발생한다. 다리를 높이 들어주면 도움이 되나 임신성고혈압에서도 잘 나타나므로 임신 후반기 부종이 있으면 반드시 혈압을 확인한다.

15) 이식증(Pica)

임신 중 얼음, 진흙 등을 계속 먹는 증상으로 심한 철 결핍증일 때 나타나지만 모두 그런 것은 아니다.

16) 두통

임신 초기에 흔하고 임신 중기가 되면 약해진다. 원인은 알 수 없고 임신성고혈압 여부를 잘 관찰해야 한다.

17) 피로

임신 초기 피로를 많이 느끼고 잠을 많이 자게 되는데, 이는 프로게스테론의 영향일 것으로 추측한다.

18) 질 분비물

임신 중 질 분비물이 증가하는데 이는 증가된 에스트로겐의 영향으로 자궁경부샘에서 점액의 생산이 증가되기 때문으로 대개 병적인 것은 아니다. 질감염에 의한 질분비물 증가와 잘 감별해야 한다.

19) 어류 섭취

생선은 단백질이 풍부하고 포화지방산 함량이 적으며 오메가-3를 함유하고 있어서, 주당 340 gm 이상의 생선 섭취는 임신에 좋다. 하지만 상어, 황새치, 고등어, 옥돔과 같은 일부 생선에는 수은이 포함되어 있기 때문에 섭취를 줄이거나 피해야 한다.

정상 분만진통
및 분만
Normal labor and
Delivery

산부인과학 지침과 개요   Obstetrics & Gynecology

CHAPTER

17

1. 분만의 전단계와 활성단계, 가진통과 진진통을 구별하여 설명한다.
2. 후두위 분만의 기본 운동을 단계별로 설명한다.
3. 후두위, 둔위, 안면위, 견갑위에서 태향과 변종에 대하여 설명한다.
4. 자궁수축제의 적응증과 부작용을 설명한다.
5. 분만의 진행과정을 설명한다.
6. 회음절개의 시기와 방법, 장단점에 관하여 설명한다.

1. 정상 분만의 기전

1) 태아의 위치관련 용어

(1) 태축(Fetal lie)

임신부 자궁의 세로축(장축)과 태아의 세로축(장축)간의 상관관계를 말하고, 주로 종축 (longitudinal lie)과 횡축(transverse lie)으로 표시하며, 한시적으로 사축(oblique lie)이 존재할 수 있다(그림 17-1).

(2) 태위(Fetal presentation)

태아의 신체 부분 중 산도에 가장 먼저 진입한 부분, 혹은 산도에 가장 가까이 간 부분을 선진부(presenting part)라고 하며, 이 선진부에 따라 태위가 결정된다.

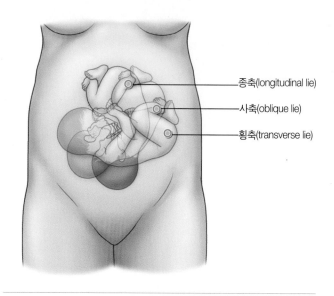

종축(longitudinal lie)

사축(oblique lie)

횡축(transverse lie)

그림 17-1. 태축의 상관관계

① **두위**(Cephalic presentation)

태위 중 가장 흔하며 태아의 머리와 몸의 관계 즉 머리의 굴곡과 신전의 정도에 따라 후두위 (occiput) 또는 두정위(vertex), 전두위(sinciput), 전액위(brow), 안면위(face)로 분류될 수 있다.

② **둔위**(Breech presentation)

태아의 엉덩이가 선진부가 되는 경우이며 대개 3가지 형태가 있다. 태아의 대퇴는 굴곡되고 무릎이 신전되어 태아의 배 앞쪽으로 두 다리가 곧게 뻗은 자세인 진둔위(frank breech), 대퇴는 배위로 굴곡 되고 무릎이 굽혀져 발이 대퇴부위에 있는 완전둔위(complete breech), 한쪽 또는 양쪽발이나 무릎이 선진부가 되는 불완전둔위(incomplete breech) 혹은 족위(footling breech)가 있다.

③ **견갑위**(Shoulder presentation)

태축이 횡축인 경우에 태아의 어깨부분이 선진부가 되면 이를 견갑위라고 부른다.

④ **복합위**(Compound presentation)

태아의 머리나 엉덩이 등 일반적인 선진부와 함께 빠져 나온 태아의 손이나 발이 골반에 같이 진입하여 선진부를 형성하는 경우이다.

(3) 태세(Fetal attitude)

태아는 자궁강 내의 모양에 따라 난원형을 이루고 있다. 등은 앞으로 구부러지고 머리는 앞으로 숙여져 턱이 거의 흉곽에 밀착되게 되며 대퇴는 배위로 굴곡되고 무릎은 굽혀져 발이 다리의 앞면에 위치한다. 팔은 대개 흉곽위로 교차되거나 양측에 나란히 놓이며 제대가 팔다 리 사이의 공간에 위치한다. 이러한 특징적인 자세는 태아의 성장방식 및 자궁강 내에서의 적 응과정으로 결정된다.

(4) 태향(Fetal position)

태향은 태아 선진부의 특정 부위와 산도의 좌측 혹은 우측면과의 상호관계를 표시한 것이다.

① 명명법

태향 표시를 위한 태아 선진부 중 두정위, 안면위, 둔위, 견갑위의 기준 부위는 각각 후두 (occiput), 턱(mentum, chin), 천추(sacrum), 어깨봉우리(acromion, scapula)이다.

어느 태위에서나 선진부는 좌측 혹은 우측에 존재하게 되므로 후두위에서는 LO (left oc-cipital) 또는 RO (right occipital), 안면위에서는 LM (left mental) 또는 RM (right mental), 둔위에서는 LS (left sacral) 또는 RS (right sacral)로 표시한다. 보다 정확한 위치 파악을 위해 서는 산도에 대한 선진부의 특정 부위가 전(A, anterior), 횡(T, transverse), 후(P, posterior)의 3가지 종류가 가능하고 두 개의 태향이 있으므로 각각의 태위에는 여섯 개의 변종이 있을 수 있다. 표기는 좌/우–선진부–앞/뒤/횡의 순서로 한다(그림 17-2)

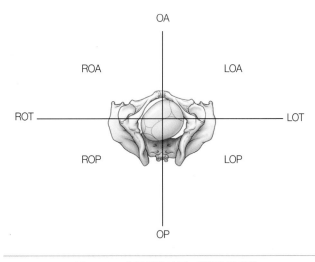

그림 17-2. 후두위에서 각 태향의 표기법

② **태위와 태향의 빈도**

임신 말기 여러 태위의 빈도는 두위 96%, 둔위 3.5%, 견갑위 0.4%, 안면위 0.3%로 나타난다. 또한 모든 두위의 태향은 2/3가량이 좌측이고 1/3은 우측이다.

2) 태위와 태향의 진단

(1) 복부촉진: 레오폴드법(Leopold maneuver)

임신부를 바로 눕혀서 편안한 자세를 취하게 하고 복부를 완전히 노출시킨다. 첫 3단계는 환자와 얼굴을 마주하고 침대의 옆에 서서 시행하며 네 번째 방법은 환자의 발을 바라보면서 시행한다. 임신부가 비만이거나 양수과다증이 있거나 태반이 앞에 위치하는 경우에는 시행하는데 다소 어려움이 있다(그림 17-3).

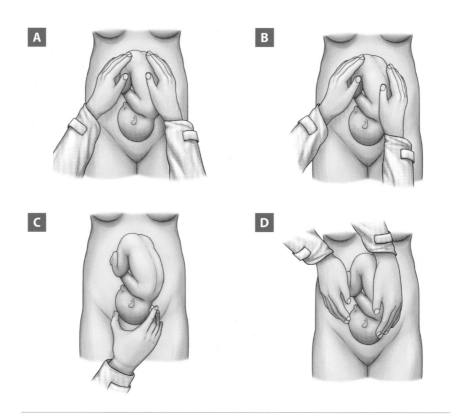

그림 17-3. Leopold식 복부촉진법. (A) 제1방법, (B) 제2방법, (C) 제3방법, (D) 제4방법

① 제1방법

자궁저부(fundus)에 태아의 어느 극이 존재하는지 알기 위해 양손의 손가락 끝으로 자궁저부를 촉지한다. 두정위인 경우는 태아의 둔부가 크고 울퉁불퉁한 부분들로 느껴지고 반면에 둔위에서는 자유롭게 움직이거나 뜬 느낌(ballottement)을 주는 태아의 머리를 만질 수 있다. 제1방법을 이용하여 태축과 선진부를 확인할 수 있다.

② 제2방법

검사자의 양 손바닥을 임신부의 양측 복부에 얹고 조심스럽게 누르면서 만져본다. 이때 한쪽에서는 단단하고 저항감이 있는 태아의 등이 만져지고, 다른 쪽에서는 여러 개의 불규칙하게 움직이는 태아의 팔다리가 만져진다. 태아의 등이 앞, 뒤, 혹은 옆으로 누워있는지에 따라 태축, 태위와 태향 등을 확인할 수 있다.

③ 제3방법

한 쪽 손의 엄지와 다른 손가락을 이용하여 치골 결합부 바로 위 부분인 복부의 아랫부분을 잡아본다. 만약 선진부가 골반 안으로 진입되지 않았다면 움직이는 태아의 머리를 촉지할 수 있다. 아두 또는 둔부인지는 제1방법에서와 같은 방법으로 구별할 수 있다.

④ 제4방법

검사자가 임신부의 발쪽을 보면서 양손의 세손가락 끝을 이용하여 골반입구를 향하는 축의 방향으로 깊이 압력을 가한다. 선진부의 하강 정도를 확인할 수 있고, 제3방법과 같이 두부 돌출부위를 확인함으로써 태세도 확인할 수 있다.

(2) 내진

진통이 시작되고 자궁경부가 열리기 전에는 선진부를 촉진할 수 없으므로 내진을 통한 태위나 태향의 진단은 확실하지 않은 경우가 많다. 진통과 함께 자궁목이 개대되기 시작되면 태위, 태향과 선진부의 하강정도 등 중요한 정보를 얻을 수 있다. 두정태위에서 여러 봉합선 및 천문을 촉지하여 태향과 여러 변종을 진단할 수 있다.

(3) 태아 심박동의 청진

청진만으로 태위나 태향을 정확히 알기 어렵지만 촉진으로 파악된 정보에 청진소견을 추가하면 태위와 태향을 파악하는데 도움이 된다. 두위와 둔위에서는 심박동이 태아의 등을 통해 가장 잘 들리는데, 두위에서는 임신부의 배꼽보다 아래쪽에서 잘 들리고, 둔위에서는 배꼽보다 위쪽에서 잘 들리며, 안면위에서는 태아의 앞가슴을 통하여 가장 잘 들린다.

(4) 초음파 검사

초음파 검사는 비만하거나 복벽이 딱딱한 임신부, 다태아, 양수과다증에서 일반적 진찰법에 의한 진단의 어려움을 해결해 주고 분만 후기까지 발견하지 못했던 둔위나 견갑위를 조기에 발견하는데 도움을 준다.

2. 분만진통(Labor)

1) 분만진통의 3단계

(1) 분만진통 제1기(the first stage of labor)

규칙적인 자궁수축에 의해 자궁목의 소실과 개대가 시작될 때부터 자궁목이 완전히 개대(10 cm)될 때까지로 '자궁목 소실 및 개대기'라고도 부른다.

(2) 분만진통 제2기(the second stage of labor)

자궁목이 완전히 개대된 이후부터 태아가 만출될 때까지의 기간으로 '태아만출기'라고도 부른다.

(3) 분만진통 제3기(the third stage of labor)

태아만출 직후부터 태반 및 태아막이 만출 될 때까지이며 '태반분리 및 만출기'라고도 부른다. 태반 만출 직후 약 1시간 동안을 분만진통 제4기라 부르고, 이 시기에는 자궁근육의 수축과 퇴축이 일어나며, 혈관 속에 혈전도 형성되면서 태반이 착상되었던 부위에서 효과적인 지혈작용이 일어나게 되어 자궁출혈이 감소하게 되므로, 산후출혈에 대한 임상 관찰에 중요한 시기이다.

2) 분만진통 제1기의 진통양상

(1) Friedman 진통곡선

수많은 임신부의 분만형태에 대한 연구분석을 토대로 하여 Friedman은 정상 및 이상분만을 구별하는 기준을 설정하였다. 자궁수축의 빈도, 강도 및 간격만으로는 분만이 정상적으로

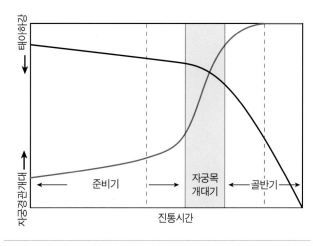

그림 17-4. Friedman 진통곡선

순조롭게 진행되는지를 평가할 수 없으며 분만진행을 임상적으로 평가하는데 가장 중요한 지표는 자궁목의 개대와 태아하강의 양상이다.

① 진통곡선의 기능적 3분류

Freidman은 분만진통의 과정을 기능적 관점에서 다음과 같이 3단계로 나누었다(그림 17-4)

가. 분만준비기(Preparatory division)

자궁목의 개대가 거의 일어나지 않지만 자궁목의 결합조직에는 많은 변화가 일어나는 시기이다. 안정제나 마취제에 예민한 시기로 투여할 경우 진통이 없어질 수 있다.

나. 자궁목 개대기(Dilatation division)

자궁목 개대가 가장 신속하게 진행되는 시기이며, 진통완화를 목적으로 투여한 진정제나 마취제에 의해 영향을 받지 않는다.

다. 골반기(Pelvic division)

두정위의 분만 과정 중 기본운동(cardinal movement)이 일어나는 시기이다.

② 자궁목의 개대를 기준으로 한 진통곡선

자궁목이 완전 개대될 때까지의 분만진통 제1기는 잠복기(latent phase)와 활성기(ac-

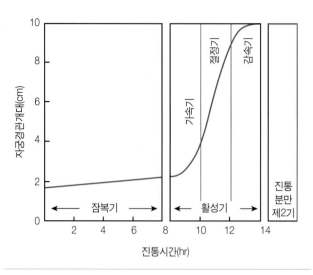

그림 17-5. Friedman의 진통/분만과정의 기능적 3단계 분류

tive phase)로 나눈다. 활성기는 다시 가속기(acceleration phase), 절정기(phase of maximal slope), 감속기(deceleration phase)로 나누며 정상적으로 진행되는 자궁목 개대의 양상은 S자형 곡선을 보인다(그림 17-5).

잠복기는 진정제를 투여할 경우 기간이 길어지며 자궁수축제를 투여할 경우 짧아지는데 잠복기의 기간은 분만진행에 그다지 큰 영향을 미치지 않는다. 자궁목의 개대가 활발히 일어나기 시작하는 활성기의 진행양상은 전체 분만진행의 결과를 예측할 수 있는 지표가 된다. 자궁목의 개대가 활발하게 시작되어 약 4 cm 정도 개대될 때까지를 가속기, 그 이후 개대가 가장 신속하게 진행되는 시기를 절정기라고 하는데 이 시기는 전체 분만진행의 효율성을 알 수 있는 좋은 척도가 된다. 자궁목이 약 9 cm 정도 개대된 이후 그 진행이 현저히 둔화되는 시기를 감속기라 하는데 이 시기는 태아와 골반의 상호관계를 반영하는 시기이다.

(2) 잠복기(Latent phase)

임신부가 규칙적인 자궁수축을 느끼는 시기로부터 자궁목이 3~5 cm 개대될 때까지를 말한다. 임상적으로 잠복기가 비정상적으로 길어지는 경우를 잠복기 지연(prolonged latent phase)이라고 하는데, 미분만부에서는 20시간 이상, 다산부에서는 14시간 이상인 경우로 정의되며, 과다한 안정제 투여 및 경막외 마취, 자궁목의 불완전 숙화 및 가진통 등이 그 원인이다.

(3) 활성기(Active phase)

자궁수축과 함께 자궁목이 3~6 cm 이상 개대되면 진통이 활성화 되었다고 평가한다. 이 시기에 자궁목의 개대 속도는 미분만부에서는 시간당 1.2~6.8 cm로 다양하고 다산부에서는 조금 더 빨라서 시간당 최소 1.5 cm를 나타낸다. 활성기 동안에는 자궁목 개대와 함께 아두의 하강도 일어나는데, 미분만부는 7~8 cm, 다산부는 8 cm 이상 자궁목이 개대된 이후에 일어나며, 자궁목 개대의 절정기 동안 아두의 하강 정도가 점차 증가되면서 선진부가 회음저(perineal floor)에 도달할 때까지 비교적 같은 속도로 신속히 하강한다.

3) 분만진통 시 자궁 및 자궁목의 변화

(1) 분만진통의 특성

분만진통이 진행되면서 자궁은 주기적으로 수축과 이완을 반복하게 된다. 분만진통 제1기 초기에는 약 10분 간격이지만 점차 감소하여 분만진통 제2기가 되면 1분 내외가 된다. 자궁수축기간은 진통이 활발히 일어나는 시기에는 30~90초 정도로 평균 1분 정도가 된다. 자궁수축의 강도는 진통기간 동안 많은 차이를 보이는데 자연 진통 중 양수압을 측정한 결과 20~60 mmHg 정도로 다양하며 평균 40 mmHg 정도이다.

(2) 분만진통 시 자궁의 기능적 구분

진통 중 자궁은 기능적인 면에서 두 부분으로 확실히 구분된다. 진통이 진행됨에 따라 자궁상부는 자궁수축이 활성화되면서 점차 두꺼워지고, 그 아래 부분인 자궁하부와 경관은 수동적이어서 태아 만출이 용이하도록 점차 확장되고 얇아진다. 이러한 자궁하부는 비임신 상태의 자궁 협부(isthmus)에 해당하며 분만진통 중에만 나타나는 것이 아니고 임신이 진행됨에 따라 조금씩 형성되어 진통 중에 아주 현저하게 얇아진다. 자궁하부가 얇아지고 동시에 상부가 두꺼워져 자궁상하부의 경계부위의 자궁표면에 능선이 형성되는데 이를 "생리적 수축륜(physiologic retraction ring)"이라고 한다. 난산인 경우에는 자궁하부가 심하게 얇아지게 되고, 이러한 현상이 매우 심화되어 나타나는 현상을 "병적 수축륜(pathologic retraction ring)"이라고 하며 이때 수축륜이 생긴 부위를 따라 복부에 함몰이 관찰되는데 이는 자궁파열이 임박하였음을 시사하는 징후이다(그림 17-6).

(3) 분만과 관계된 부수적인 힘

① 복압

자궁목이 완전히 개대된 후 태아 만출에 가장 중요한 힘은 복벽근을 수축시켜서 발생하게

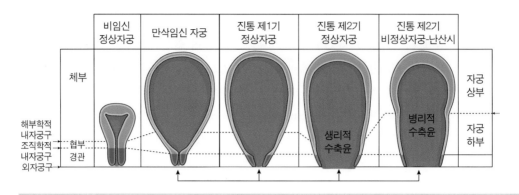

	비임신 정상자궁	만삭임신 자궁	진통 제1기 정상자궁	진통 제2기 정상자궁	진통 제2기 비정상자궁-난산시	

그림 17-6. 임신 중 자궁근육층의 변화 및 수축륜의 형성과정

되는 복압의 상승이다. 즉 자궁수축과 동시에 변을 볼 때와 마찬가지로 숨을 깊이 들이쉰 다음 숨을 참으면서 아래로 길게 강한 힘을 주는 '밀어내기(pushing)' 혹은 '힘주기'가 분만진통 제2기에서 태아의 만출을 위해서 반드시 필요하다. 하지만 분만진통 제1기 동안의 성급한 '밀어내기'는 효과가 없으며 오히려 임산부를 지치게 만들 수 있다.

② 자궁목 및 골반저의 저항

자궁수축과 복압에 의한 힘이 산도의 저항을 극복해야만 태아의 만출이 가능하다.

(4) 자궁목의 변화

분만진통이 시작되기 전부터 자궁목이 부드러워지는 과정을 자궁목의 숙화(ripening)라고 하며, 이후 분만진통이 시작하여 자궁의 수축이 있게 되면 자궁목의 개대가 진행된다. 성공적인 분만을 위해서는 효과적인 자궁수축이 있어야 하지만 분만진통이 시작되기 전에 미리 자궁목의 숙화도 충분히 일어나야만 한다.

진통시작 전에 약 2 cm 정도인 자궁목의 길이가 종이처럼 얇아지는 것을 소실(effacement)이라고 한다. 이는 자궁근육의 수축으로 자궁내구가 위쪽의 자궁하부 내로 끌려 올라감에 따라 시작된다. 진통시작 전에 자궁근육 활동의 증가로 소실이 나타나며 활발한 진통이 시작하기 전에 상당한 소실이 일어난다. 효과적인 자궁수축이 일어나면 양막 내압이 상승하고 양막의 정수압에 의하여 개대가 일어나게 된다. 분만이 진행되어 정상적인 태아선진부가 완전히 통과하기 위해서는 자궁목은 10 cm 정도 개대되어야 하며 이를 완전 개대라고 한다.

3. 후두위에서의 정상 분만 기전

1) 후두위 분만 시의 기본운동(Cardinal movement)

후두위 분만의 기본 운동은 진입, 하강, 굴곡, 내회전, 신전, 외회전, 만출로 이루어진다. 여기에서는 좌전방후두위(LOA)를 기본운동을 알아본다(그림 17-7). 이런 기본운동들은 순서대로 독립적으로 일어나는 것이 아니라 동시에 복합적으로 일어난다. 예를 들면 아두의 진입과정에서 굴곡과 하강은 동시에 일어난다.

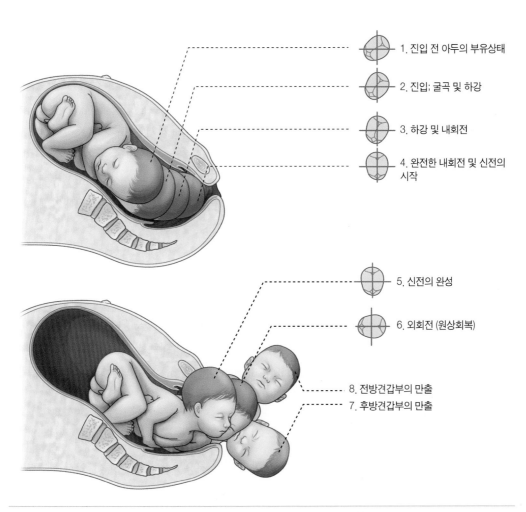

1. 진입 전 아두의 부유상태
2. 진입; 굴곡 및 하강
3. 하강 및 내회전
4. 완전한 내회전 및 신전의 시작
5. 신전의 완성
6. 외회전 (원상회복)
8. 전방견갑부의 만출
7. 후방견갑부의 만출

그림 17-7. **LOA에서 분만기전에 의한 기본운동**

(1) 진입(Engagement)

두정위에서 가장 긴 아두횡경인 양쪽마루뼈지름(biparietal diameter)이 골반입구를 통과하는 것과 둔위에서 양쪽대퇴돌기사이직경(bitrochanteric diameter)이 골반입구를 통과하는 것을 진입이라 한다. 임상적으로 골반 진찰이나, 복부에서 선진부를 촉진하여 진입 여부를 알 수 있다. 아두 선진부의 끝이 골반의 궁둥뼈가시(ischial spine) 위치에 있는 경우 즉, 하강 정도 0인 경우에, 진입이 되었다고 표현한다. 대부분의 미분만부에서는 진통이 일어나기 전에 아두가 이미 진입되어 있으나 다산부에서는 대부분 진통이 시작된 이후에 진입하기 시작한다.

(2) 하강(Descent)

지속적으로 같은 비율로 하강이 일어나는 것이 아니라 분만진통 제1기의 감속기 및 분만진통 제2기에 가장 많은 하강이 이루어진다. 미분만부인 경우에는 분만진통 전에 이미 하강이 어느 정도 진행되어 있는 상태로 자궁목이 완전 개대된 이후에 서서히 하강이 시작하나 다산부에서는 대개 진입과 하강이 동시에 일어난다. 하강은 자궁 수축에 의한 양수의 압력, 자궁저부가 태아의 엉덩이를 미는 힘, 태아 체부의 신전 및 똑바로 펴기(straightening) 등에 의해 일어나며, 분만진통 제2기, 즉 자궁목의 완전 개대 이후에는 임신부 자신의 밀어내기에 따른 복근수축 등이 하강을 더욱 촉진한다.

(3) 굴곡(Flexion)

하강이 지속되면 아두가 저항을 받게 되어 아두의 굴곡이 수동적으로 일어나 태아의 턱이 가슴에 밀착하게 된다. 이러한 굴곡 현상으로 인해, 아두가 전혀 굴곡 되지 않은 상태에서의 긴 아두의 뒤통수이마직경(occipitofrontal diameter, 12 cm)이 아두전후직경 중 최단 전후경인 뒤통수정수리밑직경(suboccipitobregmatic diameter, 9.5 cm)으로 대치되어 골반강을 통과하게 되므로 하강이 훨씬 쉬워진다(그림 17-8).

(4) 내회전(Internal rotation)

아두가 중골반강에서 골반출구에 이르는 하골반강에 적응하여 시상봉합이 임신부 골반의 전후경에 일치하도록 태아의 후두가 점차적으로 원래의 위치에서 치골봉합을 향해 전방 회전하는 것을 말한다.

(5) 신전(Extensíon)

아두가 질입구에 이르면 신전이 일어난다. 태아 후두저부가 치골결합의 아래쪽을 통과하게

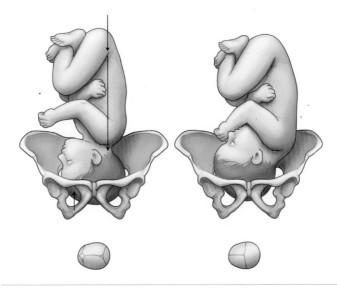

그림 17-8. **지레의 원리에 따른 아두굴곡의 기전과 완전굴곡.** 결과적으로 뒤통수이마직경(occipitofrontal diameter, 12 cm)이 뒤통수정수리밑직경(suboccipitobregmatic diameter, 9.5 cm)으로 대치되어 골반강을 통과하게 된다.

되는데, 이때 아두의 각도가 직각으로 꺾이듯 위로 향하게 되는 것이 신전이다. 임신부 자신의 밀어내기에 의한 힘은 태아를 임신부의 후방 즉, 천골 및 회음부 방향으로 밀어내리고 골반바닥 근육 및 치골결합은 그 힘에 저항하는 반대작용을 일으켜 궁극적으로 아두는 산도를 따라 신전하며 하강한다.

(6) 외회전(External rotation)

전방후두위(occiput anterior position)로 질구를 통해 만출 된 아두는 다음 단계로 내전이 일어나기 전 원래의 태향을 향해 좌측 또는 우측으로 저절로 90도 회전하는데 이를 외회전이라고 하며 내회전의 반대 방향으로 일어난다.

(7) 만출(Expulsion)

아두의 외회전이 완료됨과 거의 동시에 골반전방에 위치한 태아의 어깨가 치골봉합 밑에서 질구를 통해 보이며 곧 반대편 어깨로 인하여 회음부가 팽창된다. 태아 어깨의 분만이 완료된 후 태아체부의 나머지 부분이 신속히 분만된다.

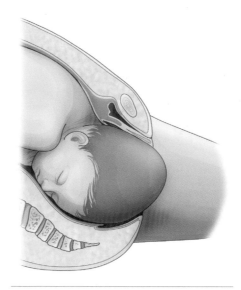

그림 17-9. **산류의 형성**

2) 아두형태의 변화

(1) 산류(Caput succedaneum)

자궁목이 완전 개대되기 전에 아두가 심한 압박을 받아 자궁목 입구에 바로 놓인 태아두피 부분에 부종이 생겨 형성되는 국소적인 종창을 산류라 한다(그림 17-9). 산류는 질출구가 견고하여 저항이 있을 때 흔히 발생되는데 출생 후 자연적으로 점차 크기가 줄어들어서 대개 24~36시간 이내에 완전히 소실된다.

(2) 거푸집 현상(Molding)

질식분만 시 임신부의 골반크기와 형태에 적응하여 아두의 모양이 변화하는 것을 거푸집 현상이라 하며, 뒤통수정수리밑 직경(suboccipitobregmatic diameter)이 0.5~1.0 cm 정도 줄어드는 효과를 준다(그림 17-10). 아두와 임신부의 골반크기가 정상인 경우에는 거푸집현상이 거의 필요 없으나 협골반이 있을 경우에는 거푸집을 일으킬 수 있는 정도가 질식분만가능성 여부를 가름하는 중요한 인자가 될 수 있다.

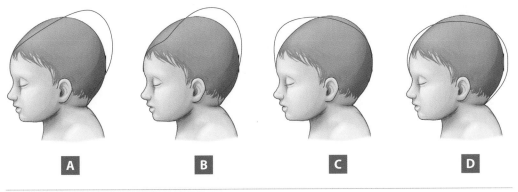

그림 17-10. **거푸집현상(molding).** (A) **전방후두위,** (B) **후방후두위,** (C) **전액위,** (D) **안면위**

4. 정상진통의 분만의 관리

1) 입원 시 확인사항

임산부는 출산에 임박할 때까지 기다리기보다는 진통 초기에 입원하는 것이 안전하다. 특히 산모나 태아가 고위험군인 경우 더욱 그러하다. 그러나 너무 이른 진통 잠복기에서의 입원은 진통 활성기 정지(active phase arrest), 옥시토신의 사용, 융모양막염의 발생을 증가시킬 수 있으므로 진통의 시작을 정확하게 감지하는 것은 매우 중요하다.

(1) 진통의 확인

진통이란 자궁목의 개대와 숙화를 동반하는 자궁수축인데 이는 후향적으로 판단 가능한 문제여서 진단이 쉽지 않으며 진성진통과 가진통을 구별할 수 있는 특징은 다음과 같다.

① 진성진통 시 자궁수축의 특징
- 간격이 규칙적이며 점차 짧아진다.
- 강도가 점차 증가된다.
- 배부와 복부에 불쾌감이 있다.
- 자궁목 개대를 동반한다.
- 진정제로 완화되지 않는다.

② 가진통 시 자궁수축의 특징

- 간격이 불규칙하고 계속 길게 유지된다.
- 강도가 증가되지 않는다.
- 주로 하복부가 불편하다.
- 자궁목 개대가 동반되지 않는다
- 진정제로 완화된다.

(2) 태아 심박동 검사

분만진통으로 입원하는 모든 임산부는 소위 입원검사(admission test)라고 하는 전자태아심박동감시 검사를 받게 된다. 이때 태아심박동이 정상이라면 남은 진통기간동안 간헐적 검사로 대체할 수 있다. 가진통으로 확인된 임산부도 적어도 한 시간 동안 태아 심박동 검사를 시행한 다음 귀가하는 것이 안전하다.

(3) 내진을 통하여 파악해야 할 사항

과도한 질출혈이 없다면 무균적으로 내진을 시행하여 다음과 같은 정보를 얻어야 한다. 단 잦은 내진은 세균감염과 관련이 있으므로 주의가 필요하다.

① 양막파열

양막이 파열된다면 태아 선진부가 골반내에 고정되어 있지 않을 경우 제대탈출과 압박의 가능성이 증가하고, 만삭이거나 만삭에 가까운 시기일 경우 분만이 곧 일어나게 되며, 양막파열 후 분만이 지연될수록 자궁내 감염의 위험이 증가하므로 양막파열의 진단은 매우 중요하다.

양막파열이 의심되면 회음부를 소독한 후 무균적으로 질경을 삽입하여 후방질원개에 고여 있는 양수를 확인하거나 자궁목으로부터의 양수유출을 확인하여 진단할 수 있으며, 태변이나 태지의 유무도 관찰한다. 육안으로 진단이 확실하지 않은 경우 양막파열을 확인하기 위한 여러 가지 검사방법들이 있다. 가장 널리 사용되는 방법은 질 내의 산도를 측정하는 것인데 이를 나이트라진 검사법이라고 한다. 정상적인 질 분비물의 pH는 4.5~5.5인 반면 양수의 pH는 7.0~7.5이다. 양막이 파열된 경우 양수의 알칼리성질에 의해 주황색의 나이트라진 용지가 초록색으로 바뀐다. 다량의 혈성 이슬이 보이는 경우, 질내에 정액이 존재하는 경우, 세균성질염 등이 있는 경우에는 위양성결과가 나타날 수 있고, 반대로 유출된 양수양이 미미할 경우 위음성결과를 초래할 수 있다.

양막파열에 대한 다른 검사방법으로는 양수내의 고농도 에스트로겐으로 인한 자궁경관점액의 양치상화(ferning)현상을 관찰하는 방법, 현장검사로서 질 내의 알파태아단백, 태반알파마이크로글로불린-1(Placental α-microglobulin -1), 인슐린양성장인자결합단백-1(Insulin like growth factor binding protein-1)을 검출하는 검사 등이 진단에 사용되기 한다. 그럼에도 불구하고 진단이 불확실한 경우 복부 양수천자로 인디고카민(indigocarmine) 등의 색소를 양수내로 주입한 다음 질분비물의 색깔 변화를 관찰하는 방법 등이 있다.

② 자궁목 검사

- 내진을 통해 자궁목의 연성, 소실정도, 개대, 자궁목의 위치를 파악한다.
- 자궁목의 소실 정도는 통상 소실되지 않는 자궁목과 비교하여 소실된 정도를 %로 표시한다.
- 자궁목의 개대는 자궁목의 평균 직경을 측정하여 cm로 표시한다. 10 cm 개대되면 만삭의 태아 선진부가 자궁목을 통과할 수 있으며 이 상태를 완전개대라고 부른다.
- 자궁목의 위치는 태아 머리에 대한 자궁목의 위치에 따라 전위(태아머리에 비해 자궁목이 앞쪽으로 위치), 중위(자궁목이 가운데 위치), 후위(자궁목이 뒤쪽으로 위치)로 표시한다.
- 자궁목의 경도는 부드럽거나 단단하거나 중간으로 표시한다.
- 태아선진부 하강정도는 골반 입구와 출구의 중간 정도에 위치한 궁둥뼈가시(ischial spine)를 중심으로 기술한다. 궁둥뼈가시 높이에 태아선진부가 있을 때 하강정도 0이라 한다. 궁둥뼈가시를 중심으로 상부로는 골반입구까지, 하부로는 골반출구까지 3등분 혹은 5등분하여 하강정도를 표시할 수 있다.
- 자궁목의 개대, 소실, 경도, 위치, 하강도를 종합하여 비숍(Bishop) 점수로 나타낼 수 있으며, 이를 이용하여 유도분만의 성공여부를 예측할 수 있다.

(4) 입원 시 기타검사

산모의 혈압, 맥박, 체온, 호흡수를 확인하고 산전 진료기록을 신속히 확인하여 위험요소가 있는지 확인해야 한다. 입원시 혈색소와 혈장치를 재측정해야 한다. 그리고 필요한 경우 혈액형과 그 외 혈청학적 검사를 시행한다. 깨끗이 채취된 소변으로 요당 및 요단백을 검사한다. 만약 산전검사를 받지 않는 경우라면 매독, B형 간염, 에이즈 검사도 혈액형 검사와 함께 필요하다.

2) 진통 제1기의 관리

진통 1기의 평균시간은 미분만부에서는 8시간, 다산부에서는 5시간이지만 개인마다 현저한 차이가 있을 수 있으므로 분만소요시간에 대한 속단은 피해야 한다.

(1) 진통 중의 태아감시

태아 심박동을 정기적으로 연속해서 기록하여 자궁수축의 빈도, 강도와 기간 및 수축에 대한 태아 심박동의 반응을 살펴보는 태아감시를 시행한다.

태아 심박동수는 청진기나 기타 도플러기기 또는 전자태아감시장치(태아심박동-자궁수축)로 확인할 수 있다. 정상 임신부에서 진통 1기에서는 최소한 30분 간격으로, 진통 2기에서는 최소한 15분마다 자궁수축 직후에 태아심박동을 확인하고 고위험 임신부에서는 진통 1기에서 15분마다, 진통 2기에서는 5분마다 태아심박동 측정이 필요하다.

손바닥을 가볍게 자궁저부에 놓고 자궁이 단단해지는 정도로 수축의 강도를 측정하고 수축의 지속시간도 측정할 수 있다. 필요한 경우에는 진통을 하는 동안 지속적으로 전자태아감시장치를 사용할 수 있다.

(2) 진통 중 임산부의 감시 및 처치

① 진통 중 임산부의 자세

임산부를 진통 초기부터 침대에 눕혀 활동을 제한할 필요는 없다. 통증에 적응되는 가장 편안한 자세를 허용해주는 것이 바람직하며, 대동맥-정맥 압박에 의해 자궁 혈류 감소의 위험이 있어서 반듯이 눕는 앙와위 자세(supine position)는 좋지 않고 측와위 자세(lateral recumbent position)가 바람직하다.

② 내진

자궁목의 상태, 태아의 하강정도나 위치를 확인하기 위해 2~3시간마다 내진을 시행한다. 아두가 진입되지 않은 상태에서 양막이 파열된 경우 즉시 내진을 시행하고 심박동수를 측정하여야 하며 제대압박 여부를 살펴보아야 한다. 내진은 질입구를 소독한 후 소독된 장갑을 이용하는데, 수용성 윤활제를 사용하는 것이 좋고, 소독제로는 요오드(iodine)나 texachlorophene을 함유한 약품은 피한다.

③ 임산부의 활력징후 측정

저위험군 임신부를 기준으로 4시간 간격으로 임신부의 체온, 맥박 수 및 혈압을 측정한다. 혈압은 자궁수축 시 상승하므로 자궁수축이 없을 때 측정하도록 한다. 진통 수 시간전에 양막파열이 있거나 체온이 상승되어 있으면 1시간마다 체온을 측정한다.

④ 인공 양막파열(amniotomy)

인공 양막파열의 장점으로는 진통이 빨라지고, 태변착색을 조기에 발견할 수 있으며, 태아 심박동을 직접적으로 측정하기 위하여 아두 두피에 전극을 연결할 수 있고 자궁내압측정 카 테타의 삽입이 용이하다는 점 등이 있다. 그러나 진통기간을 단축시키기는 하지만 이것이 임 산부와 태아에 좋다는 증거는 없다. 양수를 많이 빼낼 목적으로 골반에서 아두를 밀어 올리는 조작은 제대탈출의 위험이 있으므로 주의해야 한다.

⑤ 진통 중의 식사여부 및 수액투여

일반적으로 진통 활성기에는 음식물을 제한하는데, 이는 진통이 시작되고 진통제를 투여 하면 위 공복시간이 길어지게 되고, 결과적으로 섭취한 음식물이 위에 남아 있어 토하거나 기 도록 넘어갈 가능성이 있기 때문이다. 그러나 최근에는 정상 임산부에서는 식수나 얼음 등을 먹거나 입술은 촉촉하게 유지시키는 것은 허용하는 추세이다. 분만이 비정상적으로 지연되는 경우 임신부의 탈수와 산성화를 막기 위해 포도당, 약간의 염분과 수액을 시간당 60~120 ml 씩 투여한다.

⑥ 방광기능

방광이 팽만해 있으면 분만진행이 저해되고 방광기능의 저하 및 감염의 우려가 있으므로 치골상부에서 방광이 만져지면 배뇨를 시키고 스스로 소변을 보지 못할 때에는 간헐적인 도 뇨를 시행한다.

3) 분만진통 제2기의 관리

자궁경부가 완전 개대되면서 시작되는 분만진통 제2기의 평균 기간은 미분만부는 50분, 다 산부는 20분이지만 그 기간은 매우 다양할 수 있다.

(1) 태아심박동수 측정

분만진통 제2기중 저위험 임신부에서는 적어도 매 15분마다, 고위험 임신부에서는 매 5분 마다 태아심박동수를 청진한다.

(2) 모체의 만출 시도

대부분의 임신부의 출산느낌(bearing down)은 진통 제2기에서 반사적으로 시작된다. 임신부가 스스로 밀어내기(pushing) 운동을 쉽게 할 수 있도록 다리는 반 정도 구부리고 자궁수축이 시작되자마자 한번 심호흡을 하며 숨을 참고 변을 보기 위해 힘을 쓰는 것처럼 아래를 향하여 힘을 가할 수 있도록 교육한다. 자궁수축이 없을 때는 밀어내기를 독려해서는 안되며 대신에 충분히 쉴 수 있게 해야 한다. 만출력에 의한 회음부저항이 거의 없어지면 태아의 분만을 위한 준비를 완료하여야 한다.

(3) 분만준비

분만 시 임신부 자세로서 가장 널리 사용되는 자세는 다리를 지지해주는 분만대에서 취하는 등쪽면 골반내진 자세(dorsal lithotomy position)이다. 회음부와 외음부를 소독하고 분만부위만 노출하고 나머지 부위는 소독된 방포로 덮도록 한다.

4) 자연분만

(1) 아두의 분만

아두 분만시의 적절한 조절은 회음부 열상과 아두의 손상을 피하는데 중요한 지침이 된다.

자궁수축과 함께 회음부는 점점 팽창하고 외음부 질개구부는 더욱 아두에 의해 확장되어 아두 최대장경이 외음부에 감싸인 환상형태를 이루는 태아 머리출현(crowning)이 일어난다. 태아 머리출현(crowning)시 회음절개를 시행할 수 있다.

(2) 리트겐수기(Ritgen maneuver)

아두가 외음부와 회음부를 밀어 질개구부가 5 cm 이상 되었을 때, 장갑 낀 한손에 타올을 씌워 항문을 막으면서 미골의 바로 앞 회음부를 통하여 태아의 턱을 앞쪽으로 당기며 압박을 주면서 다른 손으로는 두정부에서 위쪽으로 압박을 준다(그림 17-11). 이 방법은 아두의 신전을 도와 아두의 가장 작은 직경으로 회음부를 통과할 수 있게 한다.

(3) 비인두의 청결

아두가 분만되고 신생아가 활발하며 호흡이 정상이면 비인두의 흡입은 필요하지 않다. 과거에는 모든 분만에서 아두가 분만 된 직후 콧구멍과 입의 양수와 혈액을 흡입기로 흡입하도록 하였으나, 비인두 흡입이 신생아 서맥을 유발할 수 있는 것으로 보고되어 설령 태변이 보인다 할지라도 분만 즉시 흡입기로 흡입하는 것을 제한하고 있다. 다만 자연호흡이 방해받거

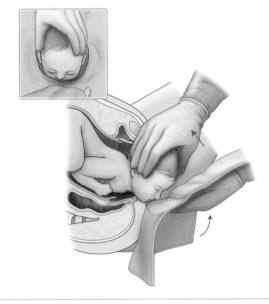

그림 17-11. 변형된 Ritgen 수기에 의한 태아 아두의 분만법

나 양압호흡이 필요한 신생아, 태변 착색이 있는 신생아가 처져 있을 때에는 비인두흡입이 필요하며 경우에 따라 기관삽입이 필요할 수 있다.

(4) 목덜미 탯줄(Nuchal cord)의 처치

한 개의 목덜미 탯줄이 있다면 대부분은 충분히 헐거워져 있어서 손가락을 사용하면 아두 위쪽으로 쉽게 벗겨진다. 목덜미 탯줄이 목을 너무 세게 조이고 있으면 두 개의 겸자를 이용해 제대를 자른 후 태아를 즉시 분만하여야 한다.

(5) 태아 어깨의 분만(견갑분만)

아두가 만출된 후 외회전 운동이 일어나고 나면 아두의 양쪽을 두 손으로 쥐고 전견갑이 치골결합 아래에 나타날 때까지 부드럽게 전하방으로 당겨주어 전방 견갑부를 분만하고 다시 상방으로 당겨서 후견갑을 분만시킨다.

(6) 탯줄 결찰

탯줄은 태아복부 6~8 cm 상방에서 겸자로 잡아 두 겸자 사이를 자르고 다음에 복부에서 2~3 cm 떨어진 지점에서 탯줄 결찰을 한다. 일반적인 탯줄 결찰은 신생아의 기도를 전체적으로 깨끗이 해준 후 하는 것인데, 이 과정이 대개 약 30초 정도 걸린다. 분만 후 30~60초 후에 탯줄 결찰을 하는 것이 신생아빈혈을 감소시키는데 도움이 되며 특히 조산아에서 더욱 이를 권장하고 있다. 질분만 시에는 질 입구 상방으로, 제왕절개술 시엔 임신부 복벽상방으로 많이 들어 올리지 않도록 한다. 탯줄 결찰 후에는 두 개의 제대동맥과 한 개의 제대정맥이 있는지를 확인한다.

5) 진통 제3기의 관리

(1) 태반의 분리

분만 직후 자궁저의 높이와 수축 정도를 확인해야 하며, 자궁이 견고하게 수축되어 있고 비정상 자궁출혈이 없는 한 태반이 자연적으로 만출될 때까지 기다리는 것이 보편적이다. 자궁 마사지는 하지 않는 것이 좋으며 수시로 손을 자궁 저부에 올려보아 자궁 자체가 이완되는지 혹은 분리된 태반 후면에 출혈이 고이는지를 확인해야 한다.

분만 후 자궁은 그 내용물의 감소에 따라 자연수축이 일어나서 자궁저부는 배꼽 바로 밑에 놓이게 된다. 급격한 자궁크기의 감소로 태반부착면적도 감소하게 되어 태반이 주름지게 된다. 그 결과 탈락막 중 가장 약한 해면층(sponge layer, decidua spongiosa)이 분리된다. 태반분리가 진행되면 분리된 태반과 잔여 탈락막 사이에 혈종이 형성되어 태반분리를 가속화 시키게 된다.

(2) 태반분리의 징후

우선 자궁형태가 구형으로 되고 더욱 견고해 진다. 이후 갑작스러운 출혈이 생길 수 있고 태반이 분리되어 자궁하부와 질 쪽으로 내려오면 그 무게로 인하여 자궁이 위로 올라가기 때문에 자궁체부가 복부에 불쑥 올라오게 된다. 또한 탯줄이 질을 통하여 길게 내려오면 태반이 하강함을 의미한다. 이러한 징후들은 때로는 태아 분만 후 1분 이내에 진행되기도 하며, 대개 5분 이내에 완료된다.

(3) 태반만출의 방법

태반분리의 징후들이 보이면 대부분의 태반은 자연적으로 분리된다. 태반이 자연적으로 분리되지 않을 경우에는 임산부가 마취되어 있지 않을 경우 하복부에 힘을 주게 하여 복압을 증가시키면 태반을 만출시키는데 도움을 줄 수 있다.

태반의 만출방법은 자궁체부에 압박을 가하는데 태반을 아래로 강제로 밀어내려 해서는 안 되고 자궁을 임신부 머리 쪽으로 밀어 올리면서 제대를 약간 팽팽하게 잡아당기는 것이다

(그림 17-12). 자연적인 태반분리가 일어나기 전에 무리한 힘을 가하면 자궁내부가 외부로 내번되는(뒤집어지는) 자궁내번증이 일어날 수 있다. 태반만출이 이루어지지 않으면서 급격한 출혈이 동반될 경우 의사의 손을 이용한 태반용수제거술(manual removal of placenta)의 적응증이 된다.

(4) 분만진통 제4기

분만 직후 약 1시간은 아주 중요한 시기이므로 일부 산과 의사들은 이 시기를 분만진통 제4기라고 부른다. 자궁수축제를 사용한다 하더라도 이완성 자궁출혈이 이 시기에 가장 흔히 일어나기 때문이다. 이 시기에는 자궁수축의 정도를 자주 관찰하며, 자궁저부를 만져보아 자궁이완의 징후가 보이면 자궁 마시지를 시행해야 한다. 동시에 회음부를 자주 검사하여 과도한 출혈 여부를 즉시 확인할 수 있도록 한다. 분만 후 첫 2시간 동안 매 15분 간격으로 혈압 및 맥박 등을 측정하는 것이 권고된다.

6) 자궁수축제

태반이 만출 된 후에 태반부착 부위에서 지혈이 일어나는 일차적인 기전은 자궁근의 수축에 의한 혈관수축이다. 여러 가지 자궁 수축제는 진통 제3기에 자궁근을 수축시켜 실혈량을 감소시킨다.

(1) 옥시토신(Oxytocin)

정맥 내 주입되는 옥시토신의 반감기는 약 3~5분 정도로 매우 짧으며 경구 투여는 효과가 없다.

옥시토신을 부적절하게 정맥 내 투여를 하면 임신자궁의 과다수축이 유발되어 태아사망이나 자궁 파열 등을 초래할 수 있다. 일반적으로 생리식염수나 lactated Ringer solution 1000 mL에 20 unit (2 mL)를 섞은 후 태반 분만 후에 10 mL/min (200 mU/min)속도로 몇 분 동안 투여한다. 자궁수축이 좋아서 자궁이 단단하게 촉지되면 주입속도를 1~2 mL/min으로 낮추어 주입한다.

옥시토신을 한 번에 급속히 정맥주사하면 모체의 혈압이 급격히 떨어질 수 있으므로 희석된 옥시토신 용액을 지속적으로 정맥주사하거나 10 unit 의 용량을 근육주사한다. 항이뇨 작용으로 인해 전해질이 없는 대량의 포도당용액에 혼합하여 정맥주입하면 전해질이 없는 수분의 재흡수로 수분중독증이 발생할 수 있으므로 주의를 요한다.

(2) Ergonovine 및 Methylergonovine

근주 혹은 정주로 투여하는 강력한 자궁근수축제로 투여 후 수 시간 지속효과를 나타낼 수 있다. 자궁근육의 이완 없이 강직성 자궁수축이 일어나기 때문에 산후출혈의 예방과 치료에는 유용하지만 분만 전에 사용하면 태아와 임신부에게는 대단히 위험하다. Methylergonovine은 일시적이지만 중증 고혈압이 발생될 수 있으므로 일반적으로 고혈압 임산부에서는 금기이다.

(3) 프로스타글란딘(Prostaglandin)

진통 제3기에는 잘 사용되지 않고 자궁근무력증에 의한 산후출혈이 있는 경우에 주로 사용된다.

7) 산도의 열상

질 및 회음부 열상은 4등급으로 분류한다.

(1) 1도 열상

음순소대, 회음부 피부 및 질점막까지 손상이 있다.

(2) 2도 열상

회음부의 근막 및 근육까지 손상이 있다.

(3) 3도 열상

항문괄약근까지 열상이 있다.

(4) 4도 열상

직장 점막까지 손상되어 직장강이 노출되어 있다.

8) 회음절개(외음절개) 및 봉합

(1) 회음절개의 목적

회음절개는 산도의 불규칙한 열상을 예방해주며, 깨끗한 절개이므로 봉합이 쉽기 때문에 많은 산과 의사들이 시행하고 있다. 회음절개의 시행 여부는 분만 당시 의사의 판단에 의한

다. 최근에는 외국에서 회음절개술의 시행율이 감소하고 있으며 견갑난산, 둔위분만, 후방후
두위 분만, 겸자분만 및 흡입분만을 시도할 때와 분만 시 회음부 파열이 예상되는 경우로 제
한하여 시행하는 것을 권장하고 있다.

(2) 회음절개의 시기
자궁수축 시 태아머리가 3~4 cm 직경의 크기로 보일 때 시행하는 것이 적절하다.

(3) 중앙 및 내외측 회음절개
각 회음절개 방법의 장단점은 다음과 같다.

① 중앙회음절개
- 봉합이 용이하다.
- 치유가 잘 된다.
- 절개 후 통증이 적다.
- 절개부위의 해부학적 접합이 양호하다.
- 실혈량이 경감된다.
- 성교통 속발이 드물다.
- 항문괄약근 및 직장손상이 증가된다.

② 내외측 회음절개
- 봉합이 어렵다.
- 치유가 불량한 경우가 더 흔하다.
- 절개 후 통증이 더 심하다.
- 절개부위의 해부학적 접합이 불량한 경우가 많다.
- 실혈량이 증가한다.
- 성교통이 간혹 따른다.
- 항문괄약근 및 직장손상이 드물다.

(4) 회음절개의 봉합
태반이 만출 된 후에 봉합을 하는 것이 바람직하다.

비정상 분만진통과 유도분만

Abnormal labor and
Induction of labor

1. 태아 이상으로 인한 난산의 진단에 대해 설명한다.
2. 시간에 따른 선진부 하강과 자궁목의 개대 정도에 따른 비정상 진통의 진단에 대해 설명한다.
3. 급속 분만을 정의한다.
4. 급속 분만이 태아와 모체에 미치는 영향을 설명한다.
5. 유도분만의 적응증과 금기증에 대해 설명한다.
6. 유도분만전 자궁목 숙화의 방법에 대해 설명한다.

1. 난산(Dystocia)

1) 난산의 정의와 진단

난산은 비정상적으로 느린 진통 상태로 정의할 수 있다. 난산이 생기는 원인은 크게 모체 측 원인과 태아측 원인으로 나누어질 수 있으며, 단일 또는 복합적인 원인으로 난산이 발생한다. 첫째, 자궁의 수축력이 비정상적일 때, 수축력의 부족이나 자궁목 개대나 숙화와의 부조화 등이 원인이 될 수 있으며, 분만 제2기의 산모의 만출력 부족도 영향을 줄 수 있다. 둘째, 태아의 자세, 즉 태향, 태위 그리고 태아의 상태가 난산의 원인이 될 수 있으며, 그 밖에 산모의 골산도의 이상과 산모의 생식기계의 연조직의 이상이 난산을 일으킬 수 있다.

(1) 분만 제1기의 이상

① 지연 잠복기

잠복기는 규칙적인 자궁수축이 시작되어 자궁목 개대가 3~5 cm까지 진행되는 기간으로 지연잠복기는 미분만부에서 20시간, 다분만부에서 14시간을 초과할 때로 정의한다. 가장 많은 원인은 점진적인 자궁목의 숙화 없이 진통이 시작되는 경우이다. 지연 잠복기의 적절한 처치는 임산부에게 휴식 및 수면을 취하게 하거나, 진통제를 투여 후 충분히 쉬게 하여 활성기로 진행하는지 자궁수축이 중단되는지 관찰하고, 태아상태와 자궁목 숙화 정도를 재평가한다. 이후 활성기로 진입하지 않거나 자궁수축이 진행되지 않으면 옥시토신 투여나 긴급한 경우 제왕절개술을 고려할 수 있다.

② 활성기의 이상

규칙적인 자궁수축을 동반하면서 자궁목 개대가 3~6 cm이고 이후 시간 경과와 함께 점진적인 자궁목 개대가 진행되는 시기를 활성기라고 한다. 이 시기에는 자궁목 개대의 진행여부와 태아하강 정도를 면밀히 평가하여 활성기 이상을 진단하고 적극적인 처치를 시행하여야 한다. 활성기 이상은 지연장애(protraction disorder)와 정지장애(arrest disorder)로 분류할 수 있다.

가. 지연장애

자궁목 개대와 태아 하강이 활성기의 정상 속도보다 느린 진행 상태를 의미한다. 활성기 자궁목 개대지연(protracted active-phase dilatation)과 아두 하강지연(protracted active-phase descent)으로 분류할 수 있다. 진단 기준은 자궁목 개대의 경우 미분만부는 시간당 1.2 cm 미만, 다분만부에서는 시간당 1.5 cm 미만으로 정의하였고 태아 하강속도는 미분만부에서는 시간당 1.0 cm 미만, 다분만부에서 시간당 2.0 cm 미만을 기준으로 하였다.

나. 정지 장애

2시간 이상의 활성기 진통 동안 자궁목 개대 또는 아두하강이 정지가 된 상태를 의미한다.

미국산부인과학회는 분만 제1기에서 정지장애로 진단하기 위해서는 다음의 두 가지 조건을 만족시킬 것을 권유하고 있다. 첫째는 잠복기기 확실히 끝나고 활성기에 들어가 있는 상태일 것, 즉 자궁목 개대가 4 cm 이상이어야 하며, 둘째는 자궁수축력이 10분 당 200 Montevideo Units(MVUs, 몬테비디오 단위; 자궁내 모니터링에서 측정) 이상이면서 2시간 이상 자궁목의 변화가 없을 때 진단해야 한다는 것이다(그림 18-1). 정지 또는 지연장애가 진단되고 보존적 요법에도 실패한 경우나 태아심음이 안심할 수 없는 경우, 제왕절개술과 같은 방법이 요구된다.

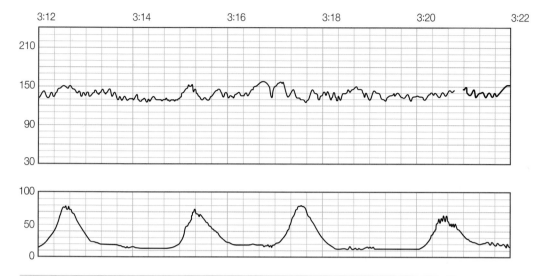

그림 18-1. **몬테비데오 단위(Montevideo units).** 10분 동안 4회의 자궁수축 강도가 각각 60 mmHg, 50 mmHg, 60 mmHg, 40 mmHg이므로 몬테비데오 단위는 210이다.

(2) 분만 제2기의 이상

일반적으로 분만 제2기에서 200 MVUs 이상의 적절한 자궁수축에도 불구하고 태아의 머리가 미분만부에서 시간당 1 cm 미만, 다분만부에서 시간당 2 cm 미만으로 하강하는 경우에는 태아 아두하강지연(protracted descent)이라 하고 2시간 이상 태아아두하강이 일어나지 않는 경우를 태아 아두하강정지(arrest of descent)라고 한다.

최근 National Institute of Child Health and Huan Development (NICHD)와 미국산부인과학회에서는 불필요한 초회 제왕절개술을 줄일 수 있는 정지장애에 대한 새로운 의견을 제시하였다. 분만 1기의 잠복기와 활성기, 분만 2기에 대한 적절한 시간은 산모와 태아의 상태가 허락하는 한 길어질 수도 있다는 것이다. 4시간의 적절한 자궁수축 있거나 부적절한 자궁수축이 있으면서 자궁목 변화가 없는 경우 옥시토신을 최소 6시간 쓰면서 양막이 파열되고 자궁목이 6 cm 이상 개대되기 전까지는 정지장애에 의한 제왕절개술을 하지 않도록 권고하였다. 분만 제2기의 경우는 척추마취를 시행한 미분만부에서 4시간 이상 진행이 없거나 척추마취를 하지 않은 경우는 3시간까지, 적절한 분만진행이라고 하였으며, 산모와 태아상태가 건강한 경우에는 제왕절개술을 시행하지 않는 것이 좋겠다고 제시하였다.

2. 유도분만(Induction of labor)

유도분만이란 자발적인 분만 진통이 시작되기 전에 양막 파수 여부와는 관계없이 분만진통을 일으키는 것이다.

1) 개요

(1) 적응증

임신부나 태아를 위해 임신을 유지하는 것보다 분만을 시도하는 것이 이득이 있다고 판단되는 경우에 적응증이 될 수 있다. 예를 들어 임신부에게 고혈압, 당뇨병 등이 있거나 지연임신, 융모양막염, 태아의 폐성숙이 확인된 조기양막파열, 태아의 상태를 안심할 수 없는 경우, 태아발육제한, 동종면역, 자궁내 태아사망 등이 해당된다.

(2) 유도분만의 금기증

분만과 진통의 과정이 임신부나 태아에게 위험할 수 있는 경우에 유도분만을 하여서는 안된다. 즉, 이전에 고식적인 제왕절개술이나 자궁근층을 포함하는 자궁수술을 한 경우, 전치태반 또는 전치혈관, 제대탈출, 조절되지 않는 현성 출혈, 거대태아가 확실한 경우, 태아수두증, 횡위 등의 비정상 태위, 태아곤란증이나 산모의 협골반, 자궁경부암, 활동성 생식기 헤르페스 감염의 경우가 해당된다.

(3) 유도분만 시 주의를 요하는 경우

다태임신, 중증 고혈압, 다산력, 둔위, 이전에 자궁하부 횡절개로 제왕절개수술을 받은 경우, 시급한 분만을 요하지는 않지만 정상 태아 심박동 양상을 보이지 않는 경우엔 주의가 필요하다.

(4) 선택적 유도분만

진통 및 분만 과정에서 합병증의 발생가능성이 높은 고위험 임산부의 경우에 의료진과 지원인력이 최대한 확보된 상태에서 분만진통을 하기 위해서, 환자의 가정 사정으로 특정한 시기에 분만을 원할 때 또는 진통과 분만과정에 참여할 보호자가 적당한 일정을 잡을 수 있도록 하기 위해서, 급속분만의 위험성이 있을 때, 병원에서 먼 곳에 사는 임산부에서 의사와 환자의 편의를 위해 유도분만을 시행할 수 있다. 그러나 39주 이전에 시행하는 선택적 유도분만은 불량한 신생아 예후와 관계가 있으니 주의해야 한다. 만삭에 선택적 유도분만을 하는 경우에

표 18-1. **임신 중 자궁경부 상태를 평가하는 Bishop 채점 방식**

점수	자궁경부 개대 (cm)	자궁경부 소실(%)	태아 하강도	자궁경부 견고성	자궁경부 위치
0	닫힘	0~30	-3	단단함	후방
1	1~2	40~50	-2	중간	중앙
2	3~4	60~70	-1, 0	부드러움	전방
3	≥5	≥80	+1, +2	-	-

도 가능한 합병증에 대해 임산부에서 설명을 해야한다.

2) 유도분만 전 자궁목의 숙화(Cervical ripening)

유도분만 전 자궁목의 상태 혹은 적절성을 평가하기 위해 Bishop 점수가 사용된다(표 18-1). Bishop 점수가 낮을수록 유도분만의 성공률이 감소한다.

(1) 약물적 방법

프로스타글란딘 E_2와 E_1이 사용되고 있다. 프로스타글란딘 제제는 자궁수축과 태아심박동을 지속적으로 관찰할 수 있는 분만실에서 사용하여야 한다.

(2) 물리적 방법

물리적 방법은 보관이 쉽고, 저비용이며, 과자극이 적고, 전신적 부작용이 적다. 단점으로는 감염의 위험성, 하위태반의 분리, 환자의 불편감 등이 있다. 흔히 사용되는 방법으로 자궁목 카테터(transcervical catheter), 내자궁목에 흡습성 자궁경관 확장제(hygroscopic dilator)를 삽입하는 방법, 양막박리(membranes stripping) 등이 있다.

3) 옥시토신을 이용한 분만의 유도 및 촉진

옥옥시토신은 자연진통이 시작되기 전에 자궁수축을 자극하는 유도(induction)와 자연진통이 미약하여 분만진행이 부적절한 경우 자궁수축을 자극하는 증강(augmentation)의 두 가지 용도로 사용된다. 혈장 반감기는 3~5분으로 짧으며 투여 후 30~40분 내에 평형농도에 이른다. 생리 식염수 등의 등장액 1,000 mL에 10 혹은 20단위를 섞어 정확한 양을 주입하기 위해 주입펌프를 사용한다. 자궁수축의 빈도, 강도, 지속시간 및 태아 심박동수를 지속적으로 세심하게 감시해야 한다. 10분 내에 6회 혹은 15분 내에 8회 이상의 자궁수축이 발생하거나, 태아심장박동수 모양이 지속적으로 이상이 있을 경우 즉시 투여를 중지하여야 한다. 옥시토신과 다량의 수용액을 투여할 경우 수분중독으로 경련, 혼수상태, 저나트륨혈증을 일으킬 수가 있고 급하게 정맥주사하면 저혈압이 발생할 수 있으므로 세심한 주의가 필요하다. 만약 옥시토신을 고용량으로 장시간 투여하게 될 경우 희석된 용액의 주입속도를 증가시키기보다는 옥시토신의 농도를 증가시켜야 한다.

3. 비정상 태위(Malpresentation)

1) 둔위 태위(Breech presentation)

둔위 태위는 임신주수가 진행됨에 따라 그 빈도가 감소하며, 임신 37주 이후에는 약 3~4%가 해당된다.

(1) 원인 및 위험인자

둔위 태위는 미숙아(조산), 양수과다증 및 양수 과소증, 태아기형(특히 뇌기형), 염색체 이상, 다태아임신, 자궁기형 또는 골반협착, 골반종양, 전치태반, 자궁각 태반위치, 다산력과 관련된 자궁이완, 이전의 둔위분만, 이전 제왕절개술등과 연관이 있다.

(2) 둔위의 분만과 관련된 예후

조산, 선천성 기형, 분만 외상 등과 연관된 주산기 사망율이 증가하고, 질분만이 이루어지는 경우에 완전히 개대되지 않은 자궁경부에 열상을 초래하거나 회음부나 질 부위에 깊은 열상이나 감염의 기회가 증가하며, 자궁근육을 충분히 이완시키기 위한 마취나 약제사용으로 산후출혈이 증가할 수 있다.

(3) 진단

하지와 둔위 태위의 엉덩이 사이의 관계로 진(frank), 완전(complete), 불완전(incomplete) 둔위태위로 분류한다(그림 18-2). 복부진찰, 내진, 초음파 검사를 통해 진단할 수 있다.

(4) 둔위아의 분만 방법 결정

둔위의 경우 질 분만을 고려할 때는 숙련된 수기를 갖춘 시술자가 먼저 준비되어 있어야

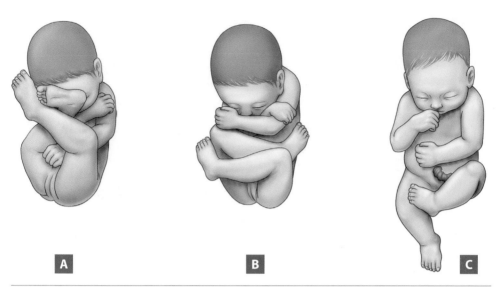

그림 18-2. **진둔위**(A), **완전둔위**(B), **불완전둔위 혹은 족위**(C)

한다. 제왕절개술이 더 선호되는 조건들로는 3,800~4,000 g 이상의 거대아, 골반협착이나 부적합한 골반형태를 보이는 경우, 심한 태아발육제한, 불완전 둔위나 족위, 태아 아두의 과신전 상태 등이 있으며, 생존 가능 미숙아, 질 분만이 어려운 태아 기형을 가졌거나 산모의 산과력에서 이전의 주산기사망 또는 분만손상을 입은 경우, 이전 제왕절개분만력 등이 있는 경우에는 제왕절개술을 더 고려하는 조건이 된다.

2) 기타 태아의 비정상 태위

분만 시 두위는 97%이며 3%는 둔위, 횡태축 0.3%, 복합위 0.1%, 안면위 0.05%, 이마태위 0.01% 의 빈도로 나타난다(그림 18-3). 그 외에 지속성 후방 후두위 지속성 횡후두위 등이 있다. 0.5%에서 태아는 장축에 대해 횡 또는 사선 방향으로 위치한다.

3) 견갑난산

(1) 정의

견갑난산에 대한 일치되는 정의는 없지만 태아머리에서 몸통까지의 일반적인 경우보다 오래 걸리는 경우로 정의되어 왔다. 그러나 최근에는 태아 어깨의 분만에 필요한 정상적인 하방

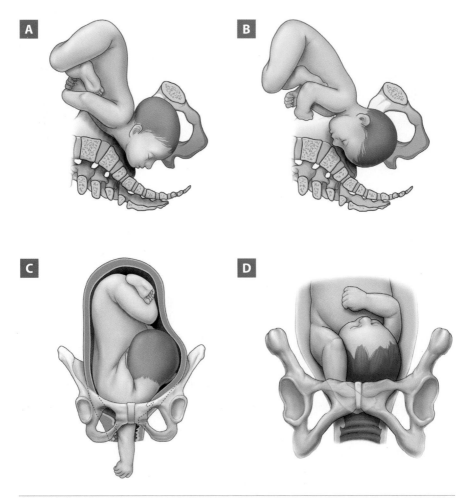

그림 18-3. 비정상 태위. (A) 안면위. (B) 이마태위. (C) 진행된 어깨태위. (D) 복합위

견인이 효과적이지 못할 때로 임상적 측면이 강조되고 있다.

(2) 산모의 합병증

자궁이완과 질 및 자궁목의 산도열상에 의한 산후출혈이 주요 합병증이다.

(3) 신생아 합병증

태아–신생아 이환율 및 사망률을 의미 있게 증가시킨다. 흔한 손상으로 일과성 상완 신경총 마비, 쇄골 골절, 상완골 골절이 발생할 수 있으며 그 외에 신생아 사망, 영구적 상완신경총 손상이 초래될 수 있다.

(4) 견갑난산의 예측 및 예방

견갑난산과 관련된 몇몇 산과적 위험 요소가 존재하더라도 견갑난산을 예측하고 예방하는 것은 불가능하다. 미국산부인과학회에서는 견갑난산을 예측하거나 예방할 수 없고, 거대아가 의심되는 모든 산모에서 선택적 유도분만이나 선택적 제왕절개술을 시행하는 것은 적절하지 않으며, 계획된 제왕절개분만은 당뇨가 없는 경우 예측태아체중이 5,000 g 이상이거나, 당뇨병 산모인 경우 4,500 g 이상인 경우 고려해 볼 수 있다고 하였다.

(5) 견갑난산의 위험요소

모체측, 태아측 그리고 분만과정 중의 다양한 요인들이 견갑난산의 발생에 영향을 줄 수 있다. 비만, 다산, 당뇨 등의 모체측 요인은 태아 체중을 증가시켜 견갑난산을 유발할 수 있다. 분만 제2기의 지연이 있거나 겸자분만을 시행할 경우에 견갑난산의 발생 위험이 증가될 수 있다.

(6) 견갑난산의 처치

견갑난산을 예측하는 것은 불가능하므로 산과 의사들은 치명적인 합병증을 유발하는 견갑난산의 치료원칙을 숙지하고 있어야 한다. 태아머리의 분만부터 몸통 분만까지의 시간을 단축시키는 것이 태아 생존의 중요한 요인이다. 우선적으로는 임신부의 만출력과 함께 조심스러운 견인이 추천된다. 충분한 회음 절개와 적절한 진통제가 요구된다. 신생아의 입과 코를 깨끗이 흡입하고 난 후 치골하부에 꽉 끼인 앞쪽 견갑을 분만하기 위해 다음과 같은 여러 가지 수기를 시도 해 볼 수 있다(그림 18-4, 18-5, 18-6).

① 분만 보조자, 마취과 의사, 신생아 전공 소아과 의사에게 도움을 요청하고 우선 머리를 조심스럽게 견인한다. 방광이 차 있다면 비운다.

② 충분한 회음절개를 시행한다.

③ 쉽고 우선적으로 시도해 볼 수 있는 방법은 치골상방에 압력을 가하는 것이다. 태아 머리를 아래쪽으로 잡아당기면서 보조자는 치골상방에 압력을 가한다.

④ McRobert 방법은 2명의 분만 보조자가 필요하다. 각각 임신부의 다리를 잡아 임신부의 배에 닿도록 구부린다.

⑤ Woods 나사방법이나 Rubin 수기를 시도한다.

⑥ 뒤쪽 팔의 분만을 시도한다.

⑦ 위에서 언급한 방법들로 견갑난산이 해결되지 않을 경우 Zavanelli 방법, 태아의 전방 쇄골 또는 상완골의 고의골절, 임산부의 치골절단술 등을 시도해 볼 수 있다.

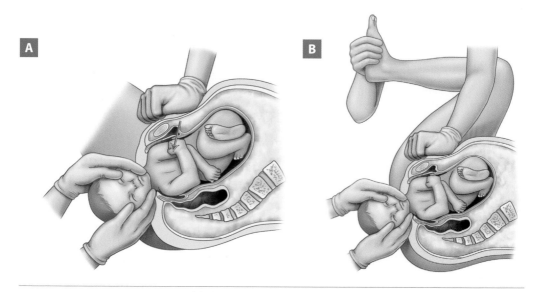

그림 18-4. (A) 어깨난산 기본분만법. (B) McRoberts 수기

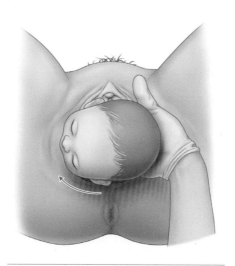

그림 18-5. Woods 수기법

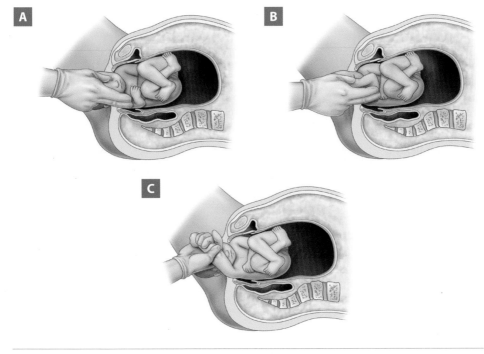

그림 18-6. **뒤쪽어깨분만법**

4. 급속 분만(Precipitate Labor)

급속 분만은 분만진통과 분만이 비정상적으로 빠르게 진행되는 것을 의미하는데 진통 시작 후 3시간 이내에 분만이 완료되는 것으로 정의된다. 산도의 저항이 비정상적으로 낮은 경우나 강력한 자궁 및 복벽의 수축에 의해 발생되며 태반조기박리, 태변, 산후출혈, 임신부의 코카인 남용, 낮은 아프가 점수와 관련이 있다.

과도한 자궁수축에 의한 급속분만 시 자궁목, 질과 회음부의 열상, 자궁파열, 자궁수축의 저하에 의해 분만 후 출혈, 드물게 양수색전증이 발생하기도 한다. 또한 분만후 더 빈번히 자궁수축의 저하(uterine atony)가 생겨 산후출혈의 가능성이 높아진다. 강력하고 빈번한 자궁수축으로 인해 자궁으로의 혈류 감소와 이에 따른 태아 산소공급 부족으로 신생아의 낮은 아프가 점수, 태아 및 신생아의 두부손상, Erb-Duchenne 상완신경총 마비 등의 주산기 이환율이 증가한다.

옥시토신을 투여하고 있었다면 즉시 중지하고, 태반조기박리나 제대탈출이 있는 경우에는 제왕절개분만이 고려된다. 하지만 다른 문제가 없고 질분만이 진행된다면 신생아가 분만대에서 떨어져 다치지 않도록 유의하면서 분만을 진행한다.

수술적 분만
Operative delivery

산부인과학 지침과 개요 Obstetrics & Gynecology

1. 흡입분만의 적응증을 설명한다.
2. 제왕절개술을 정의한다.
3. 제왕절개술의 적응증을 설명한다.

1. 흡입분만

1) 필요조건

흡입분만을 위해 선행되어야 하는 필요조건은 다음과 같다.

- 동의서
- 두위
- 자궁경부의 완전확장
- 양막파수
- 태아하강도 0 또는 그 이하인 경우
- 시술자는 필요한 지식과 경험, 숙련된 기술이 있어야 한다.
- 술자가 태아머리의 위치를 정확히 알고 있는 경우
- 즉각적인 제왕절개술을 시행할 수 있는 경우
- 방광을 비워야 한다.

2) 적응증

(1) 모체측 적응증

- 임신부가 지친 경우
- 분만 제2기가 지연되는 경우
- 임신부가 내과적 질환이 있는 경우 분만 제2기를 단축시킬 목적(심장질환, 급성 폐부종, 신경학적 문제 시, 분만 중 감염)

(2) 태아측 적응증

- 태아머리가 이미 골반내로 잘 내려왔으나 더 이상 하강에 실패한 경우
- 회전 정지
- 태반 조기박리
- 태아 서맥과 같이 심박동이 안심되지 않을 때(nonreassuring pattern)

3) 흡입분만의 금기

- 34주 미만의 미숙아
- 뼈탈회(bone demineralization)를 가진 태아(불완전골형성증 등)
- 혈액응고장애가 있는 태아
- 얼굴태위
- 아두골반불균형이 의심되는 경우
- 최근 태아 두피채혈

4) 술기

- 흡입기 작동여부 점검
- 압력 눈금이 500~600 mmHg를 넘지 않아야 한다.
- 컵을 태아의 머리에 위치: 흡입기가 작동되지 않은 상태에서 흡입기 컵의 중앙이 시상 봉합선과 일치하면서 후천문으로부터 3 cm 전방인 굴전점(flexion point)에 위치하도록 부착한다.
- 컵을 태아의 두피에 밀착: 임신부의 조직이 끼지 않도록 한다.
- 견인: 자궁수축이 있을 때 골반의 곡선 축을 따라 당긴다.
- 분만: 안전한 정도로 견인할 수 있는 최대 횟수와 시간에 대해서는 아직 정립된 바가 없

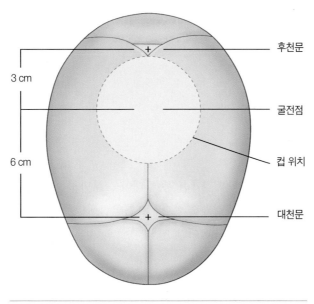

그림 19-1. **흡입분만 시 올바른 컵의 위치인 굴전점**

후천문

3 cm

굴전점

6 cm

컵 위치

대천문

지만 4번의 자궁수축내에서 이루어지는 것이 바람직하다.

하강은 매번 자궁수축 후에 평가되어야 하며 적절한 술기에도 하강이 이루어지지 않는 것은 아두골반불균형의 증거가 된다. 성공적인 흡입분만을 위해서는 술자의 기술부족이나 적절치 못한 부위의 선정이 없어야 한다. 견인 시작 시 아래쪽 방향으로 당기다가 태아 머리가 나타나기 시작하면 점차적으로 방향을 위쪽으로 바꾼다. 태아의 머리를 회전하기 위해 회전력을 가하는 것은 컵의 탈착, 태아의 두혈종(cephalhematomas), 두피 열상을 유발할 수 있으므로 금기이다. 뻥하고 소리가 나며 흡입컵이 빠지는 현상(pop-offs)은 피해야 하는데 이러한 현상은 급속한 압박과 감압을 야기할 수 있다.

5) 합병증

합병증은 부드러운 컵을 사용한 경우보다 금속성 컵을 사용 시 더 많이 발생한다.

흡입분만의 모체 합병증으로는 자궁경부 열상, 심각한 질열상, 질혈종, 3~4도 회음부 열상 등이 있다.

태아와 신생아의 합병증으로 두피열상, 좌상, 두혈종, 건막하 출혈(subaponeurotic hemorrhage), 두개내출혈, 신생아황달, 견갑난산, Erb씨 마비, 결막하출혈, 망막출혈, 태아사망 등이 있다.

2. 제왕절개술(Cesarean delivery)

제왕절개술이란 복벽과 자궁벽의 절개를 통해 태아를 분만하는 것을 말한다. 제왕자궁절제술(cesarean hysterectomy)은 제왕절개술 후 바로 자궁절제술을 시행하는 것을 말하며, 산후 자궁절제술(postpartum hysterectomy)이란 질식분만 후 짧은 시기 내에 자궁절제술을 시행하는 것을 말한다.

1) 제왕절개술의 적응증
- 선행 제왕절개술
- 자궁근종 제거술과 같은 자궁수술을 받은 경험이 있어 진통으로 인해 자궁파열의 위험이 있는 경우
- 난산으로 인한 분만 진행 부전
- 태아의 위치이상(둔위 혹은 횡위)
- 태아곤란증
- 전치태반
- 태아의 안녕이 위협받는 경우
  - 제대탈출
  - HIV 임신부
  - 활동성 생식기 헤르페스

2) 제왕절개술의 수기
(1) 복부절개
① 배꼽밑 정중선 수직절개(Infraumbilical midline vertical incision)
가장 빨리 개복할 수 있는 복부절개 방법으로 복부의 정중선을 따라 피부를 배꼽 아래부터 치골의 상단까지 수직으로 절개한다.

② 복부 반월형 횡가로절개(Pfannenstiel incision)

치모선 부위에서 피부와 피하조직을 하부횡곡선형(lower transverse)으로 절개한다.

(2) 방광의 분리

자궁의 하부를 노출시켜서 방광의 상연과 하부 자궁 위에 있는 복막(vesicouterine fold)을 겸자로 들어 올려서 절개한다.

(3) 자궁절개

① 자궁하부의 횡 가로절개(low transverse incision)

출혈이 덜하며, 봉합이 수월하고, 다음 임신시 자궁파열 가능성이 적고, 장 또는 장간막이 유착되는 것이 적다.

② 하부 수직절개(low vertical incision)

태아가 둔위거나 횡위인 경우 충분한 공간을 확보할 수 있기 때문에 좋은 방법이 될 수 있다.

③ 고전적 종절개(classical cesarean incision)

이전 수술로 방광이 심하게 유착되어 있거나 자궁근종이 자궁하부에 있을 때 또는 침윤성 자궁경부 상피암이 있어서 자궁하부분절이 잘 노출되지 않는 경우

- 큰 태아가 횡위로 있는 경우. 특히 태아 등쪽이 아래로 향하고 있을때
- 태반이 자궁전면에 위치한 전치태반인 경우, 특히 유착태반과 동반된 경우
- 태아가 매우 작고(특히 둔위인 경우) 자궁하부분절이 아직 얇아지지 않은 경우
- 임신부가 매우 비만하여 자궁하부분절의 노출이 어려울 때

(4) 태아분만
(5) 탯줄 자르기 및 태아 인계
(6) 자궁수축 촉진제 주사
(7) 자궁절개선 부위의 지혈
(8) 태반만출 및 자궁내부 확인
(9) 자궁절개선 봉합
(10) 자궁장막 및 복막 봉합
(11) 복벽봉합

3) 합병증

제왕절개술 중 발생할 수 있는 모체 합병증으로는 자궁열상, 방광 및 요관 손상, 장 손상, 감염 등이 있다. 수술 후 발생 가능한 합병증으로는 자궁내막염, 상처감염, 골반 혈전정맥염, 요로감염, 위장관계 합병증, 심부 정맥혈전증 등이 있다. 신생아 손상도 약 1%로 알려져 있으며, 피부열상이 가장 많으며, 그 밖에 두개혈종, 쇄골골절, 팔신경얼기병증(brachial plexopathy), 두개골골절, 안면신경마비 등이 있다.

3. 제왕절개술 후의 질식분만(Vaginal birth after cesarean; VBAC)

제왕절개술 후 분만시도(trial of labor after cesarean; TOLAC)로 질식분만된 경우를 브이백(vaginal birth after cesarean; VBAC)이라 한다.

(1) 자궁파열

자궁파열의 위험도는 약 1,000명당 7명(0.7%)정도로 알려져 있다. 선행 제왕절개술의 자궁절개방법에 따라 그 빈도의 차이가 크다. 하부 횡 절개인 경우는 0.2~1.5%, 고전적 종절개와 T자형 절개인 경우는 약 4~9%로 높은 빈도로 나타난다.

대량 출혈로 인한 쇼크가 발생하기 전까지 나타나는 증상이나 신체소견이 대부분 비특이적이므로 진단이 늦어지지 않도록 유의해야 한다.

(2) 자궁파열의 진단

대량 출혈로 인한 '쇼크(shock)'가 발생하기 전까지 나타나는 증상이나 신체소견이 대부분 비특이적이다.

① 태아곤란증

자궁파열의 진단에 있어 가장 중요한 소견으로 다양한 태아심박동수감속, 태아서맥, 태아의 심박동을 찾을 수 없는 경우 등의 소견을 보인다.

② 태아 선진부의 소실

태아가 복강 내로 빠져나간 경우 내진에서 태아의 선진부를 확인할 수 없게 된다.

③ **자궁 수축의 소실**

④ **복부 통증 및 압통**

⑤ **저혈량증**(Hypovolemia)

(3) 자궁파열의 처치 및 예후

자궁파열이 진단되면 응급 제왕절개술에 의한 즉각적인 분만이 이루어져야 한다. 태아의 건강상태는 태반의 박리정도에 의해 좌우되는데 자궁파열 후 시간이 지날수록 태반의 박리가 진행되고 임신부의 저혈량이 진행되기 때문에 태아 사망률은 50~75%로 매우 높다. 임신부의 경우 치료가 늦어지면 출혈로 사망하거나 추후 감염으로 사망할 수 있으나 즉각적이고 적절한 치료를 받는 경우에는 사망하는 경우는 매우 드물다.

(4) 분만시도에서의 자궁 숙화 및 분만진통 촉진(Labor stimulation)

분만시도에서 자궁경부의 숙화 및 분만진통을 촉진하는 어떠한 행위도 자궁파열의 위험도를 높이지만 집중 감시 하에서는 분만 유도 및 분만진통 증가를 위해 옥시토신을 조심스럽게 사용할 수 있다. 프로스타글란딘 제제의 사용은 피해야 한다.

(5) 제왕절개술 후 질식분만 권고안(ACOG, 2010)

① 일정하고 좋은 결과를 근거로 한 권고(Level A)

• 1회의 자궁 하부 횡절개에 의한 선행 제왕절개술의 과거력

• 분만시도의 진통 시 경막외 마취는 사용될 수 있다.

• 프로스타글란딘은 자궁목 숙화(ripening)을 위해서 사용해선 안된다.

② 일정하지 않고 제한적인 결과를 근거로 한 권고(Level B)

• 2회의 하부 횡절개에 의한 제왕절개술을 받은 여성은 분만시도의 대상이 될 수도 있다.

• 1회의 하부 횡절개에 의한 제왕절개술을 받은 여성이 쌍둥이 임신시 자연분만의 대상이 된다면 분만시도의 대상이 될 수 있다.

• 1회의 하부 횡절개를 한 임신부에서 둔위의 외전향술 시도는 금기가 아니다.

• 자궁파열이 고위험군(고전적 종절개, T자형 절개, 자궁파열의 기왕력, 자궁저부의 광범위한 수술 기왕력)과 전치태반은 계획적인 분만시도의 대상이 아니다.

• 임신부나 태아의 적응증으로 유도분만 하는 것은 분만시도에서도 고려될 수 있다.

• 자궁절개 방법을 모르는 경우 임상적으로 고전적 종절개가 강하게 의심되지 않으면 분만시도의 금기가 아니다.

- 분만시도 시 지속적인 태아심장박동감시가 권장된다.

③ 전문가의 의견이나 일차적인 컨센서스에 근거한 권고(Level C)

- 분만시도는 즉각적인 응급제왕절개 분만이 가능한 기관에서 시행되어야 한다.
- 상담 후 분만시도 혹은 반복제왕절개 분만 시행여부는 임신부가 결정해야 하며 상담 및 진료계획에 대한 서류는 의무기록에 포함되어야 한다.
- 분만시도시 가정출산은 금기이다.

산과마취

Obstetrical anesthesia

학습목표

1. 무통분만에 적용할 수 있는 부위 차단법을 열거하고 설명한다.
2. 제왕절개술 때 고려할 수 있는 마취방법과 장단점을 설명한다.

분만 중에 사용할 수 있는 통증 조절 방법으로는 부위마취가 사용될 수 있으며, 척추마취, 경막외 마취, 척추경막외병용마취방법이 있다.

1. 부위마취(Regional Anesthesia)

1) 경막외 마취(Epidural anesthesia)

척추마취에 비해 작용발현시간이 늦고 교감신경 차단효과가 비교적 천천히 나타나기 때문에 급격한 혈압 저하가 상대적으로 적고, 저혈압에 대처할 시간을 벌 수 있는 장점이 있다. 경막외강에 카테터를 거치할 수 있기 때문에 수술 시간이 예상외로 길어질 경우 국소마취제 추가 투여로 마취시간을 연장시킬 수 있는 장점이 있고, 수술 후 통증 조절 목적으로도 카테터를 사용할 수 있다(그림 20-1). 또한 무통분만을 위해 경막외강에 카테터가 거치된 경우에는 즉각 약제를 투여하여 제왕절개술이 가능하게 경막외 마취로 전환시킬 수도 있다.

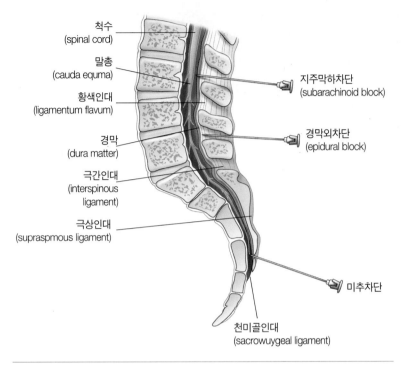

척수
(spinal cord)

말총
(cauda equma)

황색인대
(ligamentum flavum)

경막
(dura matter)

극간인대
(interspinous
ligament)

극상인대
(supraspmous ligament)

지주막하차단
(subarachinoid block)

경막외차단
(epidural block)

미추차단

천미골인대
(sacrowuygeal ligament)

그림 20-1. **지주막하 및 경막외 차단**

2) 척추마취

척추마취방법으로 약물 일회주입법이 이용되고 있는데, 경막외 마취에 비해 비교적 시술이 간단하고 작용발현이 빠르며, 운동신경 차단 효과가 우수한 장점이 있다. 소량의 국소마취제와 아편유사제로 완전한 마취가 가능하며, 그로 인해 태아에 전달되는 약제의 양을 최소화할 수 있는 장점이 있다. 그러므로 심한 출혈성 경향이 있거나 임산부가 척추마취를 거부하는 등의 금기 사항이 없다면 정규 제왕절개술을 위한 마취방법으로 척추마취를 먼저 고려하게 된다.

3) 척추경막외병용마취

빠른 작용시간, 소량의 국소마취제 사용, 완벽한 감각차단효과 등의 척추마취 장점과 거치된 카테터를 통한 마취시간의 연장 등의 경막외 마취의 장점을 가지고 있다.

2. 부위마취의 합병증

1) 저혈압

척추마취 및 경막외 마취 시에 가장 흔하게 나타나는 부작용으로 교감신경 차단 효과로 말초혈관저항이 감소하고 심박출량이 감소하여 저혈압이 발생된다. 임산부의 저혈압은 자궁혈류와 태아로 가는 혈류량을 감소시켜 태아 저산소증과 산증을 유발할 수 있다.

저혈압은 교감 신경의 차단에 의한 혈관 확장과 자궁에 의한 하대 정맥의 압박 때문에 일어난다. 마취 중에 저혈압이 나타나면 수액을 공급하고 환자의 자세를 바꾸고 에페드린(5~15 mg)이나 페닐에프린을 투여한다.

2) 경막천자 후 두통

부위마취 시 천자된 경막을 통해 뇌척수액이 흘러나오고, 이로 인해 뇌압이 감소되면 통증에 민감한 조직과 뇌기관이 자극되어 전두와 후두부에 통증을 야기하는 것으로 추정된다.

두통의 조기 치료 방법으로 진통제 투여, 앙와위 자세, 수액 공급 방법 등이 있고 경막외 공간에 자가 혈액을 첩포 혹은 패치할 수도 있다.

3) 전척추차단(Total spinal block)

다량의 국소마취제가 척수강내 혹은 경막하공간에 투여되는 경우에 발생하는데, 심한 저혈압, 오심, 구토, 호흡정지, 의식소실이 오며 심정지로 사망할 수 있으므로 조기에 적극적인 치료를 해야 한다. 척추가 완전 마취되면 환자를 좌측으로 기울여 눕히고 저혈압으로 인한 심장마비를 예방하기 위해 수액을 신속히 정맥 주입하며 에페드린을 정맥주사하고 기도를 확보하여 기관 삽관을 한 후 산소를 공급하면서 호흡을 유지시킨다.

3. 제왕절개술 마취방법

1) 부위마취

산모 및 태아에게 가장 안전하며 제일 많이 사용하는 마취방법으로 태아에게 마취제의 전달이 거의 없다. 다만 척추마취시 발생할 수 있는 저혈압만 주의해서 치료하면 좋을 것이다. 부위마취를 하지 못하는 경우는 환자가 거부하거나 긴급한 상황으로 산모나 태아의 상태가 좋지 못한 때 또는 혈액응고장애가 있을 때이다. 이런 경우는 전신마취를 고려해야 할 것이다.

2) 전신마취

부위마취를 못 할 경우 선택할 수 있으며 태반유착 같은 수술 중 대량출혈이 발생할 수 있는 경우도 산모가 부위마취로 견디기 힘들어 전신마취를 하는 것이 더 좋을 수 있다. 하지만 산모의 사망률이 부위마취에 비해 거의 10배 가까이 높아서 항상 마취시 보조의사와 함께 하는 것이 좋으며 기도확보에 유의해야 할 것이다. 또한 전신마취시 사용하는 마취제 중 근이완제를 제외하고는 대부분 태반을 통과하므로 조금만 과다하게 사용해도 태아의 상태에 영향을 미칠 수 있어 주의를 요할 것이다.

산욕기 관리
Postpartum care

21

산 부 인 과 학 지 침 과 개 요 *Obstetrics & Gynecology*

1. 산욕기에 비뇨생식기가 복구되는 양상을 설명한다.
2. 산욕기에 신체 변화 양상을 설명한다.

1. 산욕기의 정의(Definition of Puerperium)

분만 후 첫 6주간를 산욕기라고 하며, 분만으로 인한 상처가 완전히 낫고 자궁이 평상시 상태가 되며 신체 각 기관이 임신 전 상태로 회복되기까지의 기간을 말한다.

2. 산욕기의 변화

1) 자궁의 퇴축(Involution of uterus)

분만 직후의 자궁의 크기는 약 1,000 g 정도이고 임신 전 자궁의 10배에 달하는 크기이다. 태반이 분만된 후 자궁의 크기는 빠르게 줄어 분만 직후 배꼽 아래로 내려가며 분만 1주일 후에 약 500 g으로 50% 정도 부피가 줄어든다. 2주일 후에는 300 g 정도로 자궁이 골반내로 들어올 만큼 작아지고 8주일 후에는 임신 전 크기로 돌아온다.

(1) 훗배앓이(Afterpain)

초산부에서는 분만 후 지속적으로 자궁 수축이 이루어져 통증을 덜 느끼는 반면, 경산부에서는 주기적으로 자궁이 수축하여 심한 통증을 호소한다. 이러한 산후 자궁통증을 훗배앓이라 한다. 훗배앓이는 아기를 많이 낳을수록 심해지며, 모유수유 중에도 옥시토신의 증가로 더욱 심해진다.

(2) 산후질분비물(Lochia)

분만 후에는 자궁에서 적혈구, 탈락막, 상피세포, 박테리아들로 이루어진 분비물이 나오는데 이를 산후질분비물이라 부른다. 분만 후 수 시간동안에는 출혈이 있다가, 다음 3~4일 동안은 피가 섞인 붉은색을 띈 분비물이 나오는데 이를 적색 산후질분비물(lochia rubra)이라 하고, 그 후 붉은 색이 엷어진 점액양상의 장액성 산후질분비물(lochia serosa)이 약 22~27일 동안 분비되고, 이후에는 백혈구가 섞여 엷은 노란색을 띄는 백색 산후질분비물(lochia alba)로 바뀌게 된다. 산후질문비물은 출산 4주 후에 멈추게 되나 간혹 6주까지 지속되는 경우도 있다.

2) 자궁경부의 회복

분만 후 2~3일이 지나면 자궁경부의 입구는 점점 좁아져 2~3 cm 정도가 되고 1주일이 지나면 자궁경부의 겉모습은 임신 전과 비슷한 모양으로 된다.

3) 질과 질출구의 변화

분만 후 질의 내경의 넓이는 점차 좁아지나 분만전의 상태로 회복되지는 않는다. 질 내벽의 주름은 분만 후 3주경에 회복되며 처녀막은 여러 개의 작은 조각으로 나누어져 흉터(myritiform caruncles)로 남게 된다. 질 입구가 늘어나고 골반을 지지해주는 구조물의 변화에 의해서 자궁의 탈출 또는 긴장성 요실금이 발생할 수 있다.

4) 요로계의 변화

분만직후 방광은 방광내 수압 변화에 둔감해져, 과도하게 늘어나거나 완전히 배설되지 않아 잔뇨량이 많아진다. 이러한 변화는 진통 시간이 길거나 경막외 마취 또는 척추마취를 시행한 경우에 많이 발생한다. 진통 중 방광이 소변으로 채워져 팽창되었을 때 조기에 도관을 삽입하여 소변을 제거해주면 분만 후 방광의 긴장저하(hypotonia)를 예방할 수 있다.

5) 심혈관계 변화

분만 후 혈액검사 소견에서 현저한 백혈구증가(leukocytosis)와 혈소판증가(thrombocyto-sis)를 보일 수 있다. 임신전의 혈액량으로 되돌아가는 데는 1주일 정도 걸린다. 임신 중 심박출량(cardiac output)과 일회 박출량(stroke volume)의 증가는 분만 후 감소하기는 하나 임신 전의 상태로 회복되는데 8~10주가 소요된다.

6) 월경 및 배란의 복귀

모유수유를 하지 않으면 월경은 분만 후 6~8주 내에 재개된다. 모유수유를 하는 여성에서 월경이 재개되는 시기는 매우 다양하며 분만 후 2~18개월 내에 돌아온다.

분만 후 배란이 다시 재개되는 시기는 모유수유 여부에 따라 다른데 모유수유를 하지 않는 경우에는 분만 후 27일만에도 배란될 수 있으며 평균적으로는 6주 이전에 배란이 된다. 모유수유를 실시하는 경우에는 평균 6개월 뒤에 배란이 되는데, 모유수유 횟수, 수유시간, 혼합수유 여부 등에 따라 배란이 재개되는 시기가 변할 수 있다. 모유수유를 하는 여성에서 분만 후 배란억제는 혈중 프로락틴 치의 증가에 의한 것으로 생각된다.

7) 산욕기 중 모성관리

분만 후 수 시간 내에 조기보행이 가능한데 이런 조기보행은 방광장애와 변비를 줄일 수 있으며 정맥혈전이나 폐색전증을 예방할 수 있으므로 적극 권장한다. 또한 분만 후의 운동은 수유에 영향을 주지 않으며 불안과 우울증을 감소시킨다. 그러나 처음 일어나 보행하는 경우에는 어지러워 실신을 할 수 있으므로 주위에서 도와주는 것이 좋다.

질식분만을 한 후 특별히 마취를 하지 않았다면 음식에는 아무런 제한을 두지 않는다. 수유를 하는 여성은 고단백 고칼로리를 섭취해야한다. 수유를 하지 않는 경우에는 일반인과 같은 식사를 한다. 분만 후 수액과 항이뇨 효과가 있는 옥시토신의 중단으로 방광이 급격히 팽창하는 경우가 흔하다. 이외에도 마취제, 회음절개, 열창, 혈종으로 통증이 있을 때에는 방광의 감각기능 저하가 오며 방광을 비울 수 있는 능력이 저하된다. 분만 후 4시간 내에 배뇨를 못하는데 특별한 원인이 없으면 24시간 동안 유치카테터를 이용한 배뇨를 해주어야 한다. 성관계는 회음부의 통증이 가라앉고 출혈이 줄어들면 시작할 수 있다. 분만 후 성관계를 다시 시작하는 평균기간은 6주 후이고, 분만 후 2주가 지나 특별한 문제가 없으면 성관계를 하여도 무방하다.

3. 모유수유

분만 직후 황체호르몬 농도가 급격히 감소하면서 임신 중 분화되었던 젖샘으로부터 모유가 분비되기 시작한다. 출산 후 첫 24시간 내에는 100 mL 미만의 소량이 분비가 되지만, 4~5일 후면 하루 500~750 mL로 증가된다.

1) 모유수유의 장점
(1) 모유수유가 영아에 미치는 장점
모유는 영아에게 가장 이상적인 음식으로 콜레스테롤과 DHA가 풍부하게 들어있어 중추신경 발달에 도움을 준다. 또한 각종 면역물질과 항체를 포함하고 있어 감염질환의 발생을 줄여준다. 모유에서 분비되는 면역물질로는 T-임파구, B-임파구, 거대세포 등의 살아있는 면역세포부터 각종 항체(특히 IgA), 락토페린, 트랜스페린 등의 운반단백질, 리소자임, 리파아제 등의 효소, 보체나 비피더스 인자, 올리그당류, 사이토카인과 뉴클리오타이드 등이 있다. 그 외에도 각종 호르몬과 코르티졸, 인슐린, 갑상선호르몬, 호르몬 유사인자, 성장인자 등이 분비되어 아기의 면역체계의 발달과 함께 호흡기나 소화기의 점막장벽을 성장시킨다. 이러한 항감염효과는 3~4개월만 젖을 먹여도 나타나며 젖을 끊은 후에도 상당기간 지속된다.

모유수유를 한 아기는 천식이나 습진, 임파종이나 당뇨병, 비만 등의 비감염성 질환의 발생도 줄어든다. 모유에서 분비되는 철분은 생체 이용율이 높아 빈혈을 예방한다.

모유에는 비타민 K를 제외한 모든 비타민이 들어있다. 그러므로 출혈성 질환을 예방해야 하는 신생아에서는 비타민 K를 투여해야한다.

(2) 모유수유가 산모에 미치는 장점
아기가 젖을 빨 때 반사적으로 옥시토신이 분비되어 자궁을 수축시켜 산후출혈을 예방하고 배란을 억제해 자연피임의 효과가 있다. 젖분비호르몬은 모성애를 자극하여 산후 우울증을 감소시킨다. 칼로리 활용이 높아져 체중 감소에 도움이 된다. 칼슘대사를 촉진시켜 골다공증의 발생이 줄어들고, 유방암이나 난소암의 발생빈도도 현저히 감소한다.

2) 모유수유와 감염질환

디프테리아나 결핵은 호흡기를 통해 감염되므로 산모가 활동성 질병이 있는 경우에는 신생아 격리가 필요하다. 그러나 결핵이나 디프테리아는 젖을 통해 전염되지 않으므로 짜낸 젖을 먹이는 것은 무방하다.

B형간염의 수직감염은 출산 도중 혹은 출산 직후에 아기가 엄마의 혈액이나 체액에 노출됨으로써 대부분 발생하기 때문에 산모가 B형간염 보균자일지라도 모유수유를 할 수 있으며, 아기에게는 24시간 내에 간염면역글로불린과 간염백신을 함께 주사한다. HIV는 엄마 젖을 통해 전염될 수 있으므로 수유를 금한다.

3) 모유수유 중 합병증(표 21-1)

(1) 유방울혈(Breast engorgement)

젖이 생길 때에는 여분의 혈액과 림프액이 유방으로 들어오는데, 젖의 양이 급속도로 증가하거나 적당한 수유가 이루어지지 않으면 울혈이 생긴다. 울혈이 생기면 유방이 화끈거리고 단단해지며 통증이 생긴다. 유방의 울혈로 인한 산욕열은 흔히 볼 수 있고 체온이 37.8~39℃ 정도까지 올라가기도 하지만 4~16시간 이상 지속되지는 않는다. 동반된 감염이 있는지 확인하고 유방을 찜질하고 나선형으로 마사지하고 자주 수유하면 저절로 가라앉는다.

(2) 젖샘관 막힘

젖샘관이 막히면 유방이 부분적으로 부풀고 붉게 변색된다. 젖을 빨리고 난 다음에도 부풀기가 줄어들지 않는다. 이러한 현상은 출산초기에 많이 볼 수 있으며, 젖을 자주 먹이지 않았을 때 나타난다.

(3) 유방염

유방실질이 감염되면 부분적으로 압통과 국소발열이 생기며 감기몸살과 유사한 전신증상이 나타난다. 원인균으로 황색포도알균(*Staphylococcus aureus*)과 대장균이 흔하고, 드물게 사슬알균(*Streptococcus viridans*)에 의한 것도 있다.

유방염이 발생하면 고름이 형성되기 전에 빨리 항생제를 투여하는 것이 중요하며, 모유수유는 계속한다. 항생제는 페니실린과 세팔로스포린 등으로 충분하며 페니실린에 과민증이 있는 경우는 에리스로마이신을 투여한다. 치료는 최소한 10~14일간 지속한다. 유방 농양이 생기면 절개와 배농이 필요할 수도 있다.

표 21-1. **유방울혈과 젖샘관 막힘, 그리고 유방염의 비교**

특징	유방울혈	젖샘관 막힘	유방염
부위	양쪽	한쪽	대개 한쪽
종창/발열	전체적	이동성/발열 없음	부분적/고열
통증	전체적	국소적이고 약함	국소적이고 심함
체온	< 38.4℃	< 38.4℃	> 38.4℃
전신증상	없음	없음	전신몸살
발병	출산직후, 서서히	젖먹인 후, 서서히	10여일 후, 갑자기

(4) 함몰젖꼭지

젖꼭지가 원래 안으로 들어가 있는 경우에는 수유가 어려울 수 있다.

(5) 유두균열

젖꼭지에 균열이 생기는 이유는 대부분 젖 물리는 자세와 방법이 잘못되었기 때문이다

4. 산욕기 이상

1) 산욕기 감염(Puerperal infection)

산욕기 감염이란 분만 후 생식기의 세균감염을 의미한다. 산욕기 감염은 자간전증, 산과적 출혈과 함께 모성사망의 3대 원인 중 하나였으나 항생제의 발전으로 모성 사망은 감소하였다.

(1) 산욕열

출산 후 38℃ 이상의 고열을 산욕열이라 하며 여러가지 감염 및 비감염적 요인에 의해 발생한다. 대부분의 원인은 생식기 감염이다. 분만 후 첫 24시간 내에 발생한 39℃ 이상의 고열은 A군 또는 B군 사슬알균에 의한 골반감염과 관련이 있을 수 있다.

호흡기 합병증에 의한 발열은 흔히 분만 후 24시간 내에 나타나며 대개 제왕절개 분만을 한 후에 나타난다. 흔히 보는 합병증은 무기폐, 흡인성 폐렴, 세균성 폐렴 등이 있다. 급성 신우신염은 체온상승 후 늑골척추각압통, 오심, 구토 등을 보인다. 이 외에 유방울혈과 세균성유방염, 혈전성정맥염 등이 있다.

표 21-2. **여성생식기 감염의 흔한 원인균**

Aerobes
Enterococcus
Escherichia coli
Group A, B streptococci
Staphylococcus species
Gardnerella vaginalis
Anaerobes
Peptococcus species
Peptostreptococcus species
Bacteroides species
Clostridium species
Other
Mycoplasma species
Chlamydia trachomatis
Neisseria gonorrhoeae

(2) 산후 자궁감염

산욕기 자궁감염은 탈락막 뿐만 아니라 자궁근층 및 자궁주위 결합조직을 포함하기 때문에 통칭하여 골반연조직염(pelvic cellulitis)을 동반한 자궁염(metritis)이라고 부르는 것이 타당할 것이다.

① **전구인자**(Predisposing factor)

분만 방식이 자궁감염의 발생에 있어 가장 중요한 위험요소로 제왕절개분만에 비해 질식분만 후에는 자궁염의 발생이 상대적으로 적다(Burrows, 2004). 자궁내 태아감시장치 장착, 사산, 저체중아, 조산, 신생아 합병증 등을 보인 경우에도 자궁염의 발생이 일반적으로 증가한다. 제왕절개분만의 경우는 감염의 위험요인으로 진통시간 또는 양막파수 후 경과시간, 빈번한 자궁경관 내진, 아두골반불균형 등으로 보고되고 있다. 제왕절개 후 골반감염의 위험이 높은 산모에게는 수술 전 1회의 예방적 항생제 투여가 효과적이다.

분만 후 골반감염은 대부분 여성생식기에 존재하는 균에 의해 감염된다(표 21-2).

② 임상경과

발열은 산후 자궁감염 진단에 있어 가장 중요한 요소이고, 주로 38~39℃ 이상 오른다. 오한은 패혈증을 의심하는 소견으로 제왕절개술 후의 자궁감염의 10~20%에서 보고되고 있다. 환자는 흔히 복부통증 및 산후통을 호소하며 내진과 복부 촉진 시 복부와 자궁주위 조직 부위의 압통을 호소한다. 백혈구수는 15,000~30,000/μl를 보이나 초기 산욕기에는 정상적으로 백혈구의 증가가 있으므로 진단에 크게 도움이 되지 않는다.

③ 자궁염의 치료

자궁염의 치료는 광범위 항생제를 써야한다. 항생제 투여 후 환자의 90%에서 48~72시간 내에 증상의 호전이 온다. 치료에도 불구하고 지속적인 발열을 나타내는 합병증으로는 자궁주위조직 광범위연조직염(parametrial phlegmon)이나 심한 연조직염, 수술 창상농양, 골반 농양, 감염된 혈종, 패혈성 골반 혈전성 정맥염 등이 있다. 24시간 동안 정상체온을 보이면 퇴원하며 더 이상의 경구 항생제 요법은 필요하지 않다.

흔히 투여하는 암피실린과 겐타마이신 요법은 질식분만 후 감염의 90%에 효과가 있는 반면 제왕절개분만 후 감염의 경우에는 혐기성균에 효과가 있는 항생제를 포함하는 것이 중요하다.

β-lactam계 항생제는 그 항균범위가 광범위하여 일부 혐기성 균까지 유효하여 산욕기 감염을 치료하는데 많이 이용되어 왔다. 대표적인 것으로 세팔로스포린 계열의 약물이 있다.

제왕절개수술 후 골반감염에서 클린다마이신과 겐타마이신의 복합 투여한 경우가 가장 기본적인 용법으로 여겨지고 있다. 장내 구균의 감염이 지속될 수 있으므로 48~72시간 동안 효과가 없을 때는 암피실린을 추가한다.

항생제 부작용으로는 클린다마이신의 경우 장독소(enterotoxin)를 생산하는 Clostridium difficile의 과도한 생성을 가져와 위막성 대장염(pseudomembranous colitis)을 일으킬 수 있다. 이 경우 반코마이신 또는 메트로니다졸을 투여하면서 적절한 보존적 치료를 병행하여야 한다. 겐타마이신은 신독성, 이독성이 문제가 될 수 있기 때문에 필요한 경우 혈중 농도를 주기적으로 측정해야 한다.

메트로니다졸은 대부분의 혐기성 세균에 대해 우수한 항균효과를 가지기 때문에 겐타마이신 혹은 토브라마이신과 병용하여 정맥주사하면 좋다. 메트로니다졸, 암피실린, 아미노글리코사이드의 세 가지를 병용하면 대부분의 골반감염 균주들에게 효과를 발휘할 수 있게 된다.

④ 감염의 예방

수술 전 항생제 예방요법에 의해 제왕절개 수술 후 감염율이 매우 감소하였다. 암피실린이나 1세대 세팔로스포린 같은 단일제제가 이상적인 예방적 항생제이며, 광범위 항생제나 반복 투여요법은 이점이 없다.

(3) 골반감염의 합병증

① 창상감염

자궁감염으로 치료받은 여성에서 창상감염은 항생제 치료실패의 가장 흔한 원인이다. 창상감염의 위험요소로는 비만, 당뇨병, 부신피질호르몬 투여, 면역기능저하, 빈혈, 지혈실패로 인한 혈종 등이 있다.

창상감염의 원인균은 자궁감염과 마찬가지인 경우가 많으나 병원 내 균에 의해 감염되는 경우도 있다. 치료는 항생제 투여와 함께 배농해 주어야 한다.

② 괴사성 근막염

드물지만 치명적인 합병증으로 심한 조직 괴사를 보인다. 제왕절개 수술 후 복부절개 부위나 회음절개 부위 혹은 회음부 열상에 생길 수 있다. 위험요인으로는 당뇨, 고혈압, 비만 등이 있다. A군 베타 용혈성 사슬알균 등의 단일균일 수도 있으나, 복합감염인 경우가 더 흔하다. 치료는 광범위 항생제를 투여해야 하고 감염부위를 광범위하게 절제해야 한다. 광범위 절제시 넓게 절제된 근막을 덮기 위해 합성망사가 봉합에 필요할 수 있다.

③ 복막염

자궁감염은 임파선을 경유하여 복강 내 퍼져 복막염을 야기하기도 하며 제왕절개술 후 자궁절개부위가 괴사되어 파열되어 발생할 수 있다. 복막염이 장관이나 자궁수술부위에서 시작되었다면 외과적 치료가 필요한 경우가 많고 수액공급 및 전해질 교정이 중요하다.

④ 자궁주위조직 광범위연조직염(Parametrial phlegmon)

제왕절개분만 후 생기는 자궁염에서 자궁주위연조직염(parametrial cellulitis)이 악화되어 이 부위가 결절화될 경우 광인대 내에 소위 광범위연조직염(phlegmon)을 형성하기도 한다.

이러한 합병증은 제왕절개술 후 발생한 골반감염을 치료하였음에도 불구하고 열이 72시간 동안 지속되는 경우에 의심해 보아야 한다. 때로는 염증이 자궁각과 장골 부위까지 퍼지기도 하고, 괴사가 파열되어 복막염을 일으키기도 한다. 치료는 적절한 항생제를 정맥 주사하는 것이다. 발열의 지속시간을 5~7일이고 염증에 의한 결절이 흡수되는 데는 수주일이 걸리기도 한다. 수술을 고려할 수 있으나 자궁절제술이나 외과적 절제가 쉽지 않고 다량의 출혈을 동반한다.

⑤ 골반농양

항생제 치료에도 불구하고 드물게 골반연조직염이 화농되어 광인대 농양을 만들기도 한다. 복강 내로 농양이 파열되면 치명적인 복막염이 발생하기도 한다. 항생제 치료 및 주사바늘을 이용한 배농이 시도될 수 있다.

⑥ 패혈성 골반혈전성 정맥염(Septic pelvic thrombophlebitis)

산욕기 감염은 정맥을 따라 전파되어 혈전성 정맥염을 만들기도 한다. 태반부착부위의 병원균 감염은 자궁근층 정맥에서 혈전을 만들고 혐기성 균의 번식을 조장한다. 난소정맥과 심한 경우 복부대동맥까지 감염될 수 있다.

2) 기타 산욕기 이상(Other disorder of the puerperium)

(1) 혈전색전증(Thromboembolic disease)

임신과 산욕기는 심층 정맥혈전증과 폐색전을 발생시키는 요인 중의 하나로 알려져 있으며 모든 산과적 사망률의 약 반수를 치지하고 있다. 최근 조기보행의 시행으로 현저히 감소되고 있다. 위험 요소들로는 제왕절개분만, 흡연, 자간전증 증이 있다.

① 표층정맥혈전(Superficial venous thrombosis)

표층 정맥에 국한된 혈전은 진통제, 탄력붕대 및 안정요법으로 치료된다.

② 심층정맥혈전(Deep venous thrombosis)

하지의 심층정맥혈전의 증상은 막힌 정도나 염증반응의 정도에 따라 다양하게 통증 또는 촉진시 압통, 부종 등의 증상을 보인다. 정상 하지와 혈전이 생긴 다리를 비교하였을 때 2 cm 이상 차이가 나도록 비대칭적 부종이 있어야 한다.

정맥조영술(venography)이 확진에 가장 좋은 방법이지만, 부작용이 많아 거의 사용되지 않는다. 실시간 초음파가 최근 가장 많이 사용되고 있고 자기공명영상(MRI), 전산화단층촬영술(CT) 등이 이용되기도 한다.

치료는 헤파린 등의 항응고제, 안정요법 및 진통제를 사용한다. 보통 통증은 곧 소실되고 이후에는 항응고제를 계속 사용하면서 서서히 보행하도록 한다. 회복은 약 7~10일 정도 걸린다.

가. 헤파린

처음에는 헤파린을 정맥주사한다. 헤파린 80 U/Kg(최소 5,000 U)을 한 번 투여 후 시간당

15~25 U/Kg을 지속적으로 주입한다. 4시간 후 aPTT를 확인하고 1.5~2.5배로 연장되는 수준을 유지하며 aPTT를 매일 측정한다.

나. 와파린

헤파린과 동시에 시작했다면 헤파린은 5일 후 안전하게 끊는다. 와파린은 분만 전 환자에게는 금기이다.

다. 저분자량헤파린(low-molecular-weight heparin)

분자량이 약 4,000~5,000 dalton의 헤파린 유도체로 심층정맥혈전을 예방하고 치료하는데 효과적이다.

③ 산전 혈전(Antepartum thromboembolism)

와파린은 태반을 통과하여 태아의 응고작용을 저해하고, 임신 8주 이내에 사용 시 비형성부전(nasal hypoplasia), 안과적 이상 또는 발육지연 등의 태아기형을 초래할 수 있다. 분만 중 물리적 압박 때문에 태아는 출혈, 특히 두개강내 출혈의 위험이 증가하므로 임신 중 와파린을 사용했다면 분만 수주 전에 중단하고 헤파린으로 대치해야 한다. 헤파린은 태반을 통과하지 않는다.

④ 폐색전(Pulmonary embolism)

폐색전이 의심되면 도플러 초음파나 혈량측정법으로 심층정맥혈전을 확인하고, 항응고제 치료를 시작할 수 있다. 심층정맥혈전이 확인되지 않으면 환기–관류 섬광조영술(ventilation–perfusion scintigraphy)을 시행해야 한다. 이 검사에서 의심이 되면 폐혈관조영술을 꼭 시행해야 한다. 치료는 심층정맥혈전시와 유사하다. 치료는 분만 전에 발견되면 재태기간 내내 계속하여 하고 산후 6~12주까지 지속한다. 헤파린 치료를 하며 산후에는 와파린으로 바꿀 수 있다. 헤파린과 와파린을 3~5일간 같이 사용하고 와파린으로 대체한다. 약 3개월간 지속한다.

3) 자궁의 질환과 이상(Disease and abnormalities of uterus)

(1) 복구부전(Subinvolution)

복구부전이란 분만 후 자궁이 원래 모습으로 퇴축되는 과정의 정지 또는 지연을 말하는데 오로의 배설기간이 길어지고 불규칙하며 때로는 심한 출혈이 동반된다. 진단은 내진을 통해 정상 산후 자궁보다 크고 단단하지 않은 유연한 자궁을 촉진함으로써 알 수 있다. 이러한 복구부전의 원인은 태반조직의 잔류 또는 골반감염이다. 치료는 자궁수축제인 ergonovine이나 methylergonovine 0.2 mg을 3~4시간 간격으로 24~48시간 투여하며 자궁내막염이 있으면 경구 항생제 요법을 사용한다.

(2) 산후 자궁경부미란

후기 산욕기의 합병증이며 소작이나 냉동치료를 한다.

(3) 질출구 이완 및 자궁탈출

골반지지조직의 변화는 자궁탈출이나 긴장성 요실금을 초래할 수 있다.

4) 산욕기 혈종

산욕기 혈종의 발생빈도는 1/300~1/1,000으로 다양하다. 가장 흔한 위험인자는 초산모, 회음절개, 겸자분만 등이나 많은 경우 조직의 열상 없이 혈관의 손상에 의해 발생한다.

(1) 외음부 혈종(Vulvar hematoma)

외음부 혈종은 표층근막에서 혈관이 찢어지면서 발생한다. 종괴가 피부까지 확장되고 육안으로 혈종이 관찰되며 외음부 통증이 있다. 치료는 수액공급과 함께 피부를 통한 종괴 절개 후 혈액과 응고물을 제거하는 것이다.

(2) 질혈종(Vaginal hematoma)

질혈종은 분만 중 산모의 연부조직의 외상으로부터 발생할 수 있다. 가장 흔한 증상은 심한 항문 압박감이고 질로 튀어나온 큰 종괴를 볼 수 있다. 치료는 질 점막 절개 후 혈종을 제거한다.

(3) 후복막혈종(Retroperitoneal hematoma)

가장 위험한 종류의 혈종으로 갑작스런 저혈압이나 쇼크가 올 수 있다. 제왕절개수술 시 자궁동맥 지혈이 부적절했거나 분만 후 하부 제왕절개 자국의 파열에서 기인한다. 치료는 수술로 내장골동맥을 결찰해야 한다. 치료하기 힘든 산욕기 혈종은 혈관조영색전술을 시행하기도 한다.

5) 산욕기의 정신질환(Postpartum psychosis)

경미하고 일시적인 우울증(postpartum blue)은 산욕기의 흔한 정신질환이다. 분만 후 26~84%에서발생하며 분만 후 1주일 내에 흔히 발생하고 약 10일이내에 호전된다. 지속되거나 악화되는 경우는 즉각적인 치료가 필요하다.

6) 산과적 마비(Obstetric paralysis)

분만시 태아의 머리가 골반 안에 내려오면서 요천골신경총(lumbosacral plexus)의 분지에 압박이 가해져 양측 또는 일측 하지에 신경통 또는 경련성 통증을 초래하는 경우가 있다.

산전 태아 안녕평가

Antepartum fetal assessment

학습목표

1. 태아 안녕평가를 위한 여러 방법들을 열거할 수 있다.
2. 태아운동이 태아의 건강평가방법으로 이용될 수 있는 이론적 근거를 설명할 수 있다.
3. 태아 호흡 양상의 변화가 갖는 의미를 설명할 수 있다.
4. 태아모니터링검사를 판독하고, 그에 따른 적절한 처치를 설명할 수 있다.
5. 임신 중 생물리학계수를 산출하고 그에 따른 적절한 처치를 설명할 수 있다.

1. 서론(Introduction)

1) 태아 안녕평가 방법

① 태동 측정

② 태아호흡운동 측정

③ 수축자극검사(Contraction stress test)

④ 비수축검사(Nonstress test)

⑤ 음향자극검사(Acoustic stimulation test)

⑥ 생물리학계수와 수정 생물리학계수(Biophysical profile and modified biophysical profile)

⑦ 양수량 측정

⑧ 배꼽동맥 도플러 파형 분석(Umbilical artery Doppler velocimetry)

2) 태아 안녕평가의 특징

① 음성예측도(negative predictive value)가 높다. 즉 검사가 음성(정상)일 경우 태아는 건강하다고 할 수 있다.

② 양성예측도(positive predictive value)가 낮다. 즉 검사가 양성(비정상)일 경우라도 태아의 상태가 나쁠 가능성은 높지 않다.

2. 태아운동(태동, Fetal Movement)

① 태동: 임신 7주부터 시작되어 점차 복잡해지고 조직화 되어진다. 태동은 태아 생존의 신호이며 태아 중추신경계 발달과 그 기능을 간접적으로 반영한다.

② 임신부는 보통 임신 18~20주경부터 태동을 감지한다.

1) 태동을 결정하는 요소(표 22-1)

(1) 태아의 수면주기

태아의 수면주기는 20분에서 75분까지 정상범위가 넓다.

(2) 양수량

양수량이 감소하면 자궁내 공간의 감소로 태동이 감소한다.

표 22-1. 태동의 감소에 영향을 미치는 요인

모체측 요인	태아측 요인
임신부의 활동성(자세, 직업)	태아의 수면
임신부의 정서적 불안	자궁내 성장지연
진정제 복용	저산소증
음주	태아 빈혈
갑상선기능 저하증	태아 기형
양수감소증 혹은 양수과다증	중추신경계, 근골격계 이상

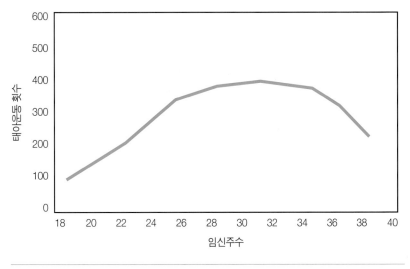

그림 22-1. 정상 임신에서 매일 12시간 동안 측정하여 계산한 주당 평균 태동 횟수

2) 정상임신에서의 태동 형태

① 임신이 진행되면서 약한 움직임은 감소하고 대신 강한 움직임이 증가하다가 만삭에는 다시 감소한다. 만삭이 되면 양수와 자궁강 부피가 감소하기 때문에 태동이 감소하는 것으로 여겨지고 있다.

② 임신 32주경에 태동이 최고조에 이른다(그림 22-1).

③ 태동의 횟수는 변동성이 크며 정상임신에서 주당 50에서 950회, 일당 4에서 10회 정도이다.

3) 태동평가의 임상적 적용

(1) 태동의 평가방법

① 태아모니터링 검사(Electronic fetal monitoring)

② 실시간 초음파검사(real time ultrasonography)

③ 산모의 주관적 인지

• 초음파에서 관찰된 태동의 16~80%를 임신부가 느낀다. 일반적으로 20초 이상 지속되는 태동이면 임신부가 대부분 인지한다.

• 태동이 줄어든 경우 태아 사망이 임박함을 알리는 신호일 수 있으나 임상적으로 이를 통해 태아사망을 예측하긴 어렵다.

그림 22-2. 태아의 역설적 흉곽운동

3. 태아호흡(Fetal Breathing)

1) 호흡운동의 특징

(1) 태아호흡운동의 특징: 역설적 흉곽운동(Paradoxical chest wall movement)(그림 22-2)

태아의 호흡운동은 출생 후에 보이는 호흡운동과는 달리 특징적인 역설적 흉곽 운동을 보인다. 즉, 흡기 중에 흉곽이 역설적으로 함요되고 복부는 돌출한다. 이는 호흡기 내에 있는 양수내의 찌꺼기(debris)를 제거하기 위하여 기침을 하는 것이 아닌가 여겨지고 있다. 호흡운동을 통한 양수의 교환은 정상적인 폐 발달에 필수적이다.

(2) 호흡운동의 변화와 임상적 의미

① 만삭 태아에 있어 호흡운동은 밤 19~24시에 최저가 되고 임신부의 아침식사 후 증가한다.

② 저산소증이 태아의 호흡운동에 영향을 미칠 수 있지만 이 외에도 임신 주수, 저산소증, 저혈당증, 소음, 흡연 등이 태아의 호흡운동에 영향을 미칠 수 있다.

③ 태아의 호흡운동은 단속적(episodic)이기 때문에 태아의 호흡운동이 없을때는 해석에 주의를 요하며 정상태아에서도 약 두 시간 정도까지 호흡운동이 없을 수도 있다.

4. 수축자극검사(Contraction stress test)

자궁의 근육이 수축해서 압력이 증가하면 자궁근층을 통과하는 혈관이 눌려서 짜부라지고 혈류가 감소하거나 멈추게 된다. 따라서 산소공급에 일시적으로 장애가 생기고 만약 태반부전이 있는 경우 태아심박감소를 일으키게 된다. 또한 태반부전과 같이 나타날 수 있는 양수과소증이 동반되는 경우 다양성심박감소(variable fetal heart deceleration)를 일으키게 된다. 수축자극검사는 태반기능부전을 확인하기 위한 검사로서 자궁의 수축을 유발하기 위해서는 옥시토신 약물을 사용하거나 유두자극이 필요하다. 현재 임상적으로 많이 사용되지 않으며 대부분의 경우 비수축검사로 대체되었다.

5. 비수축검사(Nonstress Test, NST)

태동이 있을 때 태아심박수가 적절하게 증가하는지 확인하여 태아의 건강상태를 평가하는 방법이다. 태아의 심장박동수는 자율신경계의 영향을 받아 수시로 변화하며 이를 박동대 박동 변이(beat-to-beat variability)라 한다. 이러한 변화가 나타나면 태아의 자율신경계가 정상이라 추측할 수 있으며 이는 태아의 중추신경계가 정상이라는 의미로 해석한다. 이러한 가설을 배경으로 태아가 만일 산혈증(acidosis), 저산소증(hypoxia) 또는 신경계의 억제(depression)가 없다면 태아가 일시적으로 움직일 때 태아심박수가 증가한다. 이러한 변화는 대개 30주 이후에 대부분의 태아에서 볼 수 있다. 임신 주수에 따라 태아심박수 증가의 폭이 다를 수 있는데 32주 이전에서는 약 10회/분, 32주 이 후에서는 약 15회/분으로 태아심박수 변화의 폭이 더 많아진다(그림 22-3).

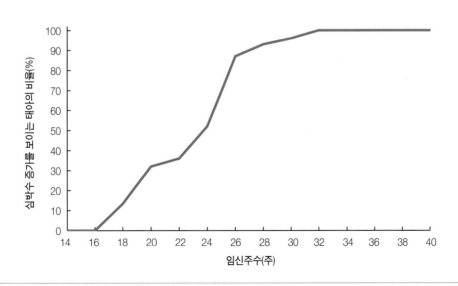

그림 22-3. **태동과 함께 적어도 한 번의 심박증가(15초 동안 15회/분의 증가)를 보이는 태아의 비율**

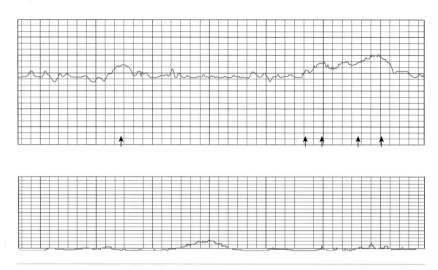

그림 22-4. 비수축검사의 반응성 소견. 화살표는 태아의 움직임이 있음을 나타내며 그 때마다 15초 이상, 15회/분 이상의 심박상승이 나타난다.

비수축검사는 태아의 상태(fetal condition)에 관한 검사이고, 수축자극검사는 자궁태반기능(uteroplacental function)에 대한 검사이다. 비수축검사는 현재 태아의 안녕상태를 평가하는데 가장 널리 쓰이는 일차적인 검사가 되었다. 검사방법은 초음파 탐촉자를 복부에 부착하고 태아심장박동수를 기록하여 태아의 심장박동수가 기선(baseline)으로부터 적어도 분당 15회 이상으로 상승하여 15초 이상 지속되는 증가가 있는지 관찰한다.

결과에 대한 해석으로 반응성(Reactive)이라함은 20분간 실시해서(태동을 동반한) 태아 심박수의 상승이 2회 이상 나타나야 하며, 심박수 상승은 최소한 15초 이상 지속하고 분당 15회 이상 증가하여야 한다(그림 22-4). 무반응성(Nonreactive)은 태아 수면주기를 고려하여 40분 이상 관찰하여도 태아심박수의 상승이 없는 경우를 말한다. 검사간격은 일반적으로 1회/주 정도 실시하나 고위험임신군 또는 태아의 안녕이 의심스러울 경우에는 주당 2회 이상 실시할 수 있다(인슐린요구성 당뇨, 심한 만성고혈압, 태아발육지연, 동종면역성질환, 지연임신 등).

6. 생물리학계수(Biophysical Profile)

① 비수축 검사, ② 태아 호흡운동, ③ 태아운동, ④ 태아의 긴장도 그리고 ⑤ 양수량을 각각 점수화하여 태아의 건강상태를 평가하는 방법으로 각각의 검사만을 시행하였을 때 발생할 수 있는 위양성을 줄일 수 있다. 검사시간은 약 30~60분이 소요되며, 각 항목 당 정상은 2점, 비정상은 0점으로 최고점수는 10점이 된다(표 22-2). 각 생물리학계수의 점수에 따른 처치의 일반적인 권고사항은 표 22-3과 같다.

■ 수정 생물리학계수(Modified biophysical profile)

비수축검사와 양수지수검사만을 1주에 2회 정도 시행하는 것으로 검사시간을 10분 정도로 줄일 수 있는 우수한 검사이나 비정상적인 결과로 나온 경우는 추가로 완전한 생물학 계수 검사 또는 수축검사를 시행한다. 이 경우 양수량의 측정방법은 양수지수(amnionic fluid index)가 5 cm 이하이면 비정상으로 간주한다.

다른 방법으로는 초음파검사에서 시행한 4가지 지표가 모두 정상일 경우 비수축검사를 생략하는 경우도 있다.

표 22-2. 생물리학계수 평가기준

검사	2점	0점
비수축검사[a] (nonstress test)	20~40분간 관찰 시, 분당 15회 이상, 15초 이상 지속되는 태아심박수 증가(acceleration)가 2회 이상 있을 때	20~40분간 태아심박수 증가(acceleration)가 없거나 1회 있을 때
태아호흡운동 (fetal breathing movement)	30분간 관찰 시, 30초 이상 지속되는 율동성 호흡운동이 1회 이상 있을 때	30분 동안 30초 미만으로 지속되는 호흡운동이 있을 때
태아운동 (fetal movement)	30분간 관찰 시, 3회 이상의 몸통 혹은 사지의 구별된 움직임이 있을 때	3회 미만의 움직임이 있을 때
태아긴장도 (fetal tone)	30분간 관찰 시, 사지가 신전되었다가 다시 굴신되는 운동, 혹은 손을 펴거나 쥐는 운동이 1회 이상 있을 때	움직임이 없거나 신전/굴신하지 않을 때
양수량[b] (amniotic fluid volume)	적어도 수직으로 2 cm가 넘는 양수 주머니가 있을 때	가장 큰 양수 주머니가 수직으로 2 cm 이하일 때

[a] 4가지 초음파 검사의 소견이 정상이면 생략할 수 있다.
[b] 생물리학계수 점수와 상관없이, 가장 큰 양수 주머니가 수직으로 2 cm 이하이면, 추가적인 평가가 필요하다.

표 22-3. **생물리학계수에 따른 처치기준**

점수	판정	처치 지침
10	정상으로 비가사상태	산과 처치 필요 없음; 1주후 재검(당뇨와 과숙임신 시는 1주에 2회)
8/10 정상양수 8/8 비수축검사 시행하지 않음	정상으로 비가사상태	산과 처치 필요 없음; 계획대로 검사 반복
8 양수과소증	만성 태아가사상태 의심	분만(임신주수와 무관)
6	태아가사상태 가능성 있음 (possible)	양수량이 비정상이면 분만 양수량이 정상이면, 36주 이후이고 자궁경부가 양호하면 분만 재검시 6 이하면 분만 재검시 6 초과면, 관찰 및 재검
4	태아가사상태 가능성 높음 (probable)	당일 재검하여 6 이하면 분만
0-2	태아가사상태 거의 확실 (almost certain)	분만

7. 배꼽동맥 도플러 초음파 검사(Umbilical Artery Doppler Velocimetry)

초음파 음향의 도플러 이동현상(Doppler shift)을 이용하여 혈류의 이동에 따른 혈류속도, 혈류량, 혈류파형 등을 측정하여 임상에 이용하는 것을 말한다. 자궁내성장지연 태아에서 제 대동맥, 중대뇌동맥, 정맥관 파형 등을 이용하여 분만시점 등을 결정하는 데 이용한다.

1) 혈류속도의 파형분석(Waveform analysis of blood velocity)

일반적인 동맥에서 도플러 파형의 특징은 수축기 속도는 높지만 이완기 혈류는 아주 낮 거나 없다. 정상 배꼽동맥에서는 임신 후반기부터 지속적인 이완기 혈류 파형을 보인다(그림 22-5).

(1) 수축기대 이완기의 비율(Systolic-diastolic ratio)

= systolic velocity/diastolic velocity ratio, S/D ratio; A/B ratio; Stuart index

임신부의 자궁동맥 혹은 태아의 배꼽동맥에서 측정하며 임신 주수가 지속됨에 따라서 값 은 점차 감소한다.

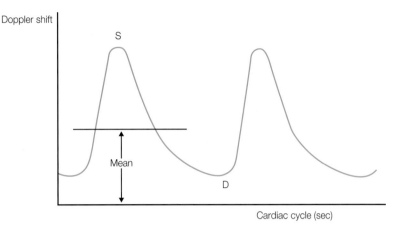

그림 22-5. 탯줄동맥의 혈류 지수

(2) **저항지수**(Pourcelot or resistance index, RI)

=(systolic − diastolic) velocity/systolic velocity

배꼽동맥이나 자궁동맥에서 주로 측정한다.

(3) **박동지수**(Pulsatility index, PI)

=(systolic − diastolic) velocity/mean

하행대동맥처럼 이완기 혈류가 적거나 아예 없는 혈관에서도 이용할 수 있다.

2) 각 혈관의 특징

(1) 배꼽동맥

임신주수가 증가 할수록 저항지수(RI)가 감소하므로 태반의 병변을 조기에 예측 가능하다. 수축기대 이완기의 비율이 낮아져서 배꼽동맥의 이완기말 혈류가 없거나 혈류가 역전된 경우는 비정상으로 간주하며 이는 태반융모혈관의 이상을 나타낸다. 배꼽동맥에서 이완기말 혈류가 없거나 역전되는 경우 주산기 사망율이 의미있게 증가한다. 자궁내성장지연 태아에서 배꼽동맥 도플러를 다른 태아안녕평가방법(비수축검사, 생물리학계수 등)과 함께 사용하면 신생아 결과를 향상시킬수 있다. 현재까지 자궁내성장지연에서 배꼽동맥 외에 다른 혈관의 도플러 검사가 신생아 결과를 향상시킬수 있다는 증거는 없기때문에 권장하지 않는다.

(2) 자궁동맥과 궁상동맥
전반적으로 혈류량이 많고 특히 이완기 혈류가 많은 것이 특징이다.
- 착상 시: 50 ml/min
- 임신말기: 500~700 ml/min

(3) 탯줄정맥
탯줄정맥의 혈류는 동맥과 달리 파동적이기보다 지속적으로 흐른다.

(4) 태아 하행대동맥
상당히 파동적이며 이완기 혈류는 없는 것이 특징으로 PI 이외에는 측정하기 어렵다.

▧ 참고문헌

1. American College of Obstetrics and Gynecology. Practice bulletin no. 145: antepartum fetal surveillance. *Obstet Gynecol*. 2014;124(1):182-192.
2. 2. Pillai M, James D. The development of fetal heart rate patterns during normal pregnancy. *Obstet Gynecol*. 1990;76(5 Pt 1):812-816.

분만 중 태아 건강평가

Intrapartum fetal assessment

CHAPTER 23

Obstetrics & Gynecology

산 부 인 과 학 지 침 과 개 요

1. 분만 중 자궁수축

분만 중에 자궁수축을 기록하는 방법으로는 자궁 외 측정법(external monitoring)과 자궁 내 측정법(internal monitoring)이 있다. 자궁 외 측정법은 임신부 복벽의 자궁저부 근처에 자궁수축 탐촉자를 부착시켜 자궁수축과 관련된 전기적 신호를 간접적으로 기록지에 기록할 수 있다. 자궁 내 측정법은 자궁경부가 어느 정도 개대되고 양막이 파열된 경우 탐촉자를 양수 내에 다다르도록 장치한 뒤 도관의 끝을 압력감지기에 연결한다. 자궁수축이 없을 때 기초긴장도를 15~20 mmHg로 맞춘 후 자궁수축의 강도를 기록하게 된다. 몬테비디오 단위(Montevideo Unit)는 자궁의 기초긴장도 수준 이상으로 증가된 자궁수축 강도를 수은주압으로 표시하여 10분 동안 나타난 자궁수축의 강도를 합한 것이다(그림 23-1)

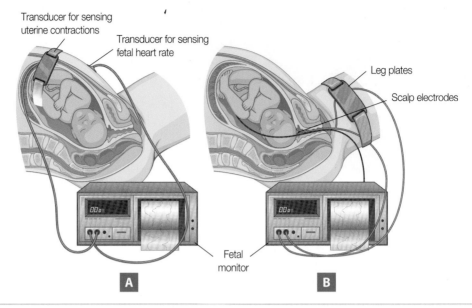

그림 23-1. **외부(A) 및 내부(B) 태아 모니터링**

2. 태아 심박동수의 양상

태아 심박동은 일정하게 고정되어 있지 않고 주기적인 변이도를 갖기 때문에 기초활동도(baseline activity)와 주기적 변이도(periodic variation)로 나누어 고려된다.

1) 기초 태아심장 활동도(Baseline fetal heart activity)

(1) 태아 심박동수(fetal heart rate)

태아 심박동수는 교감신경계의 촉진자극으로 상승하고 부교감 신경계의 감속자극으로 미주신경을 통해 감소한다. 태아가 성장함에 따라 평균 심박동수는 차차 감소하는데 이는 부교감 신경계의 성숙에 의한 것이다. 저산소증이나 고탄산증을 감지하는 화학수용체에 의해서도 심박동수가 조절된다. 임신 제3삼분기에 태아의 평균 심박동수는 분당 110회에서 160회이다.

① 태아 서맥(fetal bradycardia)

태아 심박동이 분당 100회에서 109회 사이인 경우 경도(mild) 태아서맥, 분당 80~100회로 3분 이상 지속될 때 중등도(moderate) 태아서맥, 분당 80회 미만인 경우 심한(severe) 태아서맥으로 정의한다. 경도 또는 변이도가 좋은 중등도 서맥의 경우 예후가 좋은 편이다. 태아서맥의 유발요인으로는 저산소증, 선천성 심차단, 특정약물(베타차단제), 저체온증, 심각한 태아 손상 및 태반조기박리 등이 있다.

② 태아 빈맥(fetal tachycardia)

태아 심박동수가 분당 161회 이상인 경우 태아 빈맥으로 정의한다. 161에서 180회 사이일 때 경도(mild) 태아 빈맥, 분당 181회 이상일 때를 중증(severe) 태아 빈맥이라 한다. 태아 빈맥을 유발하는 원인으로는 대표적으로 모체의 발열과 특정 약물(부교감 신경 차단제- atropin, 교감신경 유사제- terbutaline, ritodrine, epinephrine)이며 그 외 태아 갑상선 항진증, 태아빈혈, 태아 심부전, 태아 부정맥 등이 있다.

(2) 변이도(Variability)

변이도는 자율신경계에 의해 조절되며 태아 심혈관 기능의 주요한 지표가 될 뿐만 아니라 태아저산소증의 심각성을 판단할 수 있는 가장 유용한 척도로 사용될 수 있다. 정상적으로 태아심장의 박동 대 박동 간격은 일정하게 근소한 차이를 가지고 바뀌는데, 불규칙하게 나타나는 박동 대 박동 변화는 그 크기와 방향이 어떠한 주기성을 갖고 변하기 때문에 태아 심박동수의 평균 수준을 중앙선으로 하여 진동(oscillation)을 이룬다. 단기 변이도와 장기 변이도로 나누기도 하나 임상적 의의가 없다.

변이도의 정도는 그 정도에 따라 4가지로 구분한다. 태아 심박동수 변이도의 진폭을 확인할 수 없을 경우 무변이도(absent), 진폭이 분당 5회이하면 최소변이도(minimal), 분당 6~25회 사이면 중등도변이도(moderate), 진폭이 분당 25회 이상이면 심한변이도(marked)로 구분된다.

태아호흡 시, 태아가 움직일 때, 임신 주수가 증가할수록 태아 심박동의 변이도는 증가한다. 반대로 분만 중에 진통제나 진정제가 투여되었을 때, 혹은 황산 마그네슘 투여 후에는 변이도가 일시적으로 감소한다. 태아 저산소증 초기에는 경도의 태아 저산소혈증이 발생하여 기초변이도가 증가하며, 태아 뇌간이나 태아심장 자체의 기능저하를 일으키는 대사성 산혈증이 있을 때에는 그 변이도가 소실되는 현상이 발생한다. 따라서 기초 태아 심박동수 변이도의 소실은 태아상태가 악화되었음을 나타내는 가장 믿을 수 있는 단독지표이다.

(3) 굴모양곡선 태아 심장박동수(Sinusoidal fetal heart rates)

굴모양 곡선의 태아 심박동수는 Rh-D 동종면역, 전치혈관(vasa previa)의 파열, 태아-모체출혈이나 쌍태아간 수혈 등과 같은 심각한 태아빈혈이 있을 때 나타난다. 굴모양 곡선 태아심박동수는 다음과 같이 정의한다. ① 규칙적 진동주기를 갖고 기초 태아 심박동수가 분당 120~160회 일 것, ② 진동 폭은 분당 5~15회이며, ③ 장기변이도 주기는 분당 2~5주기일 것, ④ 밋밋하고 고정된 단기 변이도를 보일 것, ⑤ 굴모양 곡선의 진동이 기초태아 심박동수

기준선의 위, 아래에 있을 것, ⑥ 태아 심박동수 가속이 없을 것 등이다.

2) 주기적 태아심박동수(Periodic fetal heart rate change)

(1) 태아심장박동수가속(FHR accelerations)

태아심박동수의 증가가 기초 태아심박동수의 수준보다 분당 15회 이상으로, 최소 15초 이상, 최대 2분 이내에 기초 태아심장박동수로 돌아오는 것으로 정의한다. 임신주수가 32주 미만일 경우에는 분당 10회 이상, 최소 10초 이상 지속기간을 보일 때로 정의한다. 태아심박동수가속은 단기 변이도와 함께 신경 내분비성 심혈관 조절 기전이 작동하고 있음을 의미한다(그림 23-2).

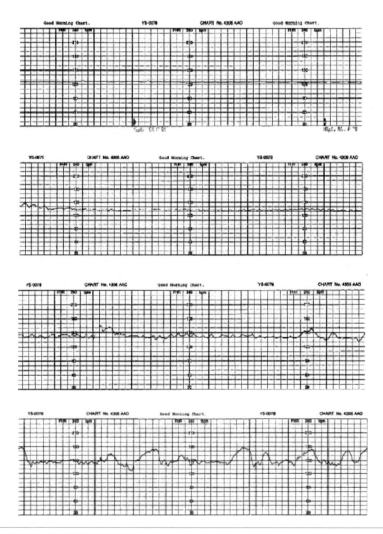

그림 23-2. **장기 변이도: 위쪽부터 순서대로 무, 최소, 중등도, 심한 변이도를 나타낸다.**

(2) 조기 태아심박동수감속(early deceleration)

자궁수축의 시작 시 태아심박동수가 감소하기 시작하여 점진적으로 기초 태아심박동수로 복귀된다. 태아심박동수 감속의 시작과 최저점, 회복이 자궁수축의 시작, 최고치, 종결시기와 일치하는 특징이 있으며 대개 분당 30~40회 이상의 감속은 거의 일어나지 않는다. 자궁수축 시 태아의 두부가 자궁경부에 눌리면서 미주 신경이 활성화되어 조기 태아심박동수 감속이 나타난다. 태아 저산소증과는 무관하다(그림 23-3).

(3) 만기 태아심박동수감속(late deceleration)

자궁수축이 최고로 도달한 후 태아심박동수가 감소하기 시작하여 기초 태아심박동수로 점진적으로 복귀된다. 태아심박동수 감속의 시작과 최저치 회복이 모두 자궁수축의 시작, 최고치 종결보다 늦게 일어나며 일반적으로 분당 30~40회 이상 감소하지 않는다. 만기 태아심박동수감속은 태아의 저산소증과 연관이 있다. 저산소증이 발생되면 태아 뇌가 감지하여 교감신경을 자극하여 태반기능부전(placental insufficiency)에 의한 태아의 혈압을 증가시키고 이것이 압수용체에 의해 감지되면 말초 혈관저항의 증가에 대한 보호적 반응으로 태아 심박동수의 감속이 발생하게 된다. 또한 저산소증이 더욱 심하게 지속되면 태아 심근의 활동저하에 의해 심근의 기능이상으로 태아심박동수의 감속이 발생하게 된다.

임상적으로 옥시토신으로 유발된 과도한 자궁수축이 발생한 경우가 가장 흔한 원인이며 그 외 태반의 미세혈관질환, 과숙아, 모성 고혈압, 교원성질환, 당뇨병, 심한 모성빈혈 등이 원인이 될 수 있다(그림 23-4).

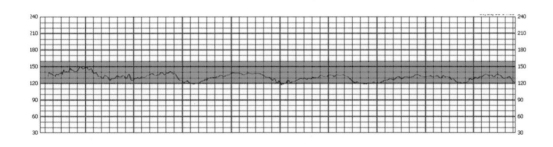

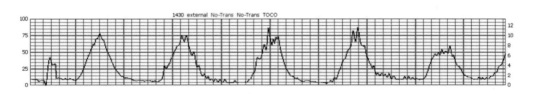

그림 23-3. 조기태아심박동감속

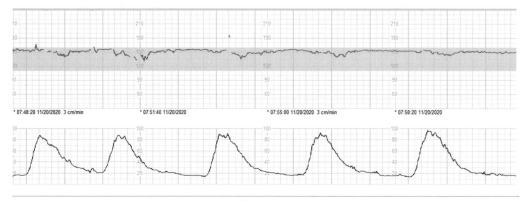

그림 23-4. **만기 태아심박동수감속(late deceleration)**

(4) 다양성 태아심박동수감속(variable deceleration)

진통 중에 가장 흔히 볼 수 있는 형태의 태아심박동수감속으로 급격한 감소와 회복을 보이며 형태와 지속시간, 진동 폭, 자궁수축과의 관계가 다양하다. 제대압박이나 제대 내의 혈류를 억제하는 기타 요인들이 있을 경우 발생한다.

다양성 태아심박동수감속은 거의 모든 진통 중에 볼 수 있어서 태아의 저산소증으로 인한 경우와 그렇지 않은 경우를 감별하는 것이 중요하며 빈맥, 박동 대 박동 변이도의 소실 등 기초 태아심박동수의 특징을 같이 파악하는 것이 중요하다. 60초 이상 지속되는 분당 70회 이하의 다양성 태아심박동수감속이 임상적으로 의미 있는 감속이다.

(5) 지속성 태아심박동수감속(prolonged deceleration)

태아심박동수가 최소 분당 15회 이상 감소하여 그 지속시간이 2분 이상, 10분 이하일 때로 정의한다. 지속되는 제대압박, 태아의 두부압박, 심각한 정도의 태반 기능부전, 제대탈출, 자궁의 과도한 수축, 경막외 또는 척추 마취에 따른 저혈압, 심각한 태반조기박리, 자간증 경련, 분만이 임박한 경우에 나타날 수 있다.

3. 태아곤란증(Fetal Distress)

1) 태아곤란증의 정의

이전에 태아곤란증이라는 용어는 태아의 저산소증을 시사하는 태아심박동수 소견을 보이는 경우를 말하였으나 이 용어는 너무 광범위하고 모호하다. 미국 산부인과학회에서는 태아곤란증이라는 말 대신 "안심할 수 없는 태아상태(nonreassuring fetal status)"라는 단어를 사용하여 정의하였다. 태아곤란증의 진단은 전적으로 임상의의 주관적인 판단에 의해 이루어진다.

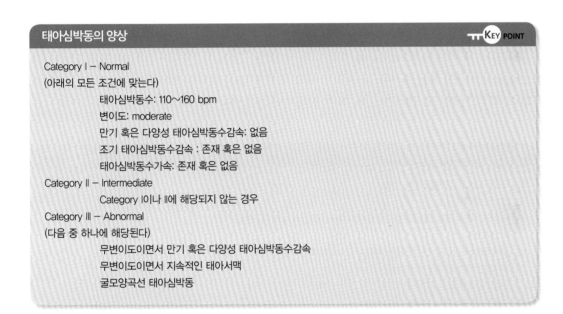

태아심박동의 양상　　　　　　　　　　　　　　**KEY POINT**

Category I – Normal
(아래의 모든 조건에 맞는다)
　　　　　태아심박동수: 110~160 bpm
　　　　　변이도: moderate
　　　　　만기 혹은 다양성 태아심박동수감속: 없음
　　　　　조기 태아심박동수감속 : 존재 혹은 없음
　　　　　태아심박동수가속: 존재 혹은 없음
Category II – Intermediate
　　　　　Category I이나 II에 해당되지 않는 경우
Category III – Abnormal
(다음 중 하나에 해당된다)
　　　　　무변이도이면서 만기 혹은 다양성 태아심박동수감속
　　　　　무변이도이면서 지속적인 태아서맥
　　　　　굴모양곡선 태아심박동

2) 태아곤란증의 관리

산소공급을 증가시키기 위해 얼굴 마스크를 통해 산소를 주입하고 측와위로 자세를 바꾸며 수액공급을 증가시키고 옥시토신을 사용하고 있었다면 옥시토신 투여를 중지한다. 경막외 마취 후 저혈압이 발생되어 태아 심장박동수 유형이 이상소견을 보인다고 판단되면 수액을 공급하면서 에페드린을 투여한다. 지속적인 이상 태아심박동수 유형을 보인다면 태아두피혈액채취를 통한 산성도 측정, 태아맥박 산소계측 등을 시행할 수 있고 태아 산증이 의심되면 적절한 방법으로 조속히 분만을 시행해야 한다.

3) 태아말초혈액 가스값의 측정(Fetal scalp blood gas value)

태아 두피혈액의 산성도를 측정하는 것으로, 태아 두피 혈액 산성도 7.20 이하는 태아의 산증과 관련이 있고 7.20에서 7.25는 경계성으로 분류하며, 7.25 이상일 때에는 20분 내지 30분마다 반복한다. 그러나 임상적으로 이 방법은 번거롭고 기술적으로 정확하지 않을 뿐만 아니라 반복적인 검사를 요구하는 경우가 많아서 실제 임상에서는 드물게 시행된다.

4) 태아맥박산소계측(Fetal pulse oximetry)

양막파수 후 센서를 검사자의 손가락을 이용하여 자궁경부를 통과하여 태아의 뺨 부위에 부착시키면 되는 것으로 비교적 간단한 방법이다. 태아의 산소포화도가 30% 이상이면 안심할 수 있는 상태이고 30% 미만일 경우 산증과 관계가 있을 수 있고 2분 이상 또는 10분 이상 지속될 경우 추가적인 검사와 즉각적인 분만이 필요하다. 그러나 태아맥박산소계측 하나만을 태아관리의 기준으로 삼아서는 안 되며 전체적인 임상양상이 고려되어야 한다.

안심할 수 없는 태아상태의 처치	KEY POINT

1. 산모를 옆으로 눕게한다(측와위).
2. 산소를 투여한다.
3. 자궁수축제 투여를 중지하고 자궁의 과자극(hyperstimulation)을 교정한다.
4. 내진을 한다.
5. 경막외마취를 했을 경우 산모의 저혈압을 교정한다.
6. 지속적인 태아심박동 감시를 한다.
7. 응급제왕절개술을 대비하고 마취과 및 간호 인력에게 연락을 취한다.
8. 신생아 전공 소아과 의사를 대기시킨다.

조산
Preterm birth

산부인과학 지침과 개요 · Obstetrics & Gynecology

1. 조산을 정의한다.
2. 조산아의 특징을 열거한다.
3. 조산의 원인에 대해 설명한다.
4. 조산을 예측하고 조산 위험이 있는 임신부를 조기에 발견하는 방법에 대해 설명한다.
5. 조기양막파수를 정의한다.
6. 조기양막파수의 진단법에 대하여 설명한다.
7. 조기양막파수의 처치를 설명한다.
8. 조기진통을 정의한다.
9. 조기진통의 처치를 설명한다.
10. 조산이 임박한 경우 분만 시 관리에 대해 설명한다.

1. 용어의 정의

조산은 완료된 37주 이전(before 37 completed weeks)의 분만으로 정의된다. 유산(abortion)이 보통 임신 20주 이하의 태아 만출로 정의되므로, 조산은 임신 20주를 지나 36주 6일(258일)까지로 볼 수 있다. 임신기간으로 조산을 정의하는 방법 외에, 임신기간과 상관없이 출생시 체중을 기준으로 신생아를 분류하는 방법이 있는데, 출생시 2,500 g 미만의 신생아는 저체중출생(Low Birth Weight; LBW), 1,500 g 미만의 신생아는 초저체중출생(Very Low Birth Weight; VLBW), 1,000 g 미만의 신생아는 극저체중출생(Extremely Low Birth Weight; ELBW)으로 정의한다.

2. 조산의 개괄

1) 조산아의 생존율

조산아의 생존율 예측은 조산관리의 기본 지침으로 사용되기 때문에 매우 중요하다. 이를 위해서 가장 중요한 것은 태아의 정확한 임신주수를 확인하는 것이다. 이러한 임신주수는 최종월경주기, 산과적 지표, 초음파를 통해 가장 정확하게 추정할 수 있다. 미국에서 발표된 임신주수에 따른 주산기 사망률과 이환율을 보면 임신 24주에서 26주 사이에 현저히 감소한다. 생존율은 24주에는 약 20%이고 25주에는 50% 정도 되어서, 이 시기에는 하루에 약 4% 정도 생존율이 증가하는 셈이다. 그 외에도 조산아의 생존율을 출생시 체중에 따라 살펴보면, 500~749 g의 출생아에서는 48.4%, 750~999 g에서 70%, 1,000~1,249 g에서 85.5%, 1,250~1,499 g에서 94.6%로 증가함을 보인다. 출생시 체중과 출생시 임신 주수 중 어떤 것이 주산기 생존율에 영향을 미치는지에 대한 직접적인 연구는 없지만, 출생체중이 매우 낮음에도 생존이 가능했던 경우의 대부분은 임신주수에 비해 성장이 제한된 경우로 실제로는 더 성숙한 경우였다. 예를 들면 출생체중이 380 g인 신생아가 생존하였는데 실제 임신 주수는 임신 25주 3일이었다. 따라서 신생아 이환과 사망은 출생체중보다는 일차적으로 임신 주수, 즉 성숙도에 영향을 받는다고 할 수 있다.

2) 생존력의 한계(Lower limit of viability)

최근 생존의 경계선상에 있는 태아의 생존율이 높아지고 있다. 이는 표면활성제 치료(surfactant therapy)의 사용, 산전 콜티코스테로이드(corticosteroid)의 투여, 기계식 인공호흡기(assisted ventilation)의 사용과 같은 요인들 때문이다. 아직까지 임신 23주 이전에 분만된 경우에는 생존율이 5% 미만으로 알려져 있어, 임신 23주 이후에야 신생아심폐소생술, 산전 스테로이드 사용, 태아 신경보호를 위한 황산마그네슘 투여, 자궁수축억제제 투여, 조기양막파수에서 항생제 사용, 태아 적응증에 의한 제왕절개수술 시행 등의 적극적 처치를 시행하는 것이 고려되며(considered), 임신 24주 이후에는 이러한 처치들이 권고되고 있다(recommended). 따라서, 생존능력을 갖는 임신주수(threshold of viability)는 대개 임신 24주, 501~750g으로 여겨지고 있으며, ACOG(2002)에서는 일반적으로 24주 이전에 태어난 영아들은 생존의 가능성이 떨어지며 생존하더라도 약 반에서 정신적 발달, 정신운동(psychomotor) 발달, 신경학적 기능, 감각 기능, 의사소통 기능에 장애를 보인다는 사실을 부모에게 주지시켜야 한다고 얘기하고 있다.

3) 조산으로 인해 문제가 될 수 있는 것은 언제까지인가?

조산이라 하더라도 어느 정도 큰 경우 생존율은 만삭아에 근접하고 있는데, 미국의 경우 34주에 출생한 신생아와 37주 이후에 태어난 신생아의 생존율 차이는 1% 이내라는 보고도 있다(ACOG, 1995). 그러나 최근에는 임신 34~36주에 해당하는 후기 조산(late preterm birth)의 빈도가 증가추세이며 그 의미 또한 매우 중요하게 다루어지고 있다. 후기 조산아는 만삭 분만아에 비해 사망률, 유병률, 불리한 장기적인 결과에 대한 위험이 높은데, 후기 조산의 경우 신생아 유병률이 7배 높고, 높은 호흡기계 유병률, 불리한 발달장애 및 학습능력 장애, 행동장애 및 6세에서의 낮은 지능지수, 주의력 결핍과 연관이 있는 것으로 알려져 있다. 임신기간 34~39주 사이에는 임신기간이 증가할수록 신생아 이환율이 감소하는 것으로 보고되고 있다.

4) 장기적 예후(Long-term outcomes)

생존율의 향상에도 불구하고 아주 이른 주수에 출생한 조산아에서 중증 신생아 이환율이 높고, 정상적인 생활을 할 가능성이 낮다. 특히 출생체중이 작을수록 만성 폐질환, 3~4등급의 뇌실내출혈, 뇌실주위 백질연화증(periventricular leukomalacia)의 빈도가 증가해서 매우 나쁜 예후를 보인다.

3. 조산의 원인 및 위험인자

조산은 대개 세 가지의 범주로 구분할 수 있는데, 자연적인 조기진통(spontaneous preterm labor), 조기양막파수(preterm premature rupture of membranes), 그리고 임신부나 태아의 적응증에 의한 조산으로 나눌 수 있다. 이 외에도 임신 중 출혈, 산모의 생활습관, 유전적인 요인, 감염, 자궁의 기형 등 수많은 요인들이 조산과 관련이 있다고 알려져 있다.

1) 조기진통과 조기양막파수

조산의 75%가 자연적인 조기진통, 조기양막파수 그리고 이와 관련된 자궁경부무력증과 융모양막염 등에 연이어 나타나는데, 이를 임신부나 태아의 적응증에 의한 인위적 조산과 대비하여 자연조산으로 명명한다. 하지만 이와 관련된 단일화된 기전은 아직 확실히 밝혀져 있지 않은데, 조기진통을 일으키는 주요한 원인은 자궁내 감염이나 염증(intrauterine infection/inflammation), 자궁팽창(uterine distension), 모체-태아 스트레스, 조기 자궁경부 변화 등이며, 연관된 위험인자로는 생식기계 감염(genital tract infection), 다태임신, 임신 제2, 3삼분기 출혈, 자궁경부무력증, 양수과다증, 이전의 조산 기왕력 등이 있다. 조기양막파수의 대표적인 원인으로 자궁내 감염이 있으며, 그 외의 위험인자로 낮은 사회경제적 지위, 체질량지수 19.8 미만, 영양 결핍, 흡연, 이전의 조기양막파수 기왕력 등을 들 수 있다.

2) 임신부나 태아의 적응증에 의한 조산

약 25%의 조산이 이에 해당하며 전치태반, 자간전증으로 대표되는 임신중 고혈압, 태아절박가사(fetal distress), 태아성장지연(fetal growth restriction), 태반조기박리, 자궁내태아사망, 선천성 기형 등이 그 원인이 된다.

3) 그 외에 조산과 관련이 있는 요인들

(1) 절박유산(Threatened abortion)

임신 초기의 질출혈은 유산, 조기진통, 태반조기박리와 관련이 있다.

(2) 유전적 요인(Genetic factors)

조산의 재발, 가족력과의 연관, 인종적 차이 등의 특성으로 인해 유전적인 요인이 원인으로 작용할 가능성이 있다.

(3) 융모양막염(Chorioamnionitis)

양막과 양수의 감염은 여러 가지 세균들에 의해 야기되는데, 조기진통과 조기양막파수의 일부를 이러한 기전으로 설명할 수 있다. 양막파수 및 임상적 감염이 없는 조기진통 임신부에서 복부를 통한 양수검사의 10~50%에서 세균이 검출되었다. 양수내 감염뿐만 아니라 융모양막(chorioamnion)의 감염도 자연조산의 증가와 관계가 있다.

세균이 양막파수가 없는 상태에서 양수로 들어가는 경로에 대해서는 아직 확실하게 알려진 바가 없다. 그러나, 대장균이 양막을 통과할 수 있음이 알려졌고, 따라서 양막 자체가 상행감염에 대한 절대적인 방벽이 되지 않는 것으로 생각된다.

조기 진통을 유발하는 또 다른 기전으로 자궁 경부에 인접한 태아막에 있는 탈락막조직(decidual tissue) 내에서 활성화된 세포매개성 시토카인(cytokine)을 들 수 있는데, 이러한 기전은 양수내 세균이 존재하지 않아도 가능하다. 세균으로 인한 내독소(endotoxin) 등의 산물이 탈락막의 단핵구를 자극하여 시토카인을 생산하게 하고, 이는 다시 아라키돈산(arachidonic acid) 및 프로스타글란딘(prostaglandin) 생성을 유도하며, 프로스타글란딘 E2와 F2a는 인접자궁근육을 수축시킨다. 즉, 자궁내 감염이 없는 자궁내 염증만으로도 조기진통이 유발될 수 있다.

(4) 생활습관과 관련된 요인(Lifestyle factors)

흡연, 임신 중 임신부 체중 증가가 잘 되지 않은 경우, 불법 약물 복용은 저출생체중아의 발생 빈도와 예후 모두에 중요한 역할을 한다. 물론 이러한 연관성은 태아성장지연에 기인하지만 일부 연구자는 출생 전 체중 증가 여부 자체가 조산과 관련이 있다고 하였다. 다른 요인으로는 과체중과 비만, 임신부의 나이가 너무 많거나 적은 경우, 가난한 경우, 작은 키, 비타민 C 결핍 등이 있고 장시간의 일과 힘든 신체 활동 같은 직업적 요인도 있다.

정신적 요인으로는 우울, 불안, 만성적 스트레스가 자연조산과 관련이 있고, 또 다른 연구에서는 육체적 학대를 받은 여성에서 저출생체중아, 조산의 관련성이 관찰된 바 있다.

(5) 임신 사이 기간

임신 사이 기간이 18개월 미만이거나 60개월 이상일 시 조산의 위험도가 증가하고, 저출생체중아가 증가된다는 보고도 있다.

4. 조산 위험이 있는 임신부의 예측 및 조기 발견

1) 위험도 점수평가법(Risk-scoring systems)

임상적 위험인자에 기초를 둔 위험도 점수평가법은 임신부의 인구학적 특성(demographic factors), 사회경제적 상황(socioeconomic status), 가정 혹은 직장내 환경(home and work environment), 음주 등의 생활습관, 과거의 병력(medical history), 현재와 과거 임신의 합병증, 세균배양검사, 신체지수 측정, 자궁경부에 대한 검사 등을 평가하여 조산을 예측하는 모델을 개발하는 것이다. 하지만 많은 연구에서 이러한 위험도 점수평가법을 통해서 조산을 예측하는 것은 어렵다고 결론을 내렸다.

2) 조산의 기왕력(Prior preterm birth)

조산의 과거력을 가진 임신부는 이후 임신에서도 조산할 확률이 증가하는데, 특히 이전 조산의 횟수, 조산한 임신 주수가 연관성이 크다. 이에 조산의 기왕력이 있는 임신부에서 조산을 예방하기 위한 처치들이 개발되고 있으나, 이들이 전체 조산에서 차지하는 절대적인 숫자는 그리 많지 않기 때문에 전체 임신부의 조산 예방 효과는 크지 않다.

3) 자궁경부길이(Cervical length)

질식 초음파(transvaginal ultrasonography)로 측정한 자궁경부의 길이는 조산 예측의 가장 좋은 방법 중 하나로써 특별한 합병증이 없고 안전하며 임신부나 검사자에게 비교적 쉬운 검사이다. 자궁경부 길이와 조산의 빈도는 역상관관계를 갖는데, 임신 16~24주 사이에 자궁경부 길이가 25 mm 미만인 경우 임신 35주 이전의 조산위험이 증가하며, 자궁경부 길이가 짧을수록 또 일찍 발견될수록 조산의 위험은 더 증가한다. 그러나 아직까지는 조산예측의 선별검사로써 조산의 저위험군 임신부에게 일괄적으로 자궁경부길이를 측정하는 것(universal screening)은 추천되지 않고 있다.

4) 태아섬유결합소(Fetal fibronectin)

태아섬유결합소는 임신 중 모체 혈액과 양수내에서 높은 농도로 발견되며, 태반과 decidua 사이의 부착과 착상에 관계하여 세포간 부착에 역할을 하리라 생각된다. 융모막탈락막 경계면에 분열이 오면 섬유결합소가 혈관 밖으로 흘러나와 자궁경부와 질분비물로 흘러들어간다.

태아섬유결합소는 특히 조기진통이 있는 임신부에서 그 유용성이 잘 알려져 있는데, 조산의 강력한 예측인자로서 높은 음성예측도(negative predictive value, 98-99%)를 보인다. 일반적으로 50 ng/mL 이상의 값을 양성으로 보고한다. 그러나 아직 조산의 선별검사로는 추천되지 않고 있다(ACOG, 2016).

5) 자궁수축의 정도

자궁수축을 발견하기 위해 휴대자궁수축검사기(ambulatory uterine monitoring device)가 개발되었으나, 무증상 임신부에서 조산을 예측하기 위한 선별검사로 사용되기에는 민감도와 양성예측치가 낮았다. 2016년 ACOG는 자궁수축기록장치의 사용이 조산의 발생을 줄이지 않는다고 결론을 내린 바 있다.

6) 감염

(1) 생식기계 감염

조산과 관련해서 자궁 내에서 발견되는 대부분의 박테리아는 질에서 기인한다. 조기진통이 있는산모에서 가장 흔하게 발견되는 박테리아는 대개 발병력(virulence)이 낮은 것들로 Ureaplasma urealyticum, Mycoplasma hominis, Gardnerella vaginalis, Peptostreptococci sp., Bacteroides sp. 등이다. 세균질증(bacterial vaginosis)은 lactobacillus가 풍부한 정상 세균총이 혐기성 박테리아, Gardnerella vaginallis, Mobiluncus sp., Mycoplasma hominis 등으로 대체되는 상태라고 말할 수 있는데, 이는 자연 유산, 조기진통, 조기양막파수, 융모양막염(chorioamnionitis), 양수내 감염과 관련이 있다. 세균질증과 조산의 상관관계는 세균질증이 임신초기에 발견되었을 경우에 더 강하게 나타난다. 따라서 조산 예방의 한 방법으로 무증상인 임신부에서 세균질증을 선별 검사하여 치료하는 연구들이 시행되었으나, 연구자마다 서로 상반된 결과를 보였다. Trichomonas, Candida, Chlamydia trachomatis의 감염은 조산과 관계가 없는 것으로 알려졌다.

(2) 생식기계 이외의 감염

생식기계 이외의 감염 역시 조산과 관련되는데 흔하게는 신우신염(pyelonephritis)이나 충수돌기염(appendicitis)같은 비뇨기계, 복강내 감염을 들 수 있다. 또 최근에는 치주염(periodontitis)이 있는 경우 없는 경우보다 약 4~7배의 조산 위험을 가진다고 하였으나, 치주염의 치료가 조산을 의미있게 낮추지는 못했다.

5. 임신 유지에 있어서 Progesterone의 역할

조산의 고위험임신부들을 대상으로 한 연구에서 프로게스테론 사용군에서 대조군에 비해 의미있게 조산의 발생이 적었다고 보고하였다. 이러한 결과들을 바탕으로 2008년 ACOG에서는 조산병력이 있는 임신부에게 조산예방을 위해 프로게스테론의 사용을 권고하였다. 자궁경부 길이가 짧은 임신부에게도 역시 예방적으로 프로게스테론을 질내 투약하는 것이 조산을 예방하는 효과가 있다고 알려졌으나 현재까지 모든 임신부들에게 임신 중기 자궁경부 길이 선별검사를 일괄적으로 시행하는 것은 권장되고 있지 않다. 결론적으로 프로게스테론 투여는 현재까지 이전에 조산 병력이 있는 고위험군 단태아의 경우와 임신 중기 초음파에서 자궁경부 길이가 짧은 경우에 도움이 될 수 있겠다. 그러나 적응증에 따른 적절한 프로게스테론 제제와 용량, 투약 경로에 관한 지침이 아직 정해지지 않은 상태이므로 향후 연구가 더 필요하다.

6. 조기양막파수의 관리

1) 진단

문진에서 많은 양의 맑은 액체가 질을 통해 흘러나온 후 적은 양의 액체가 계속 흐른다고 하면 양막파수를 의심할 수 있다. 조기양막파수 외에 이러한 증상이 나오는 경우는 소변의 누출, 매우 많은 양의 질분비물, 그리고 흔하지는 않지만 혈액성 이슬(bloody show) 등이 있다.

일반적으로 조기양막파수의 진단을 위해서는, 무균적 질경검사(sterile speculum examination)를 시행하여 양수가 질후원개(posterior fornix of vagina)에 모여있는 것을 육안적으로 확인하거나, 자궁경부를 통해 맑은 액체가 나오는 것을 직접 확인해야 한다. 환자가 진통을 호소하거나 유도분만을 곧 시행해야 하는 경우가 아니라면, 자궁경부내 수지검사(digital intracervical examination)는 가급적 피하는 것이 좋은데, 이는 더 얻을 수 있는 정보도 없을 뿐만 아니라 감염의 위험이 있기 때문이다. 조기양막파수를 진단하는 또다른 방법은 니트라진(nitrazine) 검사인데, 이는 수소이온농도지수(pH) 6.0~6.5 이상이면 황록색에서 푸른색으로 색깔이 변하는 성질을 이용하는 것이다. 임신중 질내 pH는 대개 4.5~6.0이고, 양수의 pH는 7.1~7.3이므로, 알칼리성 pH는 양수의 존재를 말해준다. 그러나, 니트라진 검사는 혈액, 정액, 염기성 소독제 등에 의해 위양성을 보일 수 있다. 그 외에도 질분비물에서 알파태아단백(α-fetoprotein)을 확인하거나, 현장검사(point-of-care assay)로서 태반알파마이크로글로불린-1(placental α-microglobulin-1)을 검출하는 검사나, 인슐린양성장인자결합단백-1(insulin-like growth factor binding protein-1)과 알파태아단백을 검출하는 검사 등이 진단에 도움이 된다. 또한, 초음파검사에서 양수과소증이 보이는 경우 조기양막파수의 진단에 참고가 될 수 있다. 그럼에도 진단이 불확실한 경우는 양수천자(amniocentesis)로 색소(indigocarmine 등)를 주입한 후 자궁경부 쪽으로 색소가 유출이 되는지 확인하는 색소검사(dye test)를 시행할 수도 있다.

2) 관리 및 치료

(1) 임신주수의 산출

임신력에 의한 계산, 산전검사, 이전의 초음파검사 등으로 임신주수를 재확인해야 하는

데, 조기양막파수의 치료 결정에 있어 가장 중요한 것이 정확한 임신주수이기 때문이다. 2016년 ACOG에서는 임신 24+0주부터 33+6주까지는 안심할 수 없는 태아 상태(nonreassuring fetal status), 임상적 융모양막염, 태반조기박리 등이 없다면 기대요법을 시행하고, 34+0주 이후에는 적극적 분만을 권유하고 있다.

(2) 융모양막염(Chorioamnionitis) 여부 확인

융모양막염의 진단은 대부분 임상적으로 이루어지는데, 다른 이유로 설명이 되지 않는 발열(38℃ 이상)이 진단에 필수적 요소이며, 그 외에도 백혈구수의 증가(leukocytosis), 임신부나 태아의 빈맥, 악취가 나는 질분비물, 자궁의 압통 등을 확인해야 한다. 융모양막염이 의심되지만 임상적으로 확진할 수 없는 경우에는 양수천자를 고려하기도 한다. 융모양막염이 동반되면 신생아 사망률과 이환율이 상당히 증가하는데, 감염군의 신생아에서 패혈증, 호흡곤란증후군, 초기발생의 발작(early onset seizure), 뇌실내 출혈, 뇌실주변 백질변성의 빈도가 높게 나타나며, 특히, 초저체중출생아(VLBW)들은 융모양막염에서 기인하는 신경학적 손상을 쉽게 받는 것으로 알려져 있다. 따라서 임상적 융모양막염이 진단되면, 항생제 치료와 더불어 바로 분만을 시도해야 한다.

(3) 예방적 항생제 투여

임신 기간을 연장시키고 산모의 융모양막염이나 자궁내막염, 신생아 패혈증, 폐렴, 뇌실내 출혈 등의 합병증을 감소시키는 효과가 있다.

조기양막파수 임신부의 일반적 처치

① 소독된 질경을 이용하여 검사를 할 때 자궁목관의 확장(dilatation)과 소실(effacement) 정도를 확인한다.
② 34주 이전의 임신에서 즉시 분만을 유도해야 하는 임신부측 혹은 태아측 적응증이 없을 때, 임신부와 태아를 진통실(labor unit)에 두고 관찰을 시작한다. 광범위 항생제를 투여한다. 탯줄 압박, 태아 상태 악화, 조기 진통을 조기에 발견하기 위해, 태아심박수와 자궁수축 정도를 감시한다.
③ 24주부터 34주 이전의 임신에서는 betamethasone (12 mg을 24시간 간격으로 두 번 근주) 혹은 dexamethasone (5 mg을 12시간 간격으로 4회 근주)를 투여한다. 23~24주, 34~36주의 임신에서도 스테로이드 투여를 고려할 수 있다.
④ 태아의 상태를 안심할 수 있고(reassuring), 그리고 진통이 곧바로 시작되지 않으면 임신부를 산전관리실(antepartum unit)로 옮겨서 진통, 감염 혹은 태아 상태 악화를 보이는지 관찰한다. 지속적인 태아감시장치를 사용하지는 않는다.
⑤ 34주 혹은 그 이상의 임신에서 진통이 곧바로 시작되지 않으면 금기증(contraindication)이 없는 한 옥시토신(oxytocin)의 정맥 투여로 진통을 유도한다. 제왕절개수술은 일반적인 적응증을 따른다.
⑥ 진통 혹은 유도분만 도중 group B streptococcus 감염을 예방하기 위해 항생제를 투여한다.

7. 양막파수가 없는 상태에서의 조기진통

1) 진단

(1) 과거의 진단기준

① 20분에 4번 또는 60분에 8번의 자궁수축이 있으면서, 자궁경부의 점진적 변화가 동반되어야 한다.

② 1 cm 이상 cervix dilatation

③ 80% 이상 effacement

(2) 최근 제시된 정의(ACOG & AAP, 2012)

임신 37주 이전에 자궁경부 변화를 동반하는 규칙적인 자궁 수축

2) 치료

조기양막파수 환자와 비슷하며 가능하면 34주 미만 분만을 방지하는 것이 목표이다.

(1) 양수내 감염을 확인하기 위한 양수검사

조기진통 임신부에서 양수내 감염을 진단하기 위해 복부 양수천자를 시행하여 채취된 양수를 이용하여 양수내 백혈구수 증가, 낮은 포도당 농도, 높은 인터루킨(interleukin-6) 농도, 그람염색(Gram stain) 양성 등이 사용되기도 하는데, 양수 그람염색 음성은 99%의 특이도를 가지며, 인터루킨(Interleukin)-6의 농도가 높은 경우는 양수내 감염을 가장 민감하게 진단하였다(82%의 민감도). 이러한 연관성에도 불구하고 ACOG에서는 조기진통 임신부에서 양수내 감염을 진단하기 위한 양수검사의 보편적 시행은 유용하지 않다고 하였다.

(2) 태아 폐성숙을 위한 스테로이드 치료

스테로이드 치료가 신생아호흡곤란증후군과 신생아 사망을 줄일 수 있다는 사실이 1972년 발표된 이후, 이 치료는 조산과 관련한 주산기 사망률과 이환율을 줄일 수 있는 가장 유용한 비용-효과적인(cost-effective) 치료법이다. 현재 임신 중 태아 폐성숙을 목적으로 한 스테로이드 투여의 권고 사항은 임신 24주에서 34주 사이에 7일 이내에 조산할 위험성이 있는 임신부에게 단일 주기의 스테로이드를 투여하는 것이다. 최근에는 임신 24+0주에서 34+0주 사이의 임신부뿐만 아니라, 34+0주부터 36+6주 사이의 임신부나, 23+0주부터 23+6주 사이의 임신부에게도 단일 주기 스테로이드 투여를 고려할 수 있다고 하였다(ACOG 2017).

스테로이드의 반복적 투여는 태아에게 좋지 않은 영향을 미칠 수 있으므로(abnormal psychomotor development) 반복투여하지 않는다. 다만, 2012년 ACOG에서는 7일 이전에 스테로이드가 투여되었던 임신부에서 임신 34주 이전에 분만할 위험성이 있는 경우 한차례 더 스테로이드를 투여하는 것(구제요법, rescue therapy)을 고려해야 한다고 하였다.

(3) 항생제 치료

조기진통 임신부에서 임신기간을 연장하거나, 신생아의 예후를 향상시킬 목적으로 항생제를 사용하는 것은 추천되지 않는다. 그러나, 분만이 진행 중인 조기진통 임신부에거 GBS 예방을 위한 항생제 투여는 필요하다.

(4) 침상안정, 수분보충과 진정(Hydration and sedation)

(5) 자궁수축억제제치료

2016년 ACOG에서는 자궁수축억제제는 임신기간을 현저히 증가시키는 것은 아니고, 48시간 정도만 분만을 지연시킬 수 있다고 결론지었는데, 이 시간 동안 조기진통 임신부를 신생아 중환자실이 있는 3차병원으로 이송할 수 있으며, 태아 폐성숙 촉진을 위한 스테로이드 투여를 완료할 수 있게 되는 것이다.

① 베타-아드레날린성 수용체 작용제

리토드린(ritodrine)과 terbutaline이 산과에서 사용되는데, 이는 adenylate cyclase에 의해 cAMP의 증가를 일으키며 이는 미오신 가벼운 사슬 키나아제(myosin light chain kinase)를 방해하여 자궁수축을 억제시킨다. 리토드린은 베타-아드레날린성 수용체 작용제중 유일하게 FDA 승인을 받은 약이기는 하나, 2003년부터 자발적으로 미국시장에서 철수되었고, 국내에서는 자궁수축억제제의 목적으로 아직까지 사용되고 있다. 분만을 약 48시간 정도 지연시키나 다른 효과는 없는 것으로 알려져 있으며, 폐부종, 심부정맥, 심근허혈 등과 같은 심각한 부작용의 발생과 연관이 있으므로 사용시 각별한 주의를 요한다.

② 황산마그네슘

황산마그네슘은 산과영역에서 자간전증의 치료와 임신 32주 이전의 조산이 임박한 임신부에서 태아 신경보호를 목적으로 사용되고 있다. 황산마그네슘이 자궁수축을 억제하는 기전은 확실치 않으나, 평활근 수축 시 세포내 자유 칼슘 농도를 낮추는 칼슘의 경쟁적 길항제로서 작용하기 때문일 것으로 생각된다. 하지만 tocolysis 효과에서 placebo와 차이가 없고, 폐부종의 빈도가 8.5%에 이른다는 보고도 있어, Parkland hospital에서는 자궁수축억제제로 사용하지 않고 있다. 또한, 2013년 미국 FDA에서 조기진통억제제제로서 황산마그네슘을 장기간 사용하는 것에 대해 경고하였는데, 이는 5~7일 이상 사용군에서 태아의 저칼슘혈증으로 인해 뼈가 얇아지고 골절이 증가하는 것이 확인되었기 때문이다.

③ 프로스타글란딘 생성억제제

프로스타글란딘은 진통을 촉진시키는 역할을 하기 때문에 프로스타글란딘 생성억제제를 조기진통의 치료에 사용하는 것에 대해 많은 사람들이 관심을 가져왔다. 인도메타신(indo-methacin)이 가장 많이 사용되는데, 베타 아드레날린 작용제와 비슷한 자궁수축억제효과를 보이며 부작용이 적었다. 그러나, 프로스타글란딘 억제제에서 태아에게 중대한 부작용이 있을 수 있는데, 조기 태아 동맥관(ductus arteriosus)폐쇄, 신생아폐동맥고혈압, 양수과소증 등이 발생할 수 있다.

④ 칼슘통로 차단제(calcium channel blocker)

니페디핀(nifedipine)과 같은 약들은 전압 의존성 칼슘통로에 영향을 주어 세포막을 통한 칼슘이온 유입을 방해하는 작용을 통해 자궁수축을 억제하는 것으로 알려져 있다.

⑤ 아토시반(atosiban)

옥시토신 유사물질로 자궁수축을 유발하는 옥시토신의 경쟁적 길항제이다. 타 자궁수축억제제에 비해 모체 부작용이 덜하나, 임신연장 및 신생아예후의 측면에서 비교시 자궁수축억제제로서 우수함이 입증되지 못하였다. 이에 2004년 미국 식품의약품안전청은 효과에 대한 의구심, 태아와 신생아의 안전에 대한 염려로 조기진통을 적응증으로 한 아토시반 사용 허가를 거부하였다. 최근 아토시반과 리토드린을 비교한 다기관 임상연구에서는 아토시반이 더 효과적이고 부작용이 적다고 보고하였으며, 현재 국내를 포함하여 미국, 유럽 등에서 사용되고 있다.

⑥ 조기진통에서 자궁수축억제제의 사용 요약

조기진통 임신부에서 자궁수축억제제는 일시적으로 자궁수축을 억제하여 산전 스테로이드 사용의 시간을 벌 수 있다. 그러나, 자궁수축억제제의 지속적인 사용은 그 효과가 입증되지 않았다. 많은 종류의 약들이 자궁의 평활근 수축을 억제시킬 수 있지만, 부작용도 동시에 나타날 수 있기 때문에, 자궁수축억제제를 사용할 때는 임신부를 주의깊게 관찰해야 한다.

일반적으로 자궁수축억제제는 스테로이드와 함께 투여되어야 한다. 또한, 임신 34주 이후에는 산전 스테로이드를 사용하지 않고, 이 주수 이후의 조산아에서는 주산기 예후가 좋은 편이기 때문에, 조기진통 임신부에서 자궁수축억제제를 임신 34주 이후에 사용하는 것은 추천되지 않는다.

8. 분만 시 관리

출생 후 신생아집중치료실이 있는 병원으로 이송된 신생아보다 신생아집중치료실이 있는 병원에서 태어난 신생아의 생존율이 높고 장단기적 합병증이 적을 확률이 크다.

1) 태아심박수 감시
일반적으로 조산아의 진통에 있어서는 지속적 태아심박수 감시 방법을 주로 사용하는 것이 좋다.

2) 신생아 Group B Streptococcus 감염 예방

3) 태아 신경보호를 위한 황산마그네슘
2000년 조기진통이나 전자간증으로 황산마그네슘치료를 받은 산모에서 태어난 초저체중아에서 3살까지 관찰한 결과 뇌성마비의 발생이 줄었다는 연구결과가 발표되었다. 2009년 Cochrane review에서 분만직전 황산마그네슘투여는 뇌성마비의 위험도를 0.71로 유의하게 감소시켰고, 소아사망률과 다른 신경계 합병증에는 영향을 미치지 않았다고 보고하였다. 이에 2012년 ACOG에서는 32주 이전 조산이 예상되는 경우, 분만직전 황산마그네슘의 투여는 뇌성마비의 중증도와 발생률을 줄인다는 근거가 충분하나, 적절한 투여 대상군, 투여방법, 자궁수축억제제의 동시 사용 여부 및 임신부와 태아의 감시에 대한 일원화된 가이드라인이 보충되어야 한다고 언급했다.

4) 분만

(1) 외음절개술(episiotomy)

질식 분만시 외음절개술(episiotomy)은 분만을 조절할 수 있고, 저항을 줄일 수 있으므로 조산아의 분만시 도움이 될 수 있다.

(2) 수술적 질식분만(operative vaginal delivery)

겸자분만이나 진공흡입분만은 시도하지 않는다.

(3) 분만방법

일반적으로 제왕절개술이 조산아의 사망률이나 뇌실질내 출혈의 위험성을 낮추지 못한다.

과숙임신
Postterm pregnancy

학습목표

1. 과숙임신을 정의한다.
2. 과체중 출생아의 위험을 설명한다.

---

1. 정의

과숙임신은 42주(294일) 이상으로 지속되는 임신으로 정의한다.

2. 빈도

과숙임신의 발생빈도는 3~15%이며, 평균 10% 정도로 보고된다. 과숙임신은 재발하는 경향이 있다.

3. 원인

대부분이 원인을 알 수 없다. 초임부, 남아임신, 비만여성, 고령임신, 백인여성, 이전에 과숙임신을 경험했던 경우 많이 발생한다.

4. 진단

42주라는 기준은 최종월경시작일을 기준으로 하므로 생리주기가 긴 경우(배란일이 생리시작일 14일째 보다 지연되는 경우) 과숙임신이 아닐 수 있다. 생리가 불규칙하거나 생리주기가 긴 경우 초음파를 이용하여 임신 주수를 정하는 것이 과숙임신의 진단에 필수적이다.

5. 과숙임신의 병태생리

1) 과숙증후군(Postmaturity syndrome)

과숙아는 피하조직의 감소, 건조하고 주름지고(특히, 손바닥과 발바닥) 껍질이 벗겨진 피부, 태변 착색, 길고 마른 체형, 손톱이 길고, 눈을 뜨고 있거나 각성되어 보이며 나이가 들어 보이거나 걱정이 있는 표정처럼 보이는 진행된 성숙도를 보이는 것이 특징이다.

2) 태반기능장애(Placental dysfunction)

임신이 진행함에 따라 태반성숙도는 만삭까지 증가하는데, 특히 임신 40주 이후가 되면 태반의 성숙은 급격하게 진행되고 이것이 양수과소증과 동반된 경우 태반의 기능부전을 의심할 수 있고 이로 인한 태아의 위험도가 증가할 수 있다.

과숙증후군은 태반의 기능부전이 원인으로 생각된다. 태반 세포자멸사도 임신 36~39주에 비해 41~42주에 훨씬 증가하며, 산소 부족으로 인한 탯줄 적혈구생성인자의 증가가 임신 41주 이후에 의미 있게 증가하는 것으로 보아 과숙임신의 일부에서는 태반의 과성숙으로 태아의 산소가 부족한 상태가 되어 과숙증후군이 일어나는 것으로 여겨진다.

3) 태아절박가사(Fetal distress)와 양수과소증, 태아성장지연(Fetal growth restriction)

태아절박가사는 양수과소증으로 인한 제대압박이 첫번째 원인이며, 다른 관련인자로는 태변착색과 흡입이 있을 수 있다. 과숙임신시 태변방출이 증가하고 그 빈도는 정상 만삭임신의 2배이며 만일 양수량이 감소하면 그 빈도는 더욱 증가한다. 양수량의 감소는 흔히 임신 42주 이후 진행되며, 감소된 양수량은 보다 태변을 진하게 만들어 태변흡입 증후군으로 인한 위험성을 더욱 증가시킬 수 있다. 태아의 소변생성량과 태아의 신장 혈류의 감소가 양수과소증이 동반된 과숙임신에서 관찰되었으나 이미 감소된 양수량에 의한 제한된 태아 연하운동의 결과일 가능성도 있다. 태아 연하운동의 결과일 가능성도 있다. 전자태아심박동-자궁수축 감시장치에는 지속성(prolonged) 혹은 변이성 태아심박동 감소(variable deceleration)로 나타날 수 있다.

영아의 이환율과 사망률은 성장이 제한된 영아에서 의미 있게 높고 사산인 경우 과숙임신과 연관이 높으며 이 경우 성장이 제한된 영아인 경우가 많다.

6. 과숙임신의 합병증

1) 양수과소증(Oligohydrmnios)

주산기 예후를 미리 예측하기 위해서 양수양을 자주 측정하는 것이 중요하며 태아운동의 감소는 양수양의 감소를 나타낼 수 있는 증상이 될 수 있기 때문에 태아운동의 감소를 가볍게 여겨서는 안된다. 과숙임신에서 양수내 태변착색의 빈도는 양수과소증이 있는 경우 유의하게 많다. 그러나, 양수과소증과 태변착색이 있다고 태아의 예후가 반드시 불량한 것은 아니므로 모체, 태아 및 태반기능의 병적인 상황에 의한 양수과소증과 단순히 임신주수가 진행되어 양수과소증이 동반된 경우와 감별하는 것이 매우 중요할 수 있다.

2) 거대아(Macrosomia)

거대아 분만의 빈도는 과숙임신시 평균 8.43%로 정상 만삭 임신시 평균 4.10%에 비해 증가한다. 과숙임신에서 거대아로 인한 산모나 태아의 이환율을 감소시키기 위해서는 시기적절한 유도 분만을 하는 것이 필요할 수 있다.

7. 과숙임신의 처치(Management)

2가지의 논란점이 있다.

첫 번째는 산전 중재(antepartum intervention)의 시기가 41주가 적절할지 아니면 42주가 적절할 지이며 두 번째로는 유도분만을 할지 아니면 산전 태아감시를 하면서 기대치료(expectant management)를 할 것인지에 대한 문제이다. 최근에는 임신 41주부터 적극적인태아감시(fetal surveillance) 혹은 골반진찰을 통한 양막자극(membrane sweeping) 뿐만 아니라 유도분만도 고려한다. 고혈압이나 양수과소증이 동반된 경우는 특히 그러하다. 적어도 임신 42주에는 유도분만을 시행하여야 한다.

1) 자궁경부가 숙화되어 있지 않은 경우(Unfavorable cervix)

처치의 결정에 있어서 자궁경부의 상태(favorability)가 중요한 영향을 미친다.

① 질식 초음파로 자궁경부의 길이가 3 cm 이하 시 성공적인 유도분만의 예측력이 있으며, 과숙임신시 자궁경부의 개대가 없는 경우에는 난산에 의한 제왕절개술의 빈도가 2배 증가한다고 보고된 바 있다.

② 2004년 미국산부인과학회에서는 과숙임신에서 자궁경부의 숙화를 위한 목적으로 prostaglandin gel을 안전하게 사용할 수 있다고 결론내린 바 있다.

③ 태아막박리(membrane stripping)을 진통유발이나 과숙임신을 감소시키기 위해 시행하기도 하지만, 질출혈이나 불규칙한 자궁수축을 초래하기도 한다. 감염을 증가시키지는 않지만 제왕절개술의 위험도를 감소시키지 못하는 것으로 알려져 있다.

④ 두정부의 station이 과숙임신의 성공적인 유도분만을 예측하는 데 중요할 수 있다.

2) 유도분만 대 태아감시(Induction versus fetal testing)

41주 이상의 산모에서 태아감시군에서 유도분만군에 비해 더 높은 제왕절개 빈도와 태아가사를 보이며 경제적 비용도 더 많이 소요된다는 여러 연구들이 있다. 하지만, 태아감시군이나 유도분만군에서 차이가 없었다는 주장도 있으며 41주에 관례적으로 유도분만을 시행하는 것에 대해 비판하는 연구자들도 있다.

3) 중재시기(41주 대 42주)

　과숙임신의 산전 중재를 41주에 시행하는 것이 추세이나, 42주에 시행하는 것보다 좋은지에 대한 연구는 아직 부족하다. 주산기 사망률이 41주보다 42주에 현저히 증가하므로 41주를 산전 중재시기로 정하자는 주장이 있으나, 과숙임신에서 태아의 예후가 나쁜 것은 태아의 성장제한과 연관되므로 중재시기를 단순히 임신주수에 맞추는 것보다는 태아의 성장을 함께 관찰하는 것이 합리적이라는 주장도 있다. 최근에는 임신 41주부터 유도분만을 고려하는 추세이다.

4) 과숙임신의 치료방침

　임신 41주부터 산전태아 평가 검사를 실시하는 것이 좋다. 매주 자궁경부의 상태를 살펴보아 분만시도가 적절한 시기를 알아보고, 매주 초음파 검사로 양수량 및 태반의 상태를 살펴보고, 주 2회의 비수축검사를 시행하여 태아의 상태에 따른 적절한 조치를 취해야 한다.

5) 분만 중 처치(Intrapartum management)

① 분만 중 인공양막파수(amniotomy)에 대해서는 논란이 많은데, 양막파수로 인한 양수양의 감소로 탯줄 압박이 가중될 수 있으나, 한편으로는 양수의 태변착색 여부를 알 수 있고, 막이 제거됨으로써 두피전극이나 자궁내압 카테터를 설치할 수 있어 보다 정확한 태아상태를 알 수 있다는 장점을 갖는다.

② 미분만부에서 진통 초기에 점도가 높은 태변착색이 있는 경우에는 성공적인 질식분만의 가능성이 낮아서, 바로 제왕절개분만을 고려해 보아야 하며, 머리골반불균형이 의심되거나 기능장애성 진통(dysfunctional labor)이 있는 경우에는 더욱 그러하다.

태아성장이상

Fetal growth disorders

1. 태아 성장제한을 정의한다.
2. 태아 성장제한의 원인 및 위험인자를 열거한다.
3. 태아 성장제한의 진단법을 설명한다.
4. 태아 성장제한의 진단시기에 따른 처치법 및 예후를 설명한다.
5. 거대아의 위험인자를 열거한다.

1. 정상 태아 발육

1) 정상 태아 성장의 3단계

① 세포증식(hyperplasia)(−16주): 세포의 수가 늘어나는 시기

② 세포 증식과 세포비대(hypertrophy)(−32주)

③ 세포비대, 지방과 글라이코겐 축적(32주 이후)

2) 태아 성장에 영향을 주는 요소

① 태아의 유전체(genome): 가장 중요한 요소

② 환경적인 요인

③ 영양상태

④ 호르몬: insulin−like growth factor−1 (IGF−1), leptin 등

2. 태아성장제한(Fetal Growth Restriction)

1) 정의

초음파에 의한 태아 예상체중 또는 복부둘레가 해당 임신 주수의 10백분위수 미만으로 정의되고 있다.

고려되어야할 점
① 성장곡선의 기준은 개인의 성장 가능성을 고려하지 않았다
② 70%는 체질적으로 작은 경우이며 30%가 실제 병적인 태아성장제한을 보이며 불량한 주산기 예후와 관련이 있다.

2) 원인

(1) 모체측 원인
① 모체의 혈관질환(임신성고혈압, 당뇨, 만성 신장질환, 전신성 홍반성 루프스, 항인지질 항체증후군등): 자궁태반 혈류량을 감소시킴
② 흡연, 고산지대거주, 청색증 선천성 심장질환, 천식: 만성적인 자궁태반 저산소증초래
③ 임신부의 체중증가 불량
④ 항암제, 항응고제, 항경련제와 같은 기형발생물질의 복용
⑤ 임산부의 흡연, 음주, 헤로인이나 코카인 같은 중독성 물질의 남용

(2) 태아측 원인
① 태아 세염색체증(trisomy): 특히 13, 18번 세염색체증
② 태반 국한성 섞임증(confined placental mosaicism)
③ 선천성 기형: 심장기형과 배벽갈림증은 대표적인 선천성 기형으로 알려져 있다.
④ 모체-태아 감염: 풍진, 거대세포바이러스, 결핵, 매독, 톡소플라스모시스, 말라리아 등
⑤ 다태임신

3) 예후

– 3백분위수 미만 또는 태아 혈류이상을 동반한 경우 예후가 매우 불량
① 사산(1.5%), 태아질식, 태변흡인, 응급제왕절개분만, 신생아 중환자실 입원, 낮은 아프

가 점수등을 포함한 주산기 이환율과 주산기 사망률이 높아진다.

- 5백분위수 미만의 자궁내 태아성장제한 태아의 사산율은 2.5%로 증가
② 출생직후 저체온, 저혈당, 저칼슘혈증, 뇌실내 출혈, 패혈증, 경련, 신생아사망등의 신생아 합병증이 증가
③ 학동기 신경학적 발달장애증가
④ 성인에서의 제2형 당뇨, 뇌졸중, 고혈압, 관상동맥 심장질환 등의 내분비 및 심혈관계 질환에 걸릴 확률이 높아진다(Baker hypothesis).

4) 자궁내 태아성장제한의 평가

체질적으로 건강한 부당경량아(small for gestational age, SGA)를 배제하고 병적인 태아성장제한을 구별하기 위해서는 태반의 기능 및 태아순환에 대한 평가가 필요하다.

(1) 태아성장의 평가

① 자궁저 높이 측정

- 간단하면서 손쉽게 할수 있는 가장 기본적인 검사
- 18~30주 사이에는 임신주수와 비교적 잘 일치한다.
- 주수에 비해 2~3 cm 이상 낮은 경우 부적절한 태아성장을 의심해 볼 수 있다.

② 초음파

- 연속적인 초음파검사를 통해 태아성장에 대한 평가가 이루어져야 한다.
- 생체계측중 복부둘레(AC)가 자궁내 성장제한을 예측하는데 가장 효과적인 변수

(2) 도플러

① 제대동맥

제대동맥의 이완기말 혈류가 없거나 역전(absent or reversed end-diastolic flow)과 같은 비정상 제대동맥 도플러 파형은 태반기능 이상을 나타내는 중요한 지표이다.

② 중간대뇌동맥

자궁내 저산소혈증에 적응하기 위한 뇌보존 현상(brain sparing effect)으로 인해 중간대뇌동맥의 이완기말 혈류가 증가하여 박동지수(PI)가 감소하게 된다.

③ 정맥

박동지수가 증가하고 심방기 혈류가 소실되거나 역전되는 정맥관 도플러 파형은 태아산증을 시사하는 소견으로 비정상 혈류의 마지막단계에 나타난다.

(3) 양수량

양수량은 태아의 신혈류를 반영하는 것으로 간접적으로 태아의 혈류순환 상태를 평가할 수 있다. 따라서 양수과소증은 태아의 저산소혈증에 의한 혈류의 재분배를 의미하며 양수과소증이 심해질수록 비정상 도플러 파형과 관련된다.

5) 자궁내 성장제한의 처치

교정가능한 원인 인자를 파악하고 철저한 산전검사를 통해 태아의 안녕을 유지하여 적절한 시기에 분만을 유도하여야 한다.

(1) 태아감시

① 태아기형여부 확인한다.
② 임신 32주 이전에 진단된 태아발육지연 또는 태아기형을 동반한 경우에는 염색체 검사와 마이크로어레이 검사 병행한다
③ 2~4주 간격의 연속적인 초음파 검사를 통해 성장속도를 평가한다.
④ 도플러검사 및 비수축검사, 생물리학적 계수 검사를 통해 태반의 기능부전과 태아안녕을 평가한다.

(2) 분만시기

태아성장제한의 원인과 임신주수에 따라 결정되어진다.
① 임신 32주 미만에 진단된 경우(Early-onset): 연속적인 산전 태아안녕검사를 통한 추적관찰을 하고 성장제한악화 또는 안녕검사 이상시 산전 스테로이드를 투여하고, 태아안녕검사에서 비정상 소견이 나타나거나, 제대동맥 도플러 파형의 이완기말 혈류 역전이 일어나는 경우 신중하게 분만을 고려
② 임신 32주 이후에 진단된 경우(Late-onset): 양수과소증, 태아안녕검사 이상, 제대 동맥의 비정상 혈류파형, 임산부의 위험인자등이 있다면 분만을 고려
 - 제대동맥 도플러 검사에서 이완기말 혈류가 없는 경우 스테로이드 투여 후 임신 33~34주 분만 고려

– 제대동맥 도플러 검사에서 혈류 저항성이 증가된 경우 37주 분만 고려
– 연속적인 초음파 검사에서 태아성장을 확인할 수 있고 제대동맥 도플러 검사를 비롯한 태아안녕검사에서 정상소견을 보일 경우는 임신 38~39주에 분만을 권고하고, 3백분위수 미만의 중증 성장제한의 경우 37주 분만을 고려

(3) 분만방법
① 자궁내 성장제한만으로 제왕절개분만의 적응증이 되지는 않는다.
② 태반 기능부전이 있는 자궁내 성장제한 태아들은 대부분 분만진통시 태아가사나 제대 압박을 초래할 위험이 높기 때문에 주의깊은 감시가 필요하다.

6) 예방
① 재발위험도: 20%
② 현재까지 입증될 만한 예방방법은 없다. 임신 전 영양상태 개선 및 금연, 약물중단등의 생활습관의 개선이 필요하고, 내과적 질환등의 위험요인을 조절하며, 임신 초기 초음파를 통한 임신주수의 정확한 계측이 필요하다.
③ 모체의 전자간증과 관련되어 성장제한이 발생한 경우에는 임신 16주 이전부터 저용량의 아스피린 복용이 전자간증 재발 예방에 도움이 될 수 있다.

3. 태아과도성장(거대아, 큰몸증)

1) 정의
① 인구 집단 내에서 출생주수에 따른 97백분위 또는 2표준편차 이상의 출생체중
② 일반적으로 4,000 g 이상의 출생체중을 보일 때 큰몸증(거대아)이라 한다.

2) 빈도
증가하는 경향을 보인다.

3) 위험인자

① 산모의 비만(산모의 임신전 BMI)

② 임신 중 당대사 장애를 포함하는 당뇨합병임신

③ 임신부 연령증가

④ 다산

⑤ 과숙임신

⑥ 과거 큰몸증 출산력

⑦ 부모의 체격조건, 인종, 유전적 요인 등

4) 예후

제왕절개분만, 견갑난산, 산후출혈, 회음부열상, 산모감염증등의 위험성 증가

5) 진단

초음파를 이용한 다양한 태아체중 추정법이 시도되었으나 큰 태아를 정확하게 예측할 수 있는 방법은 제한되어 있다.

6) 관리

① 큰몸증이 예상되어 시행하는 임신 39주 이전의 유도분만은 권장되지 않는다.

② 초음파검사에서 큰몸증이 예상되는 경우 선택적 제왕절개분만은 산모를 진찰하는 임상의사의 신중한 판단에 따라 결정되어야 한다.

③ 미국 산부인과 학회에서는 당뇨합병 임신에서 추정태아체중이 4,250~4,500 g 이상일 경우, 당뇨비합병 임신에서 추정태아체중이 5,000 g 이상일 경우 제왕절개술이 견갑난산을 예방하기 위해 권고될 수 있다고 결론내렸으나, 현재까지 국내 지침은 정해진 바 없으므로, 산모와 태아의 상태를 고려하여 임상의가 신중히 판단해야 한다.

양수와
태반의 이상
Disorders of Amniotic fluid
and Placenta

Obstetrics & Gynecology

산부인과학 지침과 개요

CHAPTER

27

학습목표

1. 양수량의 측정 방법 및 양수과다증 및 양수과소증을 설명한다.
2. 태반, 태아막, 탯줄 이상의 종류와 이에 따른 원인 및 합병증을 기술한다.

1. 양수량의 조절과 측정방법

1) 양수의 기능

(1) 모체의 배에 대한 외력으로부터 태아를 보호

(2) 태아와 자궁 사이의 탯줄이 눌리는 것을 방지

(3) 감염에 대한 방어작용

(4) 태아를 위한 체액과 영양소의 저장소 역할

(5) 태아의 폐와 근골격계 및 위장관계의 정상적인 발달에 필요한 공간, 체액제공

2) 양수의 생성

(1) 임신초기

배아의 표피에서 분비되면서 생성되고, 임신 8~11주경부터 태아의 소변이 만들어지지만 임신 제1삼분기 양수량의 일부에 해당된다.

(2) 임신중기, 후기

태아의 소변과 폐에서 체액 분비를 통해서 양수가 생성되고 태아가 삼키거나 막내 이동을 통해 흡수가 된다.

3) 양수량의 측정

양수량을 정확하게 측정하기 위해서는 양수천자를 통한 색소희석방법으로 측정해야 하지만 임상적으로 시행하기 어려워 일반적으로 초음파를 이용한 반정량적 방법을 통해 측정한다.

(1) 단일 최대 양수포켓측정

가장 깊은 하나의 양수포켓을 찾아 깊이를 측정한다.

- 정상범위: 2~8 cm이다.

(2) 양수지수측정

자궁을 네 부분으로 나누어 각 부분의 가장 깊은 곳을 측정한 후 값을 더한다.

- 정상범위: 5~24 cm이다.

2. 양수과다증

임상적으로는 양수지수가 24 cm 초과이거나 단일 최대 양수포켓이 8 cm 초과인 경우로 정의하고 있으며 조산, 태반조기박리, 태아기형 등의 불량한 임신 예후의 위험이 높다. 빈도는 약 1~2%이다.

1) 원인

- (1) 태아기형: 중증 양수과다증의 가장 흔한 원인이며 유전질환과도 연관이 있다. 태아의 삼킴이 감소하거나 소변량이 증가할만한 다양한 계통의 태아 기형에서 발생할 수 있다.
- (2) 산모의 당뇨병
- (3) 다태임신
- (4) 태아감염

(5) 태아빈혈

(6) 원인불명

2) 증상

산모의 호흡장애, 조기분만진통, 조기양막파열, 조산, 태아의 위치이상, 거대아, 탯줄탈출증, 양막파열과 동반된 태반조기박리, 산후자궁이완 등이 발생할 수 있다.

3) 진단 후 관리

(1) 초음파검사로 태아기형이 있는지 확인 후 동반기형 유무 따라 염색체검사를 시행한다.

(2) 임신성당뇨병 선별검사를 시행한다.

(3) 태아−모체 수혈, 감염 등이 의심되면 적절한 임신부의 혈액학적 검사를 시행한다.

(4) 증상이 없으면 정기적으로 관찰한다.

(5) 호흡곤란 등의 증상이 있을 때 양수천자술이나 프로스타글라딘 합성억제제 투여를 고려한다.

① 양수천자술: 약 30분 동안 1~1.5리터 가량의 양수를 천자하며 양막 파열이나, 조기진통, 태반조기박리 등의 위험이 있다.

② 프로스타글란딘 합성억제제: 임신 주수가 증가할수록 태아의 동맥관 조기 폐쇄의 위험성이 증가한다.

3. 양수과소증

1) 정의

임상적으로는 양수지수가 5 cm 미만이거나 단일 최대 양수포켓이 2 cm 미만인 경우로 정의하고 있으며 태아의 변형, 탯줄압박, 태아사망 등이 발생할 수 있다.

2) 원인

원인은 태아, 태반, 임신부, 약물로 구분할 수 있다(표 27-1).

표 27-1. **양수과소증의 원인**

태아
– 염색체이상 – 선천기형 – 태아 발육지연 – 태아사망 – 과기임신 – 양막파막
태반
– 태반조기박리 – 쌍태아수혈증후군
임신부
– 자궁태반순환부전 – 고혈압 – 자간전증 – 당뇨
약물
– 프로스타글란딘 합성효소 억제제 – 안지오텐신전환효소저해제
원인불명(Idiopathic)

3) 진단 후 관리

(1) 임신부의 과거력과 신체진찰을 세심하게 하여 양수과소증의 원인과 관련된 소견이 있는지 확인한다.

(2) 양수과소증과 관련된 태아기형, 이배수체와 관련된 소견, 태아발육제한, 태반 기형 등을 찾기 위한 세심한 초음파검사를 시행한다. 초음파검사에서 태아기형이 있다면 염색체 검사를 고려한다.

4) 임신 결과

태아와 신생아의 예후는 양수과소증의 원인, 정도, 발생 당시 임신주수에 따라 다양하다.

(1) 임신 제1삼분기

유산의 위험이 높다.

(2) 임신 제2삼분기

조산, 근골격계 기형, 폐형성 부전증 등의 기형이 발생할 수 있다.

(3) 임신 제3삼분기

태아기형, 조산, 태아심박동이상으로 인한 제왕절개분만, 3백분위수 미만의 출생체중이 흔하다.

5) 폐형성 부전증

제2삼분기, 특히 임신 20~22주 전에 발생한 양수과소증에서 폐형성 부전이 심할 수 있다.

6) 경계성 양수과소증

양수지수가 5~8 cm인 경우를 말하며 양수량이 정상인 산모보다 조산, 제왕절개분만, 태아발육제한 등이 발생할 수 있으나 고혈압, 사산, 신생아 사망 등은 차이가 없다고 보고 되고 있다.

4. 태반의 이상

1) 부태반

주태반과 떨어져 있는 하나 이상의 다른 엽으로 태반혈관이 주태반의 막에서 생성되어 각각의 부태반으로 연결되어 있다.

(1) 합병증

태반 혈관이 자궁내구를 덮고 있는 경우 전치혈관을 형성하여 질출혈을 유발할 수 있다. 또한 분만 후 주태반이 만출된 후 부태반이 남아 산후출혈이나 감염을 일으킬 수 있다.

2) 막태반

태아막에 융모가 존재하면서 가늘고 깊게 착상되어 있는 태반이상의 드문 형태이다.

(1) 합병증

전치태반이나 유착태반이 동반되는 경우는 심각한 산후출혈을 유발할 수 있다.

3) 다태반

태반이 여러 개의 엽으로 이뤄진 경우이며 두 개의 엽으로 구성된 이엽태반이 흔하다. 각각의 태반이 독립적인 탯줄의 혈관과 직접 연결되어 있다.

4) 융모막외 태반

태반의 태아쪽 융모판이 기저판보다 작아 기저판이 태반위로 올라온 태반을 말한다. 이 중 주획태반은 변연부의 융모막과 양막이 중첩되어 회백색 모양의 고리가 융기되어 있는 경우를 말하며, 융모판의 변연부가 태반의 변연과 일치하여 평평한 것을 변연태반이라고 한다.

5) 거대태반

임신 제 2삼분기에는 태반의 두께가 4 cm이상, 제 3삼분기에는 6 cm이상되는 것을 거대태반이라고 한다.

(1) 원인

임산부의 당뇨병, 심한 빈혈, 매독, 톡소포자충증 그리고 거대세포바이러스 감염으로 인한 태아수종에서도 발생할 수 있다.

6) 태반종양

(1) 종류
① 임신영양막병
② 융모막혈관종

대부분 양성종양이며 색도플러 초음파로 진단이 가능하다. 크기가 5cm가 넘어가면 태아빈혈, 태아수종, 출혈, 조기분만, 양수량 이상, 태아성장장애 등이 연관되어 나타날 수 있다.

5. 탯줄의 이상

1) 탯줄의 모양

2개의 탯줄동맥과 1개의 탯줄정맥이 있으며 혈관주변을 Wharton 젤리라는 물질이 둘러싸고 있다. 탯줄은 감긴 모양을 하고 있으며 감김이 적으면 태아성장장애, 태동감소, 신경학적 및 근골격계 이상과 관계가 있다.

2) 탯줄 부착

(1) 태반가장자리 부착

탯줄은 정상적으로 태반의 중앙이나 중앙의 약간 옆에 부착되어 있는데 태반가장자리 부착은 태반의 가장자리 2 cm이내 부착되어 있는 경우를 말한다.

(2) 양막부착

양막에 탯줄이 부착된 경우로 가장자라의 혈관은 warton젤리가 없어 압박되기 쉬우며 태반조기박리, 태아발육제한, 조산, 선천성 기형, 낮은 아프가점수와 관련이 있다.

(3) 전치혈관

양막 부착된 태반에서 혈관이 자궁내구를 지나는 경우로 수축이 있는 경우 태아의 선진부와 자궁내구 사이에서 압박을 받을 수 있으며 심각한 경우 찢어지거나 박리되어 출혈을 유발할 수 있다.

3) 탯줄 매듭 및 고리

탯줄이 자궁 내에서 태아의 움직임에 의해 매듭이 형성될 수 있으며 단단하게 매듭이 조여져 있는 경우 자궁 내 태아사망의 위험이 증가한다. 탯줄이 태아의 목이나 목을 감고 있는 경우를 탯줄고리라고 하며 매우 흔하게 관찰되고 주산기 예후와는 관련이 적다.

4) 혈관의 숫자

단일탯줄동맥은 태아기형이 동반될 수 있으므로 심장을 포함한 태아 정밀초음파를 시행해야 한다. 동반기형이 없다면 단일탯줄동맥은 태아 이수배수체의 위험을 증가시키지 않으나 동반기형이 있다면 양수천자 등의 검사가 필요하다.

6. 태아막의 이상

1) 태아막의 구성

태아에 가까운 양막과 바깥쪽의 융모막으로 구성되어 있고 12주까지는 분리되어 있다가 12주 이후 하나로 합쳐지게 된다.

2) 태변착색

12~20%로 나타나는 비교적 흔히 관찰되는 소견으로 다른 이상 소견이 없는 태변착색은 침습적인 검사가 필요하지 않다.

3) 융모양막염

양수, 태아막, 태반, 탈락막 등에 감염이 발생한 경우로 분만전후 임신부 고열의 원인이 된다. 신생아에서 조기신생아패혈증과 폐렴이 20~40%에서 나타날 수 있다.

(1) 임상증상 및 진단

융모양막염으로 진단하기 위해서는 고열과 함께 다른 두 가지 이상소견이 있어야 한다. 비정상적인 진통, 자궁이완, 분만 후 출혈, 자궁내막염, 상처감염, 정맥혈전증 등 과도 관련이 있다.

① 37.8~38℃이상의 고열
② 자궁압통
③ 임신부의 빈맥(>100회/분)
④ 임신부의 백혈구증가증(>15,000세포수/mm³)
⑤ 태아의 빈맥(>160/분)
⑥ 악취가 나는 양수

(2) 치료

항생제 Ampicillin(6시간마다 2 g정맥투여)와 gentamicin(8시간마다 1.5 mg/kg 정맥투여)을 투여하며 분만방법은 임신부와 태아상태에 따라서 결정한다.

4) 양막띠증후군

양막의 일부가 배아 혹은 태아에 붙어 기계적인 또는 혈관이상을 초래하는 질환으로 태아의 팔다리와 손가락, 발가락 등의 절단 혹은 변형, 두개안면기형, 피부결손, 합지증, 만곡족, 폐형성부전증 등이 발생할 수 있다. 예후는 동반기형과 내부장기이상의 정도에 따라 결정된다.

다태임신
Multiple pregnancy

1. 일란성 쌍태아(monozygotic twin)의 형성을 시기에 따라 설명한다.
2. 일란성과 이란성 쌍태아의 차이점을 설명한다.
3. 다태임신의 처치 및 분만 방법을 단태아와 비교한다.
4. 다태임신의 예후를 설명한다.

1. 다태임신의 원인

1) 일란성 쌍둥이와 이란성 쌍둥이

(1) 일란성 쌍둥이(Monozygotic twin)

하나의 수정란이 수태된 후 첫 수일 안에 2개의 분리된 배아로 나뉘어 생기는 것(그러나 반드시 똑같이 갈라지는 것은 아니며, 원형질의 공유(protoplasmic share)가 다르게 분리될 수 있다. 일란성 쌍둥이라고 하더라도 접합 후 돌연변이나 표현형 차이로 인하여 유전적 이상의 양상이 다르게 나타날 수 있다.)

(2) 이란성 쌍둥이(Dizygotic twin, fraternal twin)

두 개의 난자가 각각의 정자와 수정됨으로써 두 개의 배아가 생기는 것.

표 28-1. **분할시기에 따른 융모막성과 양막성**

	두융모막 두양막 (dichorionic diamnionic)	단일융모막 두양막 (monochorionic diamnionic)	단일융모막 단일양 막 (monochorionic monoamnionic)	결합 쌍둥이 (conjoined twin)
분할시기	0~4일	4~8일	8~12일	13일 이후
주요발생	융모막 완성 이전	양막 완성 이전	양막 완성 이후	Embrtonic disc 완성 이후

2) 일란성 쌍둥이의 생성

분할시기에 따라 융모막성과 양막성이 결정된다(표 28-1).

3) 일란성 쌍둥이의 임상적 의의

일란성 쌍태임신은 이란성에 비하여 불량한 주산기 예후를 보일 뿐만 아니라 태아 기형의 빈도도 더 높은 것으로 보고되고 있다. 특히 단일 융모막성 쌍태임신에서 이런 현상은 뚜렷하게 나타나는데 이런 원인으로는 두 태아 사이에 혈관 문합을 통해 혈액이 이동할 수 있기 때문이다. 대표적인 합병증으로는 쌍태아간 수혈증후군, 쌍태아 빈혈-다혈증 연쇄(twin anemia polycythemia sequence), 쌍태아 동맥 역관류 연쇄(twin reversed arterial perfusion sequence) 등이 있다. 일란성 쌍태임신에서 태아 기형 빈도가 높은 이유 중 하나로 수정된 난자가 나눠지는 과정에서 비대칭적인 분할이 일어날 수 있기 때문으로 생각하고 있다.

4) 쌍태임신의 빈도

(1) 일란성 쌍둥이(20%)

① 전체 쌍둥이의 약 1/3을 차지하며, 빈도가 비교적 일정하다(1/250 births).
② 인종, 지역 유전의 영향을 별로 받지 않는다.

(2) 이란성 쌍둥이(80%)

인종, 지역, 유전, 나이, 불임 치료 등의 영향을 많이 받는다.

5) 이란성 쌍둥이 발생에 영향을 미치는 인자

(1) 인종

전체 빈도가 나이지리아의 일부에서는 약 20 임신 당 하나의 꼴로 많이 나타나며, 백인에서는 약 3%, 흑인에서는 3.5% 정도이며 그러나 아시아에서는 빈도가 낮다(1/155).

(2) 유전적 요인

모체의 유전형(genotype)이 더 중요하다.

(3) 임신부의 연령과 분만력

나이와 출산력이 증가할수록 빈도가 증가한다.

(4) 영양요인

키가 크고 체격이 큰 여성에서 많은데, 이는 아마도 체격자체보다는 영양요인과 관계되리라 생각된다.

(5) 뇌하수체 생식샘자극호르몬(pituitary gonadotropin)

경구피임약을 끊고 난 후 바로 임신 시 쌍태임신의 빈도가 증가하는데, 이는 난포자극호르몬(FSH)의 증가와 관련될 것으로 생각된다.

(6) 불임치료 및 보조생식술

난포자극호르몬(FSH)과 생식샘자극호르몬(gonadotropin)을 이용하여 배란유도를 하거나 클로미펜(clomiphene)을 사용하게 되면 다수의 난자가 동시에 배란되어 쌍태임신이 증가하게 된다.

* 보조생식술로 임신확률을 높이기 위해서는 과배란유도로 한 임신 주기에 2개 이상의 난자를 자라게 하는 것이 중요하나 이로 인해 다태임신의 확률이 높아진다.

6) 접합성(Zygosity), 융모막성(chorionicity)의 결정

(1) 접합성, 융모막성의 결정이 중요한 이유

① 임신의 주요 예후에 융모막성이 중요하며 치료방침 결정시에도 도움이 된다

② 접합성이 동일한 경우 쌍둥이간 장기이식(inter-twin organ transplantation)을 결정하는데 도움이 된다.

(2) 접합성, 융모막성의 진단

① 초음파를 통한 융모막성의 진단

가. 성별

성별이 다른 경우–이융모막(성별이 같은 경우는 둘 다 가능)

나. 태반의 수

서로 떨어진 두 태반이 있는 경우 이융모막

다. 양막

- 태아간 양막의 존재: 이양막
- 양막의 두께: 임신 이삼분기까지 2 mm 이상인 경우 이융모막
- Twin peak sign: 태반의 일부가 쌍태아간 양막사이에 삽입되어 쐐기모양(wedge shape)으로 보이는 것으로 이러한 경우 이융모막(dichorionic)을 시사

② 접합성의 결정

가. 성별

성별이 다른 경우–이란성(성별이 같은 경우는 둘 다 가능)

나. 융모막성

일융모막성인 경우 일란성이다.

다. 이융모막성이면서 성별이 다른 경우 접합자성은 알 수 없다(혈액형, HLA typing, DNA finger-printing 등을 이용해야 한다).

2. 다태임신의 진단

1) 병력확인 및 진찰

불임치료를 받은 경우 특히 의심해야 한다(클로미펜이나 생식샘자극호르몬의 사용, 체외수정 등).

2) 초음파

① 임신 초기 초음파에서 임신낭이 따로 존재하는 것을 확인하면 다태임신을 진단할 수 있다.

② 융모막성은 적어도 13+6주 이전에 막의 두께, 태반에서 양막의 부착부위, T sign이나 lambda sign, 태반의 개수를 확인하여 결정해야 한다. 또한 융모막성을 평가한 초음파 기록은 보관해두어야 한다.

③ 융모막성이 평가되는 시기에 양막성도 함께 평가되어 만약 단일 융모막 단일 양막 쌍태아로 의심되는 경우 3차병원으로 전원을 고려해야 한다.

3) 생화학 표식자 검사(Biochemical test)

소변과 혈중 b-hCG와 혈장 AFP 수치가 단태아에 비해 높을 수 있으나 이 수치는 진단적 효용성이 낮다.

4) 산전 관리 간격과 태아 염색체 선별검사

다태임신의 경우 임신 초기 정확한 진단을 통해 융모막성, 양막성을 확인해야한다. 단일 융모막쌍태임신의 경우 임신 16주와 18주에는 태아의 성장, 양수의 양, 제대동맥의 도플러를 확인하고 20주에는 태아의 해부학적 정밀 계측과 성장, 양수양, 제대동맥과 중대뇌동맥 도플러, 자궁경부길이 측정을 시행해야 한다. 이후 22주부터는 매 2주 간격으로 태아의 성장, 양수의 양, 제대동맥과 중대뇌동맥 도플러를 측정하여 단일 융모막 특이 합병증이 발생하는지의 여부와 태아성장이상의 발생 여부를 관찰하여야 한다. 이융모막성 쌍태임신의 경우 20주 이전에는 단태임신과 유사하게 외래 방문을 하더라도 그 이후에는 2주 간격으로 외래를 방문하며 초음파는 4~6주 간격으로 시행하여 태아의 성장과 양수의 양, 태아 도플러를 확인하는 것이 바람직하다. 쌍태임신에서 다운증후군을 예측하기 위한 선별검사로 태아 DNA 선별검사(cell-free DNA screening)를 고려해 볼 수 있다. 하지만 단태아에 비하여 태아 DNA 선별검사의 결과를 얻는데 실패할 위험이 크다.

3. 다태임신 모체의 임신적응

① 모체 혈량의 증가가 더 많아 단태임신에서 40~50% 정도 증가하는 것에 비하여 50~60% 정도 증가하게 된다.
② 철분과 엽산: 요구량이 더 증가하며, 빈혈이 더욱 잘 생긴다.
③ 분만 시 출혈이 단태아의 약 2배정도로 많다.
④ 심박출량이 단태아보다 더 많이 증가한다.
⑤ 폐기능은 다르지 않다.
⑥ 자궁 내용물이 10 L 이상이 되고, 특히 일란성 쌍둥이에서, 급성 양수과다증 등이 발생할 수 있으며, 이러할 경우 복강 장기 및 폐 등이 압박된다.
⑦ 양수과다증이 심할 경우 폐쇄성 요로병변에 의해 신기능이 저하될 수 있다. 분만을 하면 좋아지는데, 임신의 지속을 원할 경우 양수천자술을 하여 양수를 일부 제거할 수도 있다. 양수천자술을 시행하는 경우 증상이 호전되고 조기진통이나 조기양막파수에 따른 조산의 위험을 낮출 수 있으나 시술 이후 곧 다시 양수가 증가하게 된다.
⑧ 20주 이전에는 이완기혈압이 단태임신보다 낮다가 임신중반기~분만시에는 더 급격하게 오른다.
⑨ 식이: 쌍태임신에서는 칼로리, 단백질, 미네랄, 비타민, 필수지방산의 요구량이 증가하며, 칼로리는 40~45 kcal/kg/day가 더 필요하다.

4. 임신 결과

1) 주산기 사망률 및 질환 이환율의 증가
조산의 빈도가 높은 것이 가장 큰 원인으로 생각된다.

2) 유산
① 단태아에 비해 흔하며, 보조생식술을 통해 임신된 경우 자연적으로 임신된 쌍태아보다 유산이더 흔하다. 또한 단일융모막성 쌍둥이 임신에서 더 흔하다.
② 다태임신에서 임신 1삼분기 이내 유산의 위험성은 약 10~40%이며 이 위험은 태아의 수가 많을 수록 증가하게 된다. 임신 1삼분기 중 태아의 유산은 산전유전검사 결과에

3) 기형

단태임신에 비하여 쌍태임신은 기형의 위험이 증가하게 되며 특히 단일 융모막성 쌍태아의 경우 이 융모막성 쌍태아에 비해 기형의 위험이 증가한다고 알려져 있다. 단일 융모막성 쌍태아의 기형이 증가하는 원인은 일란성 쌍태아에서 기형의 빈도가 높은 것과 관계가 있으며, 최근 보조생식술로 인한 쌍태임신의 증가는 이란성 쌍태아에서의 기형의 빈도에도 영향을 미치고 있다.

4) 저체중아

쌍태임신은 태아 성장 제한과 조산으로 인해 저체중아를 출생하게 될 위험이 증가하게 된다. 대개의 경우 28–30주까지는 단태아와 비슷한 성장속도를 보이지만 이후 쌍태아의 체중은 더디게 증가하게 된다. 태아의 수가 증가할수록 저체중의 정도가 더 심하며, 일란성 쌍둥이일 때가 더 심하다.

① 혈관문합 등의 다른 원인을 제외하며, 저체중의 원인은 일차적으로는 영양분의 부족 때문이다. 약 28~30주까지는 단태아와 비슷한 체중의 증가를 보이나, 이후 감소하기 시작하여, 34~35주 이후가 되면, 확실히 성장곡선이 더 차이 나게 된다. 38주 이후가 되면 더욱 현저해지며, 약 반 정도에서 나타나게 된다.

② 모체가 공급할 수 있는 영양분의 한계가 있는데, 태아수가 증가하면 이 한계를 넘어설 것으로 생각되며 태아 수에 따라 저체중아 위험이 증가하는 것과 관련이 있다.

③ 이러한 원인에 의해 다태임신에서는 공복 시 기아케톤증(starvation ketosis)이 더 쉽게 일어나게 되며, 임신이 진행할수록 태반 혈액관류가 부족하게 되어, 탯줄정맥에서 적혈구생성소(erythropoietin)가 증가하게 된다(단태아에서는 증가하지 않는다).

5) 고혈압

쌍태임신에서는 단태임신에 비하여 태아의 수가 증가하고, 태반이 커서 이러한 영향이 임신중독증 병리기전에 영향을 미칠 것으로 생각된다. 이에 따라 쌍태임신에서는 임신관련 고혈압의 발생이 증가하게 되고 더 빠른 주수에 발생하여 더 심각한 결과를 초래하는 것으로 여겨진다.

6) 임신 기간 및 조산

다태임신에서 조산은 흔하며 쌍태임신의 50%, 삼태임신의 75%, 사태임신의 90%가 조산을 하는 것으로 보고된다. 쌍태임신의 평균 재태기간은 35주이며, 삼태임신의 평균 재태기간은 32주로 이러한 조산은 신생아기사망 및 질환 이환의 중요한 원인이 된다.

① 조산의 예측: 다태임신에서 초음파를 이용한 자궁경부 길이를 측정하는 것은 조산을 예측하는데 도움이 된다는 연구결과가 있지만 쌍태임신에서 자궁경부 길이 측정은 조산으로 인한 예후를 향상시키지는 못하였다.

② 조산의 예방

- 침상안정: 임신 기간 연장이나 태아의 생존율 향상에 기여하지 못하는 것으로 알려져 있다.

- 예방적 자궁수축억제제 투여: 쌍태임신을 대상으로 진행된 연구가 부족하며 조산을 예방하는데 한계가 있어 예방적인 사용은 권고되지 않는다.

- 황체호르몬 투여: 황체호르몬 근주주사의 경우 자궁경부가 짧은 경우에 사용하여도 쌍태임신에서는 조산의 발생을 낮출 수 없었다. 질정제로 사용하는 경우, 상반된 결과들이 제시되고 있다.

- 예방적 자궁경부 원형 결찰술: 예방적으로 자궁경부 원형 결찰술을 시행하는 것에 대한 메타분석 연구에서는 조산 감소의 효과는 없었으나 경부가 개대된 상황에서 rescue cerclage를 하는 것은 도움이 된다는 연구 결과도 있다.

- 페사리: 상반된 연구 결과들로 인하여 권고되고 있지 않다.

③ 조산의 치료

- 자궁수축억제제: 자궁수축억제제를 투여하는 것이 신생아 예후를 향상시키지 못하였으며 단태임신과 비교하여 산모에게서 더 많은 심혈관계 합병증이 동반되었다는 보고가 있다.

- 폐성숙을 위한 스테로이드 투여: 신생아 호흡 부전과 같은 이환율에서 단태임신과 큰 차이를 보이지 않으며 이점이 없을 것이라는 특별한 증거가 없기 때문에 단태임신과 같은 방법으로 사용하도록 한다(ACOG, 2016). 단, 쌍태임신 중 후기 조산(later preterm) 시기의 스테로이드 투여의 유용성에 대한 무작위배정임상시험의 결과는 없어 아직 후기 조산 시기에 스테로이드를 투여하는 것에 대한 근거는 충분하지 않다.

7) 지연 임신과 쌍태임신의 분만 주수

쌍태임신에서 임신 40주 이후를 지연임신으로 생각해 왔다. 미국산부인과학회 권고에 따르면 융모막성과 양막성에 따라 권고하는 분만주수는 아래와 같다.

- 특별한 문제가 없는 이융모막성 쌍태임신: 38주
- 특별한 문제가 없는 단일융모막성 쌍태임신: 34~37+6주
- 특별한 문제가 없는 단일양막성 쌍태임신: 32~34주

5. 다태임신의 특이 합병증

1) 단일양막성 쌍태임신(Monoamnionic twin)

일란성 쌍태아의 약 1% 정도에서 발생하며 단일 융모막 쌍태아의 약 5%에 해당함.
높은 태아 사망률을 보이며 원인은 아래와 같음.

(1) 원인

① 탯줄 얽힘(cord entanglement): 흔하게 관찰되며, 이로 인한 태아의 사망은 예측하기 어려움

② 조산

③ 동반 기형의 증가: 약 18~28%의 빈도를 보이며 심장기형 발생이 높음

(2) 태아 관리와 분만

26~28주에 태아폐성숙을 위한 첫 번째 코스의 스테로이드를 투여하고 이 때부터 매일 태아심박수 감시를 시행하고 태아의 안녕을 안심할 수 있다면(reassuring) 두 번째 코스의 스테로이드를 투여 후 32~34주에 제왕절개를 시행한다.

2) 결합 쌍둥이

(1) 종류

배아판(embryonic disc) 형성 후 분리가 이루어져, 배아판의 분리가 불완전하여 발생하며 중요 장기가 결합되지 않은 경우 분리 수술이 가능할 수도 있음.

① thoracopagus: 가슴이 결합한 경우(30~40%)

② omphalopagus: 배가 붙은 쌍태아(25~40%)

③ pyopagus: 등이 붙은 경우(10~20%)

④ craniopagus: 머리뼈가 붙은 경우(2~16%)

⑤ ischiopagus: 골반에서 결합한 경우(6~20%)

3) 무심장 쌍둥이(Acardiac twin)

기전

① 배아형성(embryogenesis) 기간 동안 혈역동학적으로 의미있는 태반내의 혈관 문합에 의해 발생하여 정상 쌍태아의 혈관순환계를 돌아 나온 탈산화된(deoxygenated) 제대 동맥 혈액이 태반의 혈관 문합을 통해 무심장 쌍태아의 제대동맥 및 내장골 동맥(hypogastric artery)으로 역류하여 하지를 관류하게 된다. 이때 약간 남아 있는 산소를 사용함으로써 하지의 발달이 이루어질 수 있으나 하지에서 완전히 탈산화된 혈액이 다시 상반신을 관류하게 되므로 상지와 두부의 형성이 이루어지지 못하게 되어 무심장 (acardia), 무두(acephalus) 등의 기형이 발생하는 것으로 생각된다(쌍둥이 역-동맥-관류 연쇄, twin reversed-arterial-perfusion sequence, TRAP sequence).

② 무심장 태아의 특징으로는 정상 심장과 혈관계의 형성이 없고, 중추신경계, 기능적 사지 및 요로계도 존재하지 않는다.

③ 대개 정상 쌍둥이와 하나의 동맥-동맥, 정맥-정맥 문합으로 연결되어 있다.

④ 펌프 쌍둥이(pump twin)는 구조적으로는 정상이나 과도한 심부하에 의한 울혈성 심부전에 기인하여 사망할 수 있으며, 무심장 기형아 임신의 예후는 무심장 기형아와 정상 쌍태아간의 체중의 비가 큰 영향을 미치는 것으로 알려져 있다.

4) 쌍둥이간 수혈증후군(TTTS, twin-to-twin transfusion syndrome)

(1) 쌍둥이에서의 혈관 연결

① 극히 일부를 제외하고, 단일융모막성 태반에서만 관찰된다.

② 동맥-동맥 연결이 가장 흔하나 별다른 영향이 없다.

③ 깊은 융모동정맥문합(deep villous arteiovenous anastomosis)이 있을 경우에는 태아의 혈압이나 혈액량과 무관하게 일방적인 혈류의 이동이 생겨 TTTS, 태아사망 등을 일으키는 주된 원인이 될 수 있다.

④ 쌍둥이간 수혈증후군은 단일 융모막성 쌍태아의 약 10~15%에서 발생한다고 알려져 있다.

(2) 진단 기준

단일융모막 쌍태아이면서 수혈자의 최대수직공간이 8 cm가 넘거나 공혈자의 최대수직공간이 2 cm 보다 작아야 한다. 쌍둥이간 수혈증후군의 진단과 치료에 중요한 역할을 한 Quintero는 쌍둥이간 수혈증후군을 진행단계에 따라 아래와 같이 구분하였다.

퀸테로 단계(Quintero staging)

1단계: 수혈자 태아의 양수 최대수직공간이 8 cm 넘으며 공혈자 태아의 양수 최대수직공간이 2 cm 미만이며 공혈자 태아의 방광이 보이는 상태

2단계: 1단계 소견과 함께 공혈자 태아의 방광이 보이지 않는 경우

3단계: 2단계 소견과 함께 제대동맥, 정맥관, 제대정맥 도플러 초음파 이상 소견이 관찰되는 경우

4단계: 태아에서 복수 혹은 태아 수종이 의심되는 경우

5단계: 태아 중 한명이라도 사망한 경우

(3) 임상양상

제공자(Donor twin)	수혈자(Recipient twin)
혈량저하증(hypovolemia)	과다혈량(hypervolemia)
탈수(dehydration)	적혈구증가증(polycythemia)
저혈당(hypoglycemia)	울혈성 심부전(CHF), 심비대(cardiomegaly)
양수과소증(oligohydramnios): 교착쌍둥이(stuck twin)	고혈압(hypertension)
성장 제한(growth restriction)	양수과다증(polyhydramnios)
빈혈(anemia)	부종(edema) 또는 수종(hydrops)

(4) 쌍둥이간 수혈증후군(TTTS)의 치료

① 보존적 치료

② 양수 감압술(amnioreduction)

③ 혈관 연결의 레이저 절제(fetoscopic laser ablation of placental vessels)

5) 쌍둥이간 체중불일치(Discordant twin)

(1) 진단 기준

① 저자마다 많이 차이가 나는데, 큰 태아를 지표(index)로 삼아 체중의 불일치 정도는

(큰 태아의 체중 - 작은 태아의 체중) / 큰 태아의 체중 X 100%로 계산할 수 있다. 기준마다 차이가 있을 수 있으나 대개 20~25%이상 체중의 불일치를 보이는 경우에 진단하게 된다.

(2) 빈도

25% 이상의 차이를 기준으로 하였을 때, 약 10% 정도의 쌍둥이에서 발생한다.

체중의 불일치가 30% 이상을 보이는 경우 신생아사망률, 선천성 기형, 저체중 출생아, 뇌실질내 경색, 제왕절개의 빈도 등이 증가하며 주산기 합병증 및 사망률이 높다는 보고가 있다.

(3) 발생 시기

① 대개 임신 이삼분기 및 초기 삼삼분기에 발생하며 주산기 사망률이 증가한다.
② 일찍 발생할수록 더 심각한 합병증이 유발되며, 임신 일삼분기에 발견된 경우는 염색체 이상과 관련된 경우가 매우 많다.

(4) 원인

① 단일융모막성 쌍둥이: 혈역동학적 불균형(hemodynamic imbalance)

두 태아 간 태반의 공유로 인해 발생하는 혈류분포와 혈관 문합으로 인한 혈압의 차이로 발생하는 혈류의 불균형 때문에 발생하는 경우가 많으며 체중이 큰 태아와 작은 태아 모두 불량한 주산기 예후를 보일 수 있다.

② 이융모막성 쌍둥이

- 태반 혈류공급부족이 가장 중요한 요인일 것으로 생각된다.
- 유전적인 태아의 성장 잠재력의 차이
- 태반 부착의 이상
- 자궁내 공간 협소(in utero crowding)

(5) 태아감시와 분만

① 체중 불일치가 의심되는 경우 초음파로 태아의 성장과 양수 양, 체중 불일치 정도, 임신 주수, 성장지연에 대해 면밀하게 확인해야 하며, 태아의 안녕을 평가하기 위해 비수축검사, 생물리학계수, 제대동맥 도플러를 평가하는 것이 권고된다. 이융모막 쌍태임신에서 체중불일치가 확인되는 경우에는 단태아의 태아성장지연에 따라 분만을 고려할

수 있지만 단일융모막 쌍태임신에서 체중불일치가 확인되는 경우에는 분만의 적정 시기에 대한 자료는 제한적이다.

6) 한 쌍둥이의 사망

(1) 한 쌍둥이의 사망 시 임신부와 남은 태아의 예후를 결정하는 요인

① 태아 사망 시 임신 주수

② 융모막성: 단일 융모막성인 경우 예후가 좋지 않을 수 있음

③ 태아사망에서 분만까지의 기간

(2) 단일 융모막성 쌍태아의 예후와 관련된 기전

한 태아가 사망하여 사망한 태아의 혈압이 없어지면 융모막판을 통해 연결된 문합을 통하여 살아 있는 태아에서 사망한 태아로의 혈액 이동이 발생할 수 있기 때문이며, 많은 혈류의 이동이 일어나면 살아있던 태아도 급격하게 혈압이 변화하여 사망하거나 신경학적인 손상을 받을 수 있음.

(3) 쌍둥이 색전형성 증후군(Twin embolization syndrome):

한 태아 사망 이후 매우 드물게 일어나는데, 혈관 연결을 통해 죽은 태아의 혈전(thrombus)이 생존아의 순환계로 들어가 중추신경계, 신장, 장, 피부 등에서 경색(infarct)을 일으키거나, 트롬보플라스틴(thromboplastin)이 풍부한 혈액이 들어가 혈관내 응고병증(intravascular coagulopathy)을 일으킬 수 있음.

(4) 임신부의 DIC

두 태아가 사망한 이후 오랫동안 자궁 내에 존재했을 때 발생할 수도 있으나 실제 임상에서는 매우 드물다.

다태임신의 특이 합병증

- 단일양막성 쌍태임신
- 결합 쌍둥이
- 무심장 쌍둥이
- 쌍둥이간 수혈증후군
- 쌍태아간 체중불일치(discordant twin)
- 한 쌍둥이의 사망

6. 다태임신의 분만

1) 다태임신에서 진통 및 분만시 발생 가능한 합병증

① 조기 진통 및 조산
② 이상 태위(abnormal presentation)
③ 자궁수축 기능이상(uterine dysfunction)
④ 탯줄 탈출(prolapse of umbilical cord)
⑤ 태반 조기 박리(premature separation of placenta)
⑥ 산후 출혈(immediate postpartum hemorrhage)

2) 태아와 태위에 따른 분만

(1) 두위-두위가 42%, 두위-둔위가 27%, 두위-횡위가 18%.
즉, 첫 태아가 두위인 경우가 약 87% 정도이다.

(2) 특히 두위-두위가 아닌 경우는 상당히 불안정한 경우가 많고, 복합태위(compound presentation), 족위(footling presentation), 이마태위(brow presentation) 등이 상대적으로 많은데, 특히 태아가 작고, 양수가 많으며, 임신부 출산력이 많은 경우가 더 심하다. 이런 경우 탯줄 탈출(cord prolapse)도 흔하다.

(3) 분만 방법
① 두위-두위: 질식 분만을 우선적으로 고려할 수 있다.
② 첫 태아가 두위가 아닌 경우(nonvertex): 제왕절개수술이 원칙이다.
③ 두위-비두위(vertex-nonvertex)인 경우에는 아직 논란의 여지가 있다.

(4) 두 번째 태아의 분만
첫 태아 분만 직후에 전자태아심음감시를 하고 두번째 태아의 선진부, 크기, 산도와의 관계 등을 확인한다.
이상이 없으면 분만을 서두르지 않아도 되고, 첫 태아 분만 후 10분이 지나도 진통이 적절하지 않으면 옥시토신을 투여하여 자궁수축을 촉진시킨다. 태아 심박동수에 이상이 나타나면 제왕절개 분만도 고려한다.

> **다태임신의 분만** 〔〕 **KEY** POINT
>
> - 두위–두위가 가장 많으며(42%) 이런 경우 질식 분만이 원칙이다.
> - 첫 태아가 두위가 아닌 경우 제왕 절개 분만이 원칙이다.
> - 다태임신 분만의 합병증
>   ① 조기 진통 및 조산
>   ② 이상 태위(abnormal presentation)
>   ③ 자궁수축 기능이상(uterine dysfunction)
>   ④ 탯줄 탈출(prolapse of umbilical cord)
>   ⑤ 태반 조기 박리(premature separation of placenta)
>   ⑥ 산후 출혈(immediate postpartum hemorrhage)

7. 선택적 감소술 및 중절술(Selective Reduction or Termination)

(1) 선택적 감소술(selective reduction)

세 쌍둥이 이상에서 다른 태아의 생존율을 높이기 위해 태아 수를 줄이는 것: 임신소실률 (pregnancy loss rate)은 약 4.7% 정도로 보고되고 있다. 태아의 수를 줄임으로써 평균 임신 주수를 늘려 이에 따른 유병률을 감소시키고 생존율을 증가시킬 수 있을 것이라 기대할 수 있으나 태아의 자연 도태 가능성을 포기하게 되고 희생된 태아에 대한 윤리적인 문제가 있을 수 있다.

(2) 선택적 중절술(selective termination)

다태임신에서 기형이 있는 태아를 선택적으로 중절하는 것으로, 그냥 두는 것이 나머지 태아의 예후에 심각한 영향을 미칠 때 고려할 수 있다. 태아의 융모막성에 따라 한 태아의 중절을 시행할 때는 남게 될 태아에게 발생할 수 있는 영향을 고려해야 한다.

태아 및 신생아 질환

Diseases and Injuries of the Fetus and Newborn

CHAPTER

29

학습목표

1. 신생아에서 발생할 수 있는 손상의 종류를 나열한다.
2. 신생아에서 발생할 수 있는 호흡기 질환을 나열한다.
3. 신생아에서 발생할 수 있는 신경계질환을 나열한다.
4. 신생아뇌병증과 뇌성마비의 관계를 이해한다.
5. 신생아에서 발생할 수 있는 소화기 질환의 임상양상 및 합병증을 설명한다.
6. 신생아에서 발생할 수 있는 동종면역빈혈의 병태생리와 예방을 위한 처치를 이해한다. .
7. 태아수종의 원인과 병태생리에 대하여 설명한다.

Ⅰ 신생아 손상

1. 두개내 출혈(intracranial hemorrhage)

배아바탕질(Germinal matrix) 출혈이 동반된 뇌실내 출혈이 가장 흔한 형태로 경막하 또는 지주막하 출혈 등과 동반되지 않은 경우는 대개 외상 때문은 아니라고 생각해도 된다. 기구를 이용한 질식분만의 감소로 분만 손상에 의한 두개내 출혈의 발생률은 감소되었다.

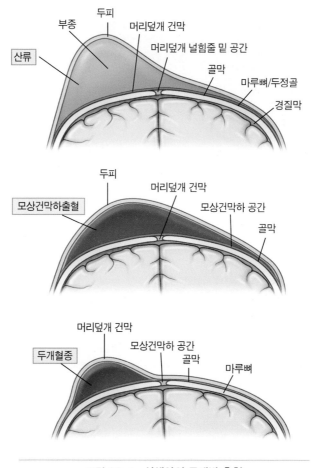

그림 29-1. **신생아의 두개밖 출혈**

2. 두개밖 혈종(extracranial hematomas)(그림 29-1)

1) 산류

① 두정위 출산 후 매우 흔하게 발생하며 피부와 골막사이의 체액 부종으로 인해 두피가 국소적으로 부은 상태이다.

② 골막위에 생긴 부종이므로 두개의 정중선 봉합선(suture line)을 통과한다.

③ 대부분 특별한 치료는 요하지 않고 수 일 내에 자연적으로 호전된다.

2) 두혈종

① 전체 출산아의 0.4~2.5%에서 발생하며 두개골과 골막 사이의 혈관이 파열되면서 고인 상태이로 대개 측두골에 잘 생긴다.

② 출혈은 한 개의 두개골에 국한되므로 두개 봉합선(suture line)을 넘지 않는다.

③ 대부분 특별한 치료는 요하지 않고 수일 내에 자연 치유되나, 심한 경우에는 고빌리루 빈혈증을 일으킬 수 있고 수혈이 필요할 수 있다.

3) 모상건막하출혈

① 1,000명 분만 당 4명의 빈도로 보고되었으며 겸자 분만이나 흡입 분만 시 주로 발생한다.

② 출혈량이 많고 두개골절도 잘 동반된다.

③ 출혈량이 적은 경우에는 자연 치유되나 출혈이 심한 경우에는 수혈 및 수술적인 치료가 필요할 수 있다.

3. 상완신경총 손상

C5-T1까지의 척수 신경근의 손상에 의해 발생한다. 상완신경총 손상의 원인은 주로 거대아 등 난산에서 많이 발생하나 약 반 수 이상은 아무런 원인 없는 정상적인 분만 과정 후에도 나타날 수 있다. 대개 예후는 양호하여 수일 또는 수개월에 걸쳐 회복되나 손상이 심한 경우에는 회복되지 않는 경우도 있다

1) Duchenne- Erb 마비

① 팔신경얼기의 상위 신경근(C5-6)이 손상됨으로써 발생한다.

② 손상된 팔이 내회전 및 주관절 신전, 손목관절의 굴곡이 있는 자세를 보인다.

③ 파악반사(grasping reflex)는 정상이다.

2) Klumpke 마비

① 팔신경얼기의 하위 신경근(C7-T1)이 손상되는 것으로 Erb 마비에 비해 매우 드물다.

② 손의 마비가 발생하여 파악반사(grasping reflex)가 소실된다.

Ⅱ 호흡기질환

1. 신생아호흡곤란증후군(Respiratory distress syndrome)

1) 원인 및 병태생리

① 조산아의 경우 폐 발달 미숙으로 인해 제 Ⅱ형 폐포세포에서 합성되는 폐표면활성제(surfactant)의 부족으로 발생하며 재태기간이 짧을수록 발병률이 높아진다.

② 만삭아의 경우 주산기감염, 선택적 제왕절개, 신생아가사, 태변흡입 등과 관계가 있다.

2) 임상 양상

(1) 증상

빠른 호흡, 호기성 신음, 흉부함몰, 청색증, 무호흡증, 비익확장(nasal flaring) 등이 나타내고 호흡성/대사성 산증을 보인다.

(2) 가슴 X선 검사

폐포의 collapse로 인한 과립성 음영의 ground glass 모습을 보이고 공기 기관지 음영(air-brochogram)을 보인다.

3) 치료

체온 유지, 수액 및 영양 공급 등과 같은 보존적 치료와 함께 비강 또는 삽관 후 지속성양압환기(continuous positive airway pressure, CPAP)을 시행하며 부족한 폐표면활성제를 기도를 통하여 투여한다.

4) 합병증

기흉 등의 급성 합병증과 기관지폐이형성증(bronchopulmonary dysplasia) 등 만성합병증이 발생할 수 있다.

5) 산전 코르티코스테로이드(antenatal corticosteroids)를 통한 예방

① 미숙아 출산에서 산전 코르티코스테로이드 투여는 신생아호흡곤란증후군의 예방에 가장 중요한 치료이다.

② 산전 코르티코스테로이드 치료는 조산아에서 신생아호흡곤란증후군의 예방뿐만 아니라 뇌실내출혈 및 신생아 사망의 빈도를 감소시키는 것으로 알려져 있다.

③ 코르티코스테로이드 제제로는 betamethasone 또는 dexamethasone을 사용한다.

④ 적응증: 임신 24~34주의 임산부 중에서 조기진통 또는 조기양막파수 또는 모체 태아 적응증에 의하여 향후 7일 이내의 조기분만의 가능성이 있는 경우 투여한다. 최근에는 임신 34+0주부터 36+6주 사이의 임신부나 23+0주부터 23+6주사이의 임신부에게도 투여를 권고하고 있다

2. 신생아 일과성 빠른호흡

1) 원인

출생 후 폐포액의 흡수지연과 이에 따른 폐부종, 폐탄성 및 호흡용적의 감소에 의하여 발생한다.

2) 임상양상

(1) 증상

빠른 호흡, 흉부함몰 등의 호흡곤란 증상이 출생 직후부터 나타나며 출생 24시간 이내에 증상이 호전되기 시작한다.

(2) 가슴 X선 검사

임파선의 울혈과 폐엽간(interlobar fissure)의 수분고임에 의한 양측 폐문부의 햇살모양(sunburst pattern) 소견을 볼 수 있다.

3. 태변흡인증후군(Meconium Aspiration Syndrome)

1) 양수내 태변착색

① 양수내 태변착색(meconium stained amniotic fluid)은 전체분만의 10~15%로 흔하게 발생하며, 주로 만삭아 및 과숙아에서 발생하고 34주 미만에서는 드물다.

② 양수내 태변착색이 있던 신생아의 약 5%에서만 태변흡인증후군이 발생하고 실제로 양수내 태변착색이 있었던 경우의 대부분에서는 태변흡인증후군이 발생하지 않는다.

③ 대부분의 태변 통과는 정상적으로 성숙된 소화기계 성장을 의미하거나, 제대압박에 대한 미주신경 자극의 결과인 경우도 있다.

2) 태변흡인증후군의 위험인자

① 과숙아 분만

② 자궁내 태아발육지연

③ 양수과소증

3) 병태 생리

태변흡인증후군이 발생하는 원인은 복합적이며 아직까지 정확한 병태생리가 밝혀져 있지 않지만 지금까지의 연구결과에 의하면 다음의 네 가지 기전이 관여하는 것으로 알려졌다.

① 기도폐쇄

② 폐표면활성제의 생성 및 활성 저하

③ 염증반응의 활성화

④ 상피세포의 고사 및 폐혈관저항의 증가

4) 처치

① 과거에는 양수가 태변에 착색된 신생아들 중에 분만 직후 활발하지 않은 경우 기도삽관을 시행하여 기도 내의 태변을 제거하는 치료를 시행하였으나 최근에는 일괄적인 기관 내 삽관은 추천되고 있지 않다.

② 호흡 부전이 있을 경우 기계적 환기 요법을 시행하고 폐표면활성제 투여 등 기타 보존적인 치료를 시행한다. 지속적인 신생아 지속성폐동맥고혈압이 동반되는 경우에는 NO 치료가 필요하다.

5) 예방

(1) 분만 중 흡인(intrapartum suctioning)

과거에는 분만 시 신생아의 어깨 분만 전 입과 코의 흡입물을 흡입하는 방법이 권장되었으나 이제는 이러한 분만 중 흡인이 태변흡인증후군의 발생을 예방할 수 없음이 밝혀졌다.

(2) 진통 중 양수 주입(amnioinfusion)

태변을 희석시켜 태변흡인증후군의 위험도를 감소시키려는 시도이나 여러 연구 결과, 진통 중 양수 주입은 궁극적으로 태변흡인증후군의 빈도 및 주산기 사망률을 감소시키지 못하는 것으로 나타났다.

Ⅲ 신경계질환

1. 뇌실주위-뇌실내 출혈(Periventricular-intraventricular Hemorrhage)

1) 병태생리 및 빈도

① 뇌실의 배아 기질(germinal matrix) 내에 취약한 모세혈관이 파열되어 뇌실 또는 뇌실 주위로 출혈이 발생한다.
② 발생 빈도와 출혈 정도는 제태연령이 낮을수록, 신생아의 체중이 적을수록 증가한다.
③ 제태기간 32주 미만 조산아의 약 15~20%에서, 1.500 gm 미만의 극소저체중출생아의 20%에서 발생한다.

2) 중증도

Papile에 의한 분류가 가장 보편적으로 사용된다.
① grade I: 배아기질에 국한된 출혈
② grade II: 뇌실내 출혈
③ grade III: 뇌실의 확장을 동반한 뇌실내 출혈
④ grade IV: 뇌실질까지 출혈이 확장된 경우
중증형은 출생 3일이내에 90%가 발생하며 7일 이후에 발생하는 지발형의 경우 중증 출혈의 빈도는 감소한다.

3) 예방

(1) 산전 코르티코스테로이드 치료
조산아의 뇌실내출혈의 빈도를 의미 있게 감소시킨다.

(2) Vit K, 페노바비탈(phenobarbital)
효과가 증명되지 않았다.

2. 뇌실주위백질연화증(periventricular leukomalacia)

1) 병태생리
① 주로 조산아에서 발생하며 측뇌실 측후부위의 뇌백질 괴사 소견을 보인다.
② 초기에는 뇌초음파에서 측뇌실 바깥 부분의 음영이 증가되며 이후 1~3주에 걸쳐 낭성 병변(cystic lesion)이 형성된다.
③ 조산아에서 자궁내감염이 뇌실주위백질연화증과 관련됨이 연구된 바 있다.

2) 합병증
뇌실주위백질연화증이 있는 경우 추후 뇌성마비, 시력, 청력 및 인지 장애와 같은 신경학적 이상이 발생할 가능성이 증가한다.

3. 신생아 뇌병증과 뇌성마비

1) 신생아 뇌병증

(1) 정의 및 빈도
① 신생아 뇌병증이란 출생 후 며칠 이내에 신생아가 호흡, 근긴장도 및 반사(reflex)를 유지하는 데 어려움이 있으면서 의식저하 또는 경기발작(seizure) 등이 나타나는 임상적 증후군이다.
② 신생아 뇌병증은 만삭아 1,000명당 0.27~1.1명의 빈도로 발생하며 신생아 뇌병증의

70%가 분만전 요인에 의하여 발생한다.

③ 경한 신생아 뇌병증인 경우에는 운동 또는 인지장애가 동반되지 않으나 심한 뇌병증인 경우에는 사망의 빈도가 증가하고 추후 뇌성마비 또는 지적장애가 발생할 가능성이 증가한다.

(2) 신생아 뇌병증과 뇌성마비에 관한 주요 연구들

① 2005년 호주에서 발표된 인구기반연구에 따르면 뇌성마비 환아의 24%에서만 신생아기에 신생아 뇌병증의 소견이 있었고 나머지 4분의 3은 신생아기의 이상이 없는 것으로 나타났다. 또한 신생아 뇌병증 생존아의 13%에서만 뇌성마비가 발생하였다(Shankaran S. 2008).

② 주산기 가사를 줄여서 뇌성마비의 발생빈도를 감소시킬 목적으로 1970년대부터 진통 중 태아 심박동 전자감시가 널리 사용하게 되었고 그 결과 미국에서의 제왕절개수술률은 5%에서 25%로 급증하였으나 뇌성마비의 발생빈도는 전혀 감소하지 않았다(Winter et al., Pediatrics 2002).

(3) 신생아 뇌병증 중 저산소성허혈성뇌병증(hypoxic ischemic encephalopathy) 관련 신생아 주산기 소견

① 아프가점수; 5분, 10분 아프가 점수가 낮을수록 신경학적 장애의 위험도는 증가한다. 그러나 아프가 점수 단독으로 신경학적 손상을 나타내는 지표로 사용할 수 없다. 5분 아프가 점수가 7점 이상일 때 발생하는 뇌성마비는 주산기 저산소성허혈성뇌병증과 관련성이 적다.

② 제대혈 가스분석; 대사성산증의 객관적 증거인 제대동맥혈 pH〈7.0과 염기결핍〉12 mmol/L는 뇌성마비 또는 신생아 뇌병증의 위험 요소이나 제대혈 가스분석 소견 단독으로는 장기적인 신경학적 후유증을 예측하는데 정확하지 않다.

③ 영상의학적 검사; 생후 첫 24시간 이후에 정상 MRI 또는 MRS (Magnetic resonance spectroscopy) 결과는 뇌병증의 원인으로 저산소성허혈의 원인을 배제하는데 효과적이다.

④ 다기관 침범; 신장, 위장관, 간, 심장 손상, 혈액학적 이상 등이 복합적으로 나타날 수 있다.

⑤ 파수사고(sentinel event); 자궁파열, 중증의 태반조기박리, 탯줄탈출, 양수색전 등

⑥ 태아심박동모니터 소견; 태아심박기록 범주1 또는 2이면서 5분 아프가 점수 7점 이상, 정상 제대혈가스분석(±1SD), 혹은 두 가지 모두에 해당한다면 급성 저산소성허혈성뇌병증과 연관이 없다.

표 29-1. 신생아 저산소성허혈성뇌병증을 초래하는 주산기 요인들

신생아 소견
아프가 점수: 5분과 10분에 5점 미만 제대동맥혈 산혈증: pH가 7.0 미만이거나 염기결핍이 12 mmol/L 이상일 경우 급성 뇌손상의 영상의학적 증거: MRI 또는 MRS 다기관 침범 multiorgan dysfunction
유발인자의 형태와 시간
분만 전 또는 분만 동안 즉시 일어난 저산소 허혈 분만 또는 출산기의 심음 모니터 패턴

2) 뇌성마비(cerebral palsy)

(1) 뇌성마비의 정의

생후 초기에 발생한 비가역적 비진행성의 운동 및 체위장애를 말하며, 경련, 정신지체가 잘 동반된다. 그러나 경련과 정신지체가 뇌성마비 없이 주산기 가사와 연관되는 예는 드물다.

(2) 빈도

1,000명 당 약 2–3명이며, 미숙아 생존률의 증가와 제왕절개술의 증가에도 발생률은 변화하지 않았다.

(3) 분류

① 운동장애의 특성에 따라 강직성(spastic), 운동이상(dyskinetic), 운동실조(ataxia)로 나누고 운동장애의 침범 부위에 따라서 사지마비(quadriplegic), 양측마비(diplegic), 편마비(hemiplegic), 단일마비(monoplegia)로 구분한다.

② 주요 형태와 빈도

- 추체로(Pyramidal) 뇌성마비
  - 강직성 사지마비(spastic quadriplegia); 정신지체, 간질 등 동반 가능 (20%)
  - 강직성 하지마비(spastic diplegia); 미숙아에서 호발 (30%)
  - 강직성 편마비(spastic hemiplegia) (30%)
- 추체외로(Extrapyramidal) 뇌성마비
  - 이긴장성(dystonic type)
  - 무도, 무정위성(choreoathetoid type) (15%)
- 혼합형(Mixed) 뇌성마비

(4) 위험요인(표 29-2)

표 29-2. **뇌성마비와 연관된 주산기 위험요인**

위험인자	위험도	95% CI
양수과다증	6.9	1.0~49.3
태반박리	7.6	2.7~21.1
임신 간 간격 <3개월 혹은 >3년	3.7	1.0~4.4
자연미숙아진통	3.4	1.7~6.7
23~27주 미숙아 출산	78.9	56.5~110
둔위 혹은 안위, 혹은 횡태위	3.8	1.6~9.1
울음까지 시간 >5분	9.0	4.3~18.8
낮은 태반무게	1.2-2	1.1~2.8
태반경색	3.6	1.5~8.4
융모양막염	2.5	1.2~5.3
임상적	2.4	1.5~3.8
조직학적	1.8	1.2~2.9
기타*	–	–

* 호흡곤란증후군, 태변흡입, 응급 제왕절개나 수술적 질식분만, 저혈당, 임신성고혈압, 저혈압, 고령산모, 유전적 요인, 쌍생아, 혈전, 야간분만, 경련, 태아성장제한, 남아와 초산부를 포함

Ⅳ 소화기질환

1. 황달

1) 병태생리

① 생존일이 짧은 태아적혈구로 인한 빌리루빈 생성증가와 태아의 간이 아직 포합에 미숙하여 발생한다.

② 불포합빌리루빈(unconjugated bilirubin)은 만삭아의 경우 생후 3일경 6~8 mg/dL까지, 미숙아인 경우 생우 5일경에 10~12 mg/dL까지 증가한다.

2) 생리적 황달

① 만삭아의 경우 12 mg/dL까지, 미숙아에서는 14 mg/dL까지를 생리적 황달로 본다.

② 미숙아에서 빌리루빈 상승이 더 크고 오래간다.

3) 모유 황달(Breast milk jaundice)

① 출생 후 4일경부터 시작하여 약 15일경에 최고조에 달한다.

② 빌리루빈 뇌병증(bilirubin encephalopathy)을 유발하지는 않는다.

③ 출생후 가급적 빨리 모유 수유를 시작하고 하루 10회 이상 모유수유를 하는 것이 발생을 예방하는데 도움이 된다.

4) 핵황달(Kernicterus)

① 과도한 혈청 빌리루빈의 상승으로 혈관-뇌 장벽을 통과하여 뇌세포 내에 침착되어 생기는 신경학적 증후군이다.

② 비기저핵(basal ganglia)과 해마(hippocampus)에 빌리루빈의 침착에 의한 황색 변성으로 신경독성이 나타나며 경미한 뇌기능 장애부터 심각한 뇌성마비까지 다양성 신경학적 후유증을 남길 수 있다.

③ 핵황달은 만삭아의 경우 불포합빌리루빈이 20 mg/dL 이상일 때, 극소저체중출생아는 8~12 mg/dL 이상에서 발생할 수 있다.

5) 예방과 치료

① 광선치료

② 교환수혈: 심한 고빌리루빈혈증일 때 시행한다.

2. 괴사성 장염(Necrotizing Enterocolitis)

1) 병태생리 및 빈도

① 주로 미숙아에서 장의 점막의 괴사로 인하여 발생한다.

② 장의 미성숙, 허혈성 변화, 감염, 패혈증 등이 관여한다.

③ 극소저체중출생아의 약 5~10%에서 발생한다.

2) 임상 양상

복부 팽창, 혈변 등의 증상과 장기종(pneumatosis intestinalis)의 방사선적 소견을 보인다.

3) 치료

장 천공이 발생하거나 증상이 악화되는 경우 수술적 치료가 필요할 수 있다 .

Ⅴ 혈액학적 이상

1. 빈혈

신생아에서 혈색소는 재태연령에 비례하여 증가하며 임신 35주 이후에 출생한 신생아의 경우 14 g/dL이하일 경우 빈혈에 해당된다. ACOG에서는 모든 정상신생아의 제대결찰을 30~60초 지연할 것을 권장하고 있다. 빈혈의 원인 중 산모와 신생아 혈액의 항원-항체반응에 의한 동종면역빈혈(alloimmune hemolytic anemia)은 빈혈과 함께 간접 빌리루빈의 급격한 상승으로 핵황달을 초래할 수 있다.

1) ABO 부적합성(ABO incompatibility)

(1) 임상 양상

① 모든 영아의 약 20%가 ABO 혈액형 부적합을 보이지만 임상적으로 의미가 있는 경우는 5% 정도이다.

② 산모가 O형이고 태아가 A, B, or AB형인 경우 발생한다.

③ 가장 흔한 태아/신생아 용혈성 질환이나 심한 빈혈을 일으키는 경우는 거의 없고 대개 경한 빈혈 또는 황달을 나타내며 이는 광선요법으로 치료할 수 있고 태아적혈모구증

(erythroblastosis fetalis)을 일으키지 않는다.

④ 분만 후 24시간 이내에 황달이 발생한다.

(2) 특징

① 첫째 아이에서도 생긴다.

② 다음 임신에 재발하는 경향이 있다. 하지만, 더 심해지는 경우는 드물다.

③ 항-A, 항-B 항체는 대개 IgM이며 이는 태반을 통과하지 못하기 때문에 태아 적혈구로 접근하지 못한다.

④ 또한 태아 적혈구는 항원부위(antigenic site)가 적어서 면역성이 약하다.

⑤ 따라서 ABO 부적합성은 태아의 문제라기보다는 신생아의 문제이다.

2) CDE 혈액형 부적합성

(1) 임상 양상

① CDE 혈액형은 c, C, D, e, E의 다섯 개의 적혈구 항원으로 구성된다.

② D 항원이 없는 경우를 Rh(-) 혹은 D 음성이라고 한다.

③ Rh(-) 산모가 Rh(+) 태아를 임신했을 때 태아의 적혈구에 대한 항체가 모체에서 생성되고, 이 항체는 IgG로써 태반을 통과하여 태아의 적혈구를 파괴함으로써 빈혈을 일으키게 되고 궁극적으로 태아수종(fetal hydrops)을 일으킨다.

④ c, C, e, E 항원도 D 항원보다 면역원성(immunogenicity)은 낮지만, 태아수종을 일으킬 수 있다. 따라서 모든 산모에서 적혈구 D 항원과 불규칙 항체(irregular antibody)검사를 시행해야 한다.

⑤ Rh(-)에 의한 동종면역(isoimmunization)의 빈도 ABO 적합성 신생아일 경우 16% 정도로 알려져 있으며, 그에 비해 ABO 부적합성 신생아일 경우 2% 정도로, 이는 ABO 부적합성으로 태아혈액이 모체로 들어갔을 때 항원이 급속히 파괴되어 노출이 감소하기 때문이다.

(2) Rh(-) 산모에 대한 임신 중 처치

① 임신 초기 방문 시 간접 Coombs 검사를 통하여 모체 혈청 항체 검사를 시행하여 감작(sensitization) 여부를 확인한다.

② 임신 28주와 분만 후 각각 항-D 면역글로불린(immunoglobulin)을 투여로 감작을 예방한다.

③ 이미 모체혈청에 항-D 항체가 있는 경우가 있는 경우라면 주기적으로 titer를 검사한다. 임계 역가(Critical titer)는 태아수종의 위험이 심각하게 증가하는 항체의 역가로써 항-D의 경우 대개 1:16을 기준으로 한다.

④ 임계 역가 이상으로 항-D 항체가 상승되어 있는 경우에는 중뇌동맥 도플러 검사(middle cerebral artery Doppler) 또는 양수검사 등을 통한 태아 빈혈의 평가가 필요하다.

(3) 태아용혈 정도의 진단

① 양수 검사

   I. ΔOD 450: 분광측정(spectrophotometry)을 이용하여 빌리루빈 양을 측정

   II. 약 24~26주경부터 시작

   III. Liley 곡선

     - zone 1: 이환 되지 않은 태아

     - zone 2: 불확정 태아: 반복적 검사 필요.

     - zone 3: 이환된 태아로서 7~10일 내 사망가능: 수혈이나 즉각적 분만

② 태아중뇌동맥도플러

   태아 빈혈의 정도를 예측하는 비침습적인 방법으로 최근 유용하게 이용된다.

(4) 치료

① 태아수혈

② 분만

2. 신생아 출혈성 질환(Hemorrhagic Disease of Newborn)

1) 원인

① 비타민 K 의존성 응고 인자(II, VII, IX, X) 부족으로 발생한다.

② 출생 후 예방적으로 비타민 K를 주지 않으면 신생아에서 생후 2~5일 사이에 발생한다.

2) 예방

출생 후 모든 신생아에게 비타민 K1 (phytonadione)을 0.5~1 mg를 근주한다.

3. 혈소판 감소증(Thrombocytopenia)

1) 정의

① 신생아의 혈소판 수가 150,000/μL 이하인 경우로 정의한다.

② 정상 신생아에서 1~2%의 빈도로 발생하며 대부분 경미하지만 0.1%에서는 50,000/μL 이하로 심한 감소를 보이는 경우도 있다.

2) 원인

면역질환, 감염, 바이러스 감염 등 다양한 원인에 의해서 발생한다.

3) 면역성 혈소판 감소증(immune thrombocytopenia)

① 항 혈소판 항체를 가진 산모(ITP, SLE 등)에서 이 항체가 태반을 통과하여 태아의 혈소판을 파괴하여 발생한다.

② ITP 산모에서 신생아혈소판 감소증이 동반되는 경우는 10% 미만이며, 두개내 출혈과 같은 심각한 합병증을 보이는 경우도 1% 미만이다.

③ 대개 출생 후 3~4일간 감소하다가 1주일경부터 증가하는 양상을 보인다.

Ⅵ 미숙아 망막증(Retinopathy of Prematurity)

1. 병태생리

① 다양한 원인을 가지는 혈관 증식성 망막 질환으로 과거에는 고산소혈증이 주요 원인이라고 하였지만, 산소 치료를 하지 않은 미숙아에서도 발생할 수 있다.

② 신생아의 출생 체중이 적을수록, 제태연령이 낮을수록 발병 빈도가 증가한다.

2. 치료

레이저 수술, 망막재접합 치료 등이 있다.

Ⅶ 태아수종(Hydrops Fetalis)

1. 정의

흉강, 복강, 피부조직 등에 두 곳 이상의 비정상 체액 축적된 경우로 정의된다.

2. 원인

1) 면역성 태아수종(immune hydrops)
약 10% 정도를 차지한다.

2) 비면역성 태아수종(nonimmune hydrops)
① 심혈관계 이상: 20~45%, 구조적 이상보다 기능적 이상이 더 많고, 예후도 더 좋다.
② 염색체 이상이나 다른 선천성 기형: 35% 정도
③ 쌍태아간 수혈증후군: 5~6% 정도
④ 감염 및 기타 대사성 질환 등 다양한 원인에 의해서 발생할 수 있다.

3) 면역수종의 발생기전
① 심한 빈혈에 의한 심부전
② 모세혈관 삼출
③ 간문맥 및 제대 정맥의 압력 증가
④ 간부전 저단백혈증

4) 진단적 접근

① 간접 Coombs 검사: 면역성 및 비면역성 태아수종의 감별진단에 필수적인 검사이다.

② 산모 혈액형

③ 헤모글로빈 전기영동(hemoglobin electrophoresis)

④ Kleihauer-Betke 검사

⑤ 감염검사: 매독(VDRL), 파보바이러스(parvovirus B-19), TORCH

⑥ 제대천자: 염색체 핵형검사, 빈혈여부, 헤모글로빈 전기영동, 감염원에 대한 IgM 항체 검사 등

5) 치료

(1) 비면역성 태아수종에 있어서 산전 치료를 고려할 수 있는 경우는 다음과 같다.

① 태아 부정맥에 대한 digoxin 등의 약물치료

② 태아-산모출혈이나 파보바이러스(parvovirus) 감염에 의한 빈혈의 경우 태아 수혈치료

③ 쌍태아 간 수혈증후군에서 혈관문합의 레이저응고술 치료가 가능하다.

(2) 일반적으로 태아 수종이 지속되고, 태아의 생존이 가능할 정도로 성숙하다면 분만을 하여 신생아중환자실치료를 한다.

6) 태아수종의 모체 합병증

① 전자간증(preeclampsia)과 심한 부종이 잘 생긴다.

② 조기진통 및 조산이 동반될 수 있다.

③ 분만 후 과다출혈이 발생할 수 있다.

산과적 출혈

Obstetric hemorrhage

학습목표

1. 산과적 출혈의 원인을 설명한다.
2. 태반조기박리의 원인을 열거한다.
3. 태반조기박리의 증후와 진단 방법을 설명한다.
4. 태반조기박리의 합병증을 설명한다.
5. 태반조기박리의 치료 방법을 설명한다.
6. 전치태반을 정의한다.
7. 전치태반의 원인을 열거한다.
8. 전치태반의 증후와 진단방법을 설명한다.
9. 전치태반의 처치와 예후를 설명한다.
10. 산후 출혈을 정의한다.
11. 산후 출혈의 원인과 발생요인을 설명한다.
12. 산후 출혈의 임상 양상을 설명한다.
13. 분만 3기의 출혈에 대한 처치 방법에 대하여 설명한다.
14. 자궁이완증에 대한 치료방법을 설명한다.
15. 자궁 뒤집힘(uterine inversion)의 원인을 설명한다.
16. 자궁 뒤집힘(uterine inversion)의 진단 방법에 대하여 설명한다.
17. 자궁 뒤집힘(uterine inversion)의 처치 방법에 대하여 설명한다.
18. 분만 과정에서 생기는 자궁경부 손상의 처치 방법을 설명한다.
19. 자궁 파열의 원인을 설명한다.
20. 태반유착에 따른 임상 양상을 설명한다.
21. 소모성 응고장애가 초래되는 경우를 열거한다.
22. 양수색전증의 병태생리를 설명한다.

1. 서론

산과적 출혈은 고혈압, 감염과 더불어 전세계적으로 모성사망의 주된 원인이며 원인별 처치가 매우 중요하다.

1) 정의 및 발생빈도

(1) 산전 출혈
- 분만 전에 출혈이 일어나는 경우
- 태반조기박리, 전치태반, 전치혈관 등이 원인

(2) 1차성(조기) 산후출혈
- 분만 24시간 이내에 발생한 출혈
- 자궁이완증(80%), 산도열상, 잔류태반, 유착태반, 응고장애, 자궁뒤집힘 등이 원인

(3) 2차성(후기) 산후출혈
- 분만 24시간 이후부터 분만 6~12주에 발생한 출혈
- 태반 부착부위 퇴축불완전, 잔류수태산물, 감염, 유전성 응고장애 등이 원인

(4) 산후 출혈이 있었던 환자의 재발 가능성은 10%이다.

2) 선행요인
① 태반착상이상: 전치태반, 태반조기박리 등
② 과도한 자궁이완상태: 거대아, 양수과다증, 쌍태임신 등
③ 모체혈량감소: 자간전증 등
④ 분만 중 손상

2. 산과적 출혈의 원인

1) 산전 출혈

진통 중 질을 통한 소량의 출혈은 흔히 관찰되는 소견이다. "혈성 이슬(bloody show)"은 경관의 소실과 확장의 결과로서 작은 정맥이 찢어져 생기는 정상적인 현상이나 분만 전 경관 상방으로부터(태반 및 태반혈관)의 자궁출혈이 있는 경우엔 주의를 해야 한다.

산전 출혈 중 약 2%는 원인미상인데 대개 출혈량은 적으며 자연 지혈되므로 산과적 처치가 따로 필요없는 경우도 있다

(1) 태반조기박리

① 정의

태아 만출 이전 태반이 착상 부위에서 분리되는 현상을 태반조기박리라 하며, 이 과정에서 자궁벽과 태반사이를 연결하는 혈관들이 터져 태반과 자궁벽 사이에 출혈이 일어난다. 태반조기박리에 의한 출혈은 외출혈과 은폐성 출혈로 나뉜다. 은폐성 출혈이 있는 경우 산전진단이 어렵고 출혈량의 정도를 제대로 평가하기 어려울뿐 아니라 소모성 응고장애가 동반되는 빈도가 높아 태아와 임산부에게 매우 위험하다(그림 30-1).

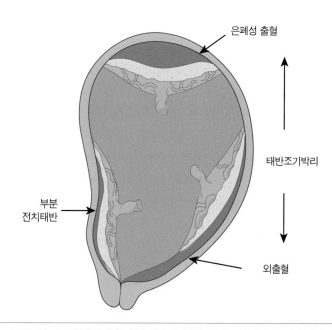

그림 30-1. **은폐성 출혈,외출혈을 동반한 태반조기박리 및 전치태반**

② 빈도

0.5~1.8%의 빈도로 보고되고 있고 다음 임신 시 5~17%에서 재발한다.

③ 원인

태반조기박리의 일차적 원인은 알려져 있지 않으나 위험 요인은 매우 다양하다.

산모측	태아측
• 태반조기박리 과거력: 가장 중요하다 • 다산(≥3) • ≥35세, ≤20세 • 인종: 흑인 • 불량 산과력: 자궁내 태아 발육제한, 사산, 조산 • 임신 중 흡연, 음주, 혈관 수축제 장기복용 • 고호모시스테인혈증 • 임신 중 고혈압: 만성 고혈압, 자간전증 • 임신 중 복부 외상 • 자궁근종	• 다태임신 • 조기양막파수 • 융모양막염 • 태반이상: 전치태반, 성곽태반(circumvallate placenta) • 양수과다증 • 산과적 시술: 양수감압술, 역아 외회전술(external cephalic version) • 혈전성향증(Thrombophilias) • 코카인남용

④ 임상소견

가. 원인평가

위험 요인의 동반 여부를 우선적으로 평가하여 감별진단시 태반조기박리 가능성을 고려하여야 한다.

나. 증상 및 징후

진단에 가장 중요하며 급성 복통, 질출혈, 자궁압통이 주요 임상소견이나 매우 다양하게 나타난다.

- 질출혈(외출혈)
- 자궁동통 또는 요통
- 자궁 과수축, 지속적 긴장항진
- 태아절박가사
- 원인불명 조기진통
- 태아사망

다. 합병증

- 저혈량성 쇼크: 과다출혈이 동반되기 때문에 출혈성 쇼크가 발생할 수 있다.

- 급성콩팥손상: 산과영역에서 태반조기박리가 급성콩팥손상의 가장 흔한 원인이다. 적극적인 수혈과 전해질 용액 치료를 통해 신기능 장애의 발생을 예방할 수 있다.
- 소모성 혈액응고 장애(consumptive coagulopathy): 태반조기박리는 산과분야에서 소모성 혈액응고 장애의 가장 흔한 원인 중 하나이다. 과다출혈로 인한 조직 저산소증과 태반이 박리된 곳으로부터 분비된 조직트롬보플라스틴등의 응고인자가 모체 혈액내로 유입되면서 혈관내피세포 손상 및 혈관내 응고가 범발성으로 발생한다.
- 자궁태반졸중(uteroplacental apoplexy, Couvelaire uterus): 혈관 외로 누출된 혈액이 자궁근층과 장막하로 퍼지게 되어 자궁이 붉거나 파랗게 보인다. 자궁 수축을 방해하지 않아 자궁절제술의 적응증은 아니다.
- 시한씨증후군(Sheehan syndrome): 과도한 출혈로 인하여 수유장애, 무월경, 유방의 위축, 치모와 액모의 손실, 갑상선기능저하증, 부신피질호르몬결핍증 등이 특징인 시한씨증후군이 생길 수 있다.

⑤ 진단 및 감별진단

태반조기박리는 증상과 징후로 진단하게 되며, 정상 태반 초음파 검사라 할지라도 태반조기박리를 배제할 수는 없다. 질출혈이 있는 경우에는 전치태반, 조기진통 및 출혈을 동반한 다른 원인들과의 감별이 필요하다.

⑥ 처치

가. 활력징후 및 질출혈 평가

다량의 질출혈, 저혈압 및 빈맥소견을 보이면 피가 준비될 때까지 우선 출혈량 3배 정도의 정질액(crystalloid)을 정주하여 혈압유지에 노력한다.

나. 수혈

신선 전혈(fresh whole blood)로 수혈을 시작하는 것이 가장 좋으나 전혈을 구하기가 쉽지 않으므로 성분수혈을 주로 시행하는데 농축 적혈구를 수혈하여 적혈구 용적률은 30% 이상, 요량은 시간당 30 mL 이상 되도록 유지해야 한다. 응고장애가 있을 시에는 신선냉동혈장(fresh-frozen plasma)이나 동결침전제제(cryoprecipitate)을 투여하여, 섬유소원(fibrinogen) 농도는 100 mg/dL 이상으로, 혈소판 수치는 50,000/mm^3 이상으로 유지해야 한다.

다. 분만결정

모체와 태아의 상태에 따라 다르다.

- 태아가 생존해 있고 생존 가능한 임신주수이면서 태아곤란증이 있는 경우, 응급 제왕절 개술을 시행한다.
- 태아가 이미 사망한 경우, 질식 분만을 방해하는 다른 산과적 합병증이 없다면 가능한 질식분만을 하도록 한다.
- 태아가 미숙한 경우에는 태아이상을 보이는 태아심음양상의 증거가 없고, 임산부의 활력징후가 안정적이면서 출혈이 적다면 철저한 감시하에 임신을 지속시키면서 관찰하는 것이 가능하다.

라. RH 동종면역
Rh음성산모인 경우 항D면역글로불린을 투여한다.

(2) 전치태반(Placenta previa)
① 정의
태반이 자궁경부의 내구에 매우 근접해 있거나 덮고 있을 때 전치태반이라고 하며 정도에 따라 다음과 같이 나눌 수 있다(그림 30-2).
- 전치태반(Placenta previa): 자궁경부내구가 태반에 의해 부분적으로 혹은 완전히 덮어져 있는 경우, 과거에는 덮인 정도에 따라 완전전치태반, 부분전치태반으로 구분하기도 하였다.
- 하위태반(Low-lying placenta): 일반적으로 자궁경부 내구와 태반끝부분의 거리가 2 cm 이내인 경우

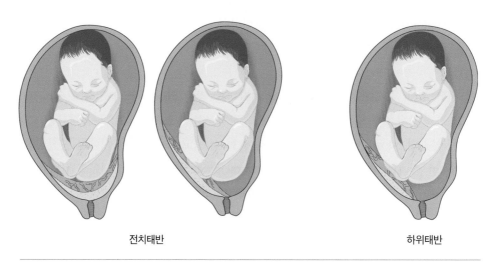

전치태반   하위태반

그림 30-2. **전치태반의 2가지 분류**

② 빈도와 위험인자

만삭의 임신부 200명당 1명의 빈도로 보고되고 있으며 만 35세 이상, 다산부, 다태임신, 선행제왕절개분만력, 자연유산 및 인공유산 시술력, 보조생식술, 흡연 등이 위험인자이다.

③ 전치태반의 자연소실

임신중기 초음파 검사에서 전치태반이 진단 되었더라도 분만에 가까워질수록 약 2/3는 태반의 위치가 자궁기저부를 향해 올라가게 되며 특히 임신 초기에 진단된 하위태반의 90%는 임신 3분기에 소실되게 된다.

④ 임상 증상

전치태반의 가장 특징적인 증상은 통증 없는 질출혈이며 대개 임신 2분기 후반 이후에 발생한다. 처음에 발생하는 출혈은 소량으로 시작되어 자연적으로 멈추게 되지만 차츰 자주 재발하게 된다. 임산부의 혈압이 떨어질 정도로 대량출혈이 일어날 때는 태아 서맥이 나타날수 있으며 산모 및 태아의 건강이 위험할 수 있다.

⑤ 진단

태반의 위치를 알 수 있는 가장 간단하고 정확하며 안전한 방법은 초음파 검사이다. 초음파검사는 복부, 질, 외음부를 통해 실시할 수 있으며 방광을 비운 상태에서 실시하여야 하고 이중 경질초음파 검사가 가장 정확하다. 내진은 급격한 출혈을 일으킬 수 있으므로 절대 금기이다.

⑥ 처치(그림 30-3)

다음사항이 고려되어야 한다.

- 태아가 미숙아이면서 분만할 필요성이 없는 경우: 보존적 처치
- 미숙아이지만 분만을 해야 할 정도로 심한 출혈을 하는 경우: 제왕절개
- 태아가 성숙한 경우: 제왕절개(자궁의 앞쪽에 위치한 완전전치태반, 태아가 횡위로 있는 경우에는 고전적 종절개로 제왕절개를 하는 것이 안전할 수 있다.)

보존적 처치를 시행하려면 다음 네 가지 사항을 만족해야 한다.

- 임신부 상태가 안정적이다.
- 질출혈이 멈추었다.
- 태아심박동 감시장치 상 태아는 건강하다.
- 언제든지 제왕절개술을 시행할 준비가 되어 있다.

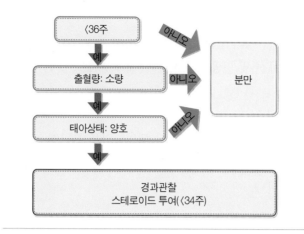

그림 30-3. **질출혈을 동반한 전치태반 임신부의 단계적 처치**

⑦ 예후

주산기 사망의 가장 큰 원인은 조산이다.

2) 산후 출혈

① 정의

분만 제3기가 완료된 질식분만 후 500 mL 이상, 제왕절개 분만 후 1,000 mL 이상의 출혈
이 있는 경우

- 1차성(조기) 산후출혈: 분만 24시간 이내에 발생한 출혈
- 2차성(후기) 산후출혈: 분만 24시간 이후부터 분만 6~12주 이내에 발생한 출혈

(1) 분만 제3기 출혈

가장 많은 원인으로 자궁 이완증, 다음으로 태반조기박리에 의한 출혈, 범발성혈관내응고
에 의한 응고장애 출혈, 산도열상, 태반유착 순이다. 분만 제3기는 일시적인 태반의 부분 분리
에 의해 불가피하게 어느 정도의 출혈이 발생한다. 태반 만출이 자연적으로 일어나지 않고 출
혈이 계속되면 태반수기박리술을 시행한다.

태반을 용수로 제거하기 전 출혈이 없는 경우 어느 정도의 시간을 기다리는 가에 대해서는
정확한 해답이 없다. 분만 제3기의 평균 시간은 6분이고, 30분 이상 지연되면 산후 출혈의 확
률이 증가한다.

태반이 만출된 이후에는 자궁저부(fundus)를 만져보고 자궁 수축이 잘 되는 지 확인해야 한다. 만약 수축이 잘 되지 않으면 자궁저부를 강하게 마사지 하고 20 U 옥시토신을 1000 mL 링거액 또는 생리식염수에 혼합하여 분당 10 mL로 준다.

(2) 자궁이완증(Uterine atony)

가장 흔한 산후출혈의 원인으로 태반 만출 후 적절한 자궁 수축이 안되어 심한 출혈이 나타난다.

① 위험요인

- 지연진통분만
- 키움진통분만(labor augmentation)
- 급속 분만(rapid labor)
- 자궁의 과도한 팽창: 거대아, 다태임신, 양수과다증
- 산후출혈 과거력
- 융모양막염
- 수술적 분만

② 처치

가. 내과적 치료: 자궁수축제

- 옥시토신(Oxytocin): 링거에 섞어 정맥 주입하거나 근육주사
- 에르고트 알칼로이드(Ergot alkaloid): 근육주사, 고혈압환자에서는 금기
- 프로스타글린딘

  PGF2α: 자궁근육주사, 금기: 천식환자

  PGE2: 링거에 섞어 정맥 주입 혹은 직장/질내 투여

  PGE1: 직장내/경구/설하 투여
- 옥시토신 유사체(carbetocin): 정맥주사

나. 압박 치료 술기

마사지와 자궁수축제 사용에도 불구하고 출혈이 지속될 때 사용할 수 있다.

- 두손 자궁압박(Bimanual uterine compression)(그림 30-4)
- 자궁 메우기: 자궁강내에 거즈 메우기를 시행하는 방법
- 자궁내 풍선삽입술(intrauterine balloon)(그림 30-5)

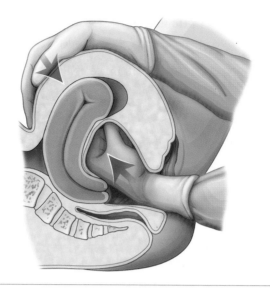

그림 30-4. 양손으로 자궁을 압박하고 복부쪽의 손으로 자궁마사지를 하여 자궁이완증에 의한 출혈을 효과적으로 감소시킬 수 있다.

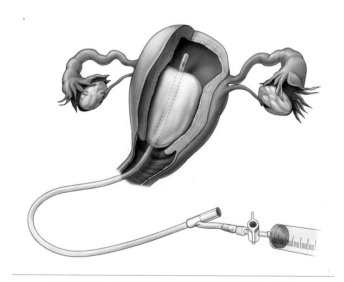

그림 30-5. 산후출혈 치료를 위한 바크리 풍선 삽입술

다. 외과적 치료

• 자궁을 보존하는 방법: 자궁압박 봉합(B−Lynch 결찰술 등, 그림 30-6), 골반혈관 결찰술 (자궁동맥/내장골동맥 결찰술), 혈관조영 색전술
• 자궁절제술

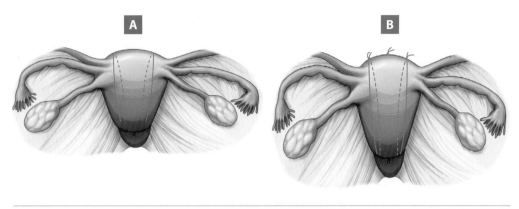

그림 30-6. (A) **B-Lynch 결찰술**, (B) **변형 B-Lynch 결찰술**

(3) 자궁뒤집힘(Uterine inversion)

① 원인

태아 분만 후 태반이 저절로 떨어지기 전 태반을 분리시키기 위해 무리하게 탯줄을 잡아 당겼을 때 발생할 수 있다. 자궁바닥에 무리한 압력을 가하게 되면 가능성이 더 커진다. 자궁 이완증과 유착태반이 주 위험 인자이다. 자궁뒤집힘이 되면 치명적인 출혈로 인한 사망을 초래할 수도 있기 때문에 인지가 가장 중요하며 적절한 치료를 신속히 시행하여야 한다.

② 진단 방법

완전 자궁뒤집힘은 뒤집힌 자궁을 질 밖에서 확인하거나 질 내에서 촉진함으로써 쉽게 진단 할 수 있으나 불완전 자궁뒤집힘은 진단이 쉽지 않으며 자궁바닥 부분의 함몰이나 결함을 촉진하여 진단할 수 있다.

③ 치료

자궁뒤집힘이 의심된다면 즉각 다음의 조치를 취해야한다.

- 산과 의사, 마취과 의사를 포함한 의료팀을 즉시 모은다.
- 두 개의 정맥주사용 경로를 확보하고, 혈액을 확보한다.
- 태반 만출후 자궁수축이 강하게 이루어지기 않은 상태에서 발생한 자궁뒤집힘이라면 주먹이나 거즈를 잡은 집게(forceps)를 이용하여 위쪽으로 밀어 올려 정복할 수 있다.
- 태반이 분리되지 않았으면 수액과 할로탄(halothane)과 같은 마취제 투여 전에는 태반 제거를 시도하지 않는다.

- 태반을 제거한 후에는 자궁수축억제제(리토드린, 터부탈린, 황산마그네슘) 등을 사용하며 손바닥을 자궁바닥의 중앙에 받치고 손가락으로 자궁경부의 경계를 확인한 후 자궁경부를 통해서 자궁바닥를을 위쪽으로 올린다.
- 자궁모양이 정상으로 회복된 후에는 자궁수축억제제 사용을 중단하고 옥시토신등 자궁수축제를 투여하여 자궁수축을 시킨다.
- 수술적 방법: 조밀한 수축환(Constriction ring) 때문에 위와 같은 방법으로 자궁을 정복시키지 못하면 개복술이 불가피하다. 자궁바닥(fundus)을 질을 통하여 동시에 위, 아래에서 밀어올리고 복강 쪽의 자궁바닥에 견인 봉합을 하여 끌어올릴 수 있다. 수축환 때문에 자궁정복이 안되면 자궁바닥을 노출시키기 위해 자궁후벽에 절개를 가할 수 있다. 정복이 끝난 후에는 손으로 정복할 때와 마찬가지 처치를 시행한다.

(4) 잔류태반조직에 의한 출혈

잔류 태반조직에 의한 출혈은 후기 산후 출혈의 가장 흔한 원인으로 부태반(Succenturiate lobe)에 의한 경우가 많다. 이를 예방하기 위해 태반 만출 후 태반을 잘 살펴보아서 결손된 부분이 있으면 자궁 내를 검사하여 태반잔류조직을 제거해야 한다.

(5) 산도 찢김

봉합이 필요 없는 점막 손상부터 산모의 생명을 위협할 수 있는 출혈의 원인이 되는 손상까지 다양하다. 자궁 수축은 충분한데 출혈이 계속되면 산도 찢김이나 태반잔류를 생각해보아야 한다.

① 외음부 찢김

관찰하거나 단순봉합한다.

② 회음부 찢김

가장 얕은 회음부찢김을 제외한 기타 모든 찢김은 정도의 차이는 있으나 질하부 손상을 동반하며, 직장괄약근까지 손상이 되기도 하고 또 질벽 깊이 손상이 되기도 한다. 치료는 회음부 찢김을 원상 복구시켜 봉합하면 되지만, 회음부 및 질의 근막과 근육을 봉합하지 않고 질의 외피만 봉합한다면 시간이 지남에 따라 질구의 이완이 생겨 직장루와 방광루를 비롯하여 자궁탈출까지 생길 수 있다.

③ 질 찢김

대부분 회음부 또는 자궁 경부의 찢김과 동반되며 적절한 봉합으로 치료할 수 있다.

요도 인접 부위의 찢김은 비교적 흔한데 상처가 얕고 출혈이 없으면 봉합은 필요없으나 출혈이 많으면 지혈을 위해 봉합해야 한다. 찢김이 커서 봉합을 많이 한 경우는 배뇨 곤란이 올수 있으므로 도뇨관을 넣어야 한다.

④ 자궁경부 찢김

가. 진단

수지검진만으로는 열상을 정확히 진단하기는 어렵다. 가장 좋은 노출법은 조수로 하여금 직각 질견인자(right angle retractor)로 노출시키게 하고 수술자는 고리겸자로 자궁경부를 잡고 보는 것이다. 가끔 수술적 분만 후 깊은 자궁경부찢김이 생기므로 출혈 여부에 상관없이 난산 후에는 반드시 자궁경부를 관찰해야 한다.

나. 치료

찢김의 정도에 따라 치료방법이 다르다. 심경부찢김은 즉시 봉합한다. 손상 부위의 상부에서 출혈이 생기므로 이 부분에 처음 흡수사로 봉합을 시행하고 손상부위의 외부방향으로 봉합해 나간다.

(6) 산후 골반혈종

질 혹은 외음부 찢김, 외음부절개, 수술적 분만 등이 산후 골반혈종의 위험인자이다. 산후 골반 혈종은 임상적으로 추정되는 것보다 더 많은 양의 혈액 손실을 동반한다. 혈액량 감소(hypovolemia)와 심한 빈혈을 예방하기 위해서는 수혈을 충분히 해주어야 한다.

① 외음부 혈종

전방이나 후방골반 트라이앵글(anterior, posterior pelvic triangle)의 천근막(superficial fascia)에 있는 혈관 찢김으로 일어나며, 아급성 출혈증상과 외음부 통증을 호소한다. 치료는 작은 크기인 경우에는 경과를 관찰할 수 있으나 심한 통증을 호소하거나 크기가 점점 커지는 경우에는 피부 절개를 하여 혈종을 제거한 후 출혈 부위를 결찰한다. 하지만 이 경우에는 작은 혈관이 파열된 경우가 많아 열상된 혈관을 찾기는 쉽지 않고 이런 경우에는 빈 공간을 봉합 결찰하고 소독된 큰 거즈로 압박하고 12시간 후 제거한다. 도뇨관은 수술 후 24~36시간 유지한다.

② 질 혈종

골반가로막위쪽에 혈종이 생기며 주 증상은 심한 직장 압박감이며, 치료는 질 내 절개를 하여 혈종을 제거하고 질 메우기로 그 부위를 압박하고 12~18시간 뒤 제거한다.

③ 후복막강내 혈종

심각한 저혈압이나 쇼크 상태가 발생하기 전까지는 잘 모를 수 있어 발생하면 치명적이다. 내장골동맥에서 기시하는 혈관의 열상으로 일어나며 응급개복 수술을 시행하여 열상된 혈관을 결찰한다.

(7) 자궁파열

① 원인

가장 흔한 원인은 제왕절개 분만의 기왕력이 있는 반흔 자궁이다. 표 30-1은 자궁파열의 원인을 나열한 것이다.

② 분류

가. 외상성 및 자연파열

- 외상성 자궁파열: 속다리태아회전술, 자궁바닥 압박 등의 외부적 힘이 가해져서 생긴 경우
- 자연 자궁파열: 가해지는 외부힘이 없이 생긴 경우로 기왕자궁수술력이 있는 경우나 없는 경우 모두 발생할 수 있고 15,000 분만 중 1건 꼴로 발생하며 특히 다산부에 잘 생긴다.

나. 완전과 불완전 자궁파열

- 완전 자궁파열: 자궁벽이 내장복막부터 자궁내막까지 모든 층이 파열되어 복강과 자궁강이 서로 통하는 경우
- 불완전 자궁파열: 자궁이나 광인대를 덮고 있는 내장복막에 의해 복강과 구별되는 경우

③ 임상소견과 진단

완전 자궁파열은 갑자기 발생하는 복통 및 자궁수축의 소실, 저혈량성 쇼크, 태아곤란증 등이 전형적이나 모든 증상을 보이는 경우는 드물다. 복강내출혈로 횡경막이 자극되어 발생되는 흉부통증은 폐나 양수색전증을 의심할 정도이다.

태아감시장치 소견에서 가장 많은 태아심박동 이상은 갑자기 발생한 심각한 태아심박동 하강이다. 태아의 일부가 자궁외부에 있을 때 선진부위가 골반 입구에서 이탈한 것을 골반진찰로 확인할 수 있다. 진단은 임상소견에 전적으로 의존한다.

표 30-1. 자궁파열의 원인

현 임신 전에 자궁 손상 혹은 기형이 존재한 경우

자궁근층을 포함한 수술
- 제왕절개술 혹은 자궁절개술
- 기왕의 자궁파열 교정
- 자궁내막을 통과하는 자궁근종절제술
- 난관간질의 심부 자궁뿔 절제
- 자궁 성형술

공존하는 자궁 손상
- 기계적 유산
- 예리한 또는 둔한 손상(사고, 총상, 칼)
- 기왕 임신시의 무증상 자궁파열

선천적
- 미발달된 자궁뿔안 임신(Pregnancy in undeveloped uterine horn)
- 결합조직의 결함-마르팡증후군, 엘러스 달로스증후군

현 임신 동안에 자궁손상 혹은 기형이 발생한 경우

분만 전
- 지속적인, 강한, 연속성 자궁 수축
- 진통 자극(옥시토신 또는 프로스타글란딘)
- 양막내주입(생리식염수, 프로스타글란딘)
- 자궁 내 압력 측정 카테타에 의한 자궁 천공(Perforation by internal uterine pressure catheter)
- 외적 손상
- 외회전술(External version)
- 자궁의 과다팽창(양수과다, 다태임신)

분만 중
- 내회전술(Internal version)
- 난해한 겸자분만
- 둔위만출
- 자궁 하분절을 확장시키는 태아기형
- 분만시의 심한 자궁압력
- 난해한 태반 용수박리술

후천적
- 감입태반, 침투태반
- 임신성 융모 종양(Gestational trophoblastic neoplasia)
- 자궁선종(Adenomyosis)
- 후굴된 자궁의 난상자궁형성(Sacculation of entrapped retroverted uterus)

④ 치료 및 예후

태아의 생존 가능성은 희박하며 생존 태아는 심한 신경학적 장애를 가질 가능성이 높다. 즉각적인 치료를 하지 않으면 대부분의 산모 또한 심각한 출혈로 사망할 수 있으므로 정확한 진단, 즉각적인 수술, 충분한 수혈 및 항생제 투여가 예후를 향상시킬 수 있다.

수술적 치료는 단순봉합과 자궁적출술 중에서 선택하게 되는데 향후 임신을 원하는 경우 단순 봉합을 시행할 수 있다. 자연 자궁파열이나 기왕 제왕절개술 후 질식분만 시도할 때 발생한 자궁파열은 자궁절제술이 대부분 필요하다.

(8) 태반유착증후군

① 분류

일반적으로 태반이 자궁벽에 비정상적으로 단단히 유착되어 있는 것을 의미한다. 그 정도에 따라 다음과 같이 분류한다.

- 유착태반(Placenta accreta): 태반 융모(placenta villi)가 자궁근층에 붙어있는 경우
- 함입태반(Placenta increta): 태반 융모가 자궁근층을 침입했을 때
- 천공태반(Placenta percreta): 태반 융모가 자궁근층을 천공했을 때

② 빈도와 위험인자

발생률은 1970년대 이후 제왕절개분만이 증가하면서 급격히 증가하고 있고, 빈도는 드물지만 심한 출혈, 자궁 천공, 감염 등으로 인해 모성 이환률과 사망률이 높기 때문에 임상적으로 매우 중요하다. 대량 출혈로 인해 수혈이 필요하고, 감입, 천공태반은 요관, 방광, 장등을 포함한 자궁 주위 기관을 손상 시킬 수 있으며 중환자실 치료가 증가함과 동시에 많은 경우 제왕자궁절제술이 필요하다.

- 위험인자는 전치태반, 이전 제왕절개 분만력, 자궁내막소파술, 산후 자궁내막염등이다.

③ 진단

태반유착증후군이 의심될 때 초음파검사와 MRI가 산전진단에 도움이 될 수 있다. 감입태반의 경우 산전 초음파를 이용하여 미리 예측할 수 있는데, 색도플러 초음파에서 태반 내 lacuna가 많을수록, 후 방광벽과 자궁의 경계면이 중단되어 보일 때, 자궁후벽과 자궁근층 사이에 존재하는 투명 공간이 없는 경우, 태반이 부착된 자궁벽의 두께가 < 1 mm일 때 진단할 수 있다.

④ 임상 경과

가. 전치태반이 동반되지 않은 경우

산전진단이 어려워 분만 또는 수술당시에 비로소 진단되며 태반유착범위, 정도, 위치에 따라 다양한 임상양상이 나타난다. 부분 태반 유착이 있는 경우 분만직후나 산욕기에 출혈이 있을 수 있으며, 태반용종을 형성하기도 한다.

나. 전치태반이 동반된 경우

동반된 전치태반 때문에 산전 출혈도 흔하다. 기왕제왕절개술 반흔에 태반융모가 부착되어 자궁근층을 침범할 때는 분만 진통 중이나 그 이전에도 자궁파열이 생길 수 있다. 유착의 범위, 정도, 위치 등에 따라 다양한 결과들이 나타난다.

⑤ 치료

- 산과, 마취과, 혈액은행, 신생아, 부인과, 비뇨기과, 혈관외과, 중재영상의학과 전문의가 하나의 팀을 이루어 관리하는 것이 중요하다.
- 수술 전 충분한 정맥주사 경로를 확보하고 충분한 혈액을 준비한다.
- 자궁의 앞쪽에 위치한 전치태반인 경우 종절개로 제왕절개를 시행하는 것이 안전한 태아분만과 태반 절개로 인한 출혈을 피할 수 있다.
- 태아 분만 후 유착부위가 크면 대부분의 경우 즉각적인 자궁절제술이 필요하다.
- 함입, 천공태반이 분명한 경우에는 심한 출혈을 막기 위해 일반적으로 태반을 자궁에 그대로 놔두고 자궁절제술을 시행한다.

3. 소모성 혈액응고장애

1) 임신성 혈액응고항진

임신 중에는 정상적으로 응고인자 I, VII, VIII, IX, X은 증가하고 혈소판 수는 10% 감소하지만 활성도는 증가한다. 플라즈미노젠(plasminogen) 농도는 상당히 증가하고 플라즈민(plasmin)의 활동성은 감소하여 결과적으로 혈액응고항진(hypercoagulability) 상태가 된다.

2) 혈액응고의 병적 활성화 및 병태생리

정상적인 환경에서는 생리적 혈관내 혈액응고가 지속되지는 않는다. 그러나 병적인 상태에서는, 파괴된 조직에서 유래된 트롬보플라스틴에 의한 외인성 경로를 통하여 또한 혈관 내 피조직 손상 때 교원질, 다른 조직 성분에 의하여 내인성 경로를 통하여 혈액응고가 활성화된다. 즉 소모성 응고장애를 촉발시키는 혈액응고전구물질의 병적 활성에 의해 혈소판 및 혈액응고인자들이 소모되므로 소모성 혈액응고장애라고 한다.

3) 임상소견 및 진단

지혈장애나 이유 없는 출혈 등은 의심되는 징후이다. 압박부위의 자반은 혈액이 응고되지 않거나 임상적으로 의미있는 혈소판감소증을 의미한다. 진단을 위한 검사소견은 다음과 같다.

- 저섬유소원혈증
- 섬유소 분해산물 증가
- 혈소판감소증
- 프로트롬빈과 부분 프로트롬보플라스틴 시간 지연

4) 산과적인 원인

(1) 태반조기박리

산과영역에서 심각한 소모성 응고장애를 유발하는 가장 흔한 원인중 하나이다.

(2) 자궁내 태아사망과 지연분만

자궁내 태아가 사망한 경우 대부분 2주 내에 자연적으로 진통이 생겨 분만이 이루어지지만 기간이 오래되면 응고장애가 발생할 수 있다. 응고 장애는 태아 사망 4주 내에는 거의 발생하지 않는다. 4주 이상이 되면 약 25%에서 혈액응고장애가 나타나는데 이는 사망한 태아로부터 나오는 트롬보플라스틴에 의해 응고가 촉진되기 때문인 것으로 생각된다.

(3) 다태임신 시 태아사망

다태임신에서 일부 태아가 사망하고 나머지 태아가 생존하는 경우 뚜렷한 응고장애의 발생빈도는 낮다.

(4) 전자간증, 자간증, HELLP증후군
(5) 패혈증

산과적 영역에서 패혈증을 일으킬 수 있는 원인으로는 다음과 같은 것들이 있다.

- 패혈성 유산(septic abortion)
- 임신 중 신우신염(antepartum pyelonephritis)
- 산욕기 감염

(6) 유산

임신 중기 프로스타글란딘을 이용한 내과적 분만, 기구를 이용한 임신중절, 고장성용액 및 요소용액의 자궁내 주입에 의한 유산은 혈관내응고장애를 일으킬 수 있다.

(7) 양수색전증

급성 저산소증, 혈역학계 허탈 및 혈액응고장애를 전형적인 특징으로 하는 예방할 수도, 예측할 수도 없는 산과적 질환이다.

① 병인

알려진 병인은 없다. 과거 양수가 정맥 순환을 타고 가서 폐고혈압, 저산소증을 일으키고 결국은 죽음에 이르게 한다고 생각되었다. 그러나 최근 양수색전증이 과민증(anaphylaxis)과 패혈성 혼수시와 유사한 면역매개적 과정의 결과로 이루어진다는 가설이 제시되었다.

② 임상양상

임상양상은 매우 극적이고 급격하게 나타나는데 분만이 임박했거나 막 분만한 산모가 갑자기 매우 가쁜 숨을 쉬면서 숨참을 호소하고, 경련이나 심폐발작을 일으키며, 소모성 응고장애, 대량 출혈을 보이다가 죽음에 이르게 된다. 하지만 임상적 증상의 정도는 다양하게 나타날 수 있다. 분만 진통 중에 시작되면 심한 태아 서맥등의 태아곤란증이 거의 모든 경우에 동반된다.

③ 진단 및 감별진단

최근까지 산모조직, 특히 폐혈관에서 태아 유래의 편평세포, 솜털, 태지의 지방, 태아 장관에서 분비된 점액 및 담즙 등을 발견함으로서 병리학적으로 진단이 되었다. 그러나 정상 산모에서도 이러한 것들을 발견할 수 있기 때문에 진단에 필수적 요소는 아니다. 따라서 근래에는 전형적인 임상증상과 징후를 통한 임상적 진단이 일반적이며 병리조직학적 검사는 보조적인 방법이다. 감별진환으로는 패혈성 쇼크, 급성 심근 경색증, 흡인 폐렴, 폐혈전색전증, 태반조기박리 등이 있다.

④ 치료

급격하게 사망에 이르게 할 수 있으므로 즉각적이고 적극적인 보존요법을 시행해야 사망과 이환을 줄일 수 있다. 치료 목표는 적극적인 산소 공급으로 저산소증의 교정, 혈역학계 허탈의 치료, 혈액 응고 장애의 치료이다.

⑤ 예후

모성 사망률이 한때 80%이상으로 보고되었으나 미국의 양수색전증 등록처의 분석결과에서는 모성사망률이 61%였다. 생존한 많은 환자에서 저산소증으로 인한 영구적인 신경학적인 불구가 남게 된다. 신생아 생존율은 신생아 생존율은 약 70%이며, 이중 최대 절반 가량에서 신경학적 이상이 동반된다.

4. 출혈의 관리

1) 처치

과도한 출혈이 의심되는 경우 즉시 자궁이완, 산도 찢김의 유무, 잔류태반 등을 확인해야 한다. 직경이 큰 주사바늘로 적어도 2개 이상의 정맥을 확보하여 혈액 및 전해질 용액을 신속하게 투여하는 것이 필수적이다. 소변량은 가장 중요한 활력징후 중 하나로 이뇨제를 사용하지 않는 경우 신장관류량을 반영하며, 이는 주요 장기에 공급되는 혈액량을 반영한다. 소변량은 최소 30 mL/hr, 가급적이면 50 mL/hr 이상 유지하는 것이 좋다. 그러므로 심각한 출혈 시에는 즉시 요도관을 삽입해야 한다.

2) 수액 및 혈액보충

중증 출혈의 치료는 즉각적이고 적절하게 혈관 내 용적을 채우는 것이다. 정질액(crystalloid)은 초기에 용적을 채우는 데 사용된다. 측정 혈액손실양의 약 3배 이상의 정질액을 투여하도록 한다.

수혈을 결정하는데 어느 것을 기준으로 하느냐에 대해서는 아직 논란이 있다. 대개 적혈구용적이 20% 이하이거나 혈색소 농도가 7 mg/dL 이하일 때는 하는 것이 권장된다. 그러나 단순히 혈액 손실의 정도뿐만이 아니라 계속 날 것인지 여부도 판단에 고려되어야 한다.

전혈은 급성 출혈에 의한 혈액량 감소증의 치료에 가장 이상적인 방법이다. 전혈 1단위는 적혈구용적을 약 3~4% 정도 증가시키며 많은 응고인자, 특히 섬유소원을 보충하며, 그 혈장은 출혈에 의해 감소된 혈량을 증가시킨다. 그러나 구하기가 으려워 목적에 따라 필요한 혈액성분을 각각 투여하는 성분 수혈을 주로 시행한다.

성분수혈의 종류는 다음과 같다.

- 농축적혈구(packed RBC): 1 단위가 적혈구용적 3~4% 증가시킨다. 대량출혈을 하지 않는, 상대적으로 안정적인 활력징후를 보이는 경우 농축적혈구 수혈이 적당하다.

- 혈소판(Platelet): 1 단위가 혈소판수를 약 5000/μL 증가시킨다.
- 신선 냉동혈장(Fresh-frozen plasma): 1 단위가 섬유소원을 약 7~10 mg/dl 증가시킨다.
- 동결침전(cryoprecipitate): 15~20 단위가 섬유소원 약 150 mg/dl 증가시킨다.

3) 자가수혈

수술 전 수혈이 필요한 경우를 대비해 미리 환자 자신의 혈액 저장이 고려되는 경우가 있다.

4) 희석성 응고장애(Dilutional coagulopathy)

출혈이 심한 경우 정질액과 농축적혈구를 투여하면 대개 혈소판과 용해성 응고인자가 소실되어 희소성 응고장애가 유발되는데, 범발성 혈관내 응고증과 감별이 어렵다.

가장 흔한 것은 혈소판 감소증(thrombocytopenia)이다. 그러므로 농축적혈구 5~10 단위 이상이 수혈되면 검사를 시행하여 혈소판은 50,000/μL 이상으로 유지시키고 섬유소원은 100 mg/dL 이상으로 유지하여야 한다.

임신 중 고혈압

Hypertensive disorders in pregnancy

CHAPTER

31

학습목표

1. 임신 중 합병되는 고혈압의 진단 기준을 설명할 수 있다.
2. 전자간증의 원인과 병태생리를 설명할 수 있다.
3. 임신 중 고혈압성 질환으로 야기되는 모체와 태아의 합병증을 설명할 수 있다.
4. 전자간증의 증상과 증후를 열거할 수 있다.
5. 임신성 고혈압 질환의 예방 및 처치를 설명할 수 있다.
6. 만성 고혈압이 임신에 미치는 영향을 설명할 수 있다.

---

1. 임신 중 합병되는 고혈압의 진단 기준

1) 만성고혈압(chronic hypertension)

- 임신 이전 또는 임신 20주 이전부터 고혈압(≥140/90 mmHg)이 있었던 경우, 또는
- 임신 20주 이후에 처음 발견된 고혈압으로 분만 후 12주 이후까지 지속되는 고혈압

2) 임신성고혈압(gestational hypertension)

임신 20주 이후 처음 고혈압이 발생한 경우로 단백뇨는 동반하지 않고 분만 12주 이내에 혈압이 정상화 되는 것을 말함

최종적인 진단은 출산 후에 가능함

3) 전자간증(preeclampsia)

임신 20주 이후에 고혈압(≥140/90 mmHg)이 있고, (1) 단백뇨를 보이는 경우 또는 (2) 단백뇨가 없어도 아래의 5가지 임상적 소견을 보이는 경우

(1) 단백뇨의 기준

- ≥ 300 mg/24시간 또는
- Protein/creatinine ratio ≥ 0.3 또는
- 지속적인 dipstick 1+(*단, dipstick검사는 위양성 위음성의 비율이 높아서, 이 기준은 상기 2가지의 단백뇨 검사가 이용가능하지 않을 때에만 권고됨)

(2) 5가지의 임상적 소견

- 혈소판 감소증(<100,000/uL)
- 간 transamninase 정상의 2배 이상 상승
- 혈청 creatinine>1.1 mg/dL 또는 기존의 두 배 이상 상승
- 폐부종
- 두통, 시각장애, 또는 경련

4) 자간증(eclampsia)

전자간증이 있는 임산부에서 다른 원인을 찾을 수 없는 경련이 발생한 경우

5) 중복전자간증(superimposed preeclampsia)

임신 전 또는 임신 20주 이전에 고혈압이 이미 진단된 산모에서 기존에 없었던 의미 있는 단백뇨가 새롭게 발견되거나, 고혈압 또는 단백뇨가 악화되는 소견을 보이는 경우, 또는 간수치의 악화 또는 혈소판 감소증 또는 신기능의 악화 등이 동반된 경우

6) HELLP(hemolysis, elevated liver enzyme, low platelets) 증후군

용혈, 간 효소치의 상승 및 저혈소판증이 발생한 경우

7) 전자간증의 중증도(표 31-1)

- 임신중 고혈압성 질환의 중증도를 결정하기 위한 항목들과 기준을 나타냄
- 이전에는 중증, 경증으로 나누었으나 중증, 비중증으로 분류
- 비중증이라고 하더라도 급격히 중증으로 진행될수 있음을 명심해야 함

표 31-1. **전자간증의 중등도**

항목	비중증	중증
이완기혈압	< 110 mmHg	≥ 110 mmHg
수축기혈압	< 160 mmHg	≥ 160 mmHg
단백뇨	없거나 있음	없거나 있음
두통	없음	있음
시력장애	없음	있음
상복부통증	없음	있음
핍뇨	없음	있음
경련(자간증)	없음	있음
혈청 크레아티닌	정상	상승
저혈소판증	없음	있음
간효소상승	최소	현저
태아성장제한	없음	있음
폐부종	없음	있음

2. 전자간증

1) 역학

전자간증은 전체 생존출산의 약 2~8%

2) 발생 위험인자(표 31-2)

① 처음으로 융모막융모(chorionic villi)에 노출된 경우(미분만부)

② 많은 양의 융모막융모에 노출된 경우(다태임신)

③ 이전부터 신장이나 심장질환을 앓고 있었던 경우

④ 유전적으로 임신 중 고혈압이 발생할 가능성이 있는 경우

- 많은 경우는 위험인자가 없는 건강한 미분만부에서 나타남

표 31-2. **전자간증의 발생 위험인자**

만성고혈압
만성콩팥질환
결합조직질환(전신홍반루푸스, 항인지질항체증후군)
당뇨병
비만(체질량지수 >30)
고령임신
미분만부
혈전성향증
전자간증 병력
다태임신
보조생식술
수면무호흡증후군
폐부종

3) 병인

(1) 병인 및 병태생리의 2단계 모델(그림 31-1)

- 제1단계: 태반관류장애의 발생
- 제2단계: 모체 혈관내피세포의 활성화에 따른 전신적인 전자간증 증후군

(2) 임신 15~16주 사이의 정상 태반형성과 비정상적인 태반형성을 보여주는 모식도
(그림 31-2)

- 태반관류장애는 비정상적인 태반형성에 의해 발생
- 정상적인 태반형성 과정에서 세포영양막은 탈락막과 인접한 나선동맥을 침투해 들어가면서 동맥벽의 민무늬근육을 뚫고 들어가 일부 혈관내피세포와 치환되는데, 그 결과로 민무늬근육은 소실되고 동맥은 확장됨
- 자간전증에서는 세포영양막이 나선동맥벽을 불완전하게 침투하여 태반이 비정상적으로 형성되고 나선동맥의 혈관저항이 정상임신에 비해 높게 유지됨
- 세포영양막은 탈락막을 뚫고 들어갈 때 많은 자연세포독성세포(natural killer cell)와 큰 포식세포(macrophage)를 만나게 되는데, 정상임신에서는 이들 면역세포들은 세포영양막이 자궁근육내로 깊이 침투할 수 있도록 도와주고 나선동맥의 광범위한 재형성을 촉진하는 반면, 전자간증에서는 이 역할들이 제한을 받음

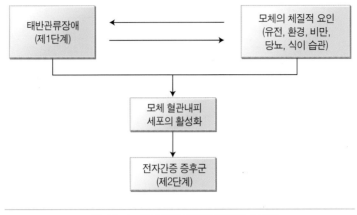

그림 31-1. **자간전증 2단계 발생기전 모델**

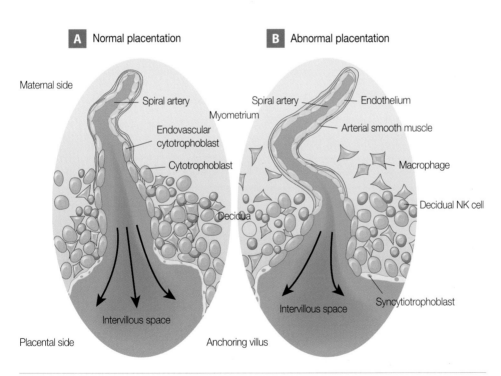

그림 31-2. **정상적인 태반형성(A)과 비정상적인 태반형성(B)의 모식도**

표 31-3. **전자간증의 병태생리학적 변화**
장기 혈류량의 감소
혈관수축
혈관수축제에 대한 감수성 증가
혈액응고계의 활성화
혈관의 유효순환용적 감소
혈장용적의 감소

4) 병태생리학적 변화(표 31-3)

- 혈관수축, 혈관내피세포 이상, 허혈 등에 의해 각 장기로 가는 혈류량이 감소하는 것이 가장 뚜렷한 변화임
- 병태생리학적 변화는 임신 초기부터 나타나기 시작하며, 임신이 유지될수록 진행되어 결국 임상증상이 나타나게됨

(1) 심장혈관계 변화

- 고혈압으로 인한 후부하의 증가
- 혈장량의 병적인 감소에 따른 전부하의 저하
- 수액 투여에 대해 민감하게 변화를 보이는 전부하
- 혈관내피세포 활성화로 인해 폐와 같은 세포외 공간으로 혈장 유출

① 혈류역학변화

- 전자간증이 시작되면 체순환 저항 증가로 인해 심장 박출량 감소
- 심근의 확장기 장애가 나타나는 빈도가 높지만 대부분의 경우 심기능은 적절함

② 혈액량

- 혈액의 농축현상이 나타나는데 이는 정상 임신부에서 보통 나타나는 혈장량의 증가가 나타나지 않음
- 혈액의 농축 현상은 정상임산부에서 나타나는 혈장량의 증가가 있으나, 전신적인 혈관 수축과 혈관투과성의 증가를 동반하는 혈관내피세포의 기능이상에 의해 혈관주변 세포외기질로 빠져나가 혈장량이 오히려 감소하여 생김
- 분만 중에는 정상적인 실혈량에도 민감하게 반응할 수 있음

- 분만 후 혈관수축과 혈관내피세포활성화가 사라지면 혈액의 농축현상이 없어지면서 적혈구용적률이 감소됨

③ 혈액 응고와 용혈

- 저혈소판증(<100,000/uL)이 올 수 있으며 이는 중증 질환을 의미함
- 경미한 혈관내 혈액응고 현상과 이로인한 혈액응고인자 감소가 나타날 수 있음
- 이러한 변화에도 불구하고 프로트롬빈시간이나 활성화부분트롬보플라스틴시간이 의미 있게 증가하지는 않음
- 임신 중 비교적 일찍 발생한 전자간증과 혈전성향증(thrombophilia)은 서로 관계가 있음
- 중증 전자간증에서는 용혈 현상이 자주 나타나며 HELLP증후군으로 진행하기도 함

④ 용적항상성(Volume homeostasis)

- 정상임신과는 달리 혈장 레닌, 안지오텐신 II, 알도스테론 농도가 증가하지 않는데, 그 이유는 나트륨 저류와 고혈압으로 인해 레닌 분비가 감소하기 때문
- 디옥시코르티코스테론의 농도 감소는 없음
- 바소프레신은 정상 수치를 보임
- 심방나트륨뇨배설촉진펩티드(atrial natriuretic peptide)의 분비 증가
- 내피세포 손상에 의해 세포외액의 저류로 인해 부종이 발생
- 전해질 농도는 정상임신과 차이 없음

(2) 콩팥

- 콩팥혈관의 수축으로 인해 콩팥관류와 사구체여과율이 평균 25% 감소하며, 소변감소증의 발생
- 요산의 혈중 농도가 증가
- 자간전증에서 24시간 300 mg혹은 protein creatinine비 >0.3의 단백뇨가 나타남
- 단백뇨의 정도는 중증도를 나타낸다고 간주되었지만 항상 그런 것은 아님 . 사구체 모세혈관 내피세포증(glomerular capillary endotheliosis)과 급성 콩팥세관 괴사로 인한 급성콩팥기능상실로 진행가능

(3) 간

- 간 주변부의 문맥주위 출혈과 이를 동반한 간경색도 발견됨
- 출혈로 인한 간파열과 피막하혈종

표 31-4. HELLP증후군의 진단 기준

혈청 젖산탈수소효소 ≥600 IU/L
혈청 아스파르테이트와 알라닌 아미노전이효소가 정상의 두 배이상
혈소판수치 100,000/uL

- 혈청 간 효소치의 상승
- HELLP 증후군은 중증 전자간증의 20%에서 발생
- HELLP 증후군의 합의된 기준은 없으나 다음의 기준을 많이 사용함(표 31-4)

(4) 뇌

- 두통과 시각장애, 경련(자간증인 경우)
- 심한 고혈압으로 인해 뇌동맥이 파열되어 대량출혈이 발생
- 부종, 충혈, 허혈, 색전, 출혈 등의 병변이 발견됨
- 전자간증에서는 뇌관류압이 증가하지만 뇌혈관 저항이 증가하기 때문에 뇌혈류량에는 변화가 없음
- 자간증에서는 뇌혈류의 자동조절 한계를 넘는 과도한 관류로 인해 뇌 간질로의 혈액유출이 일어나게 됨
- 중중 전자간증에서는 시력장애가 흔히 나타나지만 실명하는 경우는 거의 없음
- 자간증인 경우에는 실명이 10%에서 나타나는데, 분만 후 일주일 이후에도 나타날 수 있음
- 망막박리가 나타날 수 있는데, 대개는 한편에 국한되고 영구실명은 거의 없음
- 뇌부종의 증상으로는 졸음증(lethargy), 혼미, 시력장애, 둔감(obtundation), 혼수 등이 있음

(5) 자궁태반관류 저하

- 자궁태반관류의 저하가 주산기 유병율과 사망율 증가의 주요원인으로 생각됨
- 자궁태반관류 저하의 원인은 영양막세포의 나선동맥 혈관내피세포 침투가 제한적이기 때문

5) 예측과 예방

(1) 예측

현재까지 전자간증에 대한 믿을만 하고, 유효하며 경제적인 선별검사는 없음

(2) 예방

전자간증의 예방을 위해 American College of Obstetricians and Gynecologists (ACOG) 는 자간전증의 고위험군(전자간증의 과거력, 쌍둥이 임신, 만성고혈압, 임신전 당뇨, 콩팥질환, 자가면역질환)은 임신 12주에서 28주 사이부터 매일 저용량 아스피린(60~80 mg) 복용할것을 권고하고 있음

6) 처치

목적은 임신부와 태아에게 최소한의 손상을 주면서 임신을 종결시키고, 건강한 신생아가 분만되도록 하며, 임산부의 건강이 완전히 회복하도록 하는 것임

조기 발견
- 임신 제3삼분기에는 산전진찰의 빈도를 증가시킴
- 고혈압(140/90 mmHg 이상)이 있는 임신부는 흔히 2~3일간 입원시켜서 중증도를 평가해 보고, 경우에 따라서는 분만하도록 함
- 경증인 경우에는 외래 방문으로 관찰할 수도 있음

① 분만 전 병원에서의 관리
- 세부적인 신체검사 시행
- 매일 두통, 시력장애, 상복부 통증 및 급격한 체중증가가 없는지 관찰
- 입원할 때 체중을 측정하고 이후 매일 측정
- 입원할 때 단백뇨 유무를 검사하고 이후 적어도 2일에 한 번씩 검사
  소변 protein:creatinine ratio를 측정할수도 있음
- 4시간마다 혈압 측정(밤에는 제외)
- 혈장 또는 혈청 크레아티닌, 적혈구용적율, 혈소판 수치, 간효소 수치를 측정. 측정간격은 중증도에 따라 결정함
- 태아 크기와 양수양을 진찰 또는 초음파검사를 통해 자주 측정
- 중증 전자간증으로 이행하면 고혈압약을 투여하고, 경련을 방지하기 위해 황산 마그네슘을 투여하며, 필요한 경우에는 분만을 유도
- 신체적 활동을 줄이는 것이 좋으나 절대 침상안정, 수면제나 신경안정제의 처방은 불필요
- 충분한 단백질과 열량이 포함된 식사
- 염분과 수분은 제한되거나 과다섭취하지 않도록 함

- 대개의 증상과 징후는 분만이 이루어질 때까지 소실되지 않음

② 임신 종결

- 분만이 전자간증의 근본적인 치료임
- 경증의 임신성 고혈압이나 전자간증의 경우 만삭이후 분만을 고려.
- 두통, 시력장애, 상복부 통증은 경련이 발생할 가능성이 높은 증상이며, 소변감소증도 불길한 징후임
- 중증 전자간증의 치료는 자간증의 경우와 같으며 분만이 이루어질 때까지 고혈압약과 항경련제를 투여해야 할 수 있음
- 입원 후에도 좋아지지 않는 중증 또는 중등도의 전자간증인 경우에는 임신부와 태아 모두를 위해 분만이 권유됨
- 유도분만을 시도하는 경우에는 옥시토신 정맥주사가 이용되며, 자궁경부의 숙화를 위해 프로스타글란딘이 사용되기도 함
- 중증의 경우에 임신기간을 연장하기 위해 보존적 치료를 하는 것은 신생아결과나 산모의 결과에 호전을 가져오지 않기때문에 권장하지 않음
- 중증인 경우에 유도분만이 거의 성공할 것 같지 않거나 실패한 경우에는 제왕절개술을 할 수 있음

③ 고혈압약

- 일반적으로 중증 이하 고혈압성질환에서 임신기간을 연장시키거나 임신결과를 호전시키기 위해 혈압약을 사용하는 것은 권장하지 않음
- 하이드랄라진, 라베탈롤, 니페디핀 등이 사용될 수 있음
- 안지오텐신전환효소억제제를 임신 제2, 3삼분기에 투여하는 경우에는 양수과소증, 태아성장제한, 골기형, 동맥관열림증, 폐형성저하증, 호흡곤란증후군, 지속적인 신생아 저혈압, 신생아사망 등과 같은 합병증을 유발할 수 있음

④ 글루코코르티코이드

조산이 예견되는 중증 전자간증에서 태아의 폐성숙을 촉진시키기 위해 글루코코르티코이드를 투여할 수 있음

3. 자간증

1) 역학

- 선진국가에서는 자간증 산모의 사망률은 1%로 보고
- 합병증: 태반조기박리(10%), 신경학적 손상(7%), 흡인성 폐렴(7%), 폐부종(5%), 심폐정지(4%), 급성 콩팥기능상실(4%), 임신부 사망(1%)
- 거의 모든 경우에서 전자간증이 선행함
- 임신 제3삼분기에 가장 흔히 발생하며 만삭에 가까워질수록 빈도가 증가하고, 분만 후에도 발생할 수 있음
- 분만 후 48시간이 경과한 이후에 경련이 있는 경우에는 다른 원인도 있을 수 있음을 고려해야 함

2) 경련의 양상

- 전구증상 : 두통, 시력장애, 상복부 통증
- 경련은 입가를 씰룩거리는 양상에서 시작하여 몇 초 후에는 몸 전체가 뻣뻣해지는데, 이 기간은 15~20초 정도 지속함. 갑자기 입이 열렸다 닫혔다 하고 눈도 같은 양상을 보임. 얼굴의 다른 근육도 빠른 속도로 수축과 이완을 반복하게 됨. 근육의 움직임은 점차 작아지다가 마침내 임신부는 움직임이 없는 상태로 혼수상태가 됨. 혼수상태의 지속시간은 다양함
- 첫 번째 경련을 치료하지 않는 경우에는 다음의 경한 경련이나 지속적인 경련으로 이어질 수 있음
- 본인은 경련 직전과 직후의 일을 기억하지 못하지만 시간이 경과하면서 점차 이 기억은 회복됨
- 고열은 매우 위중한 징후로 뇌혈관출혈을 의심해볼 수 있음

3) 진통 및 분만

- 경련 후에 바로 분만진통이 시작되는 경우가 많고 그 진행도 빠름
- 태아 느린맥이 발생할 수 있지만 대개 10분 내에 회복
- 태아 느린맥이 10분 이상 지속하면 태반조기박리, 임박한 분만 등의 다른 원인들을 찾아보아야 함

- 경련이 안정화되면 분만 준비를 하여야 함

4) 감별진단

- 간질, 뇌염, 뇌막염, 뇌종양, 낭미충증, 뇌혈관류 파열, 혈관염, 허혈성 뇌질환, 저혈당, 저나트륨혈증 등
- 다른 원인이 밝혀질 때까지 경련을 하는 모든 임신부는 자간증으로 간주해야 함

5) 예후

- 분만 후 호전되는 첫 번째 징후는 소변양 증가임
- 단백뇨와 부종은 대개 일주일 이내에 사라짐
- 혈압은 보통 수일 내지 2주일 이내에 회복됨
- 10% 정도에서 경련 후에 시력장애를 호소하는데, 일주일 내로 완전히 회복됨

6) 일반적 치료

① 항경련제로 경련을 조절: 황산 마그네슘이 가장 추천됨
② 고혈압약 투여로 너무 높은 고혈압을 조절: 수축기 혈압이 160 mmHg 이상이거나 이완기 혈압이 110 mmHg 이상일 경우
③ 이뇨제 사용은 피하고, 과도한 수분소실이 있는 경우가 아니라면 지나친 수분 공급도 피하며, 고삼투압제제의 투여도 피함
④ 태아를 분만하여 자간전증/자간증을 치료

7) 황산 마그네슘

- 대뇌 피질에 국한하여 작용하는 항경련제
- 분만과 진통이 임박하여 경련을 하는 경우가 많으므로 진통이 시작하면서부터 투여하여 산후 24시간까지 지속

(1) 황산 마그네슘의 약리학적 특성

- 황산 마그네슘의 구조는 $MgSO4.7H_2O$

- 비경구로 투여된 마그네슘은 거의 콩팥으로 배설되므로 황산 마그네슘의 독성을 예방하기 위해서는 적절한 소변량을 유지하는 것이 필요하고 무릎반사나 두갈래근반사(biceps reflex), 호흡 저하 유무를 확인하는 것이 중요
- 거의 모든 자간증의 경련은 혈중 마그네슘 농도 4~7 mEq/L(4.8~8.4 mg/dL, 2.0~3.5 mmol/L)에서 예방이 가능
- 무릎반사는 혈중 마그네슘 농도가 10 mEq/L 이상이면 사라짐
- 호흡저하는 혈중 농도가 10 mEq/L 이상이 되면 시작되고 12 mEq/L 이상이면 호흡정지가 발생할 수 있음.
- 호흡저하가 나타나면 칼슘글루코네이트 1 g 을 정맥주사하고 마그네슘을 중단하면 대개 호전됨
- 혈청 크레아티닌 농도가 1.0 mg/dL 이상으로 증가하면 혈중 마그네슘 농도를 측정 후 유지용량을 조절해야 함
- 콩팥 기능이 저하된 경우에는 주기적으로 혈중 마그네슘 농도를 측정해야 함

(2) 모체에 대한 효과

자간증의 예방과 치료 목적으로 투여하는 정도의 마그네슘 용량으로는 자궁수축에 영향을 미치지 않음

(3) 태아에 대한 영향

- 치료 용량으로는 대개 신생아가 처져 있지는 않음
- 마그네슘은 태아심박동, 특히 박동간 변이를 약간 감소시키기는 하지만 이로 인해 나쁜 결과가 초래되지는 않음
- 뇌성마비 예방효과가 있다고 알려져 있으나, 이와 관련해서 황산마그네슘을 사용할 수 있는 임신주수에 대한 지침은 지속적으로 연구가 필요한 상황
- 황산마그네슘을 지속적으로 사용하였을 때 신생아 골감소증이 나타날 수 있음

8) 고혈압약

심한 고혈압은 뇌혈관출혈, 고혈압성뇌증 등으로 인한 자간증, 태반조기박리, 심부전등과 관련이 있음

(1) 하이드랄라진

수축기 혈압이 160 mmHg 이상이거나 이완기 혈압이 110 mmHg 이상인 경우에 정맥주사 5 mg이나 10 mg을 투여하고 반응에 따라 15에서 20분 간격으로 원하는 혈압에 도달할 때까지 사용

(2) 라베탈롤

- alpha1, non-selective beta-blocker를 사용할 수 있음
- 첫 용량으로 10 mg을 투여 후 원하는 혈압에 도달할 때까지 약 10분 간격으로 용량을 늘려 투여할 수 있음
- 하이드랄라진과 비슷한 효과를 보임

(3) 니페디핀

칼슘채널 길항제로 경구 투여할 수 있음

처음 10 mg을 투여 후 원하는 혈압에 도달할 때까지 20~30분 간격으로 반복 투여할 수 있음

(4) 기타

- 베라파밀(Verapamil) 및 니모디핀(Nimodipine) 니트로프루사이드(nitroprusside)등을 사용할 수도 있음

(5) 이뇨제와 고삼투성 제제

- 혈압을 조절할 목적으로 이뇨제를 사용해서는 안되는데, 왜냐하면 강력한 이뇨제는 정상임신에 비해 이미 감소되어 있는 혈관내 용적을 더욱 감소시켜 태반관류를 방해하기 때문임
- 고삼투성 제제는 수액의 혈관 내 유입이 생기고 이어서 폐, 뇌 등으로 수액이 빠져나가 부종이 생기게 되므로 사용이 제한됨

9) 수액요법

젖산 링거액(lactated Ringer solution)을 시간당 60 mL의 속도로 정맥주사하고 설사, 구토, 분만 시 과도한 출혈 등이 없으면 시간당 125 mL이 넘지 않도록 함

많은 양의 수액투여 시 폐부종이나 뇌부종의 위험을 증가시킴

10) 분만

- 자간증인 경우에는 제왕절개술로 인한 위험을 피하기 위해 질식분만을 우선적으로 고려
- 중증 전자간증과 자간증에서는 정상적인 임신에 비해 혈장 증가가 부족하고 혈액이 농축되어 있어서 혈압이 정상인 임신부에 비해 혈액 소실에 매우 민감함
- 분만 시 마취로는 주의 깊게 시행되기만 한다면 전신마취와 부분마취가 모두 가능

11) 예후

- 전자간증이 있었던 임신부는 다음 임신에서 고혈압과 관련된 합병증이 동반될 가능성이 높음
- 향후 만성고혈압 등과 같은 심장혈관질환의 발병률도 높음

4. 만성고혈압

1) 임신 전 및 임신 초기 관리

- 이상적으로는 만성고혈압은 임신 전에 상담과 평가 관리가 이루어져야 함
- 만성고혈압 여성에서 임신에 대한 상대적 금기의 경우: 치료에도 이완기 혈압이 110 mmHg 이상으로 지속되거나, 2가지 이상의 약제를 투여 받고 있는 경우, 혈청 크레아티닌 농도가 2 mg/dL를 초과한 경우, 이전에 뇌혈관 혈전이나 출혈, 심근경색, 또는 심부전의 과거력이 있었던 경우
- 자간전증 예방을 위해 저용량 아스피린 투여를 임신 12주 에서 28주 사이에 시작할 것을 권고하기도 함

2) 임신에 미치는 영향

(1) 모체에 미치는 영향

임신 전부터 한 가지 고혈압약으로 혈압이 잘 조절된 임신부는 임신 중 대개 별다른 문제가 없으나 중복전자간증이나 태반조기박리와 같은 합병증의 발생 위험이 증가

(2) 태아와 신생아에 미치는 영향

- 태아성장제한이 고혈압의 중증도에 비례하여 증가
- 조산과 주산기사망률도 증가

3) 임신 중 치료

- 임신 중 중증 고혈압이 있는 경우에는 임신 유무와 관계없이 모체 적응증을 기준으로 치료
- 다른 합병증이 없이 수축기 혈압이 150 mmHg를 초과하거나 이완기 혈압이 지속적으로 95~100 mmHg 이상인 경우에는 고혈압약을 투여
- 주요 장기의 기능 장애가 있는 경우에는 90 mmHg 이상인 경우에도 치료를 고려할 수 있음

고혈압약

① 이뇨제

정상 임신에서 나타나는 모체 혈장량의 증가가 이뇨제를 투여함으로써 감소하기 때문에 이뇨제는 임신 중 1차 고혈압약으로 추천되지 않으며, 특히 임신 20주 이후에는 더욱 그러함

② 교감신경차단제

라베탈롤(Labetalol)을 주로사용함

③ 혈관확장제

- 주사용 하이드랄라진은 출산 전후의 중증 고혈압에 흔히 사용되는 약제
- 경구 하이드랄라진 단독 투여는 혈압강하 효과가 약하고 빠른맥을 유발하기 때문에 추천되지 않음

④ 칼슘채널길항제

니페디핀(Nifedipine) 등을 사용할 수 있음

4) 분만

별다른 합병증이 없는 경우에는 만삭까지 분만진통이 오기를 기다림

5. 중복전자간증

- 만성고혈압의 25%에서 중복전자간증으로 이행
- 태아성장제한과 태반조기박리가 더 흔히 합병됨
- 분만과 관련된 처치는 임신성 고혈압 질환에서 제시한 기준을 따름

임신과 당뇨
Diabetes in pregnancy

학습목표

1. 임신 중 당뇨병의 진단 및 선별검사방법을 설명한다.
2. 임신과 동반된 당뇨병이 모체에 미치는 영향에 대하여 설명한다.
3. 임신과 동반된 당뇨병이 태아 및 신생아에 미치는 영향에 대하여 설명한다.
4. 임신 중 당뇨병의 혈당관리 및 조절 방법에 대하여 설명한다.
5. 임신과 동반된 당뇨병의 산과적 처치에 대하여 설명한다.
6. 임신 중 당뇨병의 출산 후 관리에 대하여 설명한다.

1. 빈도 및 역학

① 당뇨병은 임신 중 가장 흔한 내과적 합병증 중의 하나이다.
② 전 세계적으로 비만 인구의 증가와 고령화 산모의 증가에 따라 제2형 당뇨병 및 임신성 당뇨병의 발병은 증가하고 있다.
③ 우리나라에서의 임신성 당뇨의 빈도는 5~10%로 보고된 바 있으며 2011년 국민건강보험공단자료에 의하면 임신 여성 약 10명 중 1명이 임신성 당뇨병 진료를 위해 병원을 방문한다고 보고된 바 있다.

2. 임신 중 당뇨병의 분류

임신 중에 진단된 임신성 당뇨병(gestational diabetes)과 당뇨병 임신(pregestational diabetes)로 구분한다(표 32-1)

표 32-1. **임신 중 당뇨병의 분류**

임신성 당뇨병(gestational diabetes)
A1 공복 혈장 혈당<105 mg/dL A2 공복 혈장 혈당≥105 mg/dL
당뇨병 임신(pregestational diabetes)
1. 제1형 당뇨병 　a. 혈관합병증이 없는 경우 　b. 혈관합병증이 있는 경우(고혈압, 망막병증, 신병증, 긴경병증, 심혈관성 질환) 2. 제2형 당뇨병 　a. 혈관합병증이 없는 경우 　b. 혈관합병증이 있는 경우(고혈압, 망막병증, 신병증, 긴경병증, 심혈관성 질환)

3. 임신성 당뇨병

1) 정의

임신으로 인한 생리적 변화에 의해서 임신 중에 발견되는 당뇨병으로 그 정도에 상관없이 임신 중 처음으로 인지되었거나 발생한 경우로 정의된다.

2) 선별 검사

(1) 50 gm 당부하검사

① 시행 방법: 24~28주에 금식과 관계없이 포도당 50 g을 복용하고 한 시간 후에 혈액을 채취한다.

② 양성치의 기준으로는 일반적으로 >140 mg/dL 이상을 사용하나, >135 mg/dL 또는 >130 mg/dL을 사용하기도 한다.

③ 제5차 임신성 당뇨병 국제회의에서 제시된 위험군별에 따른 임신성 당뇨의 선별검사법은 표 32-2와 같다. 최근에는 무증상의 모든 산모를 대상으로 선별검사를 시행하는 추세이다.

표 32-2. **임신성 당뇨병의 위험도에 따른 선별검사법(modified by Metzger 2007)**

저위험군

다음 모두를 만족하는 경우에는 임신 중 당부하 검사를 반드시 시행하지는 않아도 된다.

- 임신성 당뇨병 유병률이 적은 민족
- 1차 직계가족에 당뇨병이 없는 경우
- 25세 미만
- 임신전 체중이 정상인 경우
- 당대사 이상의 병력이 없는 경우
- 불량한 산과적 병력이 없는 경우

중등도 위험군

고위험군이나 저위험군에 속하지 않는 그룹으로 24~28주 사이에 선별검사를 시행하며 50 gm 당부하검사 후 100 gm 당부하 검사를 시행하는 두 단계 검사 방법 또는 선별검사 없이 100 gm 당부하 검사를 바로 시행하는 방법을 취한다.

고위험군

다음의 한 가지라도 이상이 있는 경우에는 임신 진단 후 바로 임신성 당뇨에 대한 검사를 시행하고 그때 진단되지 않으면 24~28주 혹은 고혈당의 의심이 가는 증상이나 증세가 있는 경우 재검한다.

- 고도 비만
- 2형 당뇨병의 가족력
- 임신성 당뇨병의 과거력
- 요당이 검출되는 경우

표 32-3. **100 gm 당부하 검사에 의한 임신성 당뇨병의 진단기준**

	Carpenter-Coustan criteria(mg/dL)	National Diabetes Data Group criteria(mg/dL)
Fasting	95	105
1-h	180	190
2-h	155	165
3-h	140	145

3) 확진 검사

(1) 100 gm 3 hour 당부하 검사

① 50 gm 당부하검사 선별검사에서 양성이 나오면 확진을 위한 100 gm 당부하 검사를 시행하여 표 32-3에 나온 진단기준에서 2개 이상의 수치가 기준보다 높을 때 임신성 당뇨병으로 진단한다.

② 시행 방법: 검사 전에 8~14시간 동안 금식 후 시행하며 검사 시행하는 동안에는 흡연을 삼가고, 앉아 있어야 한다.

③ 미국 산부인과학회에서는 50 gm 당부하검사에 이은 100 gm 3 hour 당부하 검사로 확

진하는 두 단계 검사 방법을 권하고 있다.

(2) 75 gm 2 hour 당부하 검사
① 유럽과 세계보건기구(WHO)에서는 선별검사 없이 바로 75 gm 2 hour당부하 검사를 시행할 것을 권한다.
② 50 gm 당부하 선별검사를 시행하지 않고 바로 75 gm 당부하 확진 검사를 시행하는 경우 진단기준으로는 공복혈당 >95 mg/dL, 식후 1시간 >180 mg/dL, 식후 2시간 >155 mg/dL 중 하나 이상의 수치가 기준보다 높은 경우 임신성 당뇨병으로 진단한다.

4) 모체에 미치는 영향
(1) 제왕절개수술률
임신성 당뇨병의 임산부는 거대아로 인한 제왕절개수술률이 증가한다.

(2) 고혈압성 질환
임신성 당뇨병 산모에서 고혈압성 질환의 빈도가 2배 증가한다.

(3) 모체의 장기적 합병증
① 임신성 당뇨로 진단받았던 여성에서 20년 내에 50%에서 제2형 당뇨가 발생한다고 보고된 바 있다.
② 다음 임신에서 다시 임신성 당뇨가 재발할 확률은 30~50%로 산모의 나이가 많거나 비만한 경우에 증가한다.

5) 태아 및 신생아에 미치는 영향
(1) 거대아 대신 큰몸증(Macrosomia)
① 모체의 고혈당으로 인해 태아는 고인슐린혈증이 되고 성장 인자의 자극으로 거대아가 발생한다.
② 거대아로 인한 제왕절개수술이 증가하고, 쇄골골절 및 팔신경얼기 손상의 위험도가 증가한다.

(2) 자궁내 태아사망

임신성 당뇨가 잘 조절이 되지 않는 경우 자궁내 태아사망의 빈도가 증가하는 것으로 알려져 있다.

(3) 신생아 이환

① 임신성 당뇨가 동반된 신생아는 저혈당증, 고빌리루빈혈증, 저칼슘혈증, 적혈구증가증, 심비후 등이 증가하고 이로 인한 신생아중환자실 입원율이 증가한다.

② 임신성 당뇨가 잘 조절이 되지 않았던 경우 신생아호흡곤란증후군(RDS)의 발생 빈도가 증가한다.

(4) 태아 기형

지금까지 임신성 당뇨는 임신성 당뇨는 당뇨병임신과 달리 태아기형의 위험도를 증가시키지 않는 것으로 보고되었으나, 최근 스웨덴의 한 대규모 연구 결과에서 주요기형의 위험도가 대조군에 비하여 약간 증가되는 것으로 보고된 바 있다(2.3% versus 1.8%, Fadl., 2010).

(5) 장기적 예후

임신성 당뇨의 산모에서 태어난 자녀는 정상 임신부의 자녀들보다 추후 소아 당뇨 및 대사증후군(metabolic syndrome)이 발생할 가능성이 증가한다.

6) 혈당 관리

(1) 식이요법

① 식이요법의 목적은 임산부와 태아에게 필요한 영향을 공급하면서 정상혈당을 유지하고, 기아에 의한 케톤산증(ketoacidosis)을 예방하는데 있다.

② 영양교육이 필요하며, 하루 평균 30~35 kcal/kg의 식사를 권하고 탄수화물제한 식이를 한다(탄수화물 40%, 단백질 20%, 지방 40%).

(2) 운동요법

① 운동은 인슐린 저항성을 감소시키고 혈당을 개선시킨다.

② 운동시간은 식사 후 20~30분 정도로 하고 걷기 운동 또는 상체근육을 이용한다.

(3) 약물치료

① 인슐린

가. 인슐린 투여는 적절한 식이요법 후에도 공복 혈당이 95 mg/dl를 초과하거나 지속적으로 식후 1시간 혈당이 140 mg/dl 이상 또는 식후 2시간 혈당 120 mg/dl 이상일 때 투여한다.

나. 인슐린은 태반을 통과하지 않는다.

다. 처음 시작하는 용량은 0.7~1.0 단위/kg의 용량을 나누어 투여한다.

라. 최근에는 인슐린 lispro와 aspart와 같은 인슐린 유사체가 많이 사용된다.

② 경구용 혈당 강하제

가. 과거 제1세대 sulfonylurea 제재 경구용 혈당 강하제는 임신 중에 사용하지 않는 것으로 알려져 있었으나 제2세대인 glyburide는 임신 중 사용할 수 있다고 알려져 있다.

나. 임신성 당뇨를 대상으로 glyburide와 regular insulin을 비교한 무작위 연구에서 두 군 간의 혈당 조절 및 주산기 예후에 차이가 없는 것으로 보고된 바 있다(Langer et al., 2000).

다. 미국 산부인과학회는 glyburide를 임신성 당뇨 조절의 일차 선택약제로 사용할 수 있다는 입장이나, 미국 FDA의 승인을 받지는 않았다.

7) 산과적 처치

(1) 임신 중 관리

① 미국 산부인과학회에서는 혈당조절이 잘 되지 않는 임신성 당뇨병에서는 임신 32주부터 주 2회의 비수축 검사(nonstress test)를 시행할 것을 권하고 있다.

② 그러나 혈당조절이 잘 되는 임신성 당뇨에 대해서는 태아감시검사의 시기 및 횟수에 대해서 정해진 바는 없다.

(2) 분만 시점 및 방법

① 혈당조절이 잘 조절되는 경우에는 39주 이전에 분만이 필요하지 않다.

② 또한 혈당조절이 잘 되면서 다른 합병증이 없다면, A1형 임신성 당뇨의 경우 다른 산모들과 같이 40주 6일까지 자발 진통을 기다릴 수 있다. 반면 A2형 임신성 당뇨의 경우 임신 39주째 분만이 권고되지만 혈당 조절이 잘 되지 않는 경우 더 이른 분만을 고려할 수 있다.

③ 미국 산부인과학회에서는 임신성 당뇨의 산모의 태아에서 초음파 예상 체중이 4.5 kg 이상인 경우 제왕절개수술을 고려해야 한다는 입장이다.

표 32-4. **임신성 당뇨병의 산후 75 gm 경구 당부하검사(ADA, 2013)**

	정상	내당능장애	당뇨
공복 혈당	<100 mg/dL	100~125 mg/dL	≥126 mg/dL
2시간 혈당(mg/dL)	<140 mg/dL	140~199 mg/dL	≥200 mg/dL
hemoglobin A_{1C}	<5.7%	5.7~6.4%	≥6.5%

8) 출산 후 관리

(1) 75 gm 경구당부하검사

① 분만 후 6~12주에 75 gm 경구당부하검사를 시행하며 표 32-4와 같이 결과를 해석한다.

② 75 gm 경구당부하검사에서 정상으로 나온 경우에는 적어도 3년 간격으로 재검을 권유한다.

③ 내당능 장애로 나온 경우에는 생활 습관 개선과 필요 시 metformin과 같은 약물치료를 고려하고 매년 경구당부하검사를 시행한다.

④ 비만여성에서 재발의 빈도가 증가되므로 체중조절이 중요하다.

(2) 피임

저용량 복합 경구피임제가 안전하나, 경구피임제가 금기인 여성에서는 자궁내 장치(intrauterine device)를 사용할 수 있다.

4. 당뇨병임신

1) 모체에 미치는 영향

(1) 자간전증

당뇨가 있는 산모에서는 자간전증의 위험도가 증가하여 이에 대한 위험 인자로는 임신 전 만성고혈압 또는 단백뇨가 동반된 경우이다.

(2) 당뇨병성 신증(nephropathy)

당뇨병 임신부의 5%가 신장 질환 합병증을 가진 군에 속하며 고혈압 악화, 자간전증, 조기분만, 태아발육지연이 증가한다.

(3) 당뇨병성 망막증

① 임신 전 당뇨가 있는 산모는 임신 첫 방문에 망막에 대한 검사를 받을 것이 권장된다.

② 증식성 망막병증은 임신 중 악화되는 경우가 있으므로 임신 전 광응고요법으로 치료하는 것이 좋다.

(4) 당뇨병성 케톤산증

① 당뇨병성 케톤산증은 생명을 위협하는 응급상황으로 발생 빈도는 1% 정도이다.

② 유발 인자로는 심한 입덧, β-mimetics와 같은 자궁수축억제제, 감염성 질환, 스테로이드, 인슐린펌프 오작동 등이 있다.

③ 임신부에서 케톤산증은 비임신부에 비하여 낮은 혈당에서 발생할 수 있는 것으로 알려져 있으며, 한 연구에 의하면 임신부에서 케톤산증 발생 시 평균 혈당은 293 mg/dL로 비임신부에 비하여(495 mg/dL) 낮았다(Guo et al., 2008).

④ 치료는 적극적인 수액 투여 및 인슐린 정맥주사이다.

⑤ 당뇨병성 케톤산증 발생 시 태아손실률은 20%이다.

(5) 당뇨병성 신경병증

드물게 대칭성 말초신경병증이 올 수 있다.

(6) 감염

호흡기 감염, 산욕기 골반 감염, 캔디다질염 등 모든 종류의 감염 빈도가 높아진다.

2) 태아에 미치는 영향

(1) 자연유산

혈당 조절이 잘 안 되는 경우 유산의 빈도가 증가한다.

(2) 원인불명의 사산

1% 빈도로 발생하고 34~36주 이후, 혈당조절이 잘 되지 않은 경우 위험도가 증가한다.

(3) 태아기형

① 일반 산모에 비해 기형의 위험성이 2~3배 높고 적절한 혈당조절이 태아기형의 빈도를 줄일 수 있다.

② 당뇨와 관련된 태아 기형으로는 미단부 퇴행(caudal regression), 내장 역위(situs inversus), 중추신경계 기형, 심장기형, 항문 직장폐쇄, 신장기형 등이 발생하고 염색체 이상의 빈도는 증가하지 않는다.

(4) 양수과다증
태아 고혈당에 의한 다뇨증, 양수 내 포도당 증가에 의한 것이다.

(5) 거대아
분만 손상의 위험성이 증가한다. 아두골반불균형과 견갑난산의 위험성이 증가한다.

(6) 조산
당뇨가 심한 경우, 단백뇨가 동반된 경우, 전자간증이 동반된 경우 조산의 위험도가 증가한다.

3) 신생아에 미치는 영향
① 신생아호흡곤란 증후군 증가
② 저혈당: 산모의 고혈당으로 태아의 인슐린 분비세포가 증식되어 출생 후 저혈당을 초래한다.
③ 저칼슘혈증, 저마그네슘혈증
④ 고빌리루빈혈증, 적혈구 증가증
⑤ 심근비대: 비후성 심근증이 발생한다.
⑥ 신경학적 손상: 제1형 당뇨병 임신부에서 혈당 조절이 잘 되지 않았을 때 더 흔하다.
⑦ 장기적 예후 : 내당능장애, 소아당뇨의 위험도가 증가한다.

4) 당뇨병 임신의 관리
(1) 임신 전 관리
① 철저한 혈당 조절이 매우 중요하다.
② 미국 당뇨병 학회에서는 임신 전 당화혈색소(HbA1c)를 6.5% 미만으로 낮출 것을 권장하였다.
③ 신경관 결손증 예방으로 위하며 임신 전부터 하루 400 μg의 엽산 복용을 권장한다.

(2) 임신 중 혈당 관리

① 혈당 조절 목표치는 공복시 ≤95 mg/dl, 식전 혈당은 ≤ 100 mg/dl, 식후 1시간 ≤ 140 mg/dl, 식후 2시간은 ≤ 120 mg/dl, 오전 2~6시 ≥60 mg/dl이며 당화혈색소는 6%를 넘지 않도록 한다.

② 식이요법은 하루 3차례 식사와 3차례 간식을 하며 칼로리는 이상적인 체중을 기준으로 30~35 kcal/kg을 섭취한다.

③ 탄수화물 40~50%, 단백질 20%, 지방 30~40%로 한다.

(3) 산전 검사

① 태아 기형 중 신경관 결손증의 선별검사로써 16~20주에 모체 혈청의 태아알파단백질(alphafetoprotein)을 측정한다.

② 임신 20~22주에 태아 심장초음파 검사를 포함한 정밀 초음파 검사를 시행한다.

③ 임신 32~34주 사이부터 태아 안녕에 대한 검사를 시행한다.

(4) 분만

① 분만 시기에는 논란이 있지만 혈당 조절이 되지 않는 경우에는 이른 분만이 고려되고, Parkland 병원에서는 임신 38주째 분만을 권유하고 있다.

② 혈당조절이 잘 안되거나, 전자간증, 태아발육지연, 신장병증이 있는 경우에는 조기 분만을 고려한다.

③ 당뇨병 임산부에서 초음파 예상 체중이 4.5 kg 이상인 경우에는 제왕절개수수술이 고려될 수 있다.

임신과 동반된
내·외과 질환

Medical and Surgical
complications

학습목표

1. 임신 중 심혈관계의 생리적 변화를 이해한다.
2. 정상임신에서 나타날 수 있는 심혈관계의 증상 및 소견을 설명한다.
3. 임신 중 심장질환을 의심할 수 있는 증상 또는 진찰 소견을 설명한다.
4. 심장질환 환자의 임신 전 상담과정에 대해 이해한다.
5. 심장질환 임산부의 산전관리 및 진통 중 처지 과정을 설명한다.

Ⅰ 심혈관 질환

1. 역학

① 심장질환이 합병된 임신은 모성과 태아의 사망률과 이환율이 높아진다.
② 세계보건기구에서 제시한 심장질환과 임신의 위험성 분류에 따른 제5군, 즉 임신하는 경우 모성사망률이 높아 일반적으로 임신이 금기되며 임신중절을 고려해야 하는 심장질환은 다음과 같다.

• 폐동맥 고혈압
• 중증 전신심실장애(좌심실 박출율 <30% 혹은 NYHA III−IV)
• 좌심실 기능장애가 남아있는 분만전후심장근육병증의 병력
• 중증 좌심실 폐쇄
• Marfan 증후군(대동맥 확장 >45 mm)
• 이첨판 대동맥판막(대동맥직경 >50 mm)

2. 임신 중 심혈관계의 생리적 변화

① 임신 제3분기 초까지 혈액량 및 심박출량 40~50% 증가
② 전신혈관저항의 감소: 임신 제2삼분기에 최소, 임신 말기에 임신전의 20%까지 감소
③ 분만 전후로 혈액량 및 심박출량의 극심한 변화
④ 혈액응고항진(hypercoagulability)

3. 정상임신에서 나타날 수 있는 증상 및 소견

임신 중 심장질환의 진단이 어려운 이유는 임신에 의해 정상적으로도 나타날 수 있는 심장혈관계의 각종 생리 변화가 심장질환이 있는 경우와 구별이 잘 안 되는 경우가 많기 때문이다.

1) 증상 및 청진 소견
① 심장질환이 없는 임산부에서도 임신 후에 숨쉬기 불편한 느낌이 들 수 있고 하지 부종 등의 증상이 나타날 수 있다.
② 청진시 기능성 수축기 심잡음이 정상적으로 들릴 수 있다.

2) 심전도
① 커진 자궁에 의해서 횡격막이 위로 올라감에 따라서 심전도에서 약 15도 정도의 좌심장 축변위(left axis deviation)가 나타날 수 있다.
② inferior leads에서 경한 ST 변화
③ 심방 또는 심실 조기 박동(atrial and ventricular contractions)

3) 흉부 X-선 검사
정상적으로도 경도의 심장비대 소견을 보일 수 있다.

4) 심장 초음파 검사

임신 중 심장질환의 진단에 있어서 가장 유용한 진단 방법이다. 임신 중 만삭이 되면서 약간의 삼첨판 역류가 생길 수 있으며 이완기말좌심실 용적이 늘어나고 좌심실의 두께가 늘어날 수 있다.

4. 임신 중 심장질환을 의심할 수 있는 증상 또는 진찰 소견(표 33-1)

표 33-1. 임신 중 심장질환을 의심할 수 있는 증상 또는 진찰 소견

증상
진행성이거나 심한 호흡곤란 발작야간호흡곤란 진행성의 좌위호흡(orthopnea) 각혈 협심증(angina) 또는 운동 후의 실신
진찰 소견
청색증 또는 손가락 곤봉증(clubbing) 크게 들리는 수축기잡음 또는 째깍음(click) 이완기잡음 지속적인 S2 분열 심장비대 지속적인 목정맥 확장 지속적인 빈맥 혹은 부정맥 폐동맥고혈압 Marfan 증후군의 용모

표 33-2. New York Heart Association이 제시한 증상과 징후의 정도에 따른 심장질환의 임상적 분류

Ⅰ군	Uncompromised	일상적인 신체적 활동에도 증상이 없는 경우
Ⅱ군	Slightly compromised	일상적인 신체적 활동에서 증상이 나타나는 경우
Ⅲ군	Markedly compromised	일상적 이하의 경한 신체적 활동에서 증상이 나타나는 경우
Ⅳ군	Severely compromised	가만히 있어도 증상이 있거나 심장기능상실이 있는 경우

* 증상: 과도한 피로감, 심계항진, 호흡곤란, 협심통증

5. 심장질환 환자의 임신 전 상담

① 심장질환이 있는 여성은 반드시 임신 전에 모체-태아의학 전문의 및 심장 전문의의 상담을 받아야 한다.

② 치료가 가능한 심장질환은 임신 전에 미리 치료하는 것이 좋고, 치료 후 수개월이 경과한 후에 임신하도록 한다.

③ NYHA I, II군에서는 임신 중 심장질환이 심하게 악화된 경우는 4.4%로 낮았고, 모성사망률이 낮았다.

④ 그러나 일부 질환에서는 모성사망률이 매우 높아서 임신이 금기이거나 임신을 했다고 하더라도 임신중절이 고려되어야 하는 경우는 다음과 같다.

- 확장심장근육병증(dilated cardiomyopathy)
- 원발성 폐동맥고혈압
- Eisenmenger 증후군
- 대동맥확장이 합병된 Marfan 증후군
- 폐동정맥누공(pulmonary arteriovenous fistula)
- 약물요법에 반응하지 않고 교정이 불가능한 NYHA III, IV군

⑤ 심장질환이 있는 경우에는 유산, 태아사망의 빈도가 높아지며, 와파린 등 심장질환으로 인해 투여하는 각종 약물 또는 처치가 태아에 미치는 위험 가능성도 관찰하여야 한다.

⑥ 자녀의 선천성 심장질환 가능성에 대한 상담: 부모 또는 이전에 출산한 자녀가 선천심장질환이 있는 경우에 다음 자녀가 역시 선천심장질환을 갖고 태어날 빈도는 그렇지 않은 경우에 비해 높아진다(표 33-3).

6. 심장질환 임산부의 처치

1) 산전 관리

① 임신부는 심장기능을 악화시키는 요인들을 피해야 하며 특히 빈혈이 생기지 않도록 주의하며 무리한 운동은 하지 않는 것이 좋다.

② 심부전의 예방 및 조기 발견에 주의한다.

표 33-3. **가족 중에 선천성 심장 질환이 있을 때 다음 자녀에게 선천성 심장 질환의 발생 위험**

질환	발생 위험 (%)		
	이전 출산아가 이환된 경우	아버지가 이환된 경우	어머니가 이환된 경우
Marfan 증후군	–	50	50
대동맥 협착	2	3	15~18
폐동맥 협착	2	2	6~7
심실중격결손	3	2	10~16
심방중격결손	2.5	1.5	5~11
활로씨 4징	2.5	1.5	2~3

2) 예방접종

심장질환을 가지고 있는 임신부는 인플루엔자 예방접종, 파상풍/디프테리아/백일해 예방접종과 폐렴알균(pneumococcal) 예방접종이 필요하다.

3) 감염성심내막염의 예방

① 과거에는 감염성심내막염이 높은 고위험군 임산부의 분만 시에 분만 전 감염성심내막염의 예방을 위하여 예방적 목적의 항생제의 사용이 투여되었으나, 최근에는 실제로 산과적 감염이 의심이 되는 상황이 아니라면 일반적으로 추천되지 않는다.

② 감염성심내막염의 고위험군으로는 감염성심내막염의 과거력이 있거나, 인공심장판막, 교정되지 않은 청색증 선천성 심질환, 수술로 만든 전신-폐 순환계 지름길 또는 통로(surgically constructed systemic or pulmonary shunts or conduits)

4) 분만 전후의 처지

① 질식분만이 제왕절개수술에 비하여 출혈 및 감염의 위험이 적다는 점을 고려하면 대부분의 심장질환이 동반된 임신부에서 제왕절개수술 보다 질식분만이 더 안전하다고 할 수 있다.

② 그러나 대동맥의 확장이 심한 Marfan 증후군 산모, 또는 수술적인 교정이 이루어지지 않은 대동맥축착, 항응고제 치료 중인 임신부에서 조기진통이 발생한 경우 등과 같이 예외적인 경우에는 제왕절개수술을 우선적으로 고려할 수 있다.

③ 심장병이 있는 산모의 진통을 경감시켜주는 것이 매우 중요하다.

④ 대개는 경막외 마취를 시행하며 이 때 혈압이 떨어지지 않도록 주의해야 한다.

⑤ 특히 저혈압이 발생 시 산모에게 위험하게 될 수 있는 심장질환은 다음과 같다(pre-load가 감소하여 심박출량이 감소하므로 매우 위험하다).

- Intracardiac shunt
- 폐동맥 고혈압
- 대동맥 협착

⑥ 분만 진통의 제2기를 가능한 줄여서 산모가 valsalva를 시행하는 시간을 최소한으로 단축시키는 것이 필요하다.

⑦ 경우에 따라서는 흡입분만 또는 겸자분만을 시도한다.

5) 항응고제 투여 원칙

① 심장질환 임신부가 경구용 항응고제(와파린)를 사용하고 있었다면 약 임신 36주경부터 저분자량 헤파린으로 교체한다.

② 분할하지 않은 헤파린을 사용하고 있었던 경우에는 유도분만 또는 제왕절개술 4~6시간 전에 중지한다.

③ 저분자량 헤파린을 사용하고 있었던 경우는 유도분만 또는 제왕절개술 24시간 이전까지 사용한다.

④ 자연분만 후 출혈이 없다면 분만 후 6시간 정도 경과 후 헤파린을 다시 시작한다.

⑤ 제왕절개 수술 후 다시 헤파린을 시작하는 시간에 대해서는 여러 의견이 있으며 미국 산부인과학회에서는 6~12시간 이후에 시작할 수 있다고 하였으나, 실제로 수술 후 24시간 이후에 헤파린을 시작하는 경우도 많다.

⑥ 만일 응급분만으로 인해 분만 전 헤파린을 중단하는 기간을 충분히 확보하지 못한 경우에는 황산 프로타민(protamine sulfate)을 투여한다.

6) 모유 수유

항응고제(와파린) 및 헤파린 주사 모두 모유 수유 가능한 약물이다.

Ⅱ 폐 및 호흡기계 질환

1. 임신과 인플루엔자 폐렴

1) 증상 및 특징

① 임신 중 인플루엔자 폐렴은 비 임신 상태의 감염과 비슷하여 고열, 두통, 근육통, 피로감 등의 전신 증상과 인후통, 기침 등의 호흡기 증상이 나타난다.

② 임신 중 인플루엔자 감염자는 비 임신 상태에 비하여 입원, 심폐합병증 및 심한 사망에 이르는 빈도가 약 5배 높은 것으로 보고되었다.

2) 인플루엔자 백신 접종

① 인플루엔자 백신은 불활성화 백신으로 임신 중 접종가능하며 모유수유의 금기증이 아니다(단, 비강 분무 타입은 임신 중 금기이다.)

② 인플루엔자가 발생하는 계절인 10월부터 다음해 5월 중순 사이에 임신을 계획하고 있거나 임신 중인 산모는 임신 주수에 관계 없이 예방접종이 권장된다.

2. 임신과 수두

(1) 임상 양상

임신 시 수두에 이환된 산모 중 2~5%가 폐렴에 합병되어 비임신 성인보다 사망률이 높다.

(2) 임신 시 수두 환자에 노출된 산모에 대한 관리

이전에 수두를 앓은 적이 없거나, 예방접종을 하지 않은 경우, Varicella zoster IgG가 음성인 경우에는 노출된 후 96시간 이내에 수두대상포진면역글로블린 주사를 맞아야 한다.

(3) 수두 예방접종

① 수수두는 약독화생백신(live attenuated vaccine)으로 임신 중 접종은 금기이다.

② 감염 병력이 없는 가임 여성에서 수두 예방접종을 할 경우, 접종 후 최소 1~3개월은 피임을 해야 한다.

3. 임신 중 결핵 치료

1) 임산부

① 임신부에서 결핵이 의심되는 경우에 치료를 미루지 않아야 한다.

② 일차 항결핵제 약제 Isoniazid, rifampin, ethambutol, pyrazinamide는 모두 태반을 통화하지만 태아 기형을 유발하지는 않는다.

③ 미국에서는 표준 치료로 Isoniazid, rifampin, ethambutol 9개월 병합요법이 추천된다. 세계 보건기구에는 pyrazinamide를 포함하는 표준 치료를 추천하고 있다.

④ 임신 중 투여 금기인 약물들로는 ethionamide, 스트렙토마이신, 카프레오마이신(cap-reomycin), 카나마이신이 있다.

⑤ Isoniazid를 사용하는 경우 피리독신을 같이 투여해야 한다.

2) 모유 수유 중의 결핵 치료

① 결핵치료 때문에 모유 수유를 중단할 필요는 없다.

② 임신 기간 중 충분한 치료를 받은 경우에는 제한 없이 모유수유가 가능하고 아기와의 격리가 필요하지 않다. 그러나 충분한 결핵치료를 받지 못한 경우에는 전염성이 있는 기간 동안 아기와 격리하고 직접 모유수유를 하지 않을 것을 권한다.

4. 임신과 천식

(1) 역학

임신 중 가장 흔한 호흡기질환의 하나로 우리나라 가임기 여성의 2~3.8%에서 천식의 병력이 있다고 보고되었다.

(2) 임신이 천식에 미치는 영향

① 임신에 의해 천식의 경과가 영향을 받을 수 있다.

② 약 3분의 1에서는 호전되지만, 3분의 1에서는 변화가 없고, 나머지 3분의 1에서는 악화된다.

(3) 천식이 임신에 미치는 영향

천식이 동반된 산모는 자연유산, 저체중아, 전자간증, 조산이 증가하는 것으로 보고되었으며 경증보다는 중증 또는 조절이 잘 되지 않는 천식에서 더 영향을 미친다.

(4) 임신 중 천식 관리

① 적절한 관리와 치료로 모체와 태아의 저산소증을 예방하는 것이 중요하다.
② 임신 중의 천식치료 방침은 원칙적으로 임신하지 않은 경우와 같다.
③ 대부분의 치료 약제는 임신 중에 투여하여도 안전하며, 모유수유도 가능하다.

(5) 분만진통 과정 중의 처치

① 천식이 잘 조절되는 경우에는 진통 및 분만 과정 중에 평상시의 투약을 계속한다.
② 모르핀이나 메페리딘 등의 마약은 가급적 피하고 펜타닐(fentanyl) 등을 사용한다.
③ 경막외마취가 가장 우선적으로 고려할 수 있는 마취방법이다.
④ 옥시토신이나 프로스타글란딘 E2 등은 유도분만이나 산후출혈을 동반하는 자궁무력증 시 사용할 수 있다.
⑤ 프로스타글란딘 F2α는 천식을 악화시킬 수 있으므로 금기이다.

Ⅲ 간 및 위장관 질환

1. 임신 중 위장관계 기능의 변화

① 자궁 압박, 황체호르몬 증가로 평활근 수축이 저하되어, 위장관 연동 운동이 감소하여 음식물 통과시간이 지연되며, 대장 근육 이완(muscular relaxation)으로 수분 및 나트륨 흡수 증가하여 변비 유발될 수 있다.
② 위와 장의 위치가 변하여 충수돌기는 임신전보다 상부 외측으로 밀려간다.
③ 오심, 구토, 가슴 쓰림, 변비, 치질 등이 정상 임산부에서도 나타난다.

2. 입덧(Hyperemesis gravidarum)

(1) 임상 양상

정상적으로 대개 임신 16주까지 구역, 구토가 나타날 수 있지만 증상이 너무 심하여 체중 감소, 탈수, 기아(starvation)로 인한 산증, 구토에 의한 알칼리증(loss of HCl), 저칼륨혈증(hypokalemia)이 동반되는 경우로 심한 입덧으로 정의한다.

(2) 위험 인자 및 발생 기전

① 위험 인자로는 초산모, 다태임신, 포상기태, 이전 임신의 기왕력 등이 있다.
② 입덧의 발생 기전에는 임신 융모성 성선 호르몬(hCG)과 에스트로겐과 연관성이 있는 것으로 생각된다.

(3) 입덧의 치료

수분과 전해질을 충분히 공급하여 탈수 방지하고, vitamin B$_6$, 디클레틴(doxylamine, pyridoxine)을 투여하며, 구역 구토가 심한 경우는 promethazine, chlorpromazine, metoclopramide 같은 진토제를 사용한다.

3. 역류성 식도염(Reflux esophagitis)

① 주로 임신 후반기에 식도 괄약근의 이완에 의해서 증상이 나타난다.
② 취침 시 머리를 높이고 경구용 제산제를 복용하며 증상이 심한 경우 H$_2$ 차단제(cimetidine, ranitidine)를 사용한다.

4. 소화성 궤양(Peptic ulcer)

① 임신 중에는 프로제스테론의 증가로 위산분비 감소, 점액분비 증가, 위운동 감소가 발생하고 히스타민농도가 증가하여 위산분비가 억제되어 소화성 궤양이 호전된다.
② 증상이 있는 경우 제산제, 식이요법 일차적으로 사용하고 호전이 안 되면 H$_2$-길항제

를 사용할 수 있다.

③ H. pylori 양성인 경우는 tetracycline을 제외한 항균제를 사용한다.

5. 충수돌기염(Appendicitis)

1) 빈도

충수돌기염은 임신 중 발생하는 수술이 필요한 가장 흔한 원인이다.

2) 임신 중 충수돌기염 진단이 어려운 이유

① 오심, 구토는 정상 임신 시에도 흔히 동반되는 증상이다.

② 자궁이 커짐에 따라 충수 위치가 옆구리를 향해 위쪽, 바깥쪽으로 이동한다.

③ 중증도의 백혈구 증가는 정상 임신에서도 볼 수 있다.

④ 조기진통, 신우신염, 신 산통(renal colic), 조기태반박리, 자궁근종의 변성 등과 혼동된다.

⑤ 특히 임신 후반기로 갈수록 전형적인 충수염 증상을 볼 수가 없다.

3) 임신에 미치는 영향

① 임신 중 충두돌기는 비임신시 보다 장간막에서 떨어져 있어 파열 시 복막염으로의 진행이 빠르다.

② 충두돌기 파열이나 복막염으로 진행하며 모체 및 태아의 이환율이 높아져 유산이나 조기진통, 태아사망이 증가된다.

4) 진단

① 증상만으로 진단이 어려운 경우가 많아, 영상의학적인 검사가 필요하다.

② 초음파 검사: 일차적인 검사방법이다. 초음파에서 충두돌기가 보이지 않는다고 하여 충수돌기염을 배제해서는 안 된다. 초음파검사에서 충수돌기 두께층 증가, 충수돌기 주변 액체 저류, 압박되지 않은 충수돌기 내강이 6 mm 이상 팽대된 소견들이 진단에 도움이 된다.

③ 자기공명촬영: 초음파에서 충수돌기염 진단이 내려지지 않는 경우 자기공명영상촬영이 도움이 될 수 있다.

5) 치료

① 일단 충수돌기염이 의심 된다면 정상 충수를 절제하는 한이 있더라도 수술한다. 이는 수술 지연에 따른 전신성 복막염으로 진행을 막는 것이 중요하기 때문이다.
② 복강경이나 개복술을 통한 충수돌기절제술을 시행하고 수술 전부터 항생제를 사용한다.
③ 자궁수축의 발생이 빈번하여 자궁수축억제제를 사용할 수 있으나 패혈증에 따른 폐합병증을 가속화시킬 수 있기 때문에 주의를 요한다.

6. 염증성 장질환(Inflammatory bowel disease)

궤양성 대장염(ulcerative colitis)과 크론씨 병(Crohn disease)이 있으며, 가임 연령 여성에서 호발한다.

1) 염증성 장질환이 임신에 미치는 영향

① 염증성 장질환은 대부분 임신의 불량한 예후와 연관이 없다.
② 그러나 감염원의 증가나 자궁수축에 관여하는 물질(프로스타글란딘)의 증가, 평활근 조절 이상 등으로 조기분만의 빈도가 늘어날 수 있다.

2) 임신이 염증성 장질환에 미치는 영향

① 임신은 염증성 장질환을 악화시키지 않는다.
② 임신초기에 비 활동성인 경우 악화(flare)는 드물지만 한 번 발생 시 심각할 수 있다. 임신 당시 활동성인 경우 나쁜 임신 결과를 보일 수 있다.
③ 치료에 영향을 주는 진단적 검사는 임신 때문에 미루어져서는 안 된다.
④ 임신 중에서 치료를 계속해야 하며 필요하다면 수술적 치료도 시행해야 한다.

7. 임신성 급성 지방간(acute fatty liver of pregnancy)

1) 병태 생리
① 원인은 잘 밝혀져 있지 않지만 미토콘드리아에서 베타 산화과정 중의 대사이상과 관련이 있다고 알려져 있다.
② 발생 빈도는 낮지만, 높은 모성사망률과 태아사망률을 보이는 중요한 질환이다.
③ 대부분 임신 후반에 발생하고 초산모, 태아가 남아일 때 더 흔하다.

2) 증상
① 수 일 또는 수 주간에 걸쳐, 전신적 권태, 식욕 부진, 오심, 구토, 상복부 동통, 진행성 황달 소견을 보인다.
② 임신성 급성 지방간의 약 반수에서는 고혈압, 단백뇨, 부종 등의 임신중독증 소견이 동반된다.
③ 심한 경우 간뇌병증(hepatic encephalopathy), 심각한 혈액응고장애, 급성신부전 등이 동반되며 HELLP 증후군과의 감별이 필요하다.

3) 검사실 소견
고빌리루빈혈증(<10 mg/dl), 저섬유소원증(hypofibrinogenemia), 저알부민혈증(hypoalbuminemia), 저콜레스테롤증(hypocholesterolemia), 응고시간의 지연(prolongation of bleeding time), antithrombin III 수치 감소, 간효소 수치의 상승(serum transferase, 300~500 U/L), 혈액농축, 백혈구증가증, 혈소판 감소증, 용혈, 저혈당의 소견을 보인다.

4) 치료 및 예후
① 임신성 급성 지방간으로 진단이 되면 가능한 분만을 서두르는 것이 안전하다.
② 분만 방식은 태아의 상태를 지속적으로 감시하면서 유도 분만을 시도하는 것이 바람직하나, 자연분만이 불가능한 경우에는 응고병증을 교정한 후 제왕절개수술이 필요하다.

8. HELLP 증후군

1) 정의

① 용혈(H, hemolysis), 간효소치의 증가(EL, elevated liver enzyme), 혈소판 감소증(LP, low platelets)을 동반하는 경우로 1,000 분만 당 1건 정도로 발생하며 모성, 태아 사망률이 높다.

② HELLP 증후군의 병태 생리는 자간전증과 유사한 것으로 알려져 있다.

2) 증상

① 오심, 구토, 우상복부 통증을 호소하기도 하며 심한 부종이 관찰된다.

② 일부 환자에서는 혈압 상승과 단백뇨가 관찰되어 초기에는 자간전증으로 진단되기도 한다.

③ 자궁내 태아발육부전 등이 잘 동반된다.

3) 예후 및 치료

① 모성사망률은 3% 정도로 주로 혈관응고 장애(disseminated intravascular coagulation) 및 분만 후 출혈이 원인으로 작용한다.

② HELLP 증후군으로 진단이 되면 가능한 분만을 서두르는 것이 안전하다.

③ HELLP 증후군으로 32주 이전에 조산이 불가피한 경우 산전코르티코스테로이드를 투여하고 분만을 시도하는 것이 바람직하다.

④ HELLP 증후군의 일부 환자에서는 분만 후 일시적으로 간 기능 수치 및 혈소판 수치가 더 악화되었다가 추후에 회복된다.

9. 바이러스성 간염과 임신

바이러스 간염은 임신 시 황달의 가장 흔한 원인이며 대부분 임신 중 임상 경과가 변하지는 않는다. 바이러스성 감염은 6가지 형태로 분류할 수 있다(A형, B형, C형, D형, E형, G형). 이 중 B형과 C형 간염이 가장 흔하고, E형 간염은 임신 중 악화되는 경우가 많고 태반 감염을 포함한 수직 감염의 높은 빈도를 보인다.

1) A형 간염과 임신

A형 간염 바이러스가 태아 기형을 일으킨다는 보고는 없고 태아 감염은 무시할 정도이다. A형 간염에 노출이 되었을 경우 2주일 이내에 면역글로빈을 투여하고 백신을 투여한다. 임신 중 A형 간염 백신은 안전하게 사용될 수 있다.

2) B형 간염과 임신

(1) 임상 양상

급성간염, 만성간염, 간 경변증, 간세포성 암 등의 심각한 후유증을 남기는 질환으로 감염된 혈액제재, 침, 질 분비물, 정액 등에 의해서 감염된다. D형 간염과 동시에 감염될 때 독성이 더 강하다. 치료는 수 주간의 지지요법으로 증상이 소실되며, 1%는 전격 간염으로 진행한다.

(2) 임신에 미치는 영향

① B형 간염 자체의 경과가 임신에 의해 영향을 받지는 않는다.

② 모체에서 태아로 바이러스가 전파되는 경로로는 태반을 통하거나, 분만 시 또는 모유 수유를 통한 감염이 있다.

③ 임신 중 태반을 통한 감염은 임신 제3삼분기에 임신부가 급성 B형 간염에 감염된 경우를 제외하고는 드물다.

④ 분만 중 감염되는 경우가 가장 흔하며 HBs, HBe 두 항원을 모두 가진 경우 전파가능성이 높아진다.

(3) 신생아 감염의 예방

① HBs 항원 양성인 임산부에서 태어난 신생아는 분만 후, 12시간 이내에 면역 글로불린 및 간염 예방접종을 시작하여 3차례의 예방접종을 시행한다.

② HBV DNA 수치가 높은 고위험군 임산부에 대해서는 수직감염의 위험을 줄이기 위해 항바이러스제제 투여를 고려하기도 한다.

③ 이러한 예방을 시행하지 않은 경우 HBs 항원이 양성인 산모에서의 수직감염의 위험도는 10~20%이고, 특히 HBs, HBe 두 항원을 모두 양성인 경우에는 90%까지 수직감염율이 높아진다.

④ HBs 항원 양성인 임산부에서 태어난 신생아에 대한 면역글로불린 및 간염예방접종으로 수직감염의 위험도를 적어도 80% 이상을 예방할 수 있다.

(4) 모유수유

HBs 항원 양성인 임산부에서 태어난 신생아에게 적절한 수동 및 능동 면역 예방(면역 글로불린 및 간염 예방접종)이 시행된 경우에는 모유 수유의 금기가 아니다.

(5) B형 간염 예방 접종

B형 간염에 대한 면역이 되어 있지 않은 고위험 임신부에 대해서 임신 중 B형 간염에 대한 예방접종을 고려한다.

3) C형 간염과 임신

(1) 임상 양상

B형 간염과 비슷한 경로로 감염되나 쉽게 전파되지 않으며 일단 전파되면 50%는 만성 간 질환으로 진행한다.

(2) 임신에 미치는 영향

- 임신 중 C형 간염에 노출된 경우, 면역글로불린을 투여한다.
- 인터페론, 리바비린(ribavirin) 같은 약제는 기형 위험이 있으므로 일반적으로 임신 중에는 사용하지 않는다.
- 임상 경과는 비임신 시와 크게 달라지지 않고 임신의 예후도 바뀌지 않는다.
- 3~6%에서 수직감염이 되고 수직감염을 방지하기 위한 가능한 방법은 없다.

Ⅳ 요로계 감염(Urinary tract infection)

1. 요로 감염

1) 정의 및 빈도

① 요로, 즉 신장, 요관, 방광, 요도를 포함한 비뇨기계에 세균감염이 발생하는 경우이다.

② 임신 중 가장 흔한 내과 합병증으로 임신 중 약 4~7%에서 발생한다.

③ 주로 무증상 세균뇨, 급성 방광염, 급성 신우신염의 형태로 나타난다.

2. 요로 감염의 진단

1) 의미 있는 세균뇨의 정의

① 깨끗하게 받은 요에서 요 1 mL당 동종의 균이 100,000 이상 있을 때에 임상적으로 유의한 세균뇨로 정의한다($>$100,000 colony forminig units per milliliter (CFU/mL)).

② 증상이 있는 여성에서 100,000 CFU/mL보다 적은 농도의 균이 배출되어도 의미가 있는 경우가 있는데 이는 천천히 자라는 균에 의한 감염인 경우이다.

2) 원인균

① 임신 중 요로감염의 원인균은 대개 정상적인 장내 세균이며 *E coli*가 전체의 65~80%로 가장 많은 원인을 차지한다.

② 기타 원인균: Pseudomonas mirabilis, Enterobacter species, Staphylococcus saprophticus, group B streptococcus.

3. 무증상 세균뇨

1) 빈도 및 의미

① 요로감염의 증상이 없으면서 소변 배양검사에서 100,000 CFU/mL 이상의 세균이 검

출되는 경우로 전체 임신 중 2~7%로 흔하게 발생한다.

② 치료를 하지 않은 경우 25~30% 급성 방광염 또는 신우신염으로 진행하며 조기진통의 원인이 될 수 있으므로 반드시 치료하는 것으로 알려져 있다.

2) 치료 방법

(1) 단회치료

amoxicillin 3 gm, ampicillin 2 gm, cephalosporin 2 gm, nitrofurantoin 200 mg 등을 이용하여 일회 투여한다.

(2) 3일 치료

amoxicillin (500 mg, 하루 세 번), ampicillin (250 mg, 하루 4번), cephalosporin (250 mg, 하루 4회), nitrofurantoin (100 mg, 매일 4회 또는 2회)

4. 급성 신우신염

1) 빈도 및 의미

① 임신 중 가장 흔한 내과적 합병증 중 하나로 약 1~4%에서 발생한다.

② 신우신염은 임신 중 입원이 필요한 가장 흔한 비산과적 원인이다.

③ 50% 이상에서 한쪽 콩팥에만 발생하며 보통 오른쪽에 더 많이 발생한다.

2) 임상 양상

① 갑자기 열이 나고 오한이 있거나, 한쪽 또는 양쪽 요추부위에 통증이 나타나고 식욕부진이나 구역질, 구토가 있기도 하다.

② 신체검진에서 늑골척추각 압통을 보인다.

③ 소변검사에서 많은 백혈구 및 세균을 확인할 수 있다.

④ 감별해야 할 질환으로는 분만 진통, 맹장염, 태반조기박리, 근종경색증, 융모양막염 등이 있다.

3) 치료

① 전신 증상이 있는 임신부는 임상 증상이 호전될 때까지 입원시켜 치료한다.

② 항균제는 ampicillin과 gentamycin을 병행하여 사용하거나 cefazolin 또는 ceftriaxone, 또는 광범위 항생제를 사용할 수 있다

③ 대부분에서 열은 치료 시작 후 72시간 내에 떨어지며, 열이 떨어지면 경구항생제로 교체하여 항생제의 총 투여 기간이 10~14일이 되도록 한다.

4) 검사 및 모니터링

① 항생제 투여 전 소변 및 혈액 세균배양검사를 시행해 둔다.

② 온혈구 계산(CBC), 혈청 크레아티닌, 전해질 검사를 시행한다.

③ 소변량을 포함한 활력증상을 자주 측정한다. 약 15~20%의 환자에서는 균혈증을 가지므로 세균성 쇼크의 증상이 없는지 주의 깊게 관찰한다.

④ 소변량이 시간당 50 mL 이상이 되도록 수액 투여한다.

⑤ 호흡곤란 또는 빠른 호흡이 있는 경우에는 흉부방사선촬영을 시행한다.

⑥ 고열은 얼음주머니나 acetaminophen을 사용하여 열을 내려준다.

⑦ 적절한 항생제와 수액치료에 반응이 없어 72시간 후에도 열이 지속되는 경우에는 요로 폐색 등 다른 합병증의 유무를 확인하기 위한 추가 검사가 필요하다.

Ⅴ 저혈소판증

1. 빈도 및 정의

1) 빈도

① 저혈소판 혈증은 임산부의 10% 정도로 흔하게 나타난다.

② 혈소판이 <150,000/uL 이하로 감소하는 경우로 전체 임신의 6~15%이다.

2) 원인

혈소판 감소증의 원인은 단독 발생한 것일 수도 있고, 전신 질환과 연관된 것일 수도 있다.

2. 임신성 저혈소판증(gestational thrombocytopenia)

1) 정의
① 임신 중 저혈소판증의 가장 흔한 원인으로 혈소판이 <150,000/uL 이하로 감소하는 경우의 약 4분의 3이 임신성 저혈소판증에 해당된다.
② 일반적으로 혈소판 수치가 70,000/uL 이하로 떨어지지 않는다.

2) 원인
임신성 저혈소판증의 원인은 혈장의 증가에 의한 혈액 희석에 의한 것으로 생각된다.

3. 면역성 저혈소판증(Immune thrombocytopenic purpura)

1) 원인
정확한 병인은 모르지만 항혈소판 자가항체(PAIgG, PAIgM, PAIgA)가 생성되어 혈소판에 부착되고 비장에서 제거됨으로 저혈소판증을 일으키는 자가면역질환이다.

2) 치료
① 일반적으로 3~5만/μL 이하로 감소하면 prednisone 또는 고용량의 면역글로불린을 투여한다.
② prednisone 또는 면역글로불린 치료에 반응이 없는 경우 비장절제술을 고려한다.

3) 태아에 미치는 영향
① 항혈소판 자가항체가 태반을 통과하여 태아 또는 신생아의 혈소판 감소증을 일으킬 수 있다.
② 태아의 혈소판 수치가 50,000/μL 이하로 감소하는 혈소판 감소증은 약 12%에서 발생하나, 실제로 혈소판 감소로 인한 신생아의 뇌출혈은 매우 드문 것으로 알려져 있다.
③ 또한 태아의 혈소판 감소증과 산모의 혈소판 감소증 사이에는 상관관계가 없으므로 임

신 중 태아 혈소판 수치를 검사하기 위한 제대혈 검사 또는 제왕절개수술의 적응증이 되지 않는다.

Ⅵ 갑상선 질환

1. 갑상샘과다증

1) 역학

임신 중 갑상샘과다증의 빈도는 1,000~2,000명당 1명 정도인데, 그레이브스병(Graves' disease)이 대부분을 차지한다.

2) 임신 중 진단이 어려운 이유

① 임신 중 갑상샘과다증의 진단은 쉽지 않은데, 이는 임신에 의한 대사 증가로 인하여 정상 임신부에서도 빈맥, 수축기 심잡음, 피부 발열, 열 못견딤(heat intolerance) 등과 같은 갑상샘과다증과 같은 증상이 나타날 수 있기 때문이다.

② 임신 초기의 갑상샘과다증은 임신오조에 의한 일시적인 갑상샘과다증과 감별이 필요하다.

3) 진단

갑상샘자극호르몬(thyroid-stimulating hormone, TSH)의 저하와 자유 T4(free T4)의 증가로 진단한다.

4) 임신에 미치는 영향

임신 중 치료를 받지 않으면 심부전과 갑상샘중독발작(thyroid storm)의 위험이 증가하며, 또한 유산, 조산, 태아성장제한, 사산의 위험도 증가한다. 임신성 고혈압의 증가 여부에 관하여는 논란이 있다.

5) 갑상샘 호르몬과 관련 약제의 태반 통과

① T4와 T3는 태반을 통과하지만 그 양은 매우 적다.

② 요오드, 티오아미드, 갑상샘자극항체(thyroid stimulating antibody), 갑상샘자극호르몬 분비호르몬은 태반을 통과하여 태아의 갑상샘 기능에 영향을 준다.

③ 감상샘자극호르몬은 태반을 통과하지 않는다.

6) 태아에 미치는 영향

① 갑상샘자극항체가 태반을 통과하면 태아의 갑상샘과다증이 발생할 수 있으며 실제로 그레이브씨 병 산모에서 태아의 갑상샘과다증의 발생 빈도는 1% 정도이며, 치료를 받지 않는 경우 위험도가 증가한다.

② 산모가 치료를 받아서 갑상샘기능이 정상이어도 갑상선 자극 항체의 농도가 계속 높으면 태아에게 갑상샘 항진증이 발생할 수 있다.

7) 치료

① 프로필티오우라실(propylthiouracil, PTU)과 메티마졸(methimazole)은 갑상샘호르몬 생성을 억제하는데 효과적이나 역사적으로는 임신 중 치료에는 PTU가 선호되어 왔다.

② PTU는 T4의 생성을 억제할 뿐만 아니라, T3로의 전환을 억제시키는 작용이 있으며 메티마졸보다 태반을 덜 통과한다.

③ 메티마졸을 투여한 경우에는 드물지만 신생아에게 식도와 뒤콧구멍(choanal) 무형성 또는 피부무형성(aplasia cutis)을 유발한다는 보고되었다.

④ 최근 2009년 미국 FDA에서 PTU에 의한 간독성이 safety issue로 제기되면서 2011년 미국의 갑상선학회(American Thyroid association)과 미국임상내분비학회(American association of clinical endocrinologist)에서는 임신 제1삼분기에는 PTU를 사용하고 임신 제2삼분기 이후에는 methimazole로 바꿀 것을 권장하기도 하였다.

⑤ 방사선 동위원소를 이용한 치료는 임신 중에는 금기이다.

⑥ 약제에 잘 반응하지 않거나 독성을 보이는 경우와 환자가 약을 잘 복용하지 않는 경우에는 갑상샘부분절제술(subtotal thyroidectomy)을 시행한다.

⑦ PTU와 메티마졸 모두 모유수유가 가능하다.

2. 갑상샘저하증

1) 빈도

임신 중 갑상샘 저하증은 전체 임신의 약 2~3%를 차지한다.

2) 진단

자유 T4가 낮고 갑상샘자극호르몬이 증가되어 있는 경우 진단한다.

3) 증상

피곤, 추위 못 참음, 건조한 피부, 윤기없는 머리카락, 변비, 심부건반사 저하, 눈꺼풀부종, 체중 증가 등의 증상 및 소견을 보인다.

4) 임신에 대한 영향

(1) 산모

자연유산, 사산, 저체중아, 자간전증, 태반조기박리, 심부전의 빈도가 증가한다.

(2) 태아 및 신생아

조산, 성장지연, 사산, 태아의 갑상선중독증, 신생아의 갑상선기능저하 및 goiter의 빈도가 증가한다.

5) 치료

① Levothyroxine (Synthyroid)을 50~200 μg 투여한다.
② 4~6주 간격으로 갑상샘자극호르몬을 측정하면서 용량을 조절한다.

3. 산후 갑상샘염(postpartum thyroiditis)

1) 빈도 및 병태 생리

① 출산 후 5~10%에서 일시적인 갑상샘염이 발생한다.

② 기전으로는 갑상샘 미세소체 자가항체(thyroid microsomal antibody)와 관련된 자가면역질환으로 생각되고 있다.

③ 임신 초기에 갑상샘 미세소체 자가항체 양성율은 약 7~10%이고 이 항체를 가지고 있는 산모에서 출산 후 산후 갑상샘염이 발생할 가능성은 약 30%이다.

④ 1형 당뇨병 환자인 경우, 출산 후 약 25%에서 갑상샘염이 발생한다.

2) 증상

① 우울증, 부주의, 기억력 저하 등 비특이적인 증상을 나타내거나 또는 증상이 없고 검사 소견에서만 이상을 나타내는 경우가 많다.

② 증상이 있는 경우는 분만 후 6~12주경에는 갑상샘과다증을 보이다가 분만 4~8개월 후에는 갑상샘종 및 갑상선미세소체 자가항체의 역가 증가로 갑상샘저하증을 보이게 된다.

Ⅶ 결합조직계 질환

1. 전신홍반루푸스(Systemic Lupus Erythematosus)

1) 역학

① 임신 중 가장 흔히 발견되는 결합조직계 질환이다.

② 가임 여성에서의 유병률은 1/500이며, 임신한 여성에서의 유병률은 2,000~3,000분만 중 1예로 보고되었다.

2) 임신이 전신홍반루푸스에 미치는 영향

임신 중 루푸스의 1/3은 활동성이 호전되고, 1/3은 악화되며(lupus flare), 1/3은 변화가 없다.

3) 전신홍반루푸스가 임신에 미치는 영향

(1) 루푸스 환자의 임신 예후에 긍정적인 영향을 미치는 요인

① 임신 6개월 전부터 루푸스의 활동성이 없는 경우

② 단백뇨 또는 신기능 저하 등을 동반하는 루프스 신장염이 없는 경우

③ 항인지질항체 또는 루프스항응고인자가 없는 경우

④ 중복자간전증이 발생하지 않은 경우

(2) 루프스가 동반된 산모에게는 다음과 같은 임신의 합병증의 빈도가 증가한다.

① 유산, 조산, 자궁내태아발육지연, 자간전증, 조기진통의 위험도가 증가한다.

② 루푸스 신장 질환이 있는 경우에는 중복 자간전증이 더 잘 합병된다.

(3) 신생아 루푸스 증후군

① 모체의 자가항체(anti-Ro항체, anti-La항체)가 태반을 통과하여 신생아에게 루푸스 증후군(5~10%)이 발생한다.

② 신생아 루푸스 증후군의 유병률은 전체 루푸스 산모의 5% 미만이나, anti-Ro항체와 anti-La항체가 양성인 산모에서는 15~20%에서 발생한다.

③ 가장 흔한 증상으로는 루푸스 발진이고 기타 증상으로는 기타 증상으로 빈혈, 백혈구 감소증 및 혈소판감소증, 간비장비대가 있을 수 있다.

④ 가장 심각한 합병증인 완전심장차단(complete arterioventricular block)은 비가역적으로 추후 심박동기가 필요한 경우가 3분의 2정도이다.

4) 임신 중 처치

① 루푸스의 악화여부를 주기적으로 관찰한다.

② 자간전증의 발병 여부, 태아성장 및 안녕 상태를 지속적으로 추적 관찰한다.

5) 약물 치료

(1) 비스테로이드성 항염증제

① 관절통이 있는 경우 간헐적인 비스테로이드 항염증제를 사용할 수는 있으나, 장기 복용은 태아에 미치는 영향을 고려하여 권장되지 않는다.

② 저용량 아스피린은 임신기간 동안 안전하게 사용된다.

(2) 스테로이드

루푸스신장염, 신경학적 증상 등이 있을 때 prednisone 1~2 mg/kg 경구 투여한다.

(3) 항말라리아 약제

임신한 루푸스 환자에게 hydroxychloroquine은 안전하게 사용될 수 있다

(4) 세포독성 및 면역억제제

① Azathioprine은 활동성 루푸스에 효과가 있으며 임신 여성에서 비교적 안전하게 사용할 수 있다.

② cyclosphosphamide은 태아독성으로 임신 중 사용을 권하지 않으나 위중한 루푸스 환자에서 임신 12주 이후에 사용하기도 한다.

③ methotrexate은 임신 중 금기이다.

2. 항인지질항체증후군

1) 정의 및 역학

① 항인지질항체를 가지고 있는 환자에서 정맥혈전증, 동맥혈전증, 또는 임신관련 이환이 있는 경우로 정의된다(표 33-4).

② 항인지질항체의 종류로는 루푸스 항응고인자(lupus anticoagulant), 항 카디오리핀 항체(anticardiolipin antibody), 항 베타당단백 I 항체(anti-β2-glycoprotein I antibody)가 있다.

③ 항인지질항체증후군은 단독으로 나타나기도 하지만, 다른 자가 면역질환, 특히 전신홍반루푸스와 동반되어 나타나기도 한다.

④ 저농도의 비특이적인 항인지질 항체는 건강한 여성의 약 5%에서 나타난다.

표 33-4. **항인지질항체증후군의 진단기준**

임상소견
1. 1회 이상의 정맥, 동맥, 혹은 작은 혈관내 혈전증
2. 임신관련이환
1) 임신 10주 이후 1회 이상의 원인불명의 외견상 정상인 태아의 사망 병력
2) 자간증, 중증 전자간증 혹은 태반기능부전으로 인한 임신 34주 이전의 1회 이상의 조기 분만
3) 임신 10주 이전 3회 이상 원인불명의 반복유산

검사 소견
1. 루푸스 항응고인자: 12주 간격으로 2회 이상 양성
2. 항 카디오리핀 항체 IgG: 12주 간격으로 2회 이상 중간 이상의 역가로 양성
3. 항 베타당단백 I 항체: 12주 간격으로 2회 이상 중간 이상의 역가로 양성

임상 기준 중 적어도 1개 이상과 검사 기준 중 적어도 1개 이상이 존재할 때 항인지질항체 증후군으로 진단

2) 임신에 미치는 영향

습관성 유산, 태아발육부전, 조발형 자간전증(early onset preeclampsia), 자궁내 태아사망, 태반경색 등의 불량한 임신 확률이 증가한다.

3) 치료

① 현재까지는 헤파린 피하주사와 저용량 아스피린(하루 60~80 mg)을 병용하는 것이 가장 효과가 높은 것으로 알려져 있다. 헤파린으로는 미분획화 헤파린 또는 저분자량 헤파린을 사용한다.

② 글루코코르티코이드 및 면역글로불린은 과거 사용되었으나 이제는 치료 효과가 없다는 것이 보고되면서 사용이 권장되지 않는다.

Ⅷ 혈전색전질환

1. 역학

① 임신 중에는 정맥혈전증과 폐색전증의 위험이 증가한다.
② 폐색전증은 모성사망의 주요 원인이다.
③ 혈전색전질환의 발생 빈도: 1/1,000 임신, 분만 전후의 발생 빈도는 비슷하다.
④ 치료하지 않은 심부정맥혈전증 임산부의 1/4에서 폐색전증이 발생한다.
⑤ 혈전성향증은 자간전증이나 자간증, 특히 HELLP 증후군, 자궁내 태아발육제한, 태반 조기박리, 반복유산, 사산 등과 관계가 있다.

2. 심부정맥혈전증(deep vein thrombosis)

1) 임상 증상 및 징후

① 임신 중 정맥혈전은 에는 대부분 하지의 심부정맥계에 호발하며 약 70%가 장골대퇴골 정맥(iliofemoral vein)에 발생하고 특히 좌측(90%)에 호발한다.
② 증상은 갑작스럽게 시작하는데, 장딴지와 허벅지에 통증과 부종이 발생한다.
③ 때로 반사성 동맥 경련이 일어나 하지에 핏기가 없어지고, 차가우며, 맥박이 만져지지 않는 경우도 있다.
④ 장딴지를 압박하거나 발을 뒤굽힘(dorsiflexion) 할 때에 통증을 느껴지는 Homans' sign이 나타난다.

2) 진단

① 근위부 정맥에 대한 압박초음파 검사(compression ultrasound)를 시행한다.
② 초음파 검사가 음성이면서 임상적으로 장골정맥 혈전이 의심되는 경우에는 자기공명 영상이 추가적으로 권고된다.
③ D-dimer 검사: 비임신군에서는 정맥혈전색전증을 배제하는데 유용한 검사이나, 임신 중에는 D-dimer의 지속적인 상승이 동반되기 때문에 예측력이 떨어진다.

3. 폐색전증(pulmonary embolism)

1) 역학
① 발생빈도는 낮지만(약 1/7,000) 모성사망의 약 10%의 원인을 차지하는 중요한 질환이다.
② 출산 전후의 빈도는 비슷하지만 출산 후에 발생하는 경우에 사망률이 더 높다.
③ 다리의 심부정맥혈전증의 임상 소견이 선행하며, 골반 내 심부정맥에서 기원하는 경우에는 선행 증상이 없는 경우가 많다.

2) 임상 양상
① 흔한 증상들로는 호흡곤란(82%), 가슴통증(49%), 기침(20%), 실신(14%), 객혈(7%) 등이 나타나고 다른 징후들로는 빠른 호흡, 불안, 빠른맥 등이 있다.
② 일부에서는 폐삼첨판이 닫히는 소리가 크게 들리고, 수포음과 마찰음이 들리기도 한다.
③ 심전도검사의 전흉유도(anterior chest leads)에서 우심장축편위(right axis deviation)과 T-파 역전이 보인다.
④ 흉부 방사선촬영에서는 혈액 공급 동맥이 막힌 폐 부위에 혈관 음영이 소실되어 보일 수도 있다.
⑤ 대부분 저산소혈증을 보이지만 정상 동맥혈가스분석 결과라고 하더라도 폐색전증을 완전히 배제할 수는 없다.

3) 진단
① 흉부방사선촬영은 다른 질환과 감별진단을 위해 시행한다.
② 압박초음파 검사(compression ultrasonography)
③ CT혈관 조영 검사(CT pulmonary angiography, multidetector spiral computer tomography)은 비임신부인 경우 폐색전증의 진단에 가장 많이 이용되는 진단 방법이다.
④ ventilatation perfusion scan: 방사능 노출량은 0.5 mGy 정도로 태아에 대한 방사능 노출매우 낮다.
⑤ 혈관조영술(angiography)은 multidetector CT 이후 거의 사용되지 않는다.

4) 치료

① 기본적으로 심부정맥혈전증의 치료와 비슷하며 항응고제로 헤파린을 투여한다.

② 헤파린은 미분획 헤파린 또는 저분자량 헤파린을 사용한다.

③ 출산 후에는 헤파린과 와파린(warfarin)을 동시에 투여하기 시작하다가, 5일 후에 헤파린 중단한다.

④ 분만 후 대부분에서 적어도 6주일 이상 와파린을 투여한다.

Ⅸ 신경 정신학적 질환

1. 간질(Epilepsy)

1) 빈도 및 역학

① 임신 중 비교적 흔하게 접할 수 있는 신경과적 질환으로 약 200명의 임산부 중 1명 정도이다.

② 진단과 치료의 발전으로 대부분 건강하게 출산하지만, 임신과 간질은 서로 영향을 미치기도 한다.

③ 임신 중 간질 환자의 가장 심각한 위협은 경련의 빈도 증가와 항간질제의 태아 선천성 기형에 대한 위험도 증가이다.

2) 임신이 간질에 미치는 영향

① 임신 중 구역, 구토, 위장관 운동의 감소, 사구체 여과율 증가에 따른 약물 배설의 증가, 알부민의 감소로 인한 유리 약물의 배설 촉진 등의 이유로 경련의 발생 위험이 증가한다.

② 산모들이 태아에 대한 걱정으로 효과적인 치료용량을 제대로 복용하지 않는 것도 경련의 위험을 증가시키는 요인을 작용한다.

3) 항간질제가 태아에 미치는 영향

① 항간질제가 태아 기형의 위험도를 약물을 복용하지 않은 군(1~2%)에 비하여 4~9%로

증가시키는 것으로 알려져 있다.

② 항간질제 복용에 따라 증가하는 태아기형의 종류로는 신경관결손, 구개/구순열, 선천성심장기형, 비뇨생식기결손 등이 있으며 특히 valproic acid는 항간질제 중 가장 기형유발의 가능성이 높은 약제로 알려져 있다

4) 임신 시 간질환자의 치료 지침

① 임신 계획 한 달 전부터 엽산(0.4 mg/일)을 복용하다가 임신을 확인한 후 엽산 4 mg/일 복용한다.

② 임신 전 상담을 통하여 가능하면 항경련제를 단일 제재로 조정하는 것이 좋다.

③ 정기산전검사를 철저하게 시행한다.

④ 특히 valproic acid, carbamazepin을 복용하는 경우, 산모혈청 알파태아단백 측정을 통하여 신경관결손증에 대한 선별검사를 시행하고 22주에는 안면 및 심기형 유무를 확인한다.

2. 산욕기에 발생하는 정신과적 질환

1) 병태 생리

임신과 출산에 따른 신체적인 변화와 호르몬 변화, 태아의 건강에 대한 염려, 분만의 두려움, 분만 후 변화될 상황에 대한 고민, 양육에 대한 걱정 등이 나타나며 이러한 감정 변화는 정상적인 반응이나, 임신자체가 임신우울증 경향을 악화시키고 표출시키는 인자로써 작용한다. 우울증은 결혼 문제, 원치 않는 임신, 가족력과 관계가 깊으며 전자간증의 위험도를 증가시킬 수 있다. 우울증 질환은 산욕기뿐만 아니라 임신 중에도 가장 호발한다. 정신과적 질환이 있는 경우 1.5~3배의 조산이나, 저체중아의 위험이 있다. 특히 섭식장애의 경우 저체중아의 위험이 높다.

2) 산후우울기분(postpartum blues)

① 증상은 우울감, 슬픔, 불면, 피곤, 안절부절못한 모습을 나타내며 분만 후 1주 이내 대부분 발생하여 1~2주 안에 회복된다.

② 발생 빈도는 진단 기준에 따라 26~84%로 다양하게 보고되었다.

③ 감정 변화의 원인은 출산 후 급격하게 변화하는 호르몬 및 생화학적 상태에 기인한다고 생각된다.

3) 산후우울증(postnatal depression)

① 대개 분만 후 4주 이내 발생하고, 산전 우울증과 연관이 있고 분만 후 6개월이 되면 점진적인 회복을 보이며 수개월에서 수 년 동안 증세가 남아있는 경우도 있다.

② 유병률은 대략 10~20% 정도로 보고되었다. 이전 임신에서 산후 우울증이 있거나, 현재 산후우울기분이 있는 경우 주요 우울장애로 발전할 가능성이 높다.

③ 치료 받지 못한 산후 우울증 산모는 자살의 위험성이 증가하고 엄마와 아기의 애착형성에 문제를 일으켜 자녀의 행동발달에 좋지 않은 영향을 미칠 수 있다.

④ 치료를 위해 항우울제를 투여가 필요하다.

4) 산후정신병(puerperal psychosis)

① 가장 심한 산욕기 정신 질환으로 분만 후 2주 이내에 발생하며 보통 양극성 정동장애형태로 나타난다.

② 정신병의 여러 증상, 망상, 환각, 심한 행동장애, 병식의 소실 등을 보이며 가족력이나 기존 정신질환이 위험인자이다.

③ 대부분 입원 치료를 시행하며 항정신약물, 항우울제, 감정조절 약물 등을 복용하게 된다.

④ 다음 임신 시 재발할 가능성이 높으며, 대부분의 경우 만성 정신병으로 진행한다.

⑤ 자해 또는 영아를 살해할 위험성이 높으므로 주의를 기울여야 한다.

X 피부질환

1. 임신성 간내 쓸개즙 정체(intrahepatic cholestasis of pregnancy)

1) 원인

① 임신 중 간내쓸개즙정체로 인해 발생하며 담즙산염의 축적과 관련되며 혈중치가 증가하여 진피에 침착되어 가려움증이 발생한다.

② 임신 호르몬, 유전, 환경요인 등과 관계 있다고 알려져 있다.

2) 증상

가려움 또는 황달이 동반된다.

3) 태아에 미치는 영향

① 간내 쓸개즙 정체의 정도에 따라 다르나 심한 경우, 조산, 양수태변착색, 태아저산소증으로 인한 태아곤란증 및 사산의 위험도가 증가한다.

② 불량한 주산기 예후와 관련될 수 있기 때문에 주의를 요한다.

4) 진단

대개 혈청 담즙산의 농도가 3~100배까지 증가되어 있다.

5) 치료

① 피부연화제, 국소적인 가려움약 사용으로 대증요법을 시행한다.

② 콜레스티라민은 담즙산과 결합하여 장간순환(enteric circulation)내 담즙산을 감소시키고 장내 배설을 증가시켜 담즙정체로 인한 증상을 완화시킨다.

③ 우르소디옥시콜린산(ursodeoxycholic acid)은 우선 사용가능한 치료약으로 담즙정체를 개선시킨다.

2. 임신소양성두드러기성 구진 및 판

(pruritic urticarial papules and plaques of pregnancy; PUPPP)

1) 빈도 및 원인

① 임신기간에 발생하는 특징적인 소양성 피부질환으로 가장 흔하여 약 130~300 임신 중 1예의 빈도를 보인다.

② 발병 원인은 잘 알려져 있지 않지만, 태반호르몬 등 임신 중 호르몬 변화와 연관되어 있을 것으로 추측된다.

③ 주로 초산모에서 잘 발생하며 임신 제3분기에 발생하나. 약 15%는 분만 후에 발생한다.

2) 증상 및 경과

① 심한 가려움증을 동반한 다양한 형태의 발진(eruptions)으로 두드러기(urticaria), 잔수포(vesicle), 찰상(excoriation), 자색반(purpuritic), 다환식(polycyclic) 등 여러 가지 모양으로 나타날 수 있으나 두드러기 형태가 가장 흔하다.

② 2/3에서 임신선(striae gravidaru) 주위의 복부에 홍반성 두드러기 구진이 발생하여 엉덩이, 넓적다리, 사지로 퍼진다. 약 40%에서 가려움증이 주증상이고 45%에서 발진이, 15%에서 두 증상이 동반된다(그림 33-1).

③ 발진은 분만전 또는 수일 내에 빠르게 사라지나 15~20%에서는 분만 후 2~4주까지 증상이 지속될 수 있다.

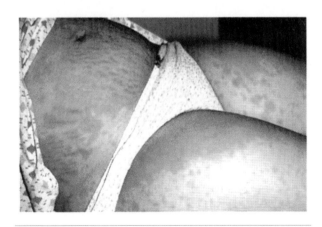

그림 33-1. **임신소양성두드러기성 구진 및 판**

3) 임신에 미치는 영향

임산부와 태아의 위험이 증가시키지 않는다.

4) 치료

항히스타민제, 피부연화제, 코르티코스테로이드 연고 또는 크림을 사용하고 호전되지 않는 경우에는 경구 코르티코스테로이드를 단기간 사용한다.

3. 임신유사천포창(Pempigoid gestationis)

1) 빈도 및 원인

① 임신과 관련된 드문 피부 질환(1/10,000~50,000)으로 국내에서도 드물게 보고되었다.

② 과거에는 임신헤르페스(herpes gestationis)라고 불리기도 하였으나, 헤르페스 바이러스와 관계가 없는 자가면역매개 수포성 질환이다.

③ 임신유사천포창 환자의 60~80%에서 인체조직적합항원 DR3가 발견되고 50%에서 인체조직적합항원 DR4가 발견된다.

2) 증상 및 경과

① 대부분 임신 제2삼분기 또는 제3삼분기에 발생하나 임신 초기나 분만 후 1주일 후에도 발생될 수 있다.

② 매우 심한 가려움을 동반한 발진성 병변으로 발생하는데, 이 병변들은 부종성 구진(papules)에서 긴장성 수포와 큰 수포까지 다양하게 나타난다(그림 33-2).

3) 임신에 미치는 영향

① 조산, 사산, 태아성장제한 등과 관련된다는 보고가 있으나, 과연 태아의 이환율과 사망률을 증가시키는지는 분명하진 않지만 일단 진단되면 고위험 임신에 준해 태아에 대한 감시가 필요하다.

② 특히 질환이 조기에 발생한 경우, 물집이 생긴 경우에는 주의 깊은 관찰이 필요하다.

③ 다음 임신에 종종 재발한다.

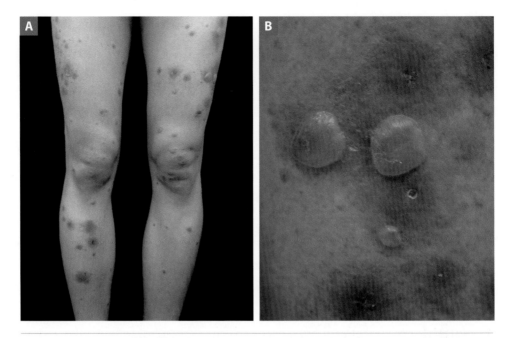

그림 33-2. (A) 다리에 발생된 붉은 부종성 구진과 물집, (B) 붉은 과녁모양의 구진과 긴장성 물집.
(인제대 부산백병원 사례)

4) 치료

초기에는 항히스타민제, 코르티코스테로이드 연고를 사용하나, 진행된 병변에는 경구 코르티코스테로이드를 사용한다.

XI 감염성 질환

1. 바이러스 감염

1) 풍진(Rubella)

(1) 역학

① 일명 "little red, German measles"로 불리는 rubella virus에 의한 질환이다.

② 1969년 예방접종의 적극적인 도입으로 전 세계적으로 발생빈도는 급감한 상태이다.

③ 우리나라에서 법정 2종 전염병으로 분류되어 있는 질환이다.

(2) 증상

① 소아에게 주로 발생하며 공기 중의 바이러스에 의해 감염되는 경한 질환으로 50% 이상에서 증상이 없다.

② 증상 군에서는 13~30일의 잠복기를 가진 후 미열 및 두통, 귀뒤임파절종창. 발진, 관절통, 콧물 등의 증상을 보인다.

(3) 진단

① 진단은 특이 항체인 IgM 등이 발진 후 3일 이내에 나타나 7~10일에 정점을 이루며 4~12주까지 발견된다. 간혹 IgM이 1년 이상 지속되기도 하며 풍진 재감염의 경우 일시적으로 낮은 수치의 IgM이 검출될 수 있다.

② IgG항체는 감염 후 서서히 증가하며 일생을 통하여 지속된다.

(4) 선천성 풍진 증후군(Congenital rubella syndrome)

① 풍진바이러스는 태반을 통화하여 태아의 선천성 감염을 일으킬 수 있고 특히, 임신 초기에 태아의 감염은 태아기형유발과 관련이 있다.

② 선천성 풍진 감염의 위험도는 임신 주주에 따라 차이가 있어, 임신 11주 이전에는 90%로 매우 높고, 임신 18주 이후에는 거의 0%에 가깝다.

③ 선천성 풍진 증후군으로 인한 태아 및 신생아 합병증은 다음과 같다.

가. 청력 소실(sensorineural deafness): 가장 흔하다.

나. 눈의 이상: 백내장 및 선천성 녹내장

다. 선천성 심장병: 동맥관개존증, 폐동맥 협착

라. 중추신경계 이상: 소두증, 발달지연, 정신지체, 언어이상

마. 기타: 비장비대, 간염, 혈소판 감소증, 자반병 등을 보일 수 있고 성장 후 당뇨 및 갑상선 질환 등 자가면역질환의 발생과도 관련이 있다.

(5) 임신 중 진단

① 산모 혈액의 IgM과 IgG항체의 seroconversion을 확인한다.

② 감염 즉시 IgG를 측정하여 면역력 여부를 확인하고, 면역력이 없는 경우 3주 후 반복 검사를 하여 역가의 변화를 확인한다.

③ rubella avidity test는 최근 감염과 과거의 감염을 구분하기 어려운 경우에 시행한다. 낮은 결합력을 보이는 경우는 3개월 이내의 감염을 나타내고 높은 결합력을 보이는 경우에는 3개월 이전의 감염을 의미한다.

④ 산모의 풍진 감염이 반드시 태아 감염을 의미하는 것이 아니므로 최근에는 융모막, 양수, 혹은 제대혈 등 태아의 검체에서 역전사 중합효소연쇄반응(RT-PCR)를 이용하여 바이러스를 검출하는 검사를 시행한다.

(6) 풍진예방접종

① 선천성 풍진을 예방하기 위하여 가임여성은 임신 전 풍진에 대한 면역여부를 미리 검사하고 IgG항체가 없는 경우에는 임신 전 풍진예방접종을 시행하고 백신 접종 후 1달간은 반드시 피임한다. 그러나 실질적 위험성은 매우 낮은 것으로 알려져 백신 접종이 임신종결의 적응증은 아니다.

② 수유기 때 백신 접종은 가능하다.

2) 수두–대상 포진(Varicella-zoster: chicken pox)

(1) 역학

① 수두대상포진 바이러스는 DNA 헤르페스 바이러스로 수두와 대상포진이라는 2가지 임상증후군을 유발한다.

② 수두는 일차 감염이고, 감염 후 바이러스는 신경절에 잠복해 있다가 재발하여 대상포진의 증세를 나타난다.

③ 수두는 거의 대부분 소아에서 발생하며, 전염력이 매우 강하고, 전신적인 발진을 동반한다. 임산부가 일차감염으로써 수두가 발생하는 경우에는 증세가 심하다.

(2) 임신 중 수두 환자에게 노출된 경우

① 기존에 수두를 앓은 적이 있는지, 예방접종여부를 확인하는 것이 중요하며, 수두를 앓은 적이 없거나 확실하지 않은 경우에는 바로 수두에 대한 IgG검사를 시행한다.

② 면역이 없는 임신부가 수두 환자에 노출 시에는 접촉 후 72~96시간 내에 VZIG (varicella-zoster immunoglobulin) 125 U/kg를 근주한다.

③ 또한 분만 전 5일, 분만 후 2일 이내에 수두가 발생한 산모에서 분만된 신생아에게도 VZIG를 투여한다.

(3) 태아 측 영향

① 수두바이러스는 태반을 통화하여 태아의 선천성 감염을 일으킬 수 있으나 이 위험도는 임신 주주에 따라 차이가 있다.

② 일반적으로 선천성수두증후군은 임신 20주 이전, 특히 임신 13~20주 산모의 수두 감염에 의해 발생하며 약 1~2%에서 발생한다.

③ 선천성수두증후군의 특징으로는 사지형성 부전증(limb hypoplasia), 피부 위축성 병변(cicatricial skin) 뇌피질 위축(cerebral cortical atrophy), 맥락망막염(chorioretinitis), 소안구증(microphthalmia), 수신증(hydronephrosis) 태아성장지연 등이 있다.

(4) 태아감염의 진단

태아 감염은 양수검사를 통한 Varicella-zoster virus에 대한 PCR 검사로 진단할 수 있으나 민감도가 떨어진다는 단점이 있다.

(5) 대상포진

임신 중에 발생한 대상포진이 선천성 기형을 유발하였다는 증거는 없다.

(6) 수두 예방접종

생백신으로 임신 중 접종은 금기이다

3) 인플루엔자(Influenza)

(1) 역학

① 인플루엔자 바이러스는 Orthomyxoviridae에 속하는 RNA 바이러스로 핵산-단백의 항원성에 따라서 A형, B형, C형으로 구분된다.

② A형, B형 인플루엔자 바이러스는 유행성(epidemic)으로 발병한다.

(2) 증상 및 경과

① 고열, 마른 기침, 두통, 권태, 근육통과 같은 전신증상이 나타나며 건강한 성인의 경우에는 대부분 치명적이지 않다.

② 그러나 산모는 폐렴과 같은 심각한 합병증에 취약하다.

(3) 임신에 미치는 영향

① 인플루엔자 A 바이러스가 선천성 기형을 발생 시킨다는 명확한 증거는 없다.

② 한 연구에서 임신 초기 인플루엔자 감염과 신경관결손증과의 관련성에 대한 보고가 있으나 이는 인플루엔자 감염 자체 의한 기형의 발생이라기보다는 산모의 고열과 관련이 있을 것을 생각된다.

③ 임신부가 인플루엔자에 감염되었을 때 질병의 중증도에 따라서 유산, 사산, 조산의 위험도가 증가한다.

(4) 예방접종

① 인플루엔자 계절(10월에서 이듬해 5월)의 모든 임신부에게 대한 예방접종이 권장된다.

② 특히 10~11월 사이가 감염의 가능성을 최소화시킬 수 있는 것으로 보고되었다.

③ 인플루엔자 백신은 사백신으로 모유수유 중에도 가능하다.

④ 건강한 성인에게 승인된 비강흡입을 통한 생백신은 임신부에서 금기이다.

4) 파르보바이러스(Parvovirus)

(1) 역학

① 파르보바이러스는 Parvoviridae에 속하는 erythrovirus 중의 하나로 적혈모구 전구체(erythroblast precursors)와 같은 빠르게 증식하는 세포들을 감염시킨다.

② 파르보바이러스 B19는 전염성 홍반(erythema infectiosum) 또는 제5병(Fifth disease)을 유발한다.

③ 바이러스의 전파는 호흡기 비말 또는 손과 입의 접촉(hand-to-mouth contact)에 의해 발생한다.

④ 산모의 감염은 학동기 아동을 둔 임신부에서 호발한다.

(2) 증상 및 경과

① 처음에는 뺨을 맞은 것 같은 모양(slapped cheek appearance)의 안면홍조 이후, 얼굴, 몸통, 사지 부위에 반점 홍반을 보이고 감기와 비슷한 증상과 함께 다발성관절통이 동반된다.

② 어른의 경우, 전염성 홍반은 20~30%에서는 증세가 없고, 증상이 있는 경우도 대부분 자발적으로 소실되어 즉, 산모에게는 경미한 감염이지만 종종 태아사망을 초래할 수 있는 질환이다.

(3) 태아 측 영향

① 모체 감염 이후 약 3분에 1에서 발생한다.

② 태아 감염으로 인한 유산, 비면역성 태아수종, 사산의 위험도가 증가한다.

③ 파르보바이러스 감염이 비면역성 태아수종을 일으키는 기전으로는 적혈구 파괴에 의한 빈혈이 관여하며 이 경우 태아 수혈로 예후를 호전시킬 수 있다.

5) 거대 세포 바이러스 감염증(Cytomegalovirus)

(1) 역학

① Cytomegalovirus는 DNA herpes virus의 일종으로 전 세계적으로 많이 발생하는 주산기 감염이다.

② 경제교육수준이 낮고 어린이와의 접촉이 많은 경우 호발 한다.

③ 임신 중 전파경로로는 수직전파로 선천성 감염 및 주산기 감염이 있고, 수평전파로 성적접촉, 가족 내 접촉, 수혈 및 장기 이식 등이 있다.

④ 초회감염(primary infection) 후 바이러스는 단순포진바이러스처럼 잠복해 있다가 주기적인 재활성화가 일어난다.

⑤ 거대 세포 바이러스는 신생아의 청력이상과 지능장애를 유발하는 자궁내 감염 중 가장 큰 원인을 차지한다.

(2) 모체감염

① 임신이 CMV의 감염 위험성이나, 임상 증상의 심각성을 증가시키지 않는다.

② 임신 중 초회감염의 경우는 40%에서 태아감염을 일으키는 반면, 재감염인 경우 태아감염의 위험도는 1% 미만이다.

③ 태아감염은 임신이 진행될수록 증가하지만 실제 후유증은 임신 제1삼분기에 감염이 된 경우가 훨씬 높다.

(3) 선천성 감염

① 태아 및 신생아에서 나타나는 증상은 성장지연, 소뇌증, 뇌실질의 석회화, 맥락망막염, 정신지체, 감각신경결핍, 간비대, 비장비대, 황달, 용혈성빈혈, 출혈성반점이 나타날 수 있다.

② 초음파적 소견으로는 태아수종이 대표적으로 관찰될 수 있으며 중추신경계에서는 거대뇌증, 뇌내석회화, 소뇌증 등이 보일 수 있다.

(4) 치료

① 현재 임신 중 효과적인 치료법 및 예방 백신이 없다.

② 따라서 임산부 및 신생아에 대한 전체적인 선별검사가 권고되지 않는다.

③ 어린이와의 접촉이 많은 임산부의 경우 손씻기 등 위생에 주의하는 것이 임신 중 거대세포 바이러스 감염을 줄일 수 있는 방법이다.

6) 기타 바이러스 감염증

(1) 볼거리(Mumps)

① 타액의 비말감염에 의해 전염되며, 임신 시 증상이 더 심해지지는 않는다.

② 임신 중 감염이 선천성 기형과 관련되지는 않지만, 유산의 위험이 증가한다.

(2) 홍역(Measles, rubeola)

태아 기형을 유발하지 않으나 유산이나 조산, 저체중아 증가한다.

(3) MMR (Mumps, Measles, rubella) 백신

볼거리, 홍역, 풍진을 예방하기 위한 MMR 백신은 약독화된 생백신으로 임신 중 예방접종이 금기이다.

2. 세균감염

1) A군 연쇄구균(Group A streptococcus)

(1) 역학

① 오늘날 A군 연쇄구균에 의한 감염은 매우 드물다.

② 가장 흔한 침습적 산후 A군 연쇄구균 감염은 패혈증(46%), 원인 없는 균혈증(46%), 자궁근염(28%), 복막염(8%), 패혈성 유산(7%) 등이 있다.

(2) 임상 양상

① *S.pyogenes*는 치명적인 독소성 유사 쇼크 증후군(toxic shock syndrome)을 일으킬 수 있다.

② 산후 A군 연쇄구균 감염에 의한 치사율은 3~4%에서 73%까지 보고가 된 바 있다.

치료는 페니실린 및 수술적 제거가 필요할 수 있다.

2) B군 연쇄구균(Group B streptococcus, GBS)

(1) 역학

① B군 연쇄구균은 여성생식기에 존재하는 정상 세균총의 하나이며 대부분 무증상으로 단순히 군집화(colonization)만 되어 있는 경우가 많지만, 신생아, 임신부, 노약자 등에서는 현성감염을 일으킬 수 있다.

② 성인에서는 산욕열, 균혈증 등을 일으키고 신생아에게 패혈증, 뇌수막염을 일으킬 수 있다.

③ 외국 보고에 의하면 임신부의 20~30%가 군집화를 보이는 것으로 나타난 반면, 국내의 유병률은 2~5%로 낮다.

④ 임신 후기 여성생식기에 B군 연쇄구균이 양성인 경우의 일부에서 신생아에게 군집화가 일어나고 이 중 1~2%에서 신생아 감염을 일으키는 것으로 보고되었다.

(2) 신생아 B군 연쇄구균

① 패혈증, 폐렴, 뇌수막염의 형태로 나타나며 사산의 원인이 될 수도 있다.

② 신생아 B군 연쇄구균 감염은 생후 7일 이내의 조기 발병형(early onset)과 출생 1주일부터 3개월 이내의 후기 발병형(late onset)의 두 가지 임상 양상으로 나뉜다.

③ 조기발병형은 주로 폐렴과 같은 호흡기 질환의 형태로 나타나고, 후기 발병형은 주로 뇌수막염의 형태로 나타난다.

(3) B군 연쇄구균에 대한 전반적 선별검사(universal screening)

① 미국산부인과학회는 신생아의 GBS 질환을 예방하기 위한 산전 예방지침으로 모든 임신부를 대상으로 일률적으로 35~37주 사이에 질, 직장을 통한 선별 배양검사를 권장하고 있는 반면, 영국 등 유럽 국가에서는 일률적인 검사를 추천하고 있지 않다.

② 일률적 선별검사 및 예방적 항생제 요법의 장점으로는 신생아 GBS 감염을 줄일 수 장점이 있는 반면, 단점으로 항생제 내성 증가 및 알러지 반응 위험성 증가 등이 있다.

(4) 분만 진통 중 신생아 GBS 예방을 위한 항생제의 사용이 필요한 경우

(미국 질병관리본부 권고안 2010)

① 이전 임신에서 신생아 GBS 감염이 있었던 경우

② 현 임신 중 GBS 세균뇨가 있을 경우

③ 현 임신에서 GBS 배양검사가 양성인 경우(진통 또는 양막 파열 없이 예정된 제왕절개 수술을 하는 경우는 제외)

④ GBS 배양검사를 알 수 없는 경우(검사를 시행하지 않았거나, 시행하였는데 아직 결과가 나오지 않은 경우)

가. 임신 37주 이전의 분만

나. 양막파열의 18시간 이상 경과되었을 때

다. 진통 중 임신부의 체온이 38도 이상인 경우

라. 진통 중 NAAT 검사 결과가 양성인 경우

3. 원충감염(Protozoal infection)

1) 톡소플라스마증(Toxoplasmosis)

(1) 역학

① 톡소플라스마는 고양이가 숙주인 원충류의 일종이다.

② 톡소플라스마의 낭종에 오염된 육류를 날 음식을 먹거나, 고양이의 배설물에 섞여 배출된 후 성숙한 난포낭에 오염된 물, 흙, 쓰레기 등을 직접 접하는 경로로 감염된다.

③ 선천성 톡소플라스마증의 빈도는 미국에서 10,000출생 당 0.8건으로 드문 반면, 프랑스에서는 10,000출생 당 10건 정도로 나라마다 유병률에 차이가 있다.

(2) 증상

① 톡소플라스마에 감염된 임신부 등 성인은 대개 증상이 없는 경우가 대부분이나. 간혹 피곤감, 근육통, 림프절병증이 나타날 수 있다.

② 면역력이 떨어진 경우에는 뇌염, 맥락망막염과 같이 심한 증상을 일으킬 수 있다.

(3) 선천성 감염

① 태아 감염의 위험은 임신 후기로 갈수록 증가하나(13주: 6%, 36주: 72%) 태아 감염의 중증도는 임신 초기에 감염된 경우가 더 심하게 나타난다.

② 신생아 톡소플라스마 감염의 일반적 증상으로는 저체중, 간비종대, 황달, 빈혈을 보이고 중추신경계 이상인 두개내 석회화, 수두증, 소두증을 보이는 경우 장기적 인 후유증의 위험이 증가한다).

③ 톡소플라스마 감염에 의한 3대 증상(triad)으로는 맥락망막염, 두개내 석회화, 수두증이 있다.

(4) 치료

spiramycin 단독 또는 pyrimethamine과 sulfonamides 병합요법을 고려한다.

(5) 예방

① 현재 톡소플라스마 감염에 백신이 없으므로 예방이 중요하다.

② 예방을 위한 습관들로는 육류를 잘 익혀서 먹고, 야채와 과일은 껍질을 벗기거나 철저히 씻어 먹고, 조리하는 그릇과 기구들을 깨끗하게 씻고, 고양이의 분변은 장갑을 끼고 치우고, 고양이에게 덜 익은 육류를 먹이지 않고, 고양이는 집안에서 키우기 등이 있다.

2) 말라리아(Malaria)

(1) 역학

① 전 세계적으로 중요한 질환으로써 사하라 사막 이하의 아프리카에 많이 발생하고 유럽 및 북미에서는 드물다.

② 우리나라에서는 삼일열 원충(plasmodium vivax)이 가장 흔하다.

(2) 증상

① 발열 및 오한, 두통, 근육통, 무력감과 같은 증상을 보이며, 재발 시 경하게 증상이 나타난다.

② 심한 경우 빈혈, 황달, 신부전, 혼수 또는 사망할 수 있다.

(3) 임신에 미치는 영향

① 임신 중 말라리아 감염은 비임신에 비하여 균혈증의 빈도가 더 높다.

② 임신 중 말라리아 감염 시 사산, 조산, 저체중아, 산모의 빈혈 등이 불량한 주산기 이환이 증가한다.

(4) 치료

① 항말라리아약은 임신기간 중 금기는 아니며 chloroquine이 일차선택약이다.

② 말라리아 유행지역 여행 시 여행 1~2주 전부터 chlorquine 500 mg을 일주일에 한 번 경구로 복용하며 돌아온 후 4주까지 지속한다.

Ⅻ 성매개질환(sexually transmitted infection)

1. 매독(Syphilis)

1) 원인균

Treponema pallidum이라는 spirochetes에 의해서 발생한다.

2) 태아와 신생아 감염

① 태아감염은 임신부 매독의 어느 병기에서라도 나타날 수 있으나, 만기매독보다 조기매독인 경우가 감염율이 높다.

② 임신 18주 이전에는 태아 면역 기능이 불충분하여 태아에게 증상이 나타나지 않는다.

③ 태아 감염 시 자궁내 태아성장지연, 태아수종, 태아사망이 발생할 수 있다.

④ 감염된 신생아의 경우는 피부의 점상출혈이나 자반성 병변을 동반한 황달, 림프절종대, 비염, 폐렴, 심근염 또는 신장질환, 심한 간 비장 종대를 보이며, 태반은 크고 창백하며 두꺼운 곤봉모양의 융모막, 동맥내막염, 간질세포의 증식, 탯줄의 괴사성 염증을 보인다.

3) 진단

매독의 선천성 감염 예방과 치료를 위해서 모든 임신한 여성은 산전진찰의 첫 방문에서 매독에 대한 선별검사를 시행하고 고위험군인 경우에는 임신 제3삼분기에 재검을 시행한다.

4) 치료

① 조기매독인 경우 Benzathine 페니실린 G 240만 단위 근육주사를 1회 투여한다.

② 만기매독인 경우 Benzathine 페니실린 G 240만 단위 근육주사를 1주 간격으로 3회 투여한다.

③ 임신 중 erythromycin은 선천성 매독을 예방할 수 없으므로 임신부 매독 치료 시 페니실린에 과민반응(hypersensitivity)이 있는 경우에는 탈감작 후 치료를 시작한다.

④ 임신부 매독에 대한 penicillin 치료 시 Jarisch-Herxheimer 반응이 나타날 수 있으며, 이로 인한 자궁수축이 나타날 수 있다.

⑤ 치료 판정과 추적 검사로 VDRL 또는 RPR 검사를 시행한다.

2. 임질(Gonorrhea)

1) 원인균

Neisseria gonorrhea라는 그람음성의 쌍구균에 의해 발생한다.

2) 임상 양상

① 임신 중 임질 감염은 골반염증성 질환과 같은 상부생식기 감염은 드물고 주로 하부생식기에 국한되어 자궁경부와 요도, 바톨린샘 등에 감염을 일으킨다.

② 임질 감염의 산과적 합병증으로 패혈성 유산, 조기진통, 조기양막파수, 융모양막염, 산후감염 등이 있고 파종임균감염(disseminated gonococcal infection)은 임질의 0.5~1%로 발생한다.

③ 임질에 감염된 임신부의 40%에서 클라미디아 감염과 동반된다.

3) 치료

임신 중 임질 감염은 주로 ceftriaxone으로 치료한다.

3. 클라미디아 감염

1) 원인

Chlamydia trachomatis가 원인균으로 클라미디아 감염은 우리나라에서 성매개감염 중 가장 흔하게 보고되는 질환이다.

2) 임상양상

① 임신한 여성의 70~80%는 증상이 나타나지 않지만, 약 3분의 1에서는 화농성자궁경부염, 하복부통증, 요도염, 바톨린샘염 등을 보일 수 있다.
② 감염된 여성의 경우 질식 분만 시 30~50%의 신생아에서 수직 감염되어 결막염과 폐렴을 일으킬 수 있다.
③ 클라미디아 감염과 조기진통, 조기양막파열, 주산기 사망 등의 산과적 합병증과의 연관성에 대해서는 연구자들마다 의견이 다르다.

3) 치료

임신 중 클라미디아 감염은 azithromycin 1 gm을 1회 경구투여 방법이 가장 선호되며 amoxicillin 500 mg을 7일간 하루 세 번 경구 투여하는 방법도 이용된다

4) 무른궤양(Chancroid)

(1) 원인

원인균은 Haemophilus ducreyi로 그람 음성 막대균이다.

(2) 임상 양상

성관계 후 약 10일(보통 3~7일) 내의 잠복기를 거친 후 외음부에 도려내는 듯한 통증성 비

결절성 궤양(non-indurated genital ulcers)을 형성하고 화농성 림프절병을 동반하는 경우가 많다.

(3) 치료

Azithromycin 1 gm을 1회 경구투여 방법, erythromycin 또는 ceftriaxone도 사용할 수 있다.

5) 단순포진

(1) 원인

① Herpes simplex virus가 원인균으로 단순포진은 우리나라에서 성매개감염 중 두 번째로 흔하게 보고되는 질환이다.

② Herpes simplex virus (HSV)는 HSV-1과 HSV-2가 있으며, 입술포진의 대부분은 HSV-1이 유발하고 생식계 감염의 85%는 HSV-2에 기인하지만 두 유형 모두 입술포진 및 생식계 감염의 원인이 될 수 있다.

(2) 임상 양상

① 첫발현원발성(first episode primary) 감염인 경우에는 외음부에 광범위한 통증성 물집 또는 궤양의 양상을 띠며 발열등의 전신증상이 동반될 수 있고 대개 3~4주 정도의 임상경과를 갖는다.

② 재발(recurrent) 감염인 경우는 외음부 통증도 약하게 나타나고 국소적 병변으로 나타나 짧은 임상경과를 갖는다(평균 10일).

(3) 태아 및 신생아 감염

① 감염 경로로는 자궁내, 분만전후, 출생 후의 세 가지 경로로 태아 및 신생아가 감염되며 이 중 분만전후 감염이 가장 빈번하다.

② 신생아 감염은 주로 다음의 세 가지 형태로 나타난다.

가. 피부, 국한된 병변을 가진 눈 또는 입의 이상(45%),

나. 뇌염과 같은 중추신경계 질환(30%),

다. 다발성 장기를 포함한 범발성 질환(25%)

(4) 분만 방법

전에 외음부에 단순포진을 앓은 적이 있는 산모가 분만에 임박하면 가렵거나 따끔거리는 등의 전구(prodromal) 증상이 있는지 확인하고 외음부, 질, 자궁경부 등 외부 생식기에 단순 포진으로 인한 병변이 관찰되는 경우에는 제왕절개수술의 적응증이 된다.

(5) 치료

Acyclovir, valacyclovir 와 같은 항바이러스 제제를 사용하며 임신 중 재발감염의 빈도를 낮추기 위하여 임신 36주부터 억제 요법을 고려하기도 한다.

(6) 모유 수유

① 유방에 단순포진 바이러스에 의한 병변이 없다면 가능하다.
② 구강내 헤르페스 병변이 있는 경우 신생아에게 입맞춤을 피하고 손씻기를 철저하게 하도록 한다.

6) 인간면역결핍바이러스 감염증(Acquired immunodeficiency syndrome: AIDS)

(1) 원인 및 역학

① RNA 바이러스인 human immunodeficiency virus (HIV)-1 또는 HIV-2에 의해 발생한다.
② HIV 감염은 주로 성접촉자에 의해서 발생하고 그 외에는 혈액과 혈액오염물질, 모자 간의 수직감염(vertical transmission)으로 발생한다.
③ 전 세계적으로 신생아 및 소아에서의 HIV감염 중 90%가 수직감염에 의한 것이다.

(2) 주산기 감염 및 임상 양상

① 주산기 감염 경로는 임신 중 태반을 통한 감염, 출생 시 감염(90%), 수유 통한 감염이 될 수 있으며 수직 감염은 조산과 양막파열 시 더 잘 발생한다.
② 매독 감염과 잘 동반되는 경향이 있다. 조기 분만(20%), 태아성장지연(24%), 기타 산과적 합병증과 연관이 있을 수 있다.

(3) 임신 중 치료

① 바이러스 부하량과 CD4+ 세포 수에 관계없이 HIV에 감염된 모든 임신부는 항바이러스제 치료를 받아야 한다.
② HIV 감염된 산모가 RNA 부하량이 1,000 copies/mL 이상인 경우는 38주에 예정된 제왕절개수술이 권장된다(ACOG 2017).

③ 자연분만을 하는 경우라면 인공적 양막파수 또는 침습적인 태아감시장치는 시행하지 않는다.

(4) 모유수유
모유수유는 HIV 양성 산모에서는 금기이다.

7) 인유두종 바이러스 감염증

(1) 원인 및 역학
Human papillomavirus는 흔흔한 성매개 감염 중 하나로 국내 연구 의하면 우리나라 여성 18~79세 일반 인구집단 여성에서의 유병률이 32%로 보고되었다.

(2) 임상 양상
① 대부분 자각증상이 없고 무증상이나 뾰족콘딜로마(condyloma accuminata)와 같은 병변을 일으키기도 한다.
② 뾰족콘딜로마는 때로는 임신 중 크기나 숫자가 급격히 증가할 수 있으며 외음부를 덮어 질식 분만이 어려울 수 있다.
③ 분만 후 외음부 병변은 호전되거나 급격히 사라질 수 있다. 치료는 임산부가 불편을 느낄 때에만 치료하고 완전히 소멸시키려고 노력하지 않아도 된다.

(3) 뾰족 콘딜로마(Condyloma accuminata)의 치료
① 임신 중 치료로 80~90% trichloroacetic 또는 bichloroacetic acid를 일주일에 한 번 국소도포하거나, 냉동치료, 전기소작술, 수술적 절제 등이 있다.
② podophylline. 5-fluorouracil cream, interferon은 임신 중 사용하지 않는다.

ⅩⅢ 생식관의 이상(abnormalities of reproductive tract)

1. 생식관의 발달이상(Developmental Reproductive Tract Abnormalities)

1) 생식관의 형성

(1) 뮬러관의 형성(Müllerian duct development)

① 자궁의 형성

약 10주경에 양측의 뮐러관이 서로 합쳐져서 자궁이 형성되고, 자궁강의 위쪽 중격(septum)은 서서히 소실되어 자궁강을 형성하는데, 이는 20주경에 완성된다.

② 질의 형성

비뇨생식동(urogenital sinus)과 뮐러결절(müllerian tubercle) 사이가 용해되어 질이 형성되며 이 과정이 정상적으로 이루어지지 않을 때 질 무발생이나 질중격(vaginal agenesis or septum) 등으로 된다.

(2) 뮐러관 기형과 중간콩팥관 기형(Mesonephric duct anomaly)이 함께 잘 오는 이유

태생학적으로 뮐러관은 생식샘(gonad)과 중간콩팥관 사이에서 발생하여 점차 아랫쪽 그리고 바깥쪽으로 확대된 후 내측으로 돌아 중앙에서 융합된다. 이렇게 뮐러관과 중간콩팥관이 서로 가깝게 위치하므로 한쪽 관에 손상을 주는 일이 있을 경우 양쪽에 모두 손상을 줄 가능성이 높아진다. 따라서 생식관과 비뇨기계의 이상은 서로 연관성이 높다.

(3) 뮐러관 기형의 분류(American fertility society classification of Müllerian anomalies)

- Class I. 부분적인 뮐러관 형성저하증이나 무형성(segmental mullerian hypoplasia or agenesis)
- Class II. 단각자궁(unicornuate uterus)
    - A. 교통성 흔적자궁뿔(communicating rudimentary horn)
    - B. 비교통성 흔적자궁뿔(noncommunicating horn)
    - C. 무내막강(no endometrial cavity)
    - D. 무흔적자궁뿔(no rudimentary horn)
- Class III. 중복자궁(uterine didelphys)
- Class IV. 두뿔자궁(bicornuate uterus)
    - A. 완전(complete): 속구멍까지 분리(division to internal os)

— B. 부분(partial)
- Class V. 중격자궁(septate uterus)
- Class VI. 궁상자궁(arcuate uterus)
- Class VII. DES-관련

2) 외음부 이상(Vulvar abnormalities)

손상이나 감염 후에 외음부 폐쇄(atresia of the vulva)가 발생될 수 있다. 외음부 이상 중 가장 흔히 볼 수 있는 음순 융합(labial fusion)이 있으며, 원인으로는 선천성 부신 증식증(CAH)이나 외인성 안드로겐 등이 있다. 그 외 처녀막 막힘증(imperforate hymen) 등이 있다.

3) 질 이상(Vaginal abnormalities)

질이상의 종류로 질발육부전(agenesis), 질폐쇄(atresia), 질의 중복(double vagina), 세로중격질(longitudinally septate vagina), 가로중격질(transversely septate vagina)이 있다.

① 질완전 폐쇄(Complete atresia)는 약 1/3에서 비뇨기계 이상을 동반한다. 폐쇄로 인해 자연임신은 불가능하며, 질의 확장(vaginal dilatation)으로 90%에서 기능성 질(functional vagina)을 만들 수 있다. 질의 불완전 폐쇄(Incomplete atresia)는 손상이나 염증으로 인한 흉터의 결과로 생기며 임신하게 되면 대부분 부드러워지고 태아의 선진부의 압력에 의해 점차 늘어나게 되므로 질식 분만을 방해하지는 않는다.

② 선천성 세로 중격(Complete longitudinal septum)은 진통 중 태아가 내려오면서 대부분 충분히 늘어나므로 보통 난산을 유발 하지 않는다.

③ 불완전 중격(Incomplete septum)은 종종 태아의 하강을 방해하며 이 경우 절개해 주어야 하거나 제왕절개술이 필요하다.

④ 가로 중격(Transverse septum)은 중격의 구멍이 자궁 경부의 겉구멍(external os)으로 잘못 오인될 수 있다. 겉구멍이 완전히 개대된 후 태아의 선진부가 내려오면서 중격이 제거되지 않으면 작은 구멍에 압력이 가해지면서 점점 커지게 된다. 그러나 때로는 십자절개(cruciate incision)가 필요한 경우도 종종 있다.

4) 자궁경부 이상(Cervical abnormalities)

자궁경부의 이상으로는 전체 자궁경부가 발달되지 않은 폐쇄(atresia), 중복자궁경부(double cervix), 뮐러관이 한 쪽만 발달할 때 발생되는 반자궁목(single hemicervix), 자궁경부중격(septate cervix)이 있다. 완전 자궁경부 폐쇄(complete cervical atresia)는 자연임신이 불가능하다.

5) 자궁의 이상(Uterine malformation)

① 자궁 이상의 진단은 자궁경 및 자궁조영술과 복강경에 의해 진단 가능하다. 초음파는 민감도가 98%로 높지만 특이도가 43%로 낮다. MRI, sonohysterography, 3차원 초음파가 도움이 될 수도 있다.

② 자궁의 선천기형은 약 200명당 1명의 빈도로 발생하며 특히 반복 자연 유산이 되는 여성에서 더 흔한 것으로 알려져 있다.

③ 비뇨기계이상이 잘 동반되므로 생식기계의 비대칭적 발달 장애가 있을 때 비뇨기계 검사를 해야 한다. 청각장애가 뮐러관이상 여성의 1/3에서 발견되며 주로 고주파에서 감각신경성 청각장애(seonsorineuronal hearing deficits)의 형태로 나타난다.

④ 자궁 선천이상의 합병증으로는 유산, 자궁외 임신, 흔적자궁뿔 임신(rudimentary horn pregnancy), 조산, 태아성장지연, 비정상 태위, 자궁의 기능부전, 자궁파열 등이 있다.

가. 단각자궁(unicornuate uterus)

자궁기형의 14%를 차지하며 합병증으로 불임, 자궁내막증, 생리통의 증가, 조산, 태아성장지연, 둔위, 자궁의 기능부전성 진통, 제왕절개술의 증가가 있다. 비교통성 흔적자궁뿔의 임신인 경우 임신 중 자궁 파열이 50%이고 이 경우 태아의 생존은 6%에 불과하다. 따라서 고해상도 초음파와 MRI로 조기 진단하는 것이 중요하다.

나. 중복자궁(uterine didelphys)

자궁경부와 자궁내강이 완전히 두 개로 이루어져 있다. 70%에서 성공적인 임신 결과를 보이며 임신-출산과 관련된 합병증으로 조산(20%), 태아성장지연(10%), 둔위(43%), 제왕절개술(82%)이 있을 수 있으며, 다태임신은 흔하지 않다.

다. 두뿔자궁과 중격자궁(bicornuate and septate uteri)

중격의 풍부한 근육 조직 때문에 임신 손실률이 높으며 중격자궁이 두뿔자궁보다 더 높다. 20주 이전의 임신 손실률은 상당히 높은데 두뿔자궁에서는 70%, 중격자궁에서는 88%이다. 이렇게 높은 이유는 무혈관 중격(avascular septum)에 착상을 하는 경우가 많기 때문인 것으로 생각된다. 이외에도 조산, 비정상 태위, 제왕절개술의 빈도가 증가한다.

라. 궁상자궁(arcuate uterus)
정상 자궁의 경한 변형의 일종이다.

6) 뮐러관 기형의 치료

① 부분 자궁경부 폐쇄나 자궁경부 형성저하증(partial cervical atresia or cervical hypo-plasia)의 경우 개복술을 통한 자궁목원형결찰술(transabdomial cerclage) 시 좋은 예후가 보고되었다.

② 중복자궁이나 두뿔자궁(uterine didelphys or bicornuate uterus)의 경우 자궁교정술 (abdominal metroplasty) 후 개복술을 통한 자궁목원형결찰술이 사용될 수 있다. 하지만 중격자궁에서 중격 절제(septum resection)를 시행한 후에는 자궁목원형결찰술을 시행할 필요가 없다.

③ 중격자궁이나 쌍각자궁에서 임신 성적이 나쁠 때 자궁교정술을 시행한다. 쌍각자궁의 경우 개복술을 이용한 자궁교정술(transabdominal metroplasty)로 중격을 절제한 후 자궁저부 재조합 교정(septal resection and recombination of the fundi)을 해줄 수 있다. 중격자궁의 경우 자궁경을 이용하여 중격을 절제할 수 있다(hysteroscopic resection of septum).

2. 후천성 생식기계 이상(Acquired Reproductive Tract Abnormalities)

1) 외음부 이상(Vulvar abnormalities)

(1) 부종(Edema)
많은 여성이 임신 중 약간의 외음부 부종이 있으며 종종 특별한 원인 없이 심한 부종이 생길 수 있다.

(2) 염증성 병변(Inflammatory Lesions)
(3) 바르톨린선 염증(Bartholin Gland Lesions)
대개는 무균성(sterile)으로 임신 중 특별한 치료가 필요없다. 하지만 바르톨린선 낭종이 커서 진통 및 분만에 방해가 될 때는 바늘을 이용한 흡인이 도움이 될 수 있으며 농양(abscess)이 있는 경우에는 광범위 항생제를 쓰고 농양배액을 해야 한다.

(4) 요도 및 방광 병변(Urethral and Bladder Lesions)

요관에 외상을 입거나 감염이 생긴 경우 때때로 요관 주위 농양, 낭종, 게실(periurethral abscesses, cysts, and diverticula)이 생기기도 한다. 농양은 자연적으로 소실되는 경우가 많으며, 후유증으로서 낭종이 형성될 수 있다. 낭종이나 게실의 수술적 제거는 임신 중에는 시행하지 않는 것이 좋다.

2) 질의 이상(Vaginal abnormalities)

(1) 부분 폐쇄(Partial atresia)

감염이나 외상으로 생길 수 있다. 진통 중에는 대개 선진부의 압력으로 늘어나 문제가 없지만 절개나 제왕절개술이 필요하기도 하다.

(2) 생식기 샛길(Genital Tract Fistulas)

방광-질, 방광-자궁, 방광-자궁경부 사이의 샛길이 있으며, 자궁목원형결찰술, 제왕절개술 후 질식분만, 오랜 진통 이후에 생길 수 있다. 생식로 샛길의 일부는 저절로 좋아지지만 대부분은 교정이 필요하다.

3) 자궁경부의 이상(Cervical abnormalities)- 반흔성 자궁경부 협착(Cicatrical cervical stenosis)

(1) 자궁경부원추절제술(conization) 후에 발생될 수 있으며, 심한 자궁경부암도 그 원인이 될 수 있다. LEEP는 영향이 적으며, 냉동치료나 레이저 치료도 협착을 일으킬 가능성은 적다.

(2) 대개는 진통 중에 열리게 된다.

4) 자궁의 이상(Uterine abnormalities)

(1) 자궁전굴(Anteflexion)

복직근 분리나 하수복(diastasis recti or pendulous abdomen)이 있을 경우 심한 자궁전굴이 있을 수 있다. 이 경우 잘 맞는 복대를 하면 대개 교정이 된다.

(2) 자궁후굴(Retroflexion)

① 임신 시에는 드물게 후굴된 자궁이 계속 자라서 엉치뼈(sacrum)의 오목한 곳에 꼭 끼어서 문제가 될 수 있다.

② 감돈 자궁(incarcerated uterus)의 증상으로, 복부 불편감, 배뇨 장애, 모순성 요실금(paradoxical incontinence)이 생길 수 있다.

③ 모순성 요실금이란 방광에의 압력이 늘어나면 작은 양의 소변이 저절로 나오게 되나, 완전한 배뇨는 안되는 것을 말하며 폐쇄성 요로병증(obstructive uropathy)으로 진행하기도 한다.

④ 치료는 방광에 도뇨관을 삽입하고 슬흉위(knee chest position)를 취하면 자궁이 제 위치로 돌아오며 방광의 긴장도가 회복될 때까지 도뇨관을 거치한다.

(3) 자궁근종(Uterine Leiomyomas)

① 빈도: 임신 중 근종은 2~18%로 흔하게 발견된다.

② 종류: 위치에 따라 점막하(submucosal), 장막하(subserosal) 및 벽내(intramural) 근종으로 분류한다.

③ 근종이 임신에 미치는 영향

- 점막하(submucosal) 근종을 제외하고는 가임력에 영향을 끼친다는 증거는 없다.
- 임신 중 근종이 2차 변성에 의해서 커지면서 통증이 발생할 수 있으며 이는 대부분 진통제로 조절 가능하며 자연 소실된다.
- 근종에 대한 수술적 치료를 받은 경우 향후 임신에 자궁파열의 위험도가 증가한다.
- 근종에 대한 동맥색전술을 받은 경우 향후 임신에 유산, 제왕절개수술율, 산후 출혈의 위험도가 증가한다. ,
- 조기자궁수축, 태반조기박리, 태아 위치 이상, 제왕절개술, 산후 출혈 증가와 연관될 수 있으나, 이는 근종의 크기 및 위치에 따라서 다양하다. 특히 근종 위에 태반이 착상이 일어난 경우 유산, 조산, 산후 출혈 위험도가 증가한다.
- 임신 중 자궁 근종 절제술은 일반적으로 금기이다.
- 근종이 자궁경부나 자궁하절부에(low segment) 있는 경우 진통 시 산도를 막아 제왕절개수술이 필요할 수 있다.
- 일반적으로 제왕절개수술시에는 자궁 근종을 같이 절제하지 않는다.
- 근종은 출산 후 크기가 감소할 수 있다.

(4) 자궁내막증과 자궁샘근증(endometriosis and adenomyosis)

① 임신 중 증상을 일으키는 경우는 드물다.

② 자궁내막증은 기왕의 제왕절개술의 절개 부분이나 회음 절개술의 절개 부분의 자궁내막 착상(endometrial implants)으로 증상을 호소하는 되는 경우를 많이 볼 수 있다.

③ 자궁샘근증은 자궁파열, 자궁외임신, 자궁이완증, 전치태반과 관련될 수 있다.

(5) 난소의 이상(Ovarian abnormalities)

① 임신 중 난소 이상으로는 낭성 종양이 가장 흔하다. 낭성 기형종(cystic teratoma, 30%), 장액 또는 점액 낭샘종(serous or mucinous cystadenoma, 28%), 황체낭종(corpus luteal cyst, 13%), 기디 양성 낭종(other benign cyst, 7%)이 발생할 수 있으며 악성(malignant)인 경우는 임신 중에는 드물다.

② 난소 낭종의 임신 합병증으로는 꼬임과 출혈이 가장 흔하고, 임신 제1삼분기에 가장 흔히 발생한다.

③ 낭종이 꼬이거나, 파열(rupture)된 경우, 진통을 물리적으로 억제(obstruction of labor)하는 경우, 종양의 크기가 10 cm 이상일 때는 수술적 제거가 필요하다.

④ 6~10 cm 크기의 단순 낭종일 경우에 수술적 제거가 필요한 지에 대해서는 논란이 있다. 하지만 낭종내부에 중격, 결절, 유두상, 고형 부분(septate, nodule, papillary excrescences, solid component)이 있을 경우에는 수술적 제거를 한다.

⑤ 6 cm 미만인 낭종은 관찰한다.

⑥ 임신 10주 이전에 여러 수술적 요인으로 인해 황체 낭종(corpus luteum)을 제거한 경우에는 임신 10주까지 17α-OH-progesterone 250 mg 근육주사 해주어야 한다.

⑦ 임신 중 종양 표지자검사는 유용성이 없다. 난소종양의 수술은 14~20주 사이에 시행하는 것이 바람직하다.

산과 의료 윤리

Ethics in Obstetrics

34

Obstetrics & Gynecology

산부인과학 지침과 개요

1. 의료 윤리의 4원칙에 대하여 기술할 수 있어야 한다.
2. 동의서 작성에 필수적인 요소와 가변성에 대하여 설명할 수 있어야 한다.
3. 산전진단에서 윤리적 고려 사항을 설명할 수 있어야 한다.
4. 태아의 생명권과 임신부의 결정권의 근거를 설명할 수 있어야 한다.
5. 2019년 헌법재판소 선고의 의의를 기술할 수 있어야 한다.

I 일반적 의료 윤리

의료윤리는 의료 현장에서 의사-환자의 관계, 의료진 간의 관계, 의학 연구와 관련된 내용이 주를 이루며, 산과 의료윤리는 산과 진료 중 특수한 상황에 대한 윤리를 다루는 분야이다.

1. 윤리의 4원칙

의료 윤리를 다루는 책에는 거의 모두 의료 윤리의 4원칙을 먼저 기술하고 있다. 그만큼 이 4원칙을 이해하는 것이 중요하다. 간단해 보이는 이 원칙을 먼저 이해하고 매일의 진료에서 이 4원칙을 얼마나 잘 지키는지 스스로 평가해 보아야 한다.

의료 윤리의 4원칙은 첫째 악행 금지(nonmaleficence), 둘째 선행(beneficence), 셋째 자율성 존중(respect for autonomy), 그리고 정의(justice)이다.

악행 금지는 해가 되는 것을 환자에게 하면 안 된다는 원칙이다. 소극적 의미의 윤리 원칙이다. 환자에게 악행을 한다는 것은 윤리의 문제가 아닌 위법 행위다. 하지만 뇌사자의 인공호흡기를 중단하는 문제나 배아를 대상으로 한 의학연구 등에서 악행 금지의 원칙을 고민해야 한다.

선행이란 의료 행위가 도움이 되어야 한다는 원칙이다. 환자의 건강이 의료의 목적이자 본질이므로 이 원칙은 의료의 존재 이유가 된다. 악행 금지보다 적극적인 의미로 확장성이 있는 원칙이다. 의사로서 해야 할 기본적인 행위를 포함하며 한편으로는 도움이 되지 않는 의료 행위는 하지 않아야 한다는 뜻이다. 도움이 되지 않는 것을 알면서도 가족의 요청으로 하는 투약, 검사 등은 이 원칙을 지키지 않는 것이다.

자율성 존중은 의료 현장이나 의학연구에서 환자의 자율성을 인정해야 한다는 원칙으로 많은 경우 동의서(informed consent)로 실현된다. 의학적 개입을 하기 전 의사나 연구자는 환자나 연구대상자에게 충분한 정보를 제공하고 자발적인 동의를 받아야 한다. 이러한 동의는 의학적 개입에 대한 윤리적 필요뿐만 아니라 법적인 요구이기도 하다. 동의자의 의사결정 능력과 동의 과정이 자발적으로 이루어졌는지, 설명이 객관적이고 정확했는지 등이 전제되어야 한다.

정의란 의료에서 공정한 의료자원 분배의 문제이다. 성별이나, 인종, 민족에 따라 차별받지 않아야 하며 인간으로서 최소한의 의료를 보장받아야 한다는 것이 정의의 원칙에 근거해 논의되는 내용이다. 의료자원의 배분, 우선 순위 정하기 등과 같은 어려운 문제들이 정의의 실현과 관련된 내용이다.

의료 행위를 하면서 악행을 하지 않고 도움이 되는 행위를 해야 한다는 것은 오래전부터 의료 윤리의 바탕을 이루고 있던 원칙이었다. 근대 시민 사회의 성립으로 개인의 자유와 권리가 새로운 가치로 정립되면서 개인의 자율성이 의료 행위에서 중요한 위치를 차지하게 되었으며 이와 함께 의료가 정의롭게 이루어져야 한다는 필요성이 제기되었다. 또한, 의료란 모든 인간이 누려야 할 권리로 차별받지 않아야 하는 것은 당연하지만 의료 인력 및 자원이 충분하지 않을 경우 어떤 순서로 배분할 지에 대한 사회적 합의가 필요한 부분도 있다.

2. 동의서

의사가 특정 의료 행위를 할 때 충분한 설명을 하여 환자가 이해하고 선택할 수 있도록 해야 한다. 많은 의료 행위는 위험이 동반된다. 의료 행위를 하는 이유와 그에 따른 부작용에 대하여 중립적인 위치에서 설명할 수 있어야 한다.

동의서의 내용은 지속적으로 변한다. 즉 새로운 지식이 더해지면 동의서의 내용도 바뀌어야 하며 새로운 기술이 도입되면 그것과 기존의 내용을 서로 비교하고 선택할 수 있는 안목을 갖춰야 한다. 따라서 의사는 자신이 하는 진료 내용에 대하여 새로운 지식 습득에 열의를 가지고 임해야 한다. 관련 내용을 모두 알면 제일 좋지만 그렇지 못하다면 최소한 권위 있는 기관에서 주기적으로 발행하는 가이드라인은 확인해야 한다. 따라서 의료 윤리에는 지속적으로 새로운 지식을 습득해야 할 의무도 포함하게 된다.

만일 이런 일을 게을리 한다면 정확한 내용이 전달되지 않아 부정확한 동의가 이루어지게 된다. 즉 보험에서 불완전 판매와 같은 것이다. 논어의 내용이 2000년도 더 지난 지금도 바뀌지 않지만 의학은 5년 전에 일상적으로 행해지던 진료가 폐기되기도 한다.

최근에는 일부 행위를 하는데 있어서 동의서는 법적으로 반드시 필요한 과정이 되었다. 이러한 과정에서 동의서를 받지 않을 경우 법적인 제제를 받을 수도 있게 되었다.

동의서를 대상 환자에게 직접 받는 것이 제일 좋지만 환자의 의식 상태가 정상이 아니거나 아니면 미성년일 경우 적당한 대리자를 선택하여 받아야 한다. 환자가 충분히 동의서를 받을 수 있는 상태인데도 불구하고 심리적인 영향을 고려하여 대리인을 찾는 것은 바람직하지 않다.

3. 적절한 의학적 처치를 거부하는 경우

환자가 의학적으로 적절한 처치를 거부하면 먼저 동의 과정에서 잘못되지 않았는지 확인해야 한다. 환자의 진료에 여러 의사가 관여되어 있으면 종종 일어날 수 있다. 따라서 책임지고 있는 의사가 처음부터 동의 과정에 대한 설명을 다시 한다.

설명 과정에서 문제가 없는데 적절한 의학적 처치를 거부할 경우 환자의 인지 능력에 이상이 없는지 확인해 볼 필요가 있다. 정신과 의사의 도움을 받아 인지 능력에 이상이 없는 상태에서 이루어진 것인지 확인할 필요가 있으며 만일 의사결정과정에 문제가 있다면 대리인을 찾는 것도 한 방법이다.

의사결정과정에 아무런 문제가 없는데도 불구하고 의학적으로 적절한 모든 처치를 거부하면 진료를 할 수 없는 상태가 되므로 의학적으로 인정받지 못한 처치를 받을 수밖에 없다. 의학적으로 인정받지 못한 처치가 왜 도움이 되지 않는지에 대하여 충분히 이해할 수 있도록 설명해야 한다.

4. 도움이 되지 않는 처치를 요구하는 경우

의학적으로 고려되지 않았던 처치를 요구하면 일단 환자의 의견을 충분히 청취한 뒤에 판단해야 한다. 만일 그것이 현재 치료에 도움이 된다면 수용할 수 있다. 하지만 도움이 되지 않거나 심지어는 해가 될 수 있다고 판단되면 충분히 설명한 뒤에 환자가 요구하는 처치를 하지 않는 것이 의료 윤리에 부합한다.

Ⅱ 산과 윤리

1. 산전 진단

임신 중 태아의 질병 상태를 미리 알아내는 것을 산전 진단이라고 하며 주로 태아의 염색체 이상을 포함한 유전적 질환과 형태적 이상이 주 대상이 된다. 유전적 이상의 진단은 염색체 검사가 대표적이며 최근 검사 빈도가 늘어나고 있는 염색체 마이크로 어레이(chromosomal microarray)검사도 있다. 선별검사(screening test)로는 산모혈청과 태아 DNA를 이용한 검사, 초음파를 이용한 태아 목덜미 투명대 측정 등이 있다. 태아의 형태적 이상의 진단은 초음파가 가장 중요한 역할을 하고 있다.

1) 선별검사

선별검사란 전체를 대상으로 진단검사를 하면 위험성이 높거나 비용이 많이 소요될 때 고위험군을 골라내어 이들만 진단검사를 하여 효용성을 높이고자 고안된 검사이다. 어떤 선별검사를 선택하느냐에 따라 고위험군의 비율이 달라진다. 예를 들어 민감도가 높은 검사(실제 질병을 가지고 있는 산모를 많이 포함)는 더 많은 환아를 발견할 수는 있지만 고위험군의 수가 많아져 침습적 진단검사를 해야 할 산모의 숫자가 늘어나 그에 따라 희생되는 태아의 수와 비용이 늘어나게 된다. 지금까지 선별검사는 고위험군의 비율을 높이지 않으면서 민감도를 높이기 위하여 발전하였다. 따라서 비용을 고려할 때 어떤 선별검사가 적합할 지에 대하여 최신 정보를 바탕으로 선택할 수 있어야 한다. 무엇보다 선별검사의 목적이 질병이 있는 모든 환아를 발견하는 것이 아니라는 것을 이해해야 한다.

산모혈청선별검사는 1970년대부터 사용하기 시작하여 1980년대 이후 염색체 이상의 선별검사로 널리 사용되고 있다. 보통 고위험군의 비율을 5%로 했을 때 민감도(sensitivity, detection rate)로 검사의 효용성을 비교하는데 최근 초기 목덜미 투명대를 포함한 초음파통합 산모혈청검사는 95%의 민감도를 보고하고 있다. 최근 관심을 끌고 있는 비침습적 산전검사 (non-invasive prenatal test, NIPT)는 삼염색체 이상(trisomy)의 선별검사로 고안이 되었으며 고위험군의 비율을 획기적으로 낮추면서(0.1~0.5%) 높은 민감도를 보인다. 특히 다운 증후군의 경우 민감도가 거의 100%에 가까워 이상적인 선별검사로 생각되고 있다. 하지만 아직도 약 3%에서 결과를 낼 수 없음(no call)으로 보고하고 있어 고위험군의 비율이 낮은 장점이 무색해진다. 또한 비용 문제도 고려해야 한다. 즉 기존의 선별검사와 비교했을 때 장점도 있지만 단점도 있기 때문에 최근의 권고안이나 연구 결과들에 항상 관심을 가지고 있어야 한다.

2) 진단검사

(1) 침습적 방법

대표적으로 양수천자술, 융모막생검, 제대혈천자술이 있다. 침습적 방법은 검사에 따른 태아손실이 일어날 수 있고 비용이 많이 든다. 양수천자술이나 융모막생검에 따른 태아손실률이 수백 명에 한 명 꼴로 매우 낮다고 설명하는 의사도 있지만 2001년부터 2010년까지 약 3만명을 대상으로 한 연구에서 양수천자술 후 추가된 태아손실률을 0.48%(1/208), 질식 융모막생검은 1.36%(1:74), 복식 융모막생검은 1.03%(1:97)로 보고하고 있다.

검사에 따른 태아손실률은 각 병원에서 검사한 결과를 보여주는 것이 바람직하다. 이 때 반드시 전제가 되어야 하는 것은 검사한 모든 산모의 추적 관찰된 정보가 있어야 한다. 추적이 되지 않는 산모들에서 나쁜 예후를 보이는 경우가 많아 일부라도 추적 관찰이 되지 않으면 실제보다 낮은 태아손실률을 보일 수 있다. 예를 들어 1000명이 검사를 했는데 10명의 결과를 알 수 없다면 99%의 높은 추적률이지만 10명 중 3명이 유산되었다면 적은 숫자이지만 유산률에 미치는 영향은 매우 크다.

전통적인 염색체 검사는 DNA를 이루는 염기를 기준으로 최소 5 MB (megabase) 이상의 결손이나 중복 등이 있을 때 발견할 수 있기 때문에 적은 부위의 문제는 발견할 수 없어 염색체 검사가 정상이라는 것이 아이에게 유전적 문제가 없다고 할 수는 없다. 염색체 마이크로어레이 검사는 훨씬 정밀하여 적은 부위의 이상을 알아낼 수 있지만 불확실 변이형(variants of unknown significance, VUS)이라는 결과가 나왔을 때 소아청소년과의 아이들을 대상으로 검사할 때와는 달리 산전에는 임신 종결이라는 선택을 할 수도 있어 판단에 어려움이 있다. 또한, 헌팅턴병 등 일부 유전질환은 나이가 들어서 발병하는 경우가 있는데 그런 질병을 산전에 진단하여 부모가 결정하는 것이 윤리적인지도 고민해야 한다.

(2) 비침습적 방법

초음파는 태아에 대한 위험이 거의 없어 널리 사용되고 있는 방법이다. 하지만 정밀초음파는 대상군에 따라 정확성이 많이 다르다고 알려져 있다. 최근에 초기 정밀초음파로 저위험군에서는 약 30% 고위험군에서는 60%이상 발견했다고 보고하고 있다.

초음파 검사는 시술자의 숙련도에 따라 차이가 많이 난다. 즉, 초음파로 태아 기형을 찾아내는 비율은 논문에 보고된 수치와 각 기관의 수행 능력이 다를 수 있기 때문에 각 기관에서의 결과를 토대로 설명할 수 있어야 한다. 이런 문제를 줄이기 위해 학회 등에서는 인증을 통해 질관리(quality control)를 하고 있다.

장기에 따른 차이도 많다. 복부, 안면 등은 정확도가 높지만 심장, 근골격계 등은 상대적으로 정확도가 떨어질 뿐만 아니라 초음파로 진단이 되었더라도 일부 소견은 태어난 신생아의 예후를 정확히 예측할 수 없는 경우도 자주 있다. 예를 들어 뇌실확장증은 다양한 원인에 의해 나타나기 때문에 같은 정도의 뇌실확장증이라도 원인에 따라 신생아의 예후는 큰 차이를 보이며 내반족(clubfoot)도 산전 초음파 소견으로 출생 후 치료 방법을 예측하기 어렵다. 초음파 진단에 따른 예후 예측을 나타낸 표이다(표 34-1).

또한, 태아는 발달 과정 중에 있기 때문에 임신이 어느 정도 경과해야 처음으로 이상이 발견되기도 한다. 따라서 임신 20주에 이상이 없었더라도 임신 30주에 발견될 수도 있다. 예를 들어 뇌는 태어나서도 발달을 지속하기 때문에 편평뇌증(lissencephaly)의 진단은 임신이 상당히 진행되더라도 정확한 진단이 어려우며, 공장(jejunum)이나 특히 회장(ileum)의 폐쇄는 일찍 결정되더라도 태아의 장내 분비물 등이 많아지는 30주 가까이 되어야 초음파로 처음 확인할 수 있다.

또 다른 비침습적 검사로 자기공명영상(magnetic resonance image, MRI)은 어린이나 성인에서는 초음파와 비교할 수 없는 정확성을 보이지만 산모의 자궁 내 있는 태아의 평가에는 상대적으로 효용성이 떨어진다. 산전 MRI의 해상도는 초음파보다 낮지만 초음파 빔(beam)이 통과하기 어려운 위치의 기관도 평가할 수 있다는 장점이 있다. 비용이 비싼 만큼 이득이 분명히 있다고 판단될 때만 사용해야 한다.

3) 윤리적 고려

침습적인 진단검사는 물론이지만 태아에게 해가 없는 선별 검사와 비침습 검사도 최신 임상지침에 따라 하는 것이 윤리적인 진료의 기본이다. 예를 들어 2007년 임상지침에서 나이만으로 침습적 염색체 검사는 하지 말 것을 권고했지만, 일부에서는 아직도 고령 임신에서 양수 검사를 일차적으로 권고하기도 한다. 비침습적 검사도 비용 효과를 판단하여 충분한 산전 상담을 통하여 가장 적절한 검사를 선택할 수 있도록 해야 한다. 또한 검사를 하더라도 처치에

표 34-1. 산전 진단된 기형의 분만 후 예후에 따른 분류

Ⅰ : 분만 후 생존을 기대하기 어려운 질환
무뇌아 (anencephaly) 양측 신장 무형성증 (bilateral renal agenesis) 영아성 다낭성신증 (infantile polycystic kidney)

Ⅱ : 예후가 나쁘지만 분만 후 특별히 할 수 있는 방법이 없는 질환
다운증후군 등 염색체 이상 (chromosomal abnormalities) 바이러스 감염 (congenital viral infections) 관절 고정 (arthrogryposis)

Ⅲ : 이상은 있지만 분만 후 정상적으로 살 수 있는 질환
일측성 신장 무형성증 (unilateral renal agenesis) 경미한 손가락 혹은 발가락 이상 (syndactyly, polydactyly, hypodactyly)

Ⅳ : 심각한 이상이지만 수술로 대부분 정상적으로 살 수 있는 질환
배꼽탈출 (omphalocele) 복벽열상 (gastroschisis) 구순-구개 열 (cleft lip and/or palate) 심장질환 (congenital heart diseases)* 선천성폐기도 이형성증 (congenital pulmonary airway malformation) 폐분리증 (pulmonary sequestration) 십이지장 폐쇄 (duodenal atresia) 공장 혹은 회장 폐쇄 (jejunal or ileal atresia) 천미부 기형종 (sacrococcygeal s:(lower case) teratoma)

Ⅴ : 수술을 하더라도 높은 사망률을 보이는 질환
1) 좌심실형성부전증 (hypoplastic left heart syndrome, HLHS) 2) 선천성횡격막탈장 (congenital diaphragmatic hernia, CDH)

Ⅵ : 생존은 가능하지만 높은 유병률을 보이는 질환
척추이분증 (spina bifida)

Ⅶ : 진단은 간단하지만 원인에 따라 다양한 예후를 보이는 질환
1) 뇌실확장증 (ventriculomegaly) 2) 양수과다증 (polyhydramnios)

* 일부 질환 제외
 modifed from 임상윤리학 3판, 2014

영향을 주지 못한다면 특히 침습적인 검사의 경우 산전에 궁금해서 하기에는 비용과 위험이 따르기 때문에 신중한 접근이 필요하다.

2. 인공임신중절

인공임신중절은 임신한 여성과 태아(혹은 배아)의 갈등 상황이며 태아 아버지도 관계될 수 있다. 임신부의 권익을 우선이라는 주장과 생명권이 우선한다는 주장이 대립하고 있으며 사회적 인식과 법적 장치가 어떻게 작동히느냐에 따라 다양한 결과가 나타날 수 있다. 한 개체의 선택이 다른 개체에 불이익 내지는 악행으로까지 이어질 수 있다. 갈등의 당사자로서 태어나지 않은 태아를 인정할 수 있는지 누가 태아의 권리를 보호해 줄 수 있는지에 대한 논의도 중요한 부분이다.

1) 태아의 독립성

자궁 내 태아는 독립된 생명체인가 아니면 임신부의 부속물인가? 태아를 고유의 가치를 가지고 있는 생명체로 인정해야 한다는 주장과 임신부 신체의 일부이기 때문에 임신부의 의지로 포기할 수 있다는 주장으로 나뉘게 된다. 태어난 아이는 생명체로 인정하지만, 정자와 난자를 각각 독립된 생명체라고 하지는 않는다. 수정된 난자가 잠재적 인격성을 가지고 있다고 하더라도, 일반적으로 말하는 인격성과 동등한 정도로 인정할 수 있는가에 대하여 이견이 있을 수 있다. 임신이 되고 태어나기 전까지의 임신 기간 중 언제부터 독립적 생명체로서 인정하는 것이 타당할까?

① 수정
② 수정 후 3주 이후: 인간의 기관형성이 일어나는 시기(배아기)
③ 수정 후 8주 이후: 태아의 성장 발육이 일어나는 시기(태아기)
④ 태어나도 생존이 가능한 시기(임신 24주 이후)
⑤ 분만 이후부터

생명중시론적 입장은 수정이 이루어진 시기부터 인격체를 가진 생명으로 간주한다. 한편, 수정된 배아는 세포 덩어리에 불과하며 사람으로서의 특징을 갖추게 되는 시기 즉, 기관 형성이 완성된 시기라든지 감각을 느끼는 시기 등을 기준으로 생명체로 인정해야 한다는 주장도 있다. 의학적으로 가장 널리 받아들여지는 것은 임신 24주부터로 태아가 임산부의 몸 밖으로 나와서 살 수 있어 태아 생존성 (fetal viability)을 나누는 기준이다. 이때부터 태아는 독립된 개체로 인정받아 태아에게 불리한 행위를 할 수 없도록 제한하며 보호자의 동의 없이도 신생아에 대한 소생술 (resuscitation)을 한다. 하지만 태아 생존성이란 상대적인 기준으로 신생아가 태어나는 곳의 의료 수준에 따라 달라질 수 있다. 예를 들어 임신 27주에 중환자 진료가 가능한 의료 기관에서 분만하면 대부분 생존하지만, 개발도상국에서 태어나면 살기 어렵다. 신생아 처치가 발달한 일본에서는 22주를 기준으로 하고 있으며 우리나라도 2019년 헌법재판소의 선고에 따라 향후 22주로 될 가능성이 크다.

2) 윤리적 논의

인공임신중절의 가장 큰 논점은 태아의 생명권과 임산부의 자율적 결정권 중 어느 것을 우선하느냐의 문제로 요약될 수 있다. 종교적 도덕이론인 권리와 의무에 기초한 의무론적 도덕이론은 절대적인 선과 가치를 기준으로 하고 있으며 공리주의적 관점에서 행동의 결과를 중요시 하는 결과주의적 도덕이론은 관여되는 개체들의 즐거움이 고통보다 많다면 윤리적으로 옳다고 보는 견해이다. 생식의 자유(reproductive freedom)를 지지하는 사람들은 여성은 자신이 임신의 유지 혹은 종결의 선택권 뿐 만 아니라 피임법 사용의 권리 및 자신이 몇 명의 아이를 낳을 지도 포함되어야 한다고 주장한다. 임신의 주체가 여성이기 때문에 주로 여성의 권리에 초점이 맞춰 있지만 생식 문제에서 남성의 자유 혹은 권리에 대한 논의의 필요성도 있다. 하지만 일부의 사람들은 생식의 자유가 무제한의 자유를 의미하는 것은 아니며 원하지 않는 임신을 중도에 포기할 수 있는 권리까지를 의미하지 않으며 권리가 있다고 하더라도 태아의 생명권을 넘어서지는 못한다고 주장한다.

(1) 태아의 생명권

교황청에서 1974년 공포한 '인공유산 반대 선언'(Declaration on Procured Abortion)에서 생명의 존엄성과 독립성을 다음과 같이 기술하고 있다.

"생명의 여러 단계에 따른 어떠한 차별도 다른 차별과 마찬가지로 결코 정당화시킬 수 없다. 이 생명권은 방금 태어난 유아에게도 성인 못지않게 똑같이 존중되어야 한다. 실제로 인간 생명의 존중은 잉태되는 첫 순간부터 요구되는 것이다. 난자가 수정되는 순간부터, 아버지의 것도 어머니의 것도 아닌, 한 새로운 사람의 생명이 시작된다. 그것은 그 자신의 성장을 가지는 한 새로운 사람의 생명인 것이다. 만일 그것이 사람의 생명이 아니라면 결코 그것이 사람이 되지는 않을 것이다. (중략) 영혼이 언제 부여되느냐에 대한 논쟁과는 전혀 별도로, 현대 유전학은 이 자명한 불변의 원리를 확인해 준다. 이 생명체가 자라나서 충분히 결정된 독자적인 특성을 지닌 한 사람이 될 프로그램이, 잉태되는 첫 순간부터 수립되어 있다는 사실을 유전학은 증명해주었다. 잉태되는 첫 순간부터 인간 생명의 모험이 시작되는데, 모든 잠재력이 각기 제자리를 발견하고, 행동할 태세를 취하려면 꽤 긴 시간이 요구된다. (중략) 설령 태아가 인간이냐 아니냐에 관해서 아직 의문이 남아있다 하더라도, 감히 살인을 무릅쓴다는 것은 윤리적 관점에서 볼 때 확실히 객관적으로 중죄이다. 인간이 될 자는 이미 인간이다." (신앙교리 성성, 인공유산 반대 선언 12-13항). 윤리학자인 다니엘 칼라한은 여성은 인공임신중절을 선택할 권리를 가져야 하지만 동시에 태아도 권리를 가질 수 있으며 임신한다는 것은 중대한 윤리적 행위라고 믿는다고 밝히고 있다. 어느 누구도 자신의 생명권을 박탈당할 만한 아무런 짓도 하지 않은 죄 없는 사람을 고의로 죽일 수 있는 권리를 가지지 못한다. 그런데 태아가 생명에 대한 완전하고 동등한 권리를 지닌 인간이라는 주장에 모두 동의하고 있지는 않다.

(2) 임신부의 결정권

여성은 자신이 어머니가 될 것인지 아닌가에 대한 결정권을 가지고 있어 원하지 않은 임신의 종결은 스스로 할 수 있다는 견해이다. 고대로부터 인공임신중절에서 산모의 결정권을 우선적으로 고려했으나 기독교 생명 윤리가 도입되면서 태아의 생명권에 대한 주장과 맞서는 개념이 되었다. 유엔에서는 1979년 여성에 대한 차별의 철폐를 위한 회의에서 여성이 자유롭게 그리고 책임 있게 아이의 수와 터울을 결정할 권리가 있음을 선포했다. 여성이 자신의 가치, 바람, 정신적-신체적 상태 등을 고려하여 스스로 인공임신중절을 선택했다면 이는 태아의 생명권보다 우위에 있다고 보는 견해이다. 여성운동이 활발해지고 여권 신장이 일어나면서 이와 관련된 의견이 적극적으로 대두되었고 인공임신중절을 찬성하는 것이 여성운동의 당연한 주장으로 알려지게 되었다. 하지만 일부 여성운동가들 중에는 여성 운동이 선택우선권 (pro-choice)을 당연히 받아들이는 것으로 오해받고 있는 것에 대하여 자신들의 견해를 다음과 같이 밝히고 있다. 여성들이 인공임신중절을 선택하는 것이 단순히 아이스크림이나 자동차를 고르는 것과 마찬가지로 생각해서는 안 된다는 것이다. 실제로 대부분의 여성들이 인공임신중절을 선택하여 자유를 누린다고 생각하지 않는다. 인공임신중절은 신체적, 정신적 고통이 따르지만 현실적인 그리고 사회적인 압력, 주위로부터 도움을 받을 수 없다는 절박한 심정에서 더 이상 다른 선택이 없어 마지못해 하는 행동이라는 것이다.

미국에서 1973년 로 대 웨이드(Roe vs. Wade) 사건으로 알려진 대법원 판례에서 임신 중절할 권리를 기본적인 권리로 인정하였다. 임신부가 원할 경우 임신 첫 1분기에는 인공임신중절을 금하지 말라고 했으며 임신 2분기에는 임산부의 건강을 지키기 위한 경우만 할 수 있다고 하여 미국에서의 인공임신중절의 표석을 마련하였다.

3) 우리나라 법 규정

우리나라 형법은 어떠한 경우에도 인공임신중절을 허용하지 않았다(형법 제 269조, 270조). 형법에서는 시술한 의사는 물론이고 인공임신중절을 의뢰한 여성도 처벌을 받도록 했었다. 1973년 모성의 생명과 건강을 보호하고 건전한 자녀의 출산과 양육을 도모한다는 목적으로 모자보건법이 제정되었으며 이 법 제14조에는 형법에서 금지하고 있는 인공임신중절을 허용하는 예외적 상황을 포함하고 있었다. 모자보건법 14조 2항의 '우생학적 또는 유전학적 정신장애나 신체질환'에 대하여는 인공임신중절을 할 수 있다고 되어 있으며 여러 차례 대통령령 15조 2항을 개정하였으나 법조문의 문제로 실제 의료 현장을 제대로 반영하지 못하였다. 법 조문의 불완전성으로 아무 이상 없는 건강한 태아를 합법적으로 인공임신중절을 할 수도 있고, 생존이 어려울 정도의 심각한 이상이 있는 태아의 인공임신중절은 불법이 될 수도 있었다. 2009년에 개정된 대통령령의 내용은 표 34-2와 같다.

모자보건법의 가장 큰 문제는 부모가 이상이 있을 때만 인공임신중절이 가능하고 태아의 이상은 인공임신중절의 대상이 되지 않았다는 점이다. 부모에게 이상이 있으면 태아가 건강하더라도 인공임신중절이 합법적으로 가능하고 부모가 이상이 없다면 태아가 무뇌아나 심각한 염색체 이상이 있더라고 불가능했다. 즉 산전에 태아 이상을 진단하더라도 부모가 정상이면 인공임신중절을 할 수 없어 산전 진단의 필요성이 크지 않았다. 이런 모자보건법과 관계없이 우리나라 산부인과 의사들은 산전혈청선별검사, 산전진단, 초음파 검사 등을 꾸준히 해왔고 보건복지부에서는 산모혈청선별검사와 정밀초음파를 보험급여로 받을 수 있게 했다. 한편, 생명윤리 및 안전에 관한 법률에는 산전에 유전병을 진단할 수 있도록 했다. 수천 개가 넘는 유전병 중 200여 질환만 법적으로 가능한 검사로 인정하였다. 하지만 이 법에서 허용하여 심각한 유전병을 산전에 진단하더라도 모자보건법 14조에 따라 인공임신중절은 할 수 없었다.

표 34-2. 대통령령 15조 [인공임신중절수술의 허용한계]

의사는 다음 각 호의 어느 하나에 해당되는 경우에만 본인과 배우자(사실상의 혼인관계에 있는 사람을 포함한다. 이하 같다)의 동의를 받아 임신중절수술을 할 수 있다.
1. 본인이나 배우자가 대통령령으로 정하는 우생학적 또는 유전학적 정신장애나 신체질환이 있는 경우
2. 본인이나 배우자가 대통령령으로 정하는 전염성 질환이 있는 경우
3. 강간 또는 준강간(準强姦)에 의하여 임신된 경우
4. 법률상 혼인할 수 없는 혈족 또는 인척간에 임신된 경우
5. 임신의 지속이 보건의학적 이유로 모체의 건강을 심각하게 해치고 있거나 해칠 우려가 있는 경우

인공임신중절과 관련된 형법, 모자보건법 그리고 뒤늦게 제정된 생명윤리 및 안전에 관한 법률까지 현실과 법적인 괴리는 이와 관련된 의사들에게 양심적 갈등을 일으키게 하는 근거가 되었다. 또한, 국제적 기준으로 하는 진료가 법적 처벌의 대상이 되기도 하여 오랫동안 산부인과 의사를 힘들게 만들었다.

지난 2019년 4월 11일 헌법재판소는 낙태죄 위반으로 기소된 산부인과의사가 청구한 헌법소원심판에서 현행 형법 269조와 270조에 대하여 헌법불합치 선고를 하여 인공임신중절과 관련된 획기적인 변화를 가져 오게 되었다.

2017헌바127(형법 제269조 제1항 등) 위헌소원 사건

헌법재판소는 2019년 4월 11일 재판관 4(헌법불합치):3(단순위헌):2(합헌)의 의견으로, 임신한 여성의 자기낙태를 처벌하는 형법 제269조 제1항, 의사가 임신한 여성의 촉탁 또는 승낙을 받아 낙태하게 한 경우를 처벌하는 형법 제270조 제1항 중 '의사'에 관한 부분은 모두 헌법에 합치되지 아니하며, 위 조항들은 2020. 12. 31.을 시한으로 입법자가 개정할 때까지 계속 적용된다는 결정을 선고하였다. [헌법불합치]

헌법재판소의 선고에서 임신한 여성이 '임신 유지와 출산여부에 관한 자기결정권을 행사'라고 기술하여 사회적 요인에 의한 인공임신중절도 가능하게 하였으며 '태아가 모체를 떠난 상태에서 독자적으로 생존할 수 있는 시점인 임신 22주 내외에 도달하기 전'을 결정가능기간으로 지정하였다. 사실상 인공임신중절의 적응증과 시행 가능 시기까지도 정하였다고 볼 수 있다. 현재 대한산부인과학회 등 유관학회와 보건복지부가 세부 사항에 대하여 논의 중이다. 인공임신중절을 받기 위해서 어떤 과정을 거쳐 결정하며 누가 시행하는지에 대한 문제, 어떤 방법, 즉 약물 사용과 수술적 방법 등 세부적인 내용이 머지않은 시간 내 결정될 것이다.

2020년 12월 31일이 지날 때까지 형법이 개정되지 않았고 과거의 형법은 효력이 없어져 인공임신중절과 관련되어 법이 없는 상태가 되었다. 새로운 형법이 어떤 형태로 개정되는지에 산부인과 모두 관심이 많을 것으로 생각된다.

이번 헌법불합치 선고로 앞으로 산전 진단과 관련된 소송의 많아질 것으로 생각된다. 지금까지는 진단이 틀렸더라도 인공임신중절을 할 수 없어 의사의 책임이 크지 않았지만 앞으로 산전 진단에서 이상을 발견하지 못하여 심각한 장애가 있는 아이가 태어나면 산전 진단을 못한 의사에게 책임을 물을 가능성이 있다. 이렇게 되면 의사들도 방어 진료를 하여 왜곡된 진료 형태가 나타날 것이 우려된다.

3. 임산부-태아 갈등

앞서 언급된 인공임신중절은 임산부-태아 갈등 중 하나이다. 임신부와 태아는 같은 영양 공급원(임신부)으로부터 영양 공급을 받아 서로 경쟁 관계에 있다. 그 이외에도 둘 사이의 갈등은 다양하다. 임신부가 하고 싶은 것을 임신이기 때문에 하지 못하여 임신부의 행복추구권에 제약을 받을 수 있다. 술, 담배는 태아에게 해롭다고 알려져 있어 임신하면 금지하라고 하며 위험한 스포츠도 사고로 인해 태아도 위험할 수 있어 제한을 권고하고 있다. 문제는 이런 권고를 듣지 않는 임신부를 법적으로 제한하거나 도덕적으로 비난할 수 있는가의 문제이다.

임신부의 질병이 심각하면 피임을 권유하거나 피임을 실패하면 초기 유산을 하기도 한다. 심장병이 있던 임신부가 악화되어 아이젠멩거증후군(Eisenmenger syndrome)이 되면 25~50%가 분만할 때 사망한다. 이 정도 사망률이면 그래도 판단이 쉽지만 1,000명에 한 명이 사망하는 질병이면 임신을 제한하는 것이 적당할까? 현재 우리나라의 모성사망비(maternal mortality ratio)는 약 0.01%로 10,000명 분만하면 한 명의 임산부가 사망하므로 이 정도면 일반 임산부보다 사망위험률이 10배 높아진다. 0.1%의 사망률이 높다고 생각하여 결혼하고 스스로 임신을 하지 않겠다는 여성도 있을 수 있다. 어느 정도 위험하면 임신의 포기를 정당하다고 할 수 있을까?

임신부가 유방암이 진단되어 치료가 필요할 때 만삭이면 분만 후 치료를 시작하면 되지만 임신 18주이거나 25주 등으로 유산 혹은 조기 분만을 고려해야 하는 상황은 결정이 간단하지 않을 수 있다. 항암 치료는 임신부의 유방암 치료에는 이득이 되지만 태아에게는 적어도 도움이 되지 않으며 종종 해를 끼치게 된다. 치료를 보류하고 임신을 유지하는 것이 태아에게는 좋지만, 그로 인해 임신부는 암의 진행이 일어나 위험한 상태가 될 수 있다. 하지만, 이런 상황은 넓은 의미에서는 갈등이라고 보기 어려운 부분도 있다. 태아가 약물에 노출되더라도 임산부의 생존이 늘어나면 아이에게 결국 도움이 될 수 있고 임신을 더 진행하여 조산의 시기를 늦추었다면 조산의 합병증이 줄어들어 임산부에게 이득이 될 부분이 있다.

태아곤란증이 의심되어 제왕절개분만을 권하는데 임신부가 수술을 거부하고 질식분만을 원한다면 어떻게 해야 할까? 미국에서 이런 상황이 발생하여 임신부의 동의 없이 수술할 수는 없고 그렇다고 태아의 위험을 방치할 수 없어 병원윤리위원회에 사건을 회부하여 결국 수술하기로 결정되었다. 그러나 며칠을 기다리는 동안 진통이 생겨 질식분만하였고 태아는 예상과 달리 건강했었다.

임산부에게 상담하는 내용은 확률이기 때문에 모든 임산부에서 같은 형태로 나타나는 것은 아니다. 또한, 음주, 흡연이나 항암치료에서 임신 시기뿐만 아니라 용량의 차이도 고려해야 한다. 태아곤란증이 의심되었다고 모든 신생아가 저산소성 뇌질환이 발생하는 것은 아니다.

우리는 외부 환경이 태아에 미치는 영향도 정확히 알지 못하며 태아의 상태를 정확하게 평가하는 도구를 갖지 못한 상태에서 상담하는 것의 한계점을 항상 유념해야 한다.

4. 태아와 태아의 갈등

태아–태아 갈등 상황은 다태임신에서 둘 이상의 태아 사이에서 상반된 이해관계가 발생하는 것을 말한다. 한 태아는 정상 발육을 하고 이상이 없는데 다른 태아는 발육이 늦고 여러 임상 상황도 태아곤란증이 의심되면 더 나빠져 사망하기 전에 분만을 진행시켜야 한다. 잘 자라고 있는 태아는 임신이 진행되어 충분히 큰 뒤에 나올 수 있었지만 태아곤란증이 의심되는 태아를 살리기 위해 일찍 분만되어 조산에 따른 합병증을 겪게 된다. 임신이 얼마나 진행되었는지에 따라 다르겠지만 이르면 이를수록 그 피해는 더 클 수 있다. 만일 태아곤란증이 있는 태아가 임신 24주 이전이거나 예상체중이 400 gram이 되지 않으면 태어나더라도 생존 가능성이 낮기 때문에 이융모막 다태임신에서는 나머지 태아에 미칠 위험을 고려하여 일찍 분만하지 않는다. 그러나 단일융모막 쌍태임신에서는 한 태아의 사망이 다른 태아에 영향을 미칠 수 있기 때문에 태아곤란증이 나타나거나 체중이 너무 적어 생존이 어렵다고 판단되는 상황에서도 다른 태아를 위해 일찍 분만할 수 있다. 일융모막 쌍태임신에서 한 태아가 사망하면 다른 태아가 약 30% 정도에서 사망하거나 신경학적 이상이 생기기 때문이다. 한 아이에 대한 선행이 다른 아이에서 악행금지원칙을 침해할 수 있는 상황이다.

5. 임산부가 원하여 시행하는 제왕절개분만

분만 방법의 결정을 위해서 고려해야 할 점은 임산부와 태아의 건강이다.

제왕절개분만은 질식분만에 비하여 감염, 출혈, 혈전색전증이 많이 발생하며 마취에 의한 합병증도 있을 수 있고 드물지만 수술 중 복부 장기를 다칠 수도 있다. 또한 다음 임신에서 자궁 파열의 위험이 높아지고 전치태반 및 복강 내 유착도 더 많이 발생한다. 제왕절개분만을 한 여성에서 요실금과 골반장기탈출의 빈도가 자연분만을 한 여성에 비하여 드물지만 변실금은 차이가 없었다. 또한 수술 후 시간이 지남에 따라 요실금과 골반장기탈출에 대한 보호 효과가 점점 줄어드는 것으로 알려져 있다.

모성사망비가 낮은 나라 중 하나인 네덜란드의 최근 연구에 의하면 질식분만은 10만 명 당 3.8명, 제왕절개분만은 21.9명이었다. 이 중 제왕절개분만을 했을 때 수술과 직접 관련된 사망이 2명이며 수술 자체는 아니지만 수술이 사망에 이르게 하는데 영향을 준 사례를 더하면 13명까지 되어 제왕절개분만이 질식분만에 비하여 3.4배 더 위험하다고 보고하였다. 또 다른 연구에 의하면 제왕절개분만 자체에 의한 모성 사망비는 10만 명 당 2명, 질식분만 자체에 의한 사망률은 0.2명이라고 보고하고 있다. 따라서 모성사망비가 제왕절개분만에서 더 높은 것으로 알려져 있다.

39주 이전에 진통 없이 제왕절개분만으로 태어난 신생아들이 질식분만으로 태어난 신생아에 비하여 호흡기 질환, 폐동맥고혈압, 저체온증, 저혈당, 신생아 중환자실 입원 등의 빈도가 더 높으며 입원기간도 길다고 알려져 있다. 제왕절개분만이 나은 항목도 있다. 주산기 사망률은 제왕절개분만으로 태어난 아이에서 낮았는데 이것은 제왕절개분만은 대부분 40주까지 하지만 질식분만은 진통이 없으면 42주까지 기다리기 때문으로 생각된다. 자연 진통을 기다리는 동안 특별한 이유 없이 일어나는 자궁내 태아사망이 발생할 수 있으며 이것은 임신 기간이 길어짐에 따라 늘어나게 된다. 임신 38주에 자궁내 태아사망이 1,000명당 0.8명, 41주에 1,000명당 3.4명이 발생하는 것으로 보고되었다. 뇌출혈은 두 군에서 비슷했으나 진통이 생기기 전에 수술했던 신생아에서 뇌병변과 신생아 가사의 빈도가 질식분만, 수술적 질식분만(흡입분만, 겸자분만), 진통을 하다가 제왕절개분만을 했던 군과 비교하여 낮았다는 연구도 있다. 한편 캘리포니아주에서 58만여명을 대상으로 분만 직후 신생아 머리 출혈의 발생률을 비교한 연구에서는 수술적 질식분만을 했던 군에서 1,000명당 4명, 진통을 하다 제왕절개분만을 한 군에서는 1명, 자연질식분만을 한 군에서는 0.5명, 진통 없이 제왕절개분만을 한 군에서는 0.5명이라고 보고하였다. 수술이 질식분만보다 태아에게 더 안전하다는 것은 확인되지 않았다.

임산부들은 제왕절개분만이 태아에게 더 안전하다고 생각하거나 분만 진통을 겪을 자신이 없어서 원하는 경우가 많지만 제왕절개분만이 임산부와 태아 모두에게 더 안전하다는 증거는 없다. 따라서 장단점을 충분히 설명하여 분만 방법을 선택할 수 있어야 한다.

임산부 혹은 태아가 제왕절개분만을 할 이유가 없는데 산모가 원하여 실시하는 제왕절개분만에 대한 미국산부인과학회의 공식적 의견은 다음과 같다.

1. 제왕절개분만의 적응증이 없으면 질식분만이 안전하고 적절한 방법이다.

2. 제왕절개분만의 위험을 알고 최종적으로 결정한 임산부의 경우

  1) 39주 이전에는 시행하면 안된다.

  2) 진통 중 통증을 줄여줄 방법이 없다고 제왕절개분만을 해서는 안된다.

  3) 만일 임산부가 향후 여러 명의 아이를 낳을 계획이 있다면 특히 권해서는 안된다.

맺는 말

의료 윤리의 독특한 점은 사유적인 영역만으로는 이루어질 수 없고 증거 기반의 의학적 지식이 있어야 한다. 만일 태아에게 새로 도입된 치료를 사용하고자 할 때 그 치료법의 효과, 합병증의 종류 발생 빈도 그리고 만일 그 치료을 하지 않을 경우 다른 치료법의 효과와 합병증에 대하여도 알고 있어야 한다. 산과 의료윤리는 생명과 관련되어 나타나는 다양한 윤리 문제를 해결하는 데 필요하다. 앞으로 헌법재판소의 선고에 따라 법적 영역이 산과 진료의 행태에 영향을 주어 새로운 윤리 기준이 정립될 것으로 예상된다.

■ **참 고 문 헌** ▓▓▓▓▓▓▓▓▓▓▓▓▓▓▓▓▓▓▓▓▓▓▓▓▓▓▓▓▓▓▓▓▓▓▓▓

1. 서울대학교의과대학 인문의학교실. 임상유전학. 3판 서울:서울대학교출판문화원:2014.
2. Bakker M, Birnie E, Robles De Medina P, Sollie KM, Pajkrt E, Bilardo CM. Total pregnancy loss after chorionic villus sampling andamniocentesis: a cohort study. Ultrasound Obstet Gynecol 2017; 49: 599–606.
3. Declaration on Procured Abortion available from: http://www.vatican.va/roman_curia/congregations/cfaith/documents/rc_con_c faith_doc_19741118_declaration-abortion_en.html.
4. DiGiovanni LM. Ethical issues in obstetrics. Obstet Gynecol Clin N Am 2010;37:345-357.
5. Ethical decision making in obstetrics and gynecology. ACOG Committee Opinion No. 390. American College of Obstetricians an Gynecologist. Obstet Gynecol 2007;110:1479-1487.
6. FIGO Committee for the Study of Ethical Aspects of Human Reproduction and Women's Health. Ethical Issues In Obstetrics And Gynecology. London:Figo House:2012.
7. Karim JN, Roberts NW, Salomon LJ, Papageorghiou AT. Systematic review of first-trimester ultrasound screeningfor detection of fetal structural anomalies and factors thataffect screening performance. Ultrasound Obstet Gynecol 2017; 50: 429–441.

OBSTETRICS & GYNECOLOGY

생식
내분비학

사춘기
Puberty

1. 사춘기의 내분비 변화를 소아기 및 성인기와 비교하여 설명한다.
2. 유방과 음모의 발달에 관한 분류(Tanner 등급)를 설명한다.
3. 사춘기 지연발달과 사춘기 조발증을 설명한다.
4. 사춘기 조발증의 원인 중 중추성과 말초성을 감별한다.
5. 사춘기를 정의하고 시작 시기와 남녀의 차이점을 설명한다.
6. 성성숙도와 신체 변화의 관계를 이해한다.

1. 정의

사춘기는 2차 성징이 나타나며 생식능력을 얻게 되는 시기로 정의한다. 생식샘호르몬에 의한 음성 또는 양성 되먹임 고리(feedback loop)가 설정되고 생식샘자극호르몬의 일간(circadian) 및 일중(ultradian) 리듬의 변화가 나타난다. 사춘기의 발달은 한정된 기간 내에 순차적으로 나타나는 예측 가능한 과정이다.

2. 정상 사춘기 발달

1) 사춘기 시작에 영향을 미치는 인자

사춘기의 시작 시기를 결정하는 가장 중요한 인자는 유전적 요인이다. 이밖에 전반적인 건강 및 영양 상태, 심리 상태, 지리적 차이, 빛의 노출 정도가 영향을 줄 수 있다. 또한 빠른 사춘기의 가족력이 있는 경우에 사춘기의 발달이 일찍 시작된다.

초경을 위해서는 일정 수준 이상의 체중 혹은 체지방이 필요하므로 영양 상태가 초경에 영향을 준다. 중등도의 비만 시 초경이 빨라지는 반면, 심한 영양 결핍 시 초경이 지연된다.

지리적 차이로는 도시, 적도의 근접 지역, 고도가 낮은 지역에 거주할 때 사춘기의 시작이 빠르고 빛의 노출 정도에도 영향을 받아서 맹인에서는 초경이 빨라진다(표 35-1).

2) 신체의 발달

사춘기 발달의 첫 징후는 성장이 가속되는 것이지만, 실질적으로 처음 인지되는 신체의 변화는 유방봉우리 형성(breast budding)이다. 유방 발달(thelarche)에 이어 음모와 액와모 발달(pubarche), 최대성장속도(peak growth velocity), 초경, 그리고 배란이 순서대로 나타난다(표 35-2). 사춘기 발달에는 평균 4.5년이 소요된다. 유방과 음모의 발달은 태너 등급(Tanner stage)에 의해 5단계로 구분된다(표 35-3 & 그림 35-1).

표 35-1. 사춘기나 초경의 시작 시점을 결정하는 인자들

인자	빨라지는 경우	지연되는 경우
영양 상태	중등도 비만	심한 영양 결핍
지역	도시, 적도부근, 고도가 낮은 지역	시골, 적도에서 먼 지역, 고도가 높은 지역
가족력	사춘기가 빠른 가계	
빛에 노출	맹인소녀	

표 35-2. 사춘기시 신체의 발달

부신피질기능항진(adrenarche)	부신 androgen 생성의 증가		7~8세
성샘기능개시(gonadarche)	LH와 FSH 방출의 개시		10세
유방발달(thelarche)	유방발달의 시작	에스트로겐	10세
음모와 액와모의 발달(pubarche)	음모와 액와모의 발달	안드로겐	10.5세
초경(menarche)	월경의 시작	에스트로겐	12.5세

표 35-3. **Tanner 발달 단계**

발달단계	유방 발달	음모 발달
1 단계(사춘기 전)	유두만 돌출	음모 없음
2 단계	유방, 유두 상승 유륜 커짐	약간 착색된 부드러운 직모 대음순의 내측 경계
3 단계	유방, 유륜 더 증가 윤곽에 차이 없음	더 짙고 곱슬거림 두덩이에 나타남
4 단계	유륜과 유두가 유방 위로 이차 융기	거칠고 곱슬곱슬 성인보다 적음
5 단계	유두 돌출, 유륜 퇴거 성숙한 유방 모습 성인 유형	삼각형으로 분포 때로는 대퇴 내측도 분포

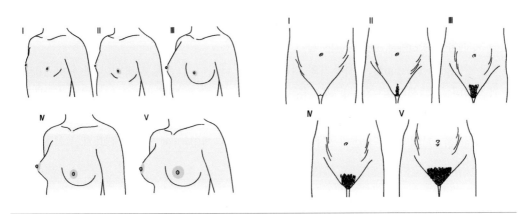

그림 35-1. **Tanner 발달 단계: 유방과 음모**

(1) 부신피질기능항진(Adrenarche)

7~8세에 부신피질의 그물층(zona reticularis)에서 남성호르몬, 즉 DHEA (dehydroepiandrosterone)와 DHEA-S (dehydroepiandrosterone sulfate)의 분비가 증가하는 것을 말하며 13~15세까지 계속된다.

(2) 생식샘기능개시(Gonadarche)

부신피질기능항진 이후 2~3년이 지나 시상하부-뇌하수체-난소 축이 활성화되는 생식샘기능개시가 시작된다. 시상하부에서 생식샘분비호르몬방출호르몬의 파동성 분비가 증가하여 뇌하수체의 난포자극호르몬 및 황체형성호르몬의 파동성 분비를 자극한다. 초기에 주로 수면 중에 나타나는 생식샘자극호르몬의 분비는 이후 하루 종일 지속되며 난소에서 에스트로겐이 분비되도록 하여 사춘기의 특징적인 신체변화를 일으킨다.

(3) 유방발달(Thelarche)

유방발달은 사춘기 발달의 첫 형태학적 징후이며 혈중 에스트로겐의 증가에 반응하여 나타난다. 대략 3~3.5년에 걸쳐서 유방이 발달한다. 백인 미국 여아의 유방발달 평균 나이는 10세이다.

(4) 음모와 액와모 발달(Pubarche)

유방의 발달이 시작된 후 부신남성호르몬이 일정 수준 이상이 되면 음모와 액와모가 발달한다.

(5) 최대성장속도(Peak growth velocity)

성장촉진(growth spurt)은 사춘기의 다른 징후가 나타나기 전에 시작되어 보통 9~10세경에 관찰되며, 최대성장속도(peak growth velocity)는 초경 1년 전인 11~12세경에 나타난다. 성장은 혈중 에스트로겐의 증가에 따른 성장호르몬과 인슐린유사성장인자-1(insulin-like growth factor-1)의 이차적 변화 또는 성장호르몬과 관계없는 에스트로겐의 직접 작용에 의해 나타난다.

(6) 초경(Menarche)

평균 초경 나이는 12~13세 사이이며 사춘기가 시작되고 성장이 가속된 지 약 2.6년 후에 초경이 나타난다. 초경 후 월경 주기는 불규칙한 경우가 흔하여 무배란 주기가 12~18개월 정도 지속되지만 초경 4년 후에는 무배란 주기가 감소한다.

(7) 배란(Ovulation)

사춘기 후기에는 에스트로겐의 양성 되먹임 반응이 성숙되어 황체화호르몬 급증(surge)과 배란이 유발된다.

3) 호르몬의 변화

(1) 태생기

태생기 10주까지는 시상하부와 뇌하수체에서 생식샘분비호르몬방출호르몬과 생식샘자극호르몬이 분비된다. 출생 시까지 생식샘자극호르몬과 성스테로이드호르몬은 증가되어 있으나 출생 후 수주 내에 감소하여 소아기 동안은 낮게 유지된다.

(2) 소아기

사춘기 전까지는 시상하부-뇌하수체가 에스트로겐의 음성 되먹임에 매우 민감하여 낮은 에스트로겐(혈중 농도 10 pg/ml 정도)에 의해서도 억제된다.

(3) 사춘기 초기

사춘기 발달과 관련된 호르몬의 변화는 명확한 신체 변화가 나타나기 전에 이미 시작된다. 초기 사춘기에 성스테로이드호르몬의 음성 되먹임에 대한 민감도가 감소한다. 즉, 생식샘자극호르몬을 조절하는 시상하부-뇌하수체의 억제는 감소하고, 생식샘분비호르몬방출호르몬에 대한 생식샘자극호르몬의 감수성은 증가되어 생식샘자극호르몬의 혈중 농도는 전체적으로 증가하며 파동성으로 분비되고 특히 밤중에 증가를 보인다.

(4) 사춘기 후기

사춘기 후기에는 성숙된 에스트로겐의 양성 되먹임 반응에 의해 황체화호르몬 급증이 유발되어 배란 주기가 완성된다. 사춘기 전 여아에서는 에스트론이 주된 혈중 에스트로겐이지만 사춘기 동안 에스트라디올이 지속적으로 증가하여 에스트론/에스트라디올의 비가 감소한다. 이는 난소에서 에스트로겐의 생성이 점차 중요해지는 반면 말초에서 안드로겐의 에스트로겐으로의 전환은 중요성이 감소함을 의미한다.

사춘기 시작 시 생식샘자극호르몬의 증가와 함께 성장호르몬의 분비도 증가한다. 이는 에스트로겐의 영향에 의한 것으로 성장호르몬은 조직에서 인슐린유사성장인자-1의 생성을 자극한다. 사춘기 후기에는 성장호르몬의 분비가 감소하기 시작하며, 비록 생식샘스테로이드호르몬이 높더라도 성장호르몬이 사춘기 전 수준으로 감소한다.

3. 사춘기 발달이상

1) 분류

(1) 지연 사춘기(Delayed puberty)

지연사춘기는 13세까지 2차 성징이 발현되지 않는 경우, 15세까지 초경이 없는 경우, 사춘기 발달이 시작된 후 5년이 지나도 초경이 없는 경우를 말한다.

(2) 비동시성 사춘기(Asynchronous puberty)

정상적인 사춘기 발달 양식에서 벗어난 경우이다.

(3) 조발사춘기(Precocious puberty)

사춘기 발달이 비정상적으로 일찍(백인 여아에서는 7세, 흑인 여아에서는 6세 이전) 시작되는 경우로 정의된다. 원인이 시상하부-뇌하수체의 활성에 있는 경우를 중추성 혹은 진성 조발사춘기라고 하며, 생식샘분비호르몬방출호르몬의 분비없이 말초에서 성호르몬이나 비뇌하수체생식샘자극호르몬 등의 분비에 의해 나타날 때 말초성 혹은 가성 조발사춘기라고 한다.

동일한 성으로 발달을 보일 때 동성(isosexual) 조발사춘기, 반대 성으로 발달 시에는 이성(heterosexual) 조발사춘기라고 한다.

(4) 이성 사춘기(Heterosexual puberty)

정상 사춘기가 기대되는 나이에 반대 성의 특징으로 발달하는 경우를 말한다.

2) 지연 사춘기

(1) 원인

① 해부학적 이상

여성 생식기의 유출통로 폐쇄와 다양한 뮬러관 기형으로 처녀막 막힘증(imperforate hymen), 가로질중격(transvaginal septum), 자궁무형성(Mayer-Rokitansky-Kuster-Hauser syndrome)이 대표적이다.

② 고생식샘자극호르몬 생식샘저하증(hypergonadotropic hypogonadism)

생식샘발생장애(gonadal dysgenesis)로 터너증후군(Turner syndrome), 모자이시즘(mosaicism), 순수생식샘발생장애(pure gonadal dysgenesis)가 있다.

터너증후군의 핵형은 45,X 또는 45,X/46XX, 45,X/46XY 등의 모자이시즘으로 나타난다. 키가 작고 이차 성징이 일어나지 않으며 당뇨병, 갑상선질환, 고혈압이 흔히 동반된다. 인지능력의 영향을 받을 수 있으나 지적 능력은 정상이다.

순수 생식샘발생장애에는 46,XX와 46,XY가 있으며 46XY인 경우 스와이어증후군(Swyer syndrome)이라고 한다.

또한 조기난소부전(primary ovarian insufficiency)이 있다.

③ 저생식샘자극호르몬 생식샘저하증(hypogonadotropic hypogonadism)

지연사춘기의 가장 흔한 원인은 생리적(physiologic) 또는 체질적(constitutional) 지연이다. 칼만(Kallmann)증후군은 후각상실증(anosmia)을 동반하는 생식샘저하증이다.

중추신경계종양으로는 두개인두종(craniopharyngioma), 프로락틴샘종(prolactinoma) 등이 원인일 수 있고, 시상하부와 뇌하수체 기능이상으로 스트레스, 운동, 체중감소, 신경성식욕부진증(anorexia nervosa), 고프로락틴혈증 등이 있다.

(2) 진단과 치료

36장 무월경. 일차성 무월경 참조

3) 비동시성 사춘기(Asynchronous puberty)

정상 발달에서 벗어난 사춘기 발달을 보이는 경우로 안드로겐무감증후군(androgen insensitivity syndrome)이 있다. 유방은 발달되지만 음모는 희박하다. 표현형은 여성이나 핵형이 46,XY로 고환에서 항뮬러관호르몬(antimüllerian hormone)을 생성하여 자궁과 난관이 없다. 외부생식기는 여성이나 질은 짧고 맹관이다. 생식샘의 악성 종양 발생 위험이 나이에 따라 증가하지만 25세 이전에는 높지 않으므로 생식샘절제(gonadectomy)는 사춘기 발달 이후로 미룬다.

4) 조발사춘기(Precocious puberty)

여성이 남성에 비해 20배 흔하다. 여성의 90%에서 원인이 특발성인 반면 남성은 10%에서만 특발성이다.

(1) 분류 및 원인
중추성 또는 말초성 조발사춘기로 분류할 수 있다.

① 중추성 조발사춘기(Central precocious puberty)
진성 조발사춘기 또는 생식샘분비호르몬방출호르몬의존성 조발사춘기라고 한다. 시상하부-뇌하수체-난소 축이 조기에 활성화되어 발생한다. 특발성 혹은 체질적 발생이 중추성조발사춘기의 가장 흔한 원인이며, 이밖에 중추성 신경계 병변, 뇌종양, 감염, 선천성 기형(수두증 등), 그리고 뇌손상 등이 있다.

② 말초성 조발사춘기(Peripheral precocious puberty)
가성 조발사춘기 또는 생식샘분비호르몬방출호르몬비의존성 조발사춘기라고 한다. 난소나 부신으로부터 성호르몬이 분비되거나 외인성 호르몬을 사용하여 발생한다.

동성 또는 이성 조발사춘기로 분류할 수 있다.

가. 동성 조발사춘기(Isosexual precocious puberty)
난소 혹은 부신의 종양이 원인이 된다. 과립막세포종양(granulosa cell tumor)은 에스트로겐을 분비하는 난소종양이다. McCune-Albright 증후군은 골의 다골섬유이형성(polyostotic fibrous dyspalsia), 피부의 반점(cafe au lait spots), 생식샘분비호르몬방출호르몬비의존성 성조숙증을 보인다. 외인성 에스트로겐이 원인이 될 수 있고 원발성 갑상선기능저하증에서 성조숙과 고프로락틴혈증에 의한 유루증이 동반될 수 있다.

나. 이성조발사춘기(Heterosexual precocious puberty)
항상 말초성 조발사춘기 형태로 나타나며 선천성부신증식증이 가장 흔한 원인이다.

(2) 진단

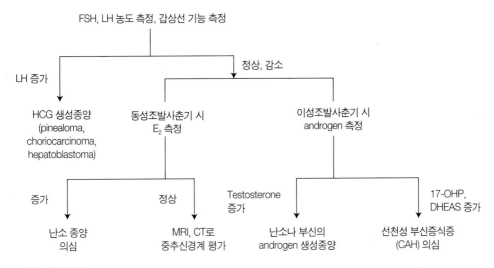

+골연령도 함께 측정

(3) 치료

치료의 목적은 성장 촉진을 억제하여 조기 성장과 동반된 조기 골단판막힘(epiphyseal closure)을 예방하는 것이다. 필요한 경우 뇌 또는 난소종양 등의 심각한 질환을 진단 및 치료하여 이차 성징을 중단시킴으로써 정상 나이까지 성발달을 억제시킨다.

특발성 조발사춘기에 대한 최선의 치료는 생식샘분비호르몬방출호르몬작용제이다. 적절한 나이에 도달할 때까지 치료를 계속해야 하며, 치료를 중단하면 사춘기 발달이 재개된다. 원인을 확인할 수 있는 경우에는 수술, 화학요법, 방사선요법 등을 통한 근본적 치료가 가능하다.

5) 이성 사춘기(Heterosexual puberty)

이차 성징이 반대 성으로 발달하는 경우로, 가장 흔한 원인은 다낭성난소증후군이다.

무월경
Amenorrhea

학습목표

1. 무월경의 진단 과정 및 검사방법을 설명한다.
2. 무월경의 진단 과정에서 "withdrawal bleeding" 유무의 의미를 설명한다.
3. 무월경의 원인에 따른 치료원칙을 설명한다.
4. 무월경의 치료법중 배란유도에 관한 기본적 약제 및 적응증에 대하여 설명한다; 불임 참조

1. 무월경의 정의와 분류

1) 무월경의 정의

(1) 원발성 무월경(primary amenorrhea)

① 2차 성징의 발현 없이 13세까지 초경이 없는 경우

② 2차 성징의 발현은 있으나 15세까지 초경이 없는 경우

(2) 속발성 무월경(secondary amenorrhea)

① 월경을 하던 여성이 3번 이상 정상 월경주기를 건너뛰고 월경이 없는 경우

② 월경을 하던 여성이 6개월 이상 월경이 없는 경우

표 36-1. 무월경과 함께 2차 성징의 발현이 없는 경우

비정상 골반 검사
XY염색체 환자에서 5α-reductase 결핍증, 17,20-lyase 결핍증, 또는 17α-hydroxylase 결핍증 선천성 지방성 부신 증식증(Congenital lipoid adrenal hyperplasia) 황체형성호르몬 수용체 결손(Luteinizing hormone receptor defect)

고 생식샘자극호르몬 생식샘저하증(Hypergonadotropic hypogonadism)
생식샘발달장애(Gonadal dysgenesis) 난포자극호르몬 수용체 결손(Follicular-stimulating hormone receptor defect) X 염색체 부분 결손 성 염색체 모자이시즘 환경적, 치료적 난소 독소 XX염색체 환자에서 17α-hydroxylase 결핍증 갈락토스혈증(Galactosemia) XX염색체 환자에서 선천성 지방성 부신 증식증(Congenital lipoid adrenal hyperplasia)

저 생식샘자극호르몬 생식샘저하증(Hypogonadotropic hypogonadism)
생리적 지연 Kallmann 증후군 중추신경계 종양 시상하부/뇌하수체 기능부전

표 36-2. 해부학적 이상에 의한 무월경

2차 성징의 발현이 있는 경우
뮬러관 이상(Mullerian abnormalities) 처녀막 막힘증(Imperforated hymen) 가로 질 중격(Transverse vaginal septum) Mayer-Rokitansky-Kuster-Hauser syndrome 안드로겐 무감증(Androgen insensitivity) 진성 반음양증(True hermaphroditism) 자궁내막 무형성증 자궁내유착(Asherman syndrome)

기왕의 자궁 또는 자궁경부 수술로 인한 이차성
소파술, 특히 분만 후 원뿔 생검(cone biopsy) 환상투열요법(loop electroexcision procedure, LEEP) 감염으로 인한 이차성 골반염 자궁 내 장치 관련 결핵 주혈흡충증(Schistosomiasis)

표 36-3. **2차 성징의 발현 후 발생하는 난소 기능 부전의 원인**

염색체 이상(터너 증후군)
FMR1 premutation
의인성 원인: 방사선치료, 항암화학요법, 난소의 혈액공급을 방해하는 수술
감염
자가면역-림프구성 자가면역성 난소염
갈락토스혈증
Perrault 증후군
특발성(전체의 80~90%)

2. 2차 성징의 발현이 없는 원발성 무월경

1) 원인

(1) 2차 성징의 발현이 없는 고 생식샘자극호르몬 생식샘저하증

(Hypergonadotropic hypogonadism)

① 유전적 이상

- 터너 증후군(Turner syndrome, 45 X)
  - 생식샘 부전과 원발성 무월경의 원인이 되는 가장 흔한 염색체 이상질환
  - 저신장, 익상경, 방패형 가슴, 외반주, 낮은 모발선 등의 징후 동반
  - 염색체 검사로 터너 증후군이 확인되면 심장 및 신장 기형과 자가면역질환에 대한 검사를 시행해야 함
- 비정상 X염색체
- 모자이시즘(Mosaicism): 45X/46XX가 가장 흔함
- 순수생식샘발달장애(Pure gonadal dysgenesis)
- 혼합생식샘발달장애(Mixed gonadal dysgenesis): 생식샘 중 한쪽은 흔적 생식샘이고 다른쪽은 정상인 기형 생식샘을 보이는 경우

② 드문 효소 결핍

- 선천성 지방성 부신 증식증(Congenital lipoid adrenal hyperplasia)
- 17α-hydroxylase 결핍증
- 17-20 desmolase 결핍증
- Aromatase 결핍증
- Galactosemia

③ 드문 생식샘자극호르몬 수용체 돌연변이(Rare gonadotropin receptor mutations)

- 황체형성호르몬 수용체 돌연변이(Luteinizing hormone receptor mutation)
- 난포자극호르몬 수용체 돌연변이(Follicular−stimulating hormone receptor mutation)

④ 다른 원인

사춘기 시작 전에 항암화학요법이나 방사선 치료로 인해 난소 기능에 심각한 손상을 입은 경우

(2) 저 생식샘자극호르몬 생식샘저하증(Hypogonadotropic hypogonadism)

① 생리적 지연: 가장 흔함, 골연령이 지연되어 있으며 대개 신장이 작다.

② Kallmann 증후군(Kallmann syndrome)

- GnRH의 박동성 분비부족으로 인해 발생
- 무월경, 2차 성징 발현 실패, 낮은 생식샘자극호르몬
- 후각상실증 동반될 수도 있다.

③ 다른 원인에 의한 GnRH 결핍

④ 시상하부/뇌하수체 기능부전

(3) 유전적 이상

① 5−α reductase 결핍증

② GnRH 수용체 돌연변이

③ 난포자극호르몬 결핍증

2) 진단

주의 깊은 과거력 청취와 신체검사는 생식샘저하증과 관련된 일차성 무월경의 적절한 진단과 치료에 필수적이다.

① 혈청 FSH, LH 농도: 고 생식샘자극호르몬 생식샘저하증과 저 생식샘자극호르몬 생식샘저하증을 감별하는데 반드시 필요함. FSH 농도가 증가되어 있는 경우 염색체 검사를 시행하여 45,X 염색체가 발견되면 터너 증후군으로 확진

② 터너 증후군의 30%에서 대동맥 협착증과 관련이 있고 갑상선 기능 이상과도 연관이 있으므로 터너 증후군 환자는 3~5년에 한번씩 심장초음파를 시행하고 매년 갑상선 기능 검사를 시행

③ 염색체 검사에서 이상이 있고 Y 염색체가 포함되어 있다면 종양 발생을 예방하기 위해 생식선 절제술 시행

④ 염색체 검사가 정상이고 FSH 농도가 증가되어 있는 경우, 17α-hydroxylase 결핍증을 의심하여야 하는데, 이는 치료하지 않으면 생명을 위협하는 질환임

⑤ FSH 농도가 낮다면, 저 생식샘자극호르몬 생식샘저하증을 확진. CT, MRI 등을 이용하여 중추신경계질환을 감별

⑥ 생리적 지연은 GnRH 분비가 부족한 경우와 감별하기 어려우므로 다른 질환을 배제하여 진단

3) 치료

생식샘 기능부전과 고 생식샘자극호르몬 생식샘저하증과 관련된 일차성 무월경 환자는 2차 성징의 발현, 성숙 및 유지를 위해 주기적 에스트로겐과 프로게스테론 치료를 받아야 한다. 골다공증의 예방은 에스트로겐 치료의 추가적인 이점이다.

① 치료는 매일 conjugated estrogens 0.3 - 0.625 mg 또는 estradiol 0.5 - 1 mg로 시작

② 환자가 신장이 작다면 조기 골단부 폐쇄를 막기 위해 고용량은 피해야 함

③ 자궁이 있는 환자에서는 unopposed estrogen에 의한 자궁 내막 증식을 예방하기 위해 estrogen은 progestogen과 함께 투여해야 함

④ 모자이시즘 환자와 흔적 생식샘을 가진 환자에서 가끔 배란이 되어 자연적으로 임신이 되거나 estrogen 치료 후 임신이 되는 경우도 있음

⑤ 17α-hydroxylase 결핍증이 확진되면 corticosteroid 대체요법과 estrogen 치료를 시작

가능하다면 일차성 무월경의 원인을 치료한다.

① 두개인두종(craniopharyngioma): 경접형동접근법(transsphenoidal approach) 또는 개두술로 절제

② 배아종(germinoma): 방사선치료에 민감

③ 프로락틴분비선종(prolactinoma): 도파민작용제(bromocriptine 또는 cabergoline)

④ Kallmann 증후군: 호르몬 치료

⑤ 생리적 지연: 안심시키기

3. 2차 성징의 발현이 있고 골반 구조가 비정상적인 경우의 무월경

1) 원인

(1) 유출로와 뮬러관 이상(Mullerian abnormalities)

유출로가 막혔거나, 유출로가 없거나, 자궁이 기능하지 못한다면 무월경이 발생한다.

① 가로 막힘(Transverse blockages): 무공처녀막, 가로 질 중격, 자궁경부 또는 질 무형성증

② 뮬러관 기형(Mullerian anomalies): Mayer－Rokitansky－Kuster－Hauser syndrome

③ 기능하는 자궁내막이 없는 경우: 자궁내 유착(Asherman syndrome)

(2) 안드로겐 무감증(Androgen insensitivity)

① 표현형은 여성인 선천성 안드로겐 무감증은 2차 성징은 나타나지만 월경은 없음

② 유전학적으로는 남성이나 안드로겐 수용체의 기능을 막는 결함이 있어 여성 표현형으로 발달하게 됨

• 혈청 남성호르몬(testosterone)은 정상 남성 범위

• 질은 없거나 짧음

• Y 염색체에 정상적으로 기능하는 유전자에 의해 난소가 아닌 고환이 복강내에 또는 서혜부에 존재

• 환자의 액와모와 치모는 매우 적거나 없음

(3) 진성 반음양증(True hermaphroditism): 남성과 여성의 생식샘이 모두 존재

2) 진단

대부분의 선천성 기형은 신체검사로 진단된다.

① 처녀막 막힘증은 발살바 조작(Valsalva maneuver) 시 팽만되는 막을 보고 진단

② 신체검사만으로는 남성 가성반음양증(male pseudohermaphrodite)에서의 맹관과 여성에서의 가로 질 중격 또는 자궁경부와 자궁의 무형성증을 구분할 수 없음. 안드로겐 무감증은 액와모나 치모가 없음

③ 일차성 무월경 환자에서 자궁 무형성증은 신체검사로 진단할 수 없음

④ 자궁내유착(Asherman syndrome)은 신체검사로 진단할 수 없음. 자궁난관조영술(hysterosalpingography), 초음파자궁조영술(saline infusion sonography, saline hysterogram), 또는 자궁경검사(hysteroscopy)로 진단

3) 치료

① 처녀막 막힘증의 치료는 질 입구를 개방하기 위해 십자 절개를 함

② 가로 질 중격이 있는 경우 수술적 제거 필요

③ 기능하는 자궁이 있는 상태에서 자궁경부 무형성증 또는 저형성증은 다른 종류의 유출로 폐쇄의 치료에 비해 더 어려움

④ 질이 없거나 짧은 경우 점진적인 질 확장술은 질이 기능할 수 있게 하는데 성공적임

⑤ 안드로겐 무감증 환자에서, 고환은 사춘기 발달이 끝난 후에 악성 변성을 예방하기 위해 제거해야 함

⑥ 자궁내유착 같은 자궁경부와 자궁의 유착은 가위나 전기소작을 이용한 자궁경하 유착 박리술로서 제거할 수 있음

4. 2차 성징의 발현이 있고 골반 구조가 정상인 경우의 무월경

2차 성징의 발현이 있고 골반 구조가 정상인 경우의 무월경의 가장 흔한 원인은 임신, 다낭성 난소 증후군, 고프로락틴혈증, 조기난소부전, 그리고 시상하부 기능부전이다. 임신은 모든 가임기 여성의 무월경에서 고려해야만 한다.

1) 원인

(1) 다낭성 난소 증후군(PCOS)

① 고안드로겐혈증, 배란 장애, 다낭성 난소와 연관된 증후군

② 1990년 NIH criteria: 고안드로겐혈증, 희발월경 또는 무월경

③ 2003년 Rotterdam criteria: 고안드로겐혈증, 희발월경 또는 무월경, 초음파에서 발견된 다낭성 난소 세 가지 중 두 가지를 만족하는 경우 진단

④ 다낭성 난소 증후군은 불규칙적인 출혈을 보이기도 하지만 무월경의 가장 흔한 원인임

⑤ 다모증과 무월경, 다낭성 난소를 보이는 환자에서 안드로겐 분비성 부신 종양과 선천성 부신과다형성 또한 고려해야 함

(2) 고 유즙분비호르몬혈증(Hyperprolactinemia)

① 무배란을 일으키는 흔한 원인

② 증가된 유즙분비호르몬은 성선자극호르몬방출호르몬(GnRH) 분비를 교란시켜 월경 장애를 일으킴

③ 갑상선자극호르몬(TSH)과 유즙분비호르몬이 동시에 증가되어 있다면, 갑상선 기능 저하증을 먼저 치료한 후 고 유즙분비호르몬증을 치료

(3) 조기난소부전(Primary ovarian insufficiency, premature ovarian failure)

- 사춘기 전에 난소에서 호르몬 생성이 중단된다면 2차 성징이 발현되지 않을 것이고, 늦게 호르몬 생산이 중단된다면 정상적인 2차 성징이 발현됨
- 조기난소부전의 원인은 매우 다양하나, 대부분의 경우 그 원인은 모름

① 조기난소부전과 관련된 성염색체 이상과 단일 유전자 이상
- X 염색체 결손(터너 증후군): 난포의 폐쇄가 과속화되어 조기난소부전
- 47,XXX
- Perrault 증후군

② 취약 X 보인자(Fragile X carriers)

③ 조기난소부전의 의인성 원인
- 항암화학요법: cyclophosphamide와 같은 알킬화 약물
- 난소의 혈액공급을 방해하는 수술
- 방사선치료: 800 cGy는 대부분의 환자에서 불임을 유발, 나이가 많은 환자에서나 난소 기능이 저하된 환자에서는 150 cGy로도 난소부전을 유발

④ 감염: 드물지만 유행성귀밑샘염과 연관

⑤ 자가면역질환

⑥ 갈락토스혈증(Galactosemia)

(4) 뇌하수체와 시상하부 병변

① 시상하부 종양
- 정상 월경을 위해서는 시상하부에서 GnRH를 분비하고, 뇌하수체에서 FSH와 LH를 분비해야 함
- 두개인두종(craniopharyngioma), 배아종(germinoma), 결핵성 육아종 또는 육종 육아종, 기형종은 호르몬 분비를 방해

② 뇌하수체 병변
쉬한 증후군(Sheehan syndrome)

(5) 변형된 시상하부의 GnRH 분비

GnRH의 박동성 분비가 저하되면 희발월경, 무배란에서 심하면 무월경까지도 유발

(6) 섭식 장애

신경성 식욕부진(anorexia nervosa), 신경성 거식증(bulimia nervosa)

(7) 체중 감소와 다이어트

(8) 운동

① 운동으로 인한 무월경 환자에서는 GnRH 박동성 분비의 빈도가 감소
② 고강도의 운동, 영양 섭취 불량, 경쟁으로 인한 스트레스, 섭식 장애 등이 운동선수들의 월경 장애의 위험 요소
③ 골다공증은 운동 중 피로 골절을 가져오고 골절 위험도를 증가시킴

(9) 스트레스

(10) 비만

2) 진단

(1) 모든 가임기 여성의 무월경에서 임신 반응 검사를 반드시 시행한다. 임신 반응 검사에서 음성이면 다음의 검사를 시행한다.

① 에스트로겐 상태의 확인

가. 질건조증이나 열성 홍조가 있다면 저에스트로겐혈증을 진단할 수 있다.

나. 혈중 에스트라디올 농도가 40 pg/mL 이상 측정되면 에스트로겐이 충분히 생산되고 있다고 말할 수 있으나, 검사방법간 차이가 존재하고 한 환자에서도 날마다 농도 차이가 클 수 있다.

다. 프로게스틴 부하 검사는 혈중 에스트로겐의 농도가 정상인 경우 프로게스틴 치료(5~7일간의 메드록시프로게스테론 아세테이트(medroxyprogesterone acetate) 10 mg 투여 또는 프로게스테론 200 mg 근육주사) 후 생리가 유발되는 것을 말한다. 검사에 양성이라는 것은 쇠퇴성 출혈이 프로게스테론 치료 후 2~7일 이내에 발생하는 것을 말하여, 이것은 에스트로겐의 생성과 난소 기능이 정상임을 의미한다. 소량의 쇠퇴성 출혈이 있었다면 내인성 에스트로겐 생성이 경계 수준에 있다는 것을 의미하며, 쇠퇴성 출

혈이 없다면 생식샘저하증을 의미한다.

라. 그러나 프로게스틴 부하 검사는 위양성과 위음성이 흔하기 때문에 환자의 에스트로겐 상태를 알아보기 위하여 일상적으로 자주 사용되지는 않는다.

② **갑상선자극호르몬**(TSH)

③ **유즙분비호르몬**(prolactine)

④ **난포자극호르몬**(FSH)

⑤ **골반 초음파로 난소의 난포를 확인**

⑥ **유즙분비호르몬이 증가되어 있거나 시상하부 무월경이 의심되는 경우 뇌하수체와 시상하부의 영상학적 검사 시행**

(2) 갑상선과 유즙분비호르몬 이상

① 갑상선자극호르몬

② 유즙분비호르몬 측정 시 환자는 공복상태이며 최근 유방을 자극하지 않았어야 검사 결과가 정확함

(3) 난포자극호르몬 농도

① 난포자극호르몬이 2회 이상 40 mIU/mL 이상으로 측정되었다면 고 생식샘자극호르몬성 무월경으로 진단하며 이것은 난소 부전을 의미함

② 항뮬러리안호르몬(AMH)농도는 조기난소부전환자에서는 낮고 다낭성 난소 증후군 환자에서는 높음

(4) 뇌하수체와 시상하부 검사

환자가 저에스트로겐혈증이고 난포자극호르몬 농도가 낮다면, 뇌하수체와 시상하부 병변을 배제해야 함

① 신경학적 검사

② CT 또는 MRI

③ 환자의 병력 청취

3) 치료

(1) 시상하부 기능이상에 의한 무월경의 치료

① 호르몬을 분비하는 난소 종양은 수술적으로 제거(드물다)

② 비만, 영양실조 또는 만성 질환, 쿠싱 증후군, 말단비대증은 각 질환에 따라 치료

③ 스트레스로 인한 무월경은 정신치료에 반응함

④ 운동으로 인한 무월경은 운동강도의 조절 및 적절한 체중 증가를 통해 나아짐

⑤ 섭식 장애의 경우 다각적인 접근에 의한 치료가 필요하며 심각한 경우는 입원하여 치료

(2) 다낭성 난소 증후군

① 다낭성 난소 증후군 환자에서의 만성 무배란은 환자가 원하는 바를 알아본 후 치료해야 함

② 다낭성 난소 증후군 환자에서는 unopposed estrogen으로부터 자궁 내막을 보호해야 함

③ 프로게스토겐을 이용하여 소퇴성 출혈을 유발하여 자궁내막의 증식성 변화를 예방

(3) 조기난소부전

① 조기난소부전 환자와 같은 저 에스트로겐혈증 환자에서 성공적인 월경 조절과 골다공증 예방을 위해서 프로게스토겐과 함께 에스트로겐 치료를 병행해야 함

② 50세 이후에 폐경이 되는 환자에 비해 젊은 조기난소부전 환자에서는 호르몬 치료로 인한 위험도에 비해 그 이득이 훨씬 높음

(4) 다모증

① 경구용 피임약

② 항안드로겐: Spironolactone

③ GnRH agonist

④ Eflornithine Hydrochloride

(5) 배란 유도

① 무월경 또는 희발 월경 환자나 만성 무배란 환자들이 병원을 찾는 이유는 임신이 잘 되지 않기 때문임

② 클로미펜(Clomiphene citrate)은 비교적 안전하고 저렴하며, 복용이 간편하여 배란유도에 일차적으로 사용된다.

③ 다낭성 난소 증후군 환자: 클로미펜(Clomiphene)단독과 metformin 병행요법, injectable gonadotropin (FSH, LH)

④ 조기난소부전: 난자 공여를 통하여 임신 가능

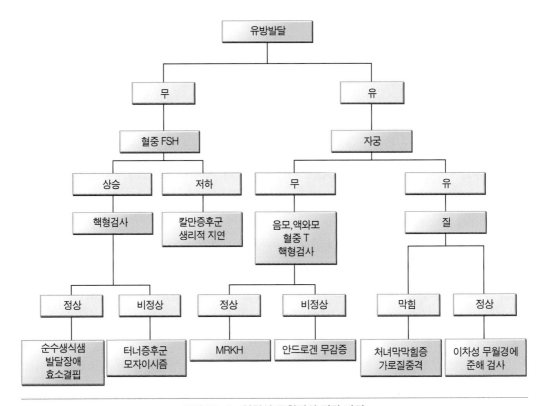

그림 36-1. **일차성 무월경의 진단 과정**

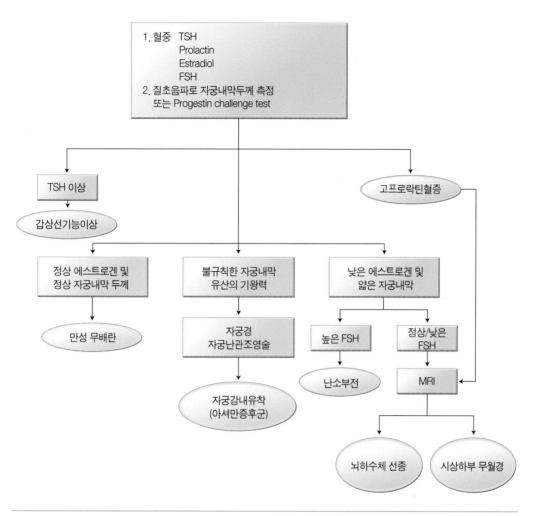

그림 36-2. 이차성 무월경의 진단 과정

1. 고안드로겐혈증(hyperandrogenism)이 흔히 동반되는 질환을 열거한다.
2. 다낭성난소증후군(polycystic ovarian syndrome)의 증상과 진단법을 설명한다.
3. 다낭성난소증후군(polycystic ovarian syndrome)의 치료 원칙에 대해 설명한다.
4. 고프로락틴혈증과 유루–무월경증을 연관짓는다.
5. 고프로락틴혈증의 원인을 분류한다.
6. 프로락틴 분비 선종과 기타 고프로락틴혈증의 원인 질환을 감별한다.
7. 프로락틴 분비 선종의 병태에 따른 치료법을 선택한다.

1. 다낭성난소증후군(Polycystic Ovary Syndrome, PCOS)

1) 정의

임상적 또는 검사상 고안드로겐혈증의 증상이 있으면서 희발월경이나 무월경 같은 임상증상을 특징으로 하는 질환

2) 유병률

5~10%

3) 진단

Rotterdam Consensus의 기준에 의하면

(1) 희발월경이나 무월경,

(2) Hyperandrogenism(고안드로겐증, androgen과다로 인한 임상증상) 또는 Hyperandrogenemia(고안드로겐혈증, 혈중 androgen치의 증가)

(3) 초음파상 다낭성 난소의 존재: 2~9 mm의 난포가 12개 이상이거나 난소의 용적이 10 mL이상인 경우

위의 3가지 가운데서 2가지 이상이 존재하고 다음의 5가지 질환이 아닌 경우에 진단함(고프로락틴혈증, Nonclassic congenital adrenal hyperplasia, 쿠싱증후군, 안드로겐분비종양, 말단비대증).

최근, 초음파 진단 기준의 변화로, 주파수 8MHz를 포함하는 질초음파로 평가시 일측 난소에서의 polycystic ovarian morphology (PCOM)의 역치는 한 쪽 난소당 follicle 수가 20개 이상 and/or 난소용적이 10 ml이상인 경우로 정의함.

그러나 초경 8년 이내에는 PCOS를 진단하는 데 있어 초음파 기준은 사용하면 안됨. 또한 irregular menstrual cycle을 정의하는 데 있어서도 초경 이후의 기간을 고려하여 결정하는 것이 필요함.

4) 증상

(1) 고안드로겐증(다모증, 남성형 탈모(male pattern alopecia), 여드름)

(2) 월경장애(무월경, 희발월경)

(3) 비만: PCOS 환자의 50% 이상

(4) 인슐린 저항성 또는 과인슐린혈증

(5) 비정상적인 lipoprotein 측정치: 가장 특징적인 변화는 HDL의 감소

5) 병리

• 난소가 정상에 비해 약 2~5배 크고 표면이 두꺼운 기질로 싸여 있으며 1 cm 미만의 작은 난포들이 존재하는 것이 특징

6) 병태생리

(1) Abnormalities in four compartments에 의해서 발생됨

- ovarian compartment
  - the most consistent contributor
  - dysregulation of CYP 17 (androgen 생성 효소)
- adrenal compartment
- peripheral compartment (skin, adipose tissue)
- hypothalamic-pituitary compartment
  - FSH는 증가하지 않지만 LH의 박동성 증가로 인하여 LH:FSH ratio증가
  - 약 30~40%에서 경증의 prolactin 상승을 동반

(2) A complex multigenetic disorder

후보유전자: Follistatin, CYP11A, Calpain 10⋯

(3) 인슐린 저항성과 과인슐린혈증

인슐린이 난소에서 안드로겐 생성을 증가시킨다.

7) 동반 질환 관리

- 모든 PCOS 환자는 심혈관계 질환의 위험 요소(비만, 흡연, 이상지질혈증, 고혈압, 내당능 장애, 활동 저하 등)에 대해서 평가해야 함.
- 모든 PCOS 초진 환자에 대해, 당뇨 선별검사를 시행하고(75 g OGTT), 정상일시 최소 3년 주기로 HbA1c 또는 FBS를 시행함.

8) 치료

- 환자가 피임을 원하는지 임신을 원하는지에 따라 치료 방법을 결정하지만 모든 환자에서 자궁내막을 보호하기 위해 프로게스테론 투여가 필요함. hyperandrogenism과 hirsutism은 동시에 치료 가능하지만 임신을 원하는 경우 효과적인 hirsutism의 치료는 어려움.

(1) 체중감소

- 비만을 동반한 PCOS환자에서 우선 권장되는 치료. insulin, SHBG, androgen을 감소시키고 배란이 돌아오며 건강이 증진됨.
- 6개월 동안 체중의 5~7%만 줄여도 free testosterone이 감소하여 75%에서 배란이 돌아오고 임신 가능

(2) 약물치료

표 37-1.

치료 원리	치료제/치료 방법
호르몬 억제제	Oral contraceptive pill Medroxyprogesterone GnRH agonist Glucocorticoids
스테로이드 합성효소 억제제	Ketoconazole
5α환원 효소 억제제	Finasteride
항안드로겐	Spironolactone Cyproterone acetate Flutamide
인슐린 반응개선제	Metformin Inositol
배란 유도제	Letrozole (1st line) Clomiphene Gonadotropin Metformin

(3) 수술적 치료

- ovarian wedge resection: 일시적으로 androstenedione을 감소시키나 장기적 효과는 미미
- laparoscopic electrocautery: clomiphene citrate에 반응하지 않는 중증의 PCOS 환자에서 ovarian drilling을 시행할 수 있으나 유착의 가능성이 있음.

(4) 기타

- Acne: Benzoyl peroxide, topical retinoid, oral antibiotics, oral isotretinoin 등 사용
- Physical methods of hair removal: bleaching, shaving, waxing, chemical depilatories, laser therapy 등

9) 장기(Long-term) 위험

① 대사증후군

② 자궁내막암, 난소암, 유방암

③ 우울증과 무드장애

2. 고안드로겐증(Hyperandrogenism)

1) 다모증(Hirsutism)

(1) 정의

• 남성과 같이 콧수염, 턱수염, 구레나룻(sideburns), 가슴, 유두 주위, 안쪽 허벅지, 등쪽 엉덩이 부위 등 신체의 midline 부위에 털이 과도하게 많음.

• 고안드로겐증의 가장 흔한 임상증상.

(2) 진단

다소 주관적일 수 있으나 가장 흔히 사용되는 기준으로는 The modified Ferriman-Gallwey hirsutism scoring system이 있는데, 인종적 변이가 크나 신체 중 9군데에서 0~4점에 해당하는 점수를 매겨서 총점이 ≥4~6이면 다모증으로 진단을 하는데 우리나라에서는 6점 이상을 다모증으로 진단

(3) 원인

④ androgen의 과다 생성

⑤ androgen에 대한 피부의 민감성의 증가

• 피부의 민감성은 5α-reductase의 활성에 따라 결정

* hypertrichosis - 눈썹, 팔다리, 몸통 등에 androgen-independent terminal hair가 자라는 것

* virilization - 목소리 변성, 근육량 증가, 음핵비후, 유방감소 및 여성형 체형의 변화 등과 같이 신체가 전체적으로 확연하게 남성화되는 현상

(4) androgen의 생성

① androgen은 부신과 난소에서 생성됨

② testosterone양의 50%는 androstenedione이 말초에서 변환된 것이고 나머지 50%는 난

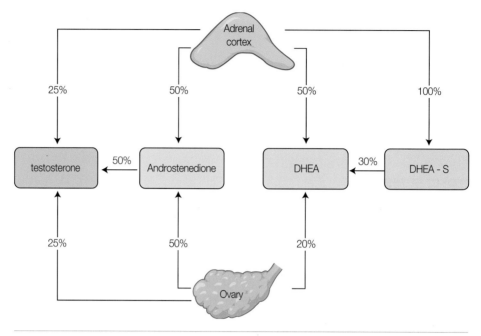

그림 37-1. **난소 및 부신의 안드로겐 합성 비율**

소와 부신의 분비로 이루어짐

③ androgenicity (DHT=300, testosterone=100, androstenedione=10, DHEAS=5)

(5) hyperandrogenemia의 검사

① 정상 testosterone치는 20~80 ng/dl이다. 200 ng/dl 이상이면 난소나 부신의 종양여부를 검사해 보아야 하고 DHEAS치는 350 ug/dl 이하가 정상인데 700 ug/dl 이상이면 부신에 종양이 있거나 Cushing 증후군을 의심해 보아야 함.

② hyperandrogenism과 hirsutism 그리고 anovulatory infertility의 가장 흔한 원인은 PCOS임.

2) 남성형 탈모 (male patern alopecia)

(1) 정의

앞면부 hairline은 잘 보존되면서 두피 중앙부의 hair density의 감소로 특징지어짐

(2) 진단

- 두 가지 전형적인 패턴이 있음. (i) Centrifugal expansion in the mid scalp (2) a frontal accentuation or Christmas tree pattern
- 모든 남성형 탈모를 보이는 환자에서 남성호르몬 과다에 대한 평가가 필요함
- androgen level은 정상이면서 단독 남성형 탈모를 보이는 경우는 hyperandrogenism으로 여기지 않아야 함.

3) 여드름(Acne)

- 현재 보편적으로 받아들여지는 acne를 평가하는 육안측정 지표는 없음
- Androgen Excess and PCOS society에서 report 예정

3. Congenital adrenal hyperplasia (CAH)

- steroidogenic enzyme을 합성하는 유전자의 변이로 cortisol 합성에 문제가 생기는 것을 특징으로 하는 상염색체 열성 질환임. cortisol 분비저하로 인한 음성 되먹임 억제 상실로 ACTH가 증가되며 이로 인해 adrenal androgen의 과다 분비가 이루어짐
- 유전자 변이 종류에 따라 표현형 및 심각도의 차이가 크며, 유년시절에 발병하는 typical type CAH인 경우 PCOS와 잘 구별됨. 그러나 nonclassical CAH (NC-CAH)는 PCOS와 많은 공통점(희발월경, 다모증, 고안드로겐 혈증, 여드름, 난임)을 가져 임상적면만으로 PCOS와 NC-CAH를 구별하기에는 어려움이 있어 호르몬 평가 등의 추가 평가가 필요함(ACTH stimulation test 등).

4. Cushing Syndrome

- ACTH dependent 또는 independent (adrenal neoplasm) 형태로 고안드로겐혈증을 보임
- Cushing syndrome 환자의 경우 80~100%의 환자에서 menstrual irregularities, 60~100%에서 hirsutism, 40~50%에서 Acne를 보임
- andreogen excess와 함께 다른 특징적인 feature를 보임; hypertension, myopathy,

thinned skin, easy bruisability, moon-facies, myopathy, cortisol excess
- PCOS 환자와는 달리, hypothalamic-pituitary axis가 suppression이 되어 있어 serum estradiol, LH, FSH 수치는 낮아져 있음

5. Androgen secreting neoplasm

- PCOS에서 보이는 hyperandrogenism과 menstrual dysfunction을 모방함(mimic)
- 빠르게 진전되는 hyperandrogenism (특히 폐경이후), 남성화의 징후 등이 neoplastic process를 시사함
- ovarian androgen secreting neoplasm, androgen-producing tumor of the adrenal gland이 있음

6. Idiopathic Hirsutisum

- 배제진단
- androgen에 대한 평가 필요 (normal circulating androgen), normal ovulatory function 확인 필요, normal ovarian morphology

7. Prolactin disorder

1) 유즙분비호르몬 분비
- 뇌하수체전엽 호르몬으로 정상치는 5~27 ng/dl임
- 혈액 채취는 midmorning 또는 시술 직전에 하는 것이 바람직하며 박동성을 가지고 분비되는 데 난포기 후기에는 하루 14번, 황체기 후기에는 하루 9번의 박동성으로 분비됨.
- dopamine에 의해 억제되므로 종양에 의해 시상하부에서 뇌하수체로 가는 길이 방해되거나 항정신병약 등에 의해 dopamine 수용체가 억제되면 혈중 유즙분비호르몬이 증가

하는데 주로 생체 불균형, 약제, 신기능 감소에 의해 유즙분비호르몬이 상승하며, 급성 스트레스, 통증에 의해서도 일시적으로 상승하지만 유즙분비호르몬상승의 가장 흔한 원인은 항정신병약, 항도파민제제와 같은 약제 복용임.

- 유즙분비호르몬이 정상보다 증가하였다면 약제사용에 대한 병력 청취와 갑상샘기능저하증에 대한 검사가 가장 먼저 시행되어야 함.

2) 고프로락틴혈증(Hyperprolactinemia)

(1) 원인

① 생리적: 임신

② 약물: 항정신병약(항우울증치료제 - imipramine)

        dopamine antagonist (Phenothiazine, metoclopramide)

        기타(cimetidine, methyldopa)

③ 대사장애: 신장기능상실(renal failure), 간경화

④ 프로락틴 분비촉진인자: 에스트로겐, 생식샘자극호르몬분비호르몬, 갑상샘자극호르몬분비호르몬

⑤ 종양: 프로락틴분비미세샘종, 프로락틴분비거대샘종

(2) 고프로락틴혈증과 유루-무월경과의 관계

- 유즙분비호르몬이 상승하게 되면 일차적으로는 생식샘자극호르몬분비호르몬의 박동성 분비 장애를 초래하여 배란이 억제되어 무월경이 발생하게 됨. 이차적으로는 과립막세포의 수를 줄이고 과립막 세포에서 분비되는 에스트로겐의 분비도 억제하며 부적절한 황체화와 프로게스테론 분비가 감소되는 기전으로 배란을 억제함. 유즙분비와 무월경이 동반되어 있는 환자는 2/3에서 고프로락틴혈증을 보이며 이 중 1/3은 뇌하수체샘종이 존재함.
- 사춘기가 늦은 여아는 반드시 유즙분비호르몬과 TSH를 평가

(3) 치료

① **프로락틴분비 미세샘종**(microprolactinoma, <1cm)

i) 고프로락틴혈증이 있는 여성의 1/3에서 영상학적 검사상 1 cm 미만의 미세샘종이 확인됨. 미세샘종은 대부분 경과가 양호하여 저절로 사라지는 경우가 많으며 거대샘종으로 성장하는 일은 거의 없음.

ii) 치료: 기대요법, 약물요법

- 기대요법: 임신을 원하지 않으면서 생리가 정상인데 미세샘종이 있거나 샘종이 없는 고프로락틴혈증이 있는 경우
- 약물요법: 약물치료로 dopamin agonist인 cabergoline과 bromocriptine을 쓸 수 있음. 사용시 60~85% 환자에서 정상 프로락틴수치를 유지하며 치료 시작 이후 6~8주 이내에 70~90%의 환자에서 월경 주기를 회복, 50~75%의 환자에서 배란 주기를 회복함. 프로락틴 분비 종양의 1st line 치료제로 사용되는 cabergoline은 장시간 지속형 도파민 작용제로 일회 투여로 7일간 유즙분비호르몬 분비가 효과적으로 차단됨. bromocriptine도 사용할 수 있음. bromocriptine은 복용 중에 오심, 구토, 두통, 저혈압, 현기증, 피로, 어지러움, 비충혈, 변비 등과 매우 드물지만 정신반응으로 환청 등이 나타날 수 있는데, 이런 경우에는 질속으로 투여해 볼 수 있음. 두 약제 모두 임신 중 투여는 가능함. 다만, fetal exposure에 대한 data는 bromocriptine이 carbegoline 보다 더 많은데, 유산이나 조산의 위험을 높이지 않는 것으로 보고됨. cabergoline과 bromocriptine의 비교 연구에서 고프로락틴혈증의 치료 효과 및 정상 배란 회복 효과는 cabergoline이 bromocriptine에 비해우수한 것으로 조사되었고, 복용관련 부작용도 적은 것으로 보고된 바 있음.

② **프로락틴분비 거대샘종**(macroprolactinoma, ≥1 cm)

i) 증상: 심한 두통, 시야장애, 요붕증, 실명

ii) 치료: 내과적 치료, 외과적 치료

- 내과적 치료: carbergoline이 bromocriptine에 비해 치료 효과가 우수함. 장기간 치료가 필요하며 유즙분비호르몬치가 정상으로 되거나 생리가 다시 시작되더라도 종양이 계속 커질 수가 있기 때문에 치료에 반응을 보인 절대적인 증거로 생각할 수 없고 6개월마다 MRI를 찍어보거나(매우 안정화되면 수년동안 1년마다) 증상을 재평가하는 것이 필요함.
- 외과적 치료: 내과적 치료에 반응이 없거나 지속적인 시야 장애가 있는 경우 수술이 필요하나 수술로 제거하더라도 재발이 매우 흔함.

③ **임신 중 뇌하수체샘종**

i) 미세샘종은 임신 중에 합병증을 거의 일으키지 않지만 추적감시는 필요함. 추적감시를 하는 방법은 주기적인 시야검사와 안저검사인데 지속적인 두통이나 시야결손 또는 시야나 안저에 변화가 나타나면 MRI를 찍어봐야 한다. 혈중 유즙분비호르몬 치를

재는 것은 의미가 없음. carbergoline과 bromocriptine은 임신이 확인되면 끊는 것이 권고됨.

ii) 과거에 뇌하수체샘종으로 transsphenoidal surgery를 받은 임신부는 매달 시야검사를 받는 것이 좋음.

iii) 뇌하수체샘종이 있더라도 수유할 수 있음.

iv) 산욕기 때 혈압을 올릴 수 있는 bromocriptine 투여는 금기시 됨.

■ 참 고 문 헌

1. Alexia S. Peña et al., Adolescent polycystic ovary syndrome according to the international evidence based guideline, BMC medicine, 2020;18:72.

2. Ricardo Azziz et al., The Androgen Excess and PCOS Society criteria for the polycystic ovary syndrome: the complete task force report, Fertility and Sterility, 2009;91(2):456–88.

3. Committe on Adolescent Health Care, The American College of Obstetrics and Gynecologists, Screening and Management of the Hyperandrogenic Adolescent, Obstetrics & Gynecology, 2019:134(4).

4. Enrico Carmina et al., Female pattern hair loss and anrogen excess: a report from the multidisciplinary androgen excess and PCOS committee, J Clin Endocrinol Metab, 2019:104(7):2875-2891.

5. Helena J. Teede et al., Recommendations from the international evidence-based guideline for the assessment and management of polycystic ovary syndrome, Human Reproduction, 2018:33(9):1602-1618.

6. Johan verhelst et al., Cabergoline in the Treatment of Hyperprolactinemia: A Study in 455 Patients, The Journal of Clinical Endocrinology & Metabolism, 1999:84:2518–2522.

7. M.F. Costello et al., recommendations from the international evidence-based guideline for the assessment and management of polycystic ovary syndrome: assessment and treatment of infertility, Human Reproduction Open, 2019, pp1-24.

8. Mussa Hussain Almalki et al., Managing prolactinomas during pregnancy, Frontiers in Endocrinology, 2015:6(85).

9. Ricardo Azziz et al., The Androgen Excess and PCOS Society criteria for the polycystic ovary syndrome: the complete task force report, Fertility and Sterility, 2009:91(2):456–88.

폐경
Menopause

> **학습목표**
>
> 1. 폐경기의 내분비 변화에 대해 이해한다.
> 2. 폐경환자의 증상 및 증후군을 열거하고 그 기전을 설명한다.
> 3. 골다공증의 예방에 대해 설명한다.
> 4. 호르몬 요법의 이점과 금기증에 대해 설명한다.

1. 정의

STRAW (stage of reproductive aging workshop)에서는 여성의 생식 노화를 10단계로 세분화 하여 사용하고 있다(그림 38-1).

기(stages)	-5	-4	-3	-2	-1	+1	+2
용어	가임기 (Reproductive)			폐경이행기 (Menopausal transition)		폐경후기 (Postmenopause)	
	초기	정상(Peak)	후기	초기	후기*	초기*	후기
			주폐경기(Perimenopause)				
기간	다양			다양		1년	4년	사망시까지
월경주기	다양~규칙적	규칙적		다양한 월경 주기 정상보다 7일 이상 차이남	월경주기 2회 이상 건너뜀 무월경 간격 60일 이상	무월경 12개 월	없음
내분비(FSH)				상승			

그림 38-1. **여성의 정상 생식노화 단계** *혈관운동성 증상이 있음

최종월경일
▼
0

517

1) 폐경(Menopause)

① 난소 기능의 소실로 월경의 영구적인 중지를 의미

② 무월경이 특징적 증상

③ 마지막 월경했던 시기로부터 12개월간 월경이 없었을 때, 폐경이라고 정의하며 폐경 시점은 후향적으로 결정한다.

④ 평균연령: 외국의 경우 51세이나, 우리나라는 49.7세이다.

⑤ 폐경연령의 결정인자: 유전적으로 결정됨. 인종, 사회경제학적 위치, 초경연령, 이전 배란된 난포수는 영향을 미치지 않음.

⑥ 조기난소기능부전(premature ovarian insufficiency): 조기폐경(premature menopause) 이라고도 함. 40세 이전에 폐경되는 경우

2) 폐경 주변기(Perimenopause)

① 폐경 이행기(menopausal transition)는 난소의 기능이 떨어져 월경주기의 규칙성이 사라지고 혈액 FSH 수치가 증가하기 시작하는 시기에서 마지막 월경을 하는 시기까지를 말하며, 폐경 주변기(Perimenopause)는 폐경이행기와 마지막 월경 후 1년까지의 기간을 더한 시기를 말함.

② 월경불순이 특징적 증상

③ 폐경되기 직전과 직후의 시기로 보통 45~55세 사이, 평균연령 47.5세, 평균 4년간 지속

3) 갱년기

폐경 주변기와 폐경 이후의 시기를 포괄하는 개념

2. 폐경 주변기(Perimenopause) 및 폐경기(menopause)의 생리학

1) 폐경 주변기 난소 기능의 변화

① 주요 징후: 난포 조직체, 특히 과립층 세포(granulosa cell)의 폐쇄(atresia)가 이루어짐에 따라 에스트로겐과 인히빈의 생성은 감소되어 FSH는 증가

② 난소 내의 난포의 고갈이 세포자멸사(apoptosis) 또는 세포예정사(programmed cell

death)에 의해 발생되어 난소가 뇌하수체의 생식샘자극호르몬인 FSH, LH에 더 이상 반응하지 않음. 폐경이행시기 동안에는 난소에 대한 시상하부-뇌하수체 축이 기능을 하므로 FSH는 증가하지만 난소의 음성되먹임 기전(negative feedback)은 없다.

③ 생식세포의 감소로 남아있는 난포들이 생식샘자극호르몬의 자극에 덜 민감해지고 따라서 난소반응이 떨어지고 호르몬 분비 능력이 떨어지게 된다. 이에 따라 난포 성숙이 잘 되지 않으며 배란 횟수가 감소하게 된다.

2) 내분비

(1) FSH

① 인히빈 감소로 **FSH 증가**. 가장 첫 번째 나타나는 변화.

② FSH 수치는 폐경 전보다 10~20배 증가하여 폐경 후 1~3년까지 정점을 이루게 되고 이후 서서히 감소하게 된다.

(2) LH

인히빈의 음성되먹임 기전에 영향을 받지 않아 FSH 상승보다 훨씬 늦게 상승. 수치는 폐경 후 2~3배 상승

(3) 에스트로겐

① 폐경 시 나타나는 결과들에 일차적으로 연관되는 호르몬

② 폐경 후 혈중에서 낮은 농도로 유지. 난소 부신의 안드로겐(androgen)의 말초조직에서의 방향화(aromatization)에 의해 생성

③ 폐경이 가까이 오면 난소에서의 에스트로겐 생성은 감소하고 안드로겐 전구체로부터 말초조직에서 에스트론(Estrone, E_1)으로의 변환이 증가한다. **따라서 E_1이 폐경 이후의 주된 에스트로겐이다.**

• 안드로겐은 에스트로겐의 전구체로써 폐경 후 난소와 부신에서 계속 생성된다.

• 방향효소(Aromatase)는 일차적으로 안드로겐을 에스트로겐으로 바꿔주는데, 폐경 후에는 주로 지방조직에 존재한다.

• 에스트로겐 수치는 지방조직 양에 따라 다양하며 따라서 비만인 경우에 마른 사람에 비해 상대적으로 에스트로겐이 높은 상태가 된다.

(4) 프로게스테론

① 폐경주변기에는 일반적으로 생성이 감소됨

② 프로게스테론 결핍은 폐경으로 나타나는 임상 결과들과는 관련이 없지만, 프로게스테론이 결핍된 상태에서 지속적인 내인성 에스트로겐 생성이나 에스트로겐 단일 호르몬 치료(unopposed estrogen therapy)와 관련하여 자궁내막이 증식되어, 자궁내막증식증, 자궁내막암의 위험도가 올라갈 수 있다.

(5) 안드로겐

① 폐경 후 안드로겐 농도는 폐경 전 여성에 비해 낮다. 이것은 폐경 자체에 의한 것이라기 보다는 노화 및 난소, 부신 기능의 감소와 연관이 있는 것으로 보이지만 아직까지 논란 중이다.

② 폐경 후에도 난소의 기질 구획(stromal compartment)은 보존되어 있으므로 난소에서의 안드로겐 합성은 폐경 이후까지 지속됨

(6) 항뮬러리안 호르몬(Antimullerian hormone, AMH)

크기가 작은 난포에서 생성되는 호르몬. 따라서 폐경기에 난소의 예비력(ovarian reserve)이 감소함에 따라 AMH 수치가 감소하게 됨.

3) 월경주기

폐경이행기가 되면 난소의 기능이 떨어져 월경주기의 변화가 나타나는데 처음에는 월경주기가 빨라진다. 그 후 폐경이 가까워짐에 따라 무배란 주기가 많아지고 따라서 월경주기의 길이가 길어지게 되며 기능성 자궁 출혈이 나타날 수 있다.

4) 조기 난소 기능부전(premature ovarian insufficiency) 혹은 조기 폐경(premature menopause)

40세 이전에 폐경되는 경우를 말하는데, 전체 여성의 1%에서 발생하며 속발성 무월경 여성의 5~10%에서 진단됨. 평균적인 자연폐경연령까지 호르몬 치료를 시행한다. 조기폐경의 원인은 다음과 같이 다양하다.

① 특발성(idiopathic)

② 유전적, 염색체 이상 등의 세포유전학적 요인

③ 난소 독성물질에 노출: 항암요법 및 골반 방사선치료, 흡연

④ 자가면역질환

3. 에스트로겐 감소로 인한 표적 장기의 반응

1) 비뇨생식기의 위축

질, 요도, 방광, 골반조직에 전반적인 **위축**을 가져온다.

① 질상피의 두께와 혈류가 감소하여 건조해지고, 얇아지며, 창백해진다. 또 질상피의 성숙도가 떨어져 미성숙한 세포가 더 많아지게 된다. 질내 산도도 산성에서 알칼리성으로 변하게 된다. 따라서 **성교통** 등을 초래한다.

② 질과 자궁을 지지해 주는 골반내 조직과 인대는 긴장성을 상실하게 되어 **골반 이완**이 나타나게 된다.

③ 요도 점막 상피는 위축되고 요도와 방광벽의 탄력성과 탄성을 소실하게 된다.

2) 자궁의 변화

① 자궁 조직의 위축으로 근층은 위축되고 자궁 체부의 크기도 줄어들게 된다.

② 편평원주상피결합부(squamocolumnar junction)는 자궁경관 안으로 높게 재배치 된다.

3) 유방의 변화

① 점차 샘들은 위축되고 지방으로 대체된다.

② 섬유낭포성 변화들은 퇴화된다.

4) 피부의 변화

폐경 이후의 시간과 비례하여 점차 피부의 **콜라겐 성분과 피부 두께 감소**가 일어난다.

5) 뼈의 변화

에스트로겐 수치의 감소와 관련하여 폐경 이후 첫 5~7년 사이 골소실이 가속화 됨으로써 **골다공증**이 올 수 있다.

6) 뇌의 변화

에스트로겐 수용체는 뇌의 전반에 걸쳐 분포하여 에스트로겐 수치 감소는 폐경 이후 인지 능력과 감정에 영향을 미치게 되나, 정확한 기전은 아직 밝혀지지 않았다.

7) 심혈관계의 변화

심혈관 질환의 빈도는 여성에서 폐경 나이와 일치하는 50세 이후에 증가하게 된다. 심혈관 질환은 폐경 여성들의 가장 많은 사망 원인이기도 하다.

4. 폐경기의 임상적 양상

혈관 운동 증상, 요로 생식계 위축, 골다공증, 심혈관 질환, 암질환, 인지력 감퇴, 성 문제 등이 주요한 관심사이다.

1) 혈관 운동 증상(vasomotor symptom)

(1) 폐경여성의 75%에서 나타나며 대부분의 여성들에게 있어 1~2년 정도 지속되나 10년 이상 증상이 나타나기도 함.

(2) 안면홍조(hot flash)

시상하부에서 개시되며 심부 체온 증가, 체내 대사율 증가 및 피부 온도 증가와 연관되어 말초혈관의 확장 및 발한이 유발되어 나타난다.

에스트로겐의 감소에 의해 중추신경계의 도파민분비가 감소하고 노르에피네프린 분비가 증가하는 현상이 발생하고 이에따라 성선자극호르몬분비호르몬 분비가 증가하여 시상하부의 체온조절 중추가 자극을 받아 시상하부의 체온조절 set point나 neutral zone이 감소되어 발생하는 것으로 여겨진다.

혈관 운동 증상으로 발생한 수면방해로 낮 시간에 피로가 야기되어 발생한 인지장애, 정동장애 등의 증상은 혈관 운동 증상의 치료로 개선될 수 있다.

갑상샘 질환은 나이 증가에 따라 발생빈도가 증가하므로 혈관운동 증상이 비전형적으로 나타나거나 치료 반응이 없을 경우 갑상샘 기능검사를 시행해야 한다.

증상이 있는 폐경여성에서는 시상하부의 체온조절의 기준범위(thermoneural zone)가 좁아져서 심부체온의 소폭 상승에 의해서도 안면홍조가 촉발된다.

안면홍조 증상은 에스트로겐의 단순 결핍에 의한 증상이 아니고 에스트로겐의 쇠퇴(withdrawal) 현상에 의해 발생되는 결과이다.

(3) 치료

① 생활습관 변화

체온 감소, 체중 감소, 금연, 이완 요법 등

② 전신 에스트로겐 요법

- 가장 효과적인 치료법
- 혈관 운동 증상을 적응증으로 하는 미국 FDA 승인 약물
- 치료목적에 맞는 효과적인 용량중 가능한 저용량으로 사용하는 것이 원칙.
- 프로게스틴의 병합: 자궁절제를 하지 않은 경우에는 저용량 에스트로겐을 사용하더라도 프로게스틴 병합이 필요함
- 표준 용량이 가장 효과적, 그러나 젊은 여성이고 최근에 난소절제술을 받은 경우에는 더 고용량이 필요할 수 있음
- 경구피임약: 건강한 비흡연 여성에서 폐경이행기에 월경이 있으면서 열성홍조가 나타나는 경우 도움이 될 수 있는데, 경구 피임약 내의 정상 생리적 범위 이상의 고농도 에스트로겐과 프로게스테론이 혈관운동증상을 효과적으로 감소하면서 동시에 생리주기를 조절할 수 있다.
- 저용량의 경구 에스트로겐: 또한 혈관운동 증상에 효과적이며 최소 부작용과 자궁내막 자극을 최소화 한다. esterified 및 conjugated 에스트로겐(0.3 mg/d), 경구 에스트라디올 (0.5 mg/d), 경피 에스트라디올(주당 0.025~0.014 mg)이 사용됨
- 호르몬치료를 서서히 감량하든, 갑자기 중단하든, 혈운동성 증상의 재발률에는 큰 차이가 없다.

③ 호르몬 이외의 대체요법(alternative medicine)(표 38-1)

표 38-1.

클로니딘(clonidine)
선택적 세로토닌 & 노르에피네프린 재흡수 억제제(Selective serotonin and norepinephrine reuptake inhibitors) • Paroxetine • Venlafaxine
가바펜틴(Gabapentin)
식물성 에스트로겐(phytoestrogen) • 이소플라본(Isoflavone supplements) • 승마추출액(Black cohosh)
Vitamin E

2) 폐경후 비뇨생식증후군(genitourinary syndrome of menopause): 위축

(1) 증상

질 건조증, 가려움증, 성교통, 배뇨통 등

(2) 치료

① 전신적 에스트로겐 치료: 질건조증, 성교통 등에 매우 효과적
② 경질 투여 저용량 에스트로겐 치료

- 혈관운동 증상 없이 비뇨생식기 위축 증상만 있는 경우에 선호되는 치료법으로 전신적 흡수율을 최소로 하여 안정성을 증가시키는 장점이 있다.
- 경질 에스트로겐 치료에도 질출혈 여부를 잘 체크하고 철저한 평가를 시행해야 함.
- 프로게스틴 병합요법은 일반적으로 시행하지 않는다.
- 요로계 증상 치료 효과: 빈뇨, 요절박 등의 증상의 감소. 재발성 요로감염의 가능성을 감소. 요실금에 대한 효과는 확실하지 않으며 아직까지 논란이 있다.

3) 골다공증

골다공증은 골량의 저하와 골의 미세구조적 이상을 특징으로 하는 전신적 골격계 질환으로 이로 인해 뼈가 쉽게 부서질 수 있고, 골절의 위험이 증가하게 된다. 골다공증이 일차 질병일 수도 있고 칼슘과 뼈 대사에 영향을 주는 다른 질환으로 인한 이차적 원인으로 올 수도 있다.

(1) 역학과 원인

① 골량은 해면뼈 조직인 경우 20대에, 피질골인 경우는 30대 초반에 최고절정에 이르게 된다. 그 이후에는 나이가 듦에 따라 점차 골손실이 일어나게 되고, 특히 폐경이후 첫 5~7년 사이 동안 에스트로겐 수치 감소로 골손실은 가속화된다. 골다공증은 남성보다 여성에게 더 흔하고, 그 이유는 여성의 경우 골질량의 정점이 남성보다 낮고, 골손실율은 더 빠르기 때문이다.

② 위험인자

• 교정 불가능한 위험인자
  - 나이
  - 인종(아시아계 여성, 백인 여성)
  - 조기폐경 및 폐경
  - 골절의 과거력
  - 골다공증 가족력

• 교정 가능한 위험인자
  - 칼슘과 비타민 D의 과소섭취
  - 흡연
  - 저체중 및 육체적 활동의 저하
  - 과도한 음주

• 관련된 질병
  - 갑상샘기능 항진증
  - 부갑상샘기능 항진증
  - 만성 신장 질환
  - Glucocorticoid 사용

③ 골다공증으로 인해 치료를 받지 않은 경우 60대~70대에 척추 압박 골절과 약한 충격에도 골반 골절이 초래되는 위험성이 높다.

④ 골다공증은 예방이 매우 중요하다. 운동, 칼슘의 적절한 섭취, 폐경 이후 에스트로겐 요법이 예방 치료의 주된 역할을 한다. 폐경 당시 골밀도가 높은 여성일수록 골다공증으로 인한 골절위험이 더 적어진다.

⑤ 골다공증의 예방과 치료만이 필요하다면 호르몬 이외의 약제를 우선 고려한다. 여기에는 SERM제제(bazedoxifene, raloxifene), 부갑상샘 호르몬 치료(parathyroid hormone) 등이 포함된다.

(2) 진단

영상 검사는 질병의 초기에 골소실 정도와 골절의 위험이 있는 뼈에 대해 알아보는데 사용될 수 있다. 가장 많이 사용하는 검사로 Dual-energy x-ray absorptiometry (DXA)가 있다. 골밀도는 T 값으로 표현되며, 이는 같은 성별 및 인종의 건강항 성인의 평균골밀도와 측정된 골밀도의 차이를 비교한 값이다

정상 골밀도 $T \geq -1.0$
골감소증 $-2.5 < T < -1.0$
골다공증 $T \leq -2.5$

4) 폐경 증후군

피로, 두통, 신경질, 성욕의 감소, 불면증, 우울증, 성급함, 심계항진, 관절통, 근육통 등의 다양한 증상을 설명하기 위해 사용되는 정의이다.

- 호르몬 요법으로 일부 증상이 개선될 수 있다.
- 저용량 안드로겐을 복합투여 시 치료효과를 높일 수 있다.
- 증상의 원인이 다양할 수 있기 때문에 기저질환에 대해 감별진단이 필요하다.

5) 두통

폐경 전의 편두통이 이 기간에 나타나거나 악화될 수 있다.

6) 정신적 증상

일부 여성들에게서는 우울증, 분노, 불안감등의 증상들이 폐경기로 이행하는 기간 동안 더 악화되는 것으로 보고되기도 한다.

7) 수면 장애

폐경이행기와 폐경 후 초기 동안 수면장애가 흔하며, 잠들기 어렵고 숙면을 취하지 못한 채 자주 깨거나 일찍 일어나게 된다.

5. 호르몬 요법

1) 호르몬 요법의 효과

(1) 폐경증상의 치료

① 안면홍조와 야간 식은땀, 비뇨생식기계 위축과 관련된 증상을 경감

② 감정적 증상들(우울증, 불면증, 신경질, 주의산만)의 호전이 있다고 하나 아직 확실하지 않다.

③ 성욕 감소에 대한 증상 호전

(2) 골다공증의 예방 및 치료에 효과적이다.

(3) 대장-직장암의 발생을 감소시킬 수 있다.

(4) 알츠하이머 병과 인지 기능에 대한 효과(현재로서는 명확하지 않다.)

(5) 심혈관계 질환

① 호르몬 요법 시 총 콜레스테롤과 LDL-콜레스테롤치는 감소시키며 HDL-콜레스테롤은 증가시킨다.

② 초기 폐경 여성에서 사용할 경우 심장질환의 위험도는 감소하는 것으로 발표되었다. 그러나 60세 이상의 폐경 여성에서는 심혈관계 질환의 위험도를 증가시킬 수 있어 가능한 호르몬 요법은 폐경 후 일찍 시작하는 것을 권장하고 있다. 그러나 심혈관계 질환을 예방하기 위한 목적만으로 호르몬 요법을 시행하지는 않는다.

(6) 유방

에스트로겐과 프로게스테론 복합요법을 장기간 사용시 유방암의 발생이 증가할 수 있다. 에스트로겐 단독 요법은 사용 후 7년 간 유방암의 위험성을 증가시키지 않았다.

(7) 뇌졸중

호르몬 요법은 **허혈성 뇌졸중**의 위험도를 증가시킬 수 있다. 하지만 젊은 폐경 여성에서의 뇌졸중의 절대 위험도는 미미하다.

2) 이상반응 및 금기증

(1) 이상반응

에스트로겐으로 오심, 부종, 체중증가, 유방압통, 편두통, 담즙저류, 담석증, 질출혈, 하지경련 등이 있을 수 있으며, 프로게스토겐에 의해 지루성 피부 및 여드름, 식욕 및 체중증가, 유방압통, HDL-cholesterol의 감소가 있을 수 있으나 약제의 종류에 따라 다소 차이가 있다.

(2) 금기증

절대적 금기증	상대적 금기증
1. 에스트로겐과 관련된 암: 유방암, 자궁내막암 환자 2. 에스트로겐 대사와 관련된 상황: 활동성 간 또는 　　담낭 질환이 있는 환자 3. 진단되지 않은 비정상 생식기 출혈환자 4. 심혈관계 질환이 있는 경우: 관상동맥질환이 있는 환자, 　　뇌혈관 질환이 있는 환자, 혈전색전증 질환이 있는 환자	1. 심장질환을 앓고 있는 환자 2. 편두통이 있는 환자 3. 간 질환의 기왕력이 있는 환자 4. 자궁내막암의 기왕력이 있는 환자 5. 혈전색전증의 기왕력이 있는 환자

3) 호르몬 치료방법

(1) 에스트로겐 단독요법

매일 투여되며 자궁절제술을 시행받은 여성에게는 에스트로겐 단독투여를 원칙으로 한다.

(2) 주기적(Cyclic) 병합요법

폐경전 월경주기와 같게 에스트로겐을 계속 투여하면서 프로게스토겐을 매달 12~14일간 주기적으로 투여한다. 프로게스토겐 투여가 끝나면 출혈이 일어난다.

(3) 지속적 병합요법(continuous combined therapy)

에스트로겐과 프로게스토겐을 매일 투여해서 지속적인 호르몬 환경을 유지할 경우 다음과 같은 장점이 있다.

① 월경 양상의 출혈이 다시 시작되거나 소퇴성 출혈이 일어나지 않는다.

② 호르몬 변동과 관련된 증상들, 즉 정서불안, 편두통, 주기적인 유방통 같은 증상들이 호전된다.

③ 환자가 기억하기 쉬운 요법이다. 단점으로는 불규칙적인 출혈이 첫해에 40%까지 보인다.

(4) 투여방법

① 경질 투여(국소적 에스트로겐): 생식 비뇨기계의 위축 및 성교통 등의 증상을 치료하기 위해 사용하며 질내로 투여한다. 에스트로겐 함유 크림, 질정, 질내고리 등이 있다. 초기 며칠 동안은 전신적으로 최대용량으로 흡수한 후 일단 질내 점막이 각질화되면 최소용량으로 에스트로겐을 흡수하게 한다.

② 경피 투여: 에스트라디올을 패치, 젤 또는 로션형태로 피부를 통해 투여하는 방법이다. 경구로 투여할 때 보이는 간의 일차 통과 효과를 피할 수 있다는 장점이 있다.

③ 프로게스틴 자궁내 피임장치: 자궁내막을 보호하고 전신적인 프로게스틴의 부작용을 피하기 위한 방법이다.

여성 불임

Female infertility

1. 불임증을 정의한다.
2. 불임증의 원인을 알기 위한 검사법을 설명한다.
3. 정액검사의 정상 소견을 열거한다.
4. 기초체온의 변화를 설명한다.
5. 불임증의 원인을 알기 위한 검사의 시행 시기를 설명한다.
6. 원인불명 불임증을 정의한다.
7. 원인불명 불임증의 치료 원칙을 설명한다.
8. 보조생식술의 협의적 의미와 광의적 의미를 설명한다.
9. 보조생식술의 종류를 열거한다.

1. 서론

부부가 피임을 하지 않고 정상적인 성생활을 했을 때 1년이 지나도 임신되지 않으면 불임 (infertility)이라고 정의한다. 불임은 임신이 불가능한 상태(sterility)라기 보다는 생식 효율 (reproductive efficiency)이 감소한 상태로 난임(subfertility)이라는 용어가 혼용되어 사용된 다. 보통 건강한 남녀는 약 85~90%에서 1년내에 임신을 하게 되는데 나머지 10~15%의 남 녀는 임신이 되지 않아 불임증으로 진단을 받게 된다. 최근에는 여성의 사회적 역할 변화에 따른 만혼, 늦은 첫 출산, 잦은 이혼 등으로 인하여 그 빈도는 늘어나는 추세이다.

불임 남녀를 상담할 때는 남녀 모두에게 앞으로 제공될 검사 방법, 불임 치료 및 향후 방향 에 대하여 함께 상의하고 결정하는 것이 바람직하며 다음의 기본 원칙들을 고려하여야 한다.

첫째, 가능하다면 불임의 특정 원인들을 찾아 교정한다. 적절한 평가와 치료가 이루어진다면 대부분의 여성들은 임신할 수 있음을 명심한다.

둘째, 동료, 대중매체, 인터넷에서 얻어진 잘못된 정보를 없애고 정확한 정보를 제공한다.

셋째, 불임치료를 하는 동안 정서적 지지를 제공한다.

넷째, 일반적인 방법으로 임신에 실패한 남녀에게는 체외수정시술, 정자 또는 난자공여, 입양과 같은 대안을 제시하고 치료를 거부하거나 실패한 남녀들에게 도움을 준다.

남녀가 한 월경주기에 임신할 가능성을 수태가능성(fecundability)이라고 하고 한 월경주기에서 임신이 되어 생아를 출산할 확률을 생식능력(fecundity)이라고 한다. 정상적인 남녀에서 주기당 생식능력은 20% 정도이고 주의깊게 배란기에 부부관계를 하는 경우에도 35%를 넘지 않는다. 이러한 정보는 다른 치료방법에 대하여 상담하고 비교할 때 특히 도움이 된다. 지난 수십년간 불임을 진단하고 치료하는 방법에는 많은 변화가 있어왔으며 체외수정시술의 임신율도 향상 되어 2012년 대한산부인과학회 보조생식술 현황 조사에 따르면 난자채취 주기당 임신율이 29세 이하에서 45.1%, 30~34세가 41.3%, 35~39세가 32.9%, 40세 이상은 16.1%로 보고 되었다.

2. 여성의 연령과 생식능력(fecundity)

여성의 연령이 증가할수록 생식능력이 감소하고 따라서 불임의 빈도도 증가한다는 사실은 너무도 잘 알려져 있다. 여성의 생식능력은 20~24세에 정점을 이루고 30~32세 까지 비교적 조금 감소하지만 이후에는 급격하게 감소하여 가임률(fertility rate)이 25~29세에서 4~8%, 30~34세에서 15~19%, 35~39세에서 26~46%, 40~45세에서 95% 감소한다.

자연임신에서 유산율도 여성의 연령에 비례하여 증가하여 일반적으로 30세 이전에서 7~15%로 낮고 30~34세에서 8~21%로 약간 증가하지만 35~39세에서 17~28%, 40~45세에서 34~52%로 급격하게 증가한다.

1) 기전-왜 여성은 나이가 들수록 임신이 잘 안 되나?

① 여성의 연령증가에 따라 난자의 수는 감소한다. 임신 16주에서 20주에 태아는 약 6~7백만개의 난조세포(oognonium)를 갖게 되고 출생시 1~2백만개, 사춘기에 30~40만개로 감소하며 약 35~40년의 가임기 동안 400~500개의 난자가 배란되며 나머지는 퇴

화되어 폐경 시에는 약 1,000개 미만의 난자만 남게 된다.

② 여성의 연령증가에 따라 감수분열시 염색체 조기분리 (premature separation) 및 비분리 (nondisjuction) 확률이 높아져 이수성(aneuploidy) 난자가 증가한다. 여성의 고령화에 따라 정상 23,X의 염색체를 갖는 난자가 감소하면서 이수성 난자가 급격히 증가하는 양상은 여성의 가임력 감소와 동시에 자연 유산이 증가하는 형태를 설명할 수 있다.

2) 생식 연령과 내분비적 변화

① 가임기가 끝나갈 무렵에는 혈중 FSH 농도가 증가하기 시작하는 반면 LH 농도는 변화가 없다. 생식 능력의 노화와 관련된 FSH의 점진적인 증가는 줄어든 난포 풀(pool)로부터 동원되는 난포 코호트가 더 적어지게 되어 되먹이기 억제 정도가 점진적으로 감소되기 때문이다.

② 난포기의 혈중 inhibin B 농도가 FSH 농도 증가가 시작되면서 또는 증가하기 전부터 감소한다. Inhibin A 농도도 감소하지만 월경이 불규칙해진 이후에 나타난다.

③ 연령 및 FSH의 증가에 따라 난포기가 짧아지고 난포기 E_2 농도가 조기에 증가된다. E_2 농도의 조기 증가는 가속화된 난포의 성장(accelerated follicular growth) 때문이 아니라 월경주기의 시작시에 진행된 난포의 발달(advanced follicular development) 및 우성난포의 조기 선택(selection) 때문이다.

3) 난소 예비력 검사(Ovarian reserve test)

과배란 유도 전에 환자가 배란유도제에 얼마나 잘 반응할지를 예측하기 위한 검사이다. 난자의 질(quality)보다는 양(quantity)를 대변한다.

(1) 검사의 적응증

- 35세 이상
- 원인불명의 난임
- 조기폐경의 가족력이 있는 경우
- 난소 수술의 기왕력
- 흡연
- 저반응(poor response)의 기왕력

(2) 검사 방법

① 기저 혈중 FSH 농도(day3 FSH)

- 광범위하게 사용되어 왔으나 신뢰도가 제한적이고 민감도가 낮다.
- FSH가 높을수록 난소의 예비력이 부족하여 배란유도에 잘 반응하지 않을 것이라 예측할 수 있다.

② 기저 혈중 E_2 농도(day3 E_2)

③ 클로미펜 유발검사(CCCT; clomiphene citrate challenge test)

- 클로미펜 100 mg을 월경주기 5~9일에 주고 day3 FSH와 day10 FSH를 측정하여 비교한다.
- 난소기능이 저하되면 클로미펜 투여 후 FSH가 많이 상승한다.

④ 항뮬러관호르몬(anti-müllerian hormone, AMH)

- AMH는 난소의 동난포 및 전동난포의 과립막세포에서 만들어지므로 측정치가 낮을수록 난소내 난포수나 배란유도제 투여 후 회수되는 난자수가 떨어질 것이라고 예측할 수 있다.
- AMH는 다른 혈액 표지자와 달리 월경주기의 어느 시기에나 측정이 가능하며 연령 특이 참고치를 사용하여 난소예비력을 평가할 수 있으며 난소예비력을 반영하는 지표로서 우수하다는 결과들이 보고되어 임상적으로 널리 사용되고 있다.

⑤ 초음파상 동난포수(antral follicle count)

- 생리주기 3일째 양쪽 난소에서 10 mm 이하의 동난포(antral follicle)수를 측정하며 난소 예비력을 잘 반영한다.

3. 각 불임 요인에 대한 검사와 처치

불임의 원인에 대한 평가는 정의상 불임에 해당하는 환자 및 불임의 위험성이 높은 환자에 제공될 수 있다. 40세 이상의 여성에서는 보다 즉각적인 평가 및 치료가 필요하며 불임을 유발 할 수 있는 것으로 알려진 상황에 있는 여성들에게도 즉각적인 평가를 제공하여야 한다.

나이가 35세 이상인 경우, 희발월경 또는 무월경의 병력이 있는 경우, 자궁, 난관, 복막의 질환 또는 3~4기의 자궁내막증이 있거나 의심되는 경우, 남성 불임이 있거나 의심이 되는 경우에 는 조기에 평가와 치료가 이루어져야한다.

불임여성이 병원을 처음 방문하면 병력청취, 기초적인 신체검사, 기초적 건강검사(CBC, 간 기능 검사, 풍진항체 등)를 실시한다. 또 향후 검사 및 치료계획을 설명하고 남편을 동반할 것 을 권유한다.

1) 남성요인(Male factor)
전체 불임 원인의 30~40%를 차지한다.

(1) 분류
① 전고환성(pretesticular): 시상하부, 뇌하수체 또는 기타 호르몬의 이상
② 고환성(testicular): 정자 생성의 장애
③ 후고환성(posttesticular): 폐쇄, 사정의 장애

남성불임의 대부분은 원인불명의 고환성 원인으로써 정자가 생성은 되지만 수가 적거나(정 자부족증, oligozoospermia), 운동성이 낮거나(무력정자증, asthenozoospermia), 모양에 이상 이 있는 경우(기형정자증, teratozoospermia)이다. 정자가 없는 무정자증(azoospermia)은 특 히 고환성과 후고환성의 감별이 중요하다.

(2) 검사
- 정액검사(semen analysis): 3~7일간의 금욕기간 후 검사한다. 비정상적 결과가 나타나 면 재검을 하도록 한다.

WHO가 정한 기준치(2021년 개정, 제6판)
- 용적(semen volume): 1.4 mL 이상
- 정자 농도(sperm concentration): 16×10^6/mL 이상
- 운동성(motility): 42% 이상(progressive motility 30% 이상)
- 형태(morphology): 4% 이상
**정자 형태의 경우는 Kruger의 strict criteria를 적용한다.

(3) 치료

정액검사 이상의 정도에 따라 과배란유도 후 자궁강내인공수정(intrauterine insemination, IUI), 체외수정(IVF), 난자세포질내정자주입술(intracytoplasmic sperm injection, ICSI)을 적용한다. 자궁강내인공수정을 위해서는 활동성정자를 5백만 이상 얻을 수 있어야 한다. 정액검사 결과 총운동성 정자수(total motile sperm count)가 백만 미만이거나 정상형태가 4% 미만인 경우 흔히 ICSI를 적용한다.

① 전고환성: 클로미펜, 난포자극호르몬 등 약물요법

② 후고환성: 역류사정은 약물요법

막힌 경우는 수술적 치료가 적용될 수 있다. 수술로도 정자 배출이 어려운 경우에는 고환이나 부고환에서 정자를 추출해서 ICSI를 한다(MESA, TESE).

③ 고환성 원인으로서 무정자증이면 고환에서 정자추출을 우선적으로 시도해보고 실패하면 정자공여를 고려한다.

2) 배란 요인(Ovulatory factor)

(1) 빈도

• 가장 흔한 여성불임의 원인으로 전체 여성 불임의 30~40%를 차지하며 난관 및 복막요인과 비슷하다.

(2) 원인

배란장애 자체가 무배란처럼 불임의 원인이 될 수 도 있고 희소배란처럼 불임에 영향을 미치는 하나의 인자가 될 수도 있다. 무배란이나 희발배란과 같은 배란장애는 국제보건기구(World Health Organization, WHO)에 의해 제정된 배란 장애의 분류법에 따라 다음과 같이 분류된다.

WHO classification of ovulatory disorders

Group I	• 시상하부-뇌하수체 부전(Hypothalamic-pituitary failure) • 저생식샘자극호르몬성(Hypogonadotropic)
Group II	• 시상하부-뇌하수체 기능장애(Hypothalamic-pituitary dysfunction) • 정상 생식샘자극호르몬성(Eugonadotropic)
Group III	• 난소 부전(Ovarian failure) • 고생식샘자극호르몬성(Hypergonadotropic)- 배란유도는 불가능하다.

(3) 검사

월경력 하나만 가지고도 무배란을 진단하기에 충분할 수 있다. 특히 희발월경, 무월경, 잦은 월경, 기능성자궁출혈이 존재한다면 배란요인을 의심할 수 있다. 그러나 규칙적으로 매달 월경이 있는 여성도 무배란일 수 있어 월경을 한다는 것 자체가 반드시 배란을 의미하지는 않으므로 월경이 비교적 규칙적이라 하더라도 배란장애가 있을 수 있음을 염두에 두어야 한다.

■ 배란을 확인할 수 있는 검사들

① 기초체온검사(basal body temperature, BBT)

황체기의 체온은 36.4℃에서 37.6℃로 난포기의 체온 36.1℃에서 37.1℃보다 약간 상승한다. 따라서 몇 달 동안 매일아침 일어난 직후 구강내체온을 재면 정상적인 여성은 난포기에는 저온기, 배란 후 황체기에는 14일 정도의 고온기를 보이는 이상성 기초체온(biphasic BBT)을 나타낸다.

이 검사는 체온계만 있으면 되는 매우 경제적인 검사이다. 그러나 매일 아침 정확히 체온을 재는 것이 쉬운 일은 아니다. 또 체온이 상승하려면 프로게스테론 농도가 5 ng/ml 이상이어야 하고 이는 LH surge 3~5일 이후의 농도이다. 즉 배란장애가 있는지 확인은 가능하지만 배란 이후에야 배란이 되었다는 사실을 알게 되므로 임신시도에 적용할 수는 없다. 또 위음성(false-negative)의 빈도도 높고 흡연과 불규칙한 수면 패턴이 정확도를 떨어뜨릴 수 있다. 결론적으로 대부분의 불임여성에서 기초체온법은 더 이상 배란기능을 평가하기 위한 최선의 또는 선호되는 방법으로 간주되지 않는다.

② 소변 황체형성호르몬(urine LH)

LH surge 동안(36~48시간 정도 소요) 소변에 LH가 상승하므로 간단한 검사기구로 surge를 확인하는 검사이다. LH surge를 파악 하기 위해서는 배란 예정일 2~3일 전부터 매일 측정을 하며 한 번 양성이 나오면 더 이상 검사를 할 필요는 없다. 소변에서 LH surge가 확인된 후 대개는 14~26시간 내에 배란이 되며 거의 모두에서 48시간 내에 배란이 되게 된다. 그러므로 임신이 가장 잘 되는 시기는 LH surge가 검출된 당일부터 2일 간이며 대개는 처음 양성이 나온 후 하루 다음날이 성관계를 하거나 정액주입술을 하는 데 가장 좋은 시기로 알려져 있다.

③ 혈청 내 progesterone 농도

생리 예정일 7일 전에 측정한다. 3 ng/ml 이상이라면 배란되었다고 할 수 있다. 배란을 예측할 수는 없고 단지 배란이 일어났다는 사실을 증명해준다.

④ 자궁내막 조직검사(endometrial biopsy)

생리 예정일 2일 전에 실시한다. 과거에는 황체기결함(luteal phase defect, LPD)의 진단 때문에 필수 검사였으나 현재는 거의 하지 않는 검사이다. 혈청 progesterone과 마찬가지로 배란된 경우에 조직학적으로 확인이 가능하지만 이 검사를 통해 얻을 수 있는 정보는 배란이 되었다는 것 뿐이므로 역시 유용성이 없다.

■ 황체기 결함

과거에는 내막의 dating이 3일 이상 늦어지면 황체기 결함으로 진단하고 착상에 문제를 일으킨다고 생각했다. 그러나 최근에는 황체기 결함이 심각한 불임의 원인이라고는 보지 않는다.

⑤ 질 초음파

미국에서는 비용 때문에 잘 안하지만 실제로 난포의 성장을 확인할 수 있고 임신 시도에도 유용하므로 중요하다.

(4) 치료

무배란의 원인에 맞게 배란유도를 한다. 배란유도란 무배란 또는 희발배란과 같은 배란장애를 약물치료를 통하여 교정함으로써 난포의 성장을 촉진시켜 배란이 될 수 있도록 함으로서 궁극적으로 임신과 건강한 아이의 출산을 목표로 한다.

■ WHO Group I (hypothalamic-pituitary failure)

① pulsatile GnRH

- 칼만증후군과 같은 시상하부기능부전 환자들을 위한 효과적 배란유도법으로 사용되어 왔다. 자연 생리주기와 유사한 상태를 유도할 수 있는 장점이 있으나 GnRH pump 사용이 불편하여 사용이 제한적이고 뇌하수체 기능부전환자에서는 사용할 수 없다.

② 생식샘자극호르몬(gonadotropin)

- 생식샘자극호르몬 제제는 시상하부기능부전과 뇌하수체기능부전을 포함한 모든 저생식샘자극호르몬성 생식샘기능저하증 환자에서는 물론 정상 생식샘자극호르몬성 무배란 환자 즉 제 2군 무배란 환자들 중 클로미펜이나 방향화효소억제제(aromatase inhibitor) 치료에도 불구하고 배란이나 임신에 실패한 환자들을 위해서도 널리 사용된다. 뿐만 아니라 보조생식술을 위한 과배란유도를 위해 사용되는 대표적 배란유도제이다. 생식샘자

극호르몬 제제는 폐경여성의 소변으로부터 추출한 뇨유래 생식샘자극호르몬과 유전자 재조합 난포자극호르몬이 있다. 뇨유래 제제에는 난포자극호르몬과 황체형성호르몬을 동일양 함유하고 있는 인간폐경 생식샘자극호르몬(human menopausal gonadotropin, hMG), 소변으로부터 난포자극호르몬만을 정제하여 황체형성호르몬 및 다른 단백질을 소량만 함유하고 있는 뇨유래 난포자극호르몬 제제가 있다. 유전자재조합 인간난포자극호르몬은 소변에서 추출된 hMG나 뇨유래 난포자극호르몬에 비하여 대량생산이 용이하고, 황체형성호르몬 활성도가 없고 불순 요단백질을 함유하고 있지 않으며, batch 간에 일치도가 우수하고, 난포자극호르몬 특이적 활성도가 우수하고 피하주사가 가능하여 손쉽게 자가주사할 수 있다는 장점들로 인하여 현재는 주도적인 생식샘자극호르몬으로 자리매김하였다.

■ WHO Group II (hypothalamic-pituitary dysfunction)

무배란 제2군에 해당되는 환자들의 대부분은 다낭성난소증후군 환자이다. 다낭성난소증후군 환자들에서는 상태에 따라 배란유도제를 사용하기 전에 체중 감량을 위한 식생활 습관의 변화라든가 운동 처방, 인슐린감작제의 복용 등과 같은 치료를 일차적으로 시행함으로써 자연적인 배란이나 추후 배란유도제 사용 시 약제에 대한 난소반응의 개선 효과를 기대할 수 있다.

① **클로미펜**(clomiphene citrate)

• 선택적 에스트로겐수용체 조율제 (selective estrogen receptor modulator, SERM)로 작용하여 시상하부-뇌하수체 축에서 에스트로겐 길항제로 작용 한다. 클로미펜은 시상하부의 에스트로겐 수용체에 결합하여 오랫동안 수용체 차단효과를 나타내므로 혈중 에스트로겐 농도를 실제 농도보다 낮은 것으로 감지하게 되어, 시상하부에서 에스트로겐에 의한 음성되먹임 기전을 감소시킴으로써 GnRH의 파동성 분비 진폭(amplitude)을 증가시켜 FSH 분비를 촉진시킨다. 클로미펜은 시상하부, 뇌하수체, 난소의 기능이 유지되어 있는 환자에서 사용할 수 있다. 클로미펜의 투여는 월경 주기 제3-5일에 시작하여 5일간 투여하고 투여 용량은 일일 50~100 mg에서 시작한다.

② **방향화효소억제제**(aromatase inhibitor)

• 방향화요소억제제는 말초에서 에스트로겐 농도를 감소시킴으로써 에스트로겐에 의한 음성되먹임(negative feedback)을 저하시켜 시상하부에서 GnRH 분비와 뇌하수체에서의 난포자극호르몬 생성분비를 촉진시킴으로써, 난소에서 난포성장을 유도하게 된다.

레트로졸(letrozole)이 대표적인 약제로 월경 주기 제2-5일에 투여하기 시작하여 5일간 투여하게 된다. 통상적으로 레트로졸의 경우 하루 2.5~5.0 mg을 사용한다. 최근 불임여성에서 레트로졸과 클로미펜의 효과를 비교한 무작위, 이중맹검, 다기관연구에서 레트로졸이 누적 생아출산율, 누적배란율이 유의하게 높다고 보고되어 최근 다낭성난소증후군 가이드라인에서는 레트로졸을 1차약제로 권고하고 있다.

3) 자궁경부 요인(Cervical factor)

(1) 빈도
5% 정도로 추정된다.

(2) 검사
성교후검사(Post coital test, PCT 혹은 Sims-Huhner test)가 보편적으로 쓰였지만 최근에는 이 검사를 하지 않는 추세이다.

① 시기
배란 직전에 에스트로겐이 충분히 높으면 점액이 풍부하고 묽어지는데 이 시기에 검사한다.

② 방법
보통 성교 후 4~24시간에 경관 점액을 채취해서 현미경으로 점액 내에서 활동성 정자의 수를 세어본다.

③ 판정
성교 몇 시간 후에 검사할 지와 운동성 정자가 얼마나 많아야 정상인지는 정해진 바가 없다. 최근에는 PCT는 무용한 검사로 인식되어 거의 하지 않는다. 그 이유는 검사, 판정 기준이 모호하고 향후 치료 결정에 영향을 미치지 않기 때문이다.

* poor PCT의 가장 흔한 원인은 부적절한 검사시기이다.

(3) 치료
에스트로겐 등이 이용되기도 했지만 가장 효과적인 방법은 자궁강내인공수정(IUI)이다.

4) 자궁 요인(Uterine factor)

(1) 진단 방법

① 자궁난관조영술(hysterosalpingography, HSG)

선천기형, 자궁내막 유착증(Asherman's syndrome)에 대한 정확도가 높고 점막하근종, 폴립 등도 진단 가능한 경우가 많다.

② 초음파 및 초음파자궁조영술(ultrasound & saline infusion sonography, SIS)

- 점막하근종, 폴립 등은 대부분 확인 가능하다.
- 초음파자궁조영술은 자궁내강을 관찰하고 이상을 확인하기 위해 자궁내에 도관을 넣고 생리식염수를 주입하면서 초음파를 시행하는 것으로 자궁경(hysteroscopy)과 유사한 높은 정확도를 보인다.

③ 자궁경(hysteroscopy)

자궁경은 자궁내강의 이상에 대한 확진법이면서 동시에 치료할 수 있는 방법이다. 전통적으로 자궁경검사는 다른 덜 침습적인 검사로 확인할 수 없는 경우에 실시하였으나 최근에는 직경 2~3 mm의 자궁경이나 유연자궁경을 사용하여 외래에서 마취없이 쉽게 시행하며 간단한 수술도 할 수 있게 되었다.

(2) 치료

① 선천성 기형

- 선천성 자궁기형은 그동안 유산이나 산과적인 합병증과 관련이 있다고 알려져 왔으나 일반적으로 난임과는 상관이 없는 것으로 여겨지고 있다. 선천성 자궁기형 중 중격자궁이 가장 흔하며 산과적 합병증 이외에도 임신의 실패, 반복유산의 원인이 될 수 있다. 중격자궁이 있다고 모두 수술의 대상이 되는 것은 아니나 치료를 하지 않은 경우 불임치료의 성적이 나쁜 것으로 알려져 있으며 수술시 성적이 향상된다고 보고되고 있다. 수술은 자궁경하 중격절제술을 시행한다.
- 다른 종류의 기형은 수술로써 임신율이 증가된다고 볼 수 없다.

② 자궁평활근종(leiomyoma)

자궁근종이 생식력을 감소시키는지에 관하여는 매우 논란이 되어 왔다. 불임환자가 자궁근종이 있는 경우 임신율은 주로 자궁근종의 위치 및 크기의 영향을 받는다. 일반적으로 장막하근종(subserosal myoma)은 생식력이나 산과적 합병증과 관련이 없으나 점막하근종(submucosal myoma), 자궁내강을 변형시키거나 크기가 5 cm가 넘는 근층내 자궁근종(intramural myoma)은 착상율 및 생아출산율의 감소와 관련이 있다.

불임 여성에서 자궁근종의 치료는 결과가 다양하고 상대적인 위험성, 이득뿐만 아니라 나이, 난소의 기능, 산과력, 불임 기간, 다른 불임 요소와 자궁근종의 위치와 크기, 수, 치료가 요구되는지 등을 고려하여 개별화 하여야 한다.

③ 자궁내유착 (intrauterine adhesion, Asherman's syndrome)

- 태반 유착이나 반복적인 유산 등 임신과 관련된 원인이 대부분이며 자궁근종 절제술 등의 자궁수술 및 만성 염증이나 감염 드물게 결핵으로 인한 유착이 보고된다.
- 자궁난관조영술로 자궁내유착을 진단할 수 있다. 자궁경은 자궁내유착 진단의 가장 확실한 방법으로 유착의 정도, 위치, 범위를 알 수 있고 진단과 동시에 치료를 할 수 있다는 장점이 있다. 자궁경 유착박리술 후 재유착을 막기 위해 자궁내피임장치나 풍선도관을 삽입하거나 유착방지제를 사용하기도 하고 자궁내막의 재생을 위하여 고용량 에스트로겐 치료를 시행하기도 한다. 수술로 치료가 불가능한 경우는 대리모 임신을 시도한다.

5) 난관, 복막 요인(Tubal & peritoneal factor)

(1) 진단 방법

① 자궁난관조영술

- 생리가 끝난 후 2~5일 사이에 시행한다. 자궁난관조영술과 연관된 감염은 드물지만 예방적 항생제(검사 1~2일 전부터 doxycycline 100 mg 하루에 두 번 5일간)를 주는 것이 바람직하며 골반염이 발생한 경우 검사를 수 주간은 피하는 것이 감염을 감소시키는 방법이다.
- 자궁난관조영술에서 근위부 난관이 막힌 것으로 보여도 위양성인 경우가 60%에 달하며 위음성인 경우는 드물다

② 복강경

- 복강경에서 인디고카민 시약을 사용하여 난관의 통기성을 확인할 수 있다(chromoper-tubation). 복강경술은 자궁난관조영술에서 발견할 수 없으나 불임을 일으킬 수 있는 자궁내막증이나 골반 및 부속기 유착, 원위 난관 폐쇄(fimbrial agglutination,phimosis) 등을 확인할 수 있으며 진단과 동시에 치료도 가능하다는 장점이 있다.

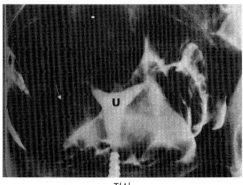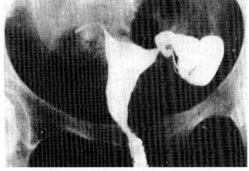

정상　　　　　　　　　　　　　　　　　난관 수종

그림 39-1. 자궁난관조영술

(2) 치료

- 난관 수술 혹은 체외수정(IVF)
- 체외수정의 성공률이 높아지면서 점차 수술은 줄고 체외수정은 늘어나는 추세이다.

① 난관재문합술(난관불임술의 복원(sterilization reversal))

- 난관 수술(tubal surgery) 중 가장 임신율이 높다.
- 연령, 시술의 방법과 위치, 수술 후 남은 난관의 길이에 따라 성공률이 다르다.

② 원위부 난관 수술

- 난관채 병변(fimbrial pathology)의 수술 방법은 병변의 정도에 따라 난관채 용해술 (fimbriolysis), 난관채 성형술(fimbrioplasty), 난관 신개구술(neosalpingostomy)등을 적 용한다.
- 원위부 난관폐쇄의 수술적 치료 효과는 난관난소 유착의 정도, 난관두께, 팽대부 내부 점막의 상태에 따라 달라진다.

③ 근위부 난관 수술

자궁경 혹은 방사선 조영(fluoroscopy)을 하면서 난관을 catheter로 뚫는 수술이다.

4. 원인불명 불임(Unexplained infertility)

- 빈도는 진단 기준에 따라 10%에서 30% 이상까지 다양하다.
- 배란장애가 없고, 정상 자궁난관조영술, 정상 정액검사를 포함한 기본 불임검사가 모두 정상인 경우에 원인불명이라 진단한다.
- 복강경은 불임 검사 중 가장 침습적인 검사로 과거에는 기본검사로 추천되었지만 현재는 선택적으로 이용한다. 초음파로 확인되지 않지만 자궁내막증이 의심되는 경우, 골반염이나 복부 수술의 과거력이 있는 경우 시행해 볼 수 있다.

치료

- 원인불명의 불임 치료는 필연적으로 경험적 치료이다.
- 2020년 미국 생식의학회 근거중심 가이드라인
  - 대부분의 원인불명의 불임 부부에서 경구 배란유도제를 사용한 배란유도 및 자궁강내 정액주입술 3~4회 후 임신이 되지 않으면 체외수정시술을 시도할 것을 권고한다.
  - 생식샘자극호르몬을 통상적인 용량으로 사용하거나 경구 배란유도제와 병합하여 사용한 과배란유도 및 자궁강내 정액주입술은 경구 배란유도제를 사용한 자궁강내정액주입술에 비하여 임신율은 향상되나 높은 다태임신율로 인하여 원인불명의 난임의 치료로 권고되지 않는다. 저용량의 성선자극호르몬을 사용한 배란유도 및 자궁강내 정액주입술은 경구 배란유도제를 사용한 인공수정과 비교할 때 복잡하고 비용이 비싸고 효과적이지 않아 권고되지 않는다.
  - 3~4회의 경구 배란유도제를 사용한 자궁강내 정액주입술로 임신에 실패한 부부에서는 생식샘자극호르몬을 사용한 과배란유도 및 자궁강내정액주입술보다 체외수정시술이 권고된다.
- 생식샘자극호르몬을 사용한 과배란유도 및 자궁강내정액주입술은 불임기간이 3년 이상으로 길거나 경구 배란유도제에 복수의 난포성장이 되지 않은 경우, 특히 체외수정시술을 할 수 없는 경우 효과적일 수 있다.
- 체외수정시술은 일차 치료법인지 마지막 치료법인지에 상관없이 명백하게 가장 효과적인 치료법이다. 체외수정시술이 38세 이하에서는 1차 치료로 권고되지는 않지만 38세 이상에서 1차 치료로 체외수정시술을 시행하는 경우 (과)배란유도 및 자궁강내정액주입술 시행 후 체외수정시술을 시행하는 치료전략과 비교하여 임신율이 더 높고 임신까지 걸리는 시간을 줄일 수 있다.

5. 보조생식술(Assisted reproductive technology)

최근 불임의 진단, 치료과정에 가장 많은 영향을 미친 요소가 보조생식술의 등장이다. 1978년 영국에서 최초의 체외수정에 의한 아기가 태어난 이후 보조생식술은 비약적인 발전을 거듭하고 있다. 최근에는 유럽의 몇몇 국가에서 전체 출생아의 5% 이상이 체외수정에 의해 탄생할 만큼 보편적 치료방법이 되었다. 국내에서도 전체 출생아의 1% 이상이 체외수정에 의한 임신이다.

1) 정의

보조생식술이란 체외에서 난자를 직접 조작하는 모든 기술을 총칭하는 말이다.

2) 종류

- 체외수정(IVF-ET; *in vitro* fertilization-embryo transfer)
- GIFT (gamete intrafallopian transfer): 채취한 난자를 정자와 혼합한 후 즉시 복강경을 이용해 난관에 넣어주는 시술
- ZIFT (zygote intrafallopian transfer): 난자와 정자를 체외에서 하루 배양해 수정이 되었는지 확인하고 수정란을 복강경을 이용해 난관에 넣어주는 시술
- 이외에도 체외수정에 부수적으로 적용되는 난세포질내 정자주입법(ICSI, intracytoplasmic sperm injection), 보조부화술(assisted hatching), 배아동결보존(embryo cryopreservation), 착상전 유전진단(PGD, preimplantation genetic diagnosis) 등이 포함된다.
- GIFT와 ZIFT는 복강경을 해야 하는 침습적 시술이고 임신율은 체외수정과 비슷하므로 최근에는 사용되지 않는다.

3) 적응증

- 체외수정시술의 초기에는 난관 요인이 주요 적응증이었으나 점차 그 적응증은 남성인자, 자궁내막증, 자궁경관 요인, 면역학적 요인, 원인불명의 불임 환자에게로 넓혀졌다.

(1) 과배란유도

체외수정시술을 위한 과배란유도시 다수의 난포가 성장하면 혈중 에스트로겐이 급상승하

면서 난포가 충분히 성장하기 전에 조기 LH surge가 일어나 조기배란이 일어날 뿐만 아니라 난포의 조기 황체화를 유발하여 임상결과에 악영향을 줄 수 있다. 이러한 조기 LH surge를 예방하기 위하여 GnRH agonist 또는 GnRH antagonist를 사용한 과배란유도법이 널리 이용되고 있으며 다음의 두가지 과배란유도법이 가장 많이 사용된다.

① GnRH agonist long protocol

- 직전 월경주기의 황체기 중반에 GnRH agonist 투여를 시작하여 초기 flare 효과가 있으나 투여를 7~10일 동안 지속하면 뇌하수체의 억제가 유도되고 hCG 투여일까지 사용한다.
- 월경주기 2~4일째부터 생식샘자극호르몬(recombinant FSH, urinary FSH, hMG)을 투여하여 과배란을 유도한다.

② GnRH antagonist protocol

- GnRH antagonist는 투여 즉시 뇌하수체에서 FSH와 LH의 분비를 억제한다.
- 월경주기 2~4일째부터 생식샘자극호르몬 투여를 시작하고 5~7일 투여 후 GnRH antagonist 투여를 시작하거나(fixed protocol) 우성난포 직경이 12~14 mm가 되었을 때 투여을 시작하며(flexible protocol) hCG 투여일까지 지속한다.

③ 난자성숙

- 난포 성숙이 충분히 이루어졌다고 판단되면 최종 난자의 성숙을 유도하기 위하여 뇨융모생식샘자극호르몬 (urinary hCG) 5,000~10,000 IU 또는 재조합 융모생식샘자극호르몬(recombinant hCG) 250 µg을 투여한다. hCG 투여 여부는 우성난포의 크기로 결정을 하는데 의사 또는 기관마다 차이가 있을 수 있으나 통상적으로 직경 18 mm 이상 난포 1개 또는 17 mm 이상 난포 2개 이상의 기준이 사용된다.

(2) 난자 채취(oocyte retrieval)

- 난자채취는 일반적으로 hCG 투여 34~36시간 후에 시행된다.
- 정맥 진정마취 후 질식초음파 유도하에 16~17 게이지 난자채취용 바늘을 난포 내에 삽입하여 난포액을 흡인하여 난포액내 난자를 채취한다.

(3) 수정(fertilization)

- 난자 채취 4~6시간 후에 수정을 시행하며 정액은 난자채취 전후에 채취하여 정액 처리

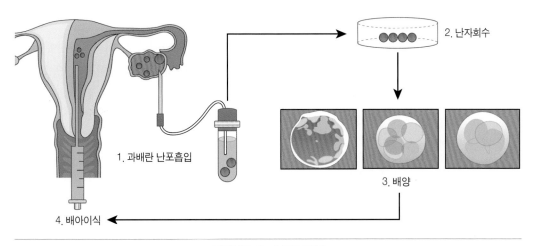

그림 39-2. **IVF의 과정**

과정을 통하여 운동성과 형태가 좋은 정자를 분리하여 사용한다.

- 고식적 체외수정(conventional IVF): 획득한 난자와 정자를 약 1: 100,000 비율로 섞어서 배양액내에서 배양하여 수정을 시킨다.
- 난자세포질내 정자주입술(ICSI): 정자 한마리를 선별하여 난자세포질내에 직접 찔러 주입해주는 시술로 중증 남성요인, 수술적으로 채취된 정자, 이전에 고식적 체외수정으로 수정이 안되었거나 수정률이 낮았던 경우, 동결난자의 경우에 사용된다.
- 수정의 확인: 수정 16~18 시간 후 난자의 세포질 내에 두 개의 전핵(pronucleus)을 관찰함으로써 정상적인 수정이 일어났음을 확인할 수 있다.

(4) 배아의 배양 및 평가

- 정상적으로 수정이 된 배아는 새로운 배양액에 옮겨서 4~8세포기에 도달하는 2~3일간 배양하거나 포배기에 도달하는 5~6일간 배양한다.
- 정상임신의 경우 수정란이 난관을 거쳐 자궁에 유입되는 시기는 상실배(morula) 단계이므로 포배기배아를 자궁 안에 이식하는 것이 좀 더 자연임신과정과 가깝다고 할 수 있다. 임상성적도 포배기 배아를 이식한 경우가 분열단계(cleavage stage) 배아를 이식한 경우보다 임신율과 착상율이 높다.
- 배아 이식전에 배아의 발달 속도, 형태학적인 할구의 갯수, 균등성, 할구 절편의 유무에 따라 질적평가를 한다.

(5) 배아이식(embryo transfer)

배양된 배아를 이식관을 이용해 자궁 경부를 통해 자궁속에 넣어준다. 이식배아수에 대해서는 2008년에 제정된 보건복지부 가이드라인이 있으며 환자의 연령, 배아이식일, 양호조건 유무에 따라 최대이식배아수가 제시되어 있다. 대개 분열 단계의 배아는 2~3개, 포배기 배아는 1~2개를 이식하게 된다. 유럽의 일부 국가에서는 하나만 이식하는 것으로 법제화된 경우도 있다. 배아이식은 초음파를 보면서 자궁 저부(fundus)에서 1.5~2 cm 떨어진 곳에 이식한다.

(6) 황체기 보강 (luteal phase support)

- 과배란유도 후에는 황체기 초반에 에스트로겐과 프로게스테론이 과량으로 형성되고 생성기간이 짧아져 자궁내막의 변화가 일찍 진행되어 착상 가능시기가 앞당겨지고 황체기가 짧아지는 황체기 문제가 생긴다.
- 이러한 황체기 문제를 해결하기 위하여 황체기 보강을 시행하는데 난자채취 당일 부터 채취 후 3일이내에 황체기 보강을 시작하며 통상적으로 임신 6~10주까지 유지한다.
- 황체기 보강은 프로게스테론을 질내 투여하거나 근육주사 또는 피하주사를 통하여 투여하는 방법을 주로 사용한다.

(7) 과배란유도의 부작용

① 다태임신(multiple pregnancy)
② 난소과자극증후군(ovarian hyperstimulation syndrome, OHSS)

난소과자극증후군이란?

난소과자극증후군은 과배란유도를 위하여 외인성 생식샘자극호르몬을 투여할 때 발생하는 의인성 합병증으로 간혹 클로미펜을 사용한 배란유도시에도 관찰될 수 있다. 난소과자극증후군의 특징은 VEGF와 같은 혈관활성물질에 의한 모세혈관 투과성의 증가와 이로 인한 혈관내액이 혈관외 공간으로 이동하는 것이며 결과적으로 저혈량증이 발생하며 혈액이 농축되어 혈전증의 위험성이 증가하게 된다.

가. 위험인자

젊은 연령, 저체중, 높은 AMH 농도 및 동난포수, 다낭성난소증후군, 고용량의 생식샘자극호르몬 투여, 이전의 난소과자극증후군 과거력이 위험요인이며 혈중 에스트라디올이 높거나 발달하는 난포수가 많은 경우 위험성이 증가한다.

나. 분류

- mild : 과배란유도주기의 1/3에서 발생하며 5 cm 이상 난소크기 증가, 복부팽만, 하복부 불편감, 경미한 구역/구토, 설사 등의 증상을 보인다.

- moderate: 초음파에서 복수가 관찰되고 혈액농축(Hct>41%), 백혈구 증가(WBC > 15,000/mL) 소견을 보인다.

- severe: GnRH antagonist protocol에서 5%, GnRH agonist long protocol에서 9% 정도 발생한다. 임상적 복수, 흉수, 호흡곤란, 핍뇨/무뇨, 심한 구역/구토 증상을 보이며 혈액 농축(Hct>55%), 백혈구 증가(WBC>25,000/mL), 크레아티닌 청소율 감소(<50mL/min), 크레아티닌 증가(>1.6 mg/dL), 저나트륨혈증, 고칼륨혈증, 간효소수치 상승 소견을 보인다.

- critical: 저혈압, 저중심정맥압, 흉막삼출, 급격한 체중증가(>1 kg in 24 h), 실신, 심한 복통, 정맥혈전증, 급성신부전, 부정맥, 혈전색전증, 심낭삼출, 극심한 흉수, 동맥혈전증, 성인호흡곤란증후군, 패혈증이 발생하며 검사실 소견이 악화된다.

다. 치료

- 통원치료: 활동제한, 매일 체중측정, 전해질 균형 수분섭취(>1L/day)를 하도록 하며 매일 전화 또는 방문을 통한 추적관찰이 필요하다. 증상의 악화 또는 일일 1 kg 이상 체중 증가가 있다면 재평가가 필요하다.

- 입원치료: 경구 수분섭취가 불가능하거나 혈역동학적 불안정, 호흡 부전, 긴장성 복수, 혈액농축, 백혈구증다증, 저나트륨혈증, 고칼륨혈증, 신장 또는 간기능 이상, 산소포화도 감소시에는 입원치료가 필요하다. 수분섭취 및 배뇨량을 확인하고 저혈량증, 저혈압, 전해질 이상, 핍뇨증을 교정하기 위하여 정맥 수액보충이 필수적이다. 혈관내 용적 확장을 위해서 알부민을 투여할 수 있다. 이뇨제는 저혈장증이 교정된 후 체중증가 및 핍뇨증을 교정하기 위하여 사용할 수 있다. 심한 복수로 통증이 있거나, 흉수, 지속적인 핍뇨증이 있다면 복수천자가 필요하며 혈액농축이 심한 경우 혈전색전증 예방이 필요하다.

라. 예방

- 난소과자극증후군의 고위험군에서는 과배란유도시 생식샘자극호르몬의 시작 용량을 줄인다.

- GnRH agonist triggering: GnRH antagonist protocol 사용시에는 hCG 대신 GnRH agonist를 사용할 수 있으나 신선 배아이식시에 착상율이 낮아질 수 있다.

- coasting: E_2 농도가 plateau에 도달하거나 감소할때까지 생식샘자극호르몬 투여를 중단

한다.

- cycle cancellation: 배아이식을 취소하고 배아를 모두 동결한다.
- cabergoline: VEGF 합성을 저해하는 도파민 효능제로 hCG 투여일부터 8일 동안 일일 0.5 mg을 투여한다.

PART

V

OBSTETRICS & GYNECOLOGY

종양학

양성 난소 종양
Benign ovarian tumors

1. 난소 종양의 진단 방법을 숙지한다.
2. 양성 난소 종양을 분류하고, 각 양성 난소 종양의 임상적 특성에 대해 설명한다.
3. 양성 난소 종양의 수술 적응증을 숙지한다.
4. 양성 난소 종양과 감별진단이 필요한 질환을 설명한다.

1. 양성 난소 종양의 임상적 특성

1) 전체 난소 종양의 80~85%를 차지한다.
2) 호발연령: 20~44세
3) 증상

  (1) 대부분은 무증상으로, 우연히 발견된다.

  (2) 복부나 골반 내 압박효과로 인한 복부팽만감, 하복부 불편감, 배뇨 또는 소화기계 증상 등이 발생할 수 있다.

  (3) 내분비 계통의 영향으로 부정출혈 등의 호르몬 관련증상이 나타날 수도 있다.

  (4) 자궁부속기의 꼬임(염전)이나 파열로 인한 급성 하복부 통증이 발생할 수도 있다.

4) 감별 진단

  (1) 기능성 난소 낭종(Functional ovarian cysts): 양성질환

  (2) 종양성 난소 종괴(Neoplastic ovarian masses): 양성 또는 일부에서 악성질환

  (3) 염증성 종괴(Inflammatory masses): 난관난소농양, 게실농양, 충수돌기농양 등

2. 양성 난소 종양의 진단 방법(그림 40-1)

1) 악성 종양과의 감별을 위해 환자의 나이, 증상, 가족력 및 산부인과 병력 등을 조사한다.

2) 혈중 CA-125, HE4 (human epididymal protein 4), ROMA (The risk of ovarian malig-nancy algorithm) 수치 및 초음파 검사상 난소 종양의 구성 성분, 모양 및 혈관의 분포, 도플러 계수 등의 혈류학적 특징을 파악하여 악성 종양과의 감별 진단에 이용한다.

3) 단순 낭성 종양

   (1) 폐경 전 여성에서 8 cm 미만 단순 낭성 종양의 경우 6~8주 뒤 초음파 추적검사를 시행한다.

   (2) 폐경 후 여성에서 무증상, 단방성, 낭성, 정상범위의 혈중 종양표지자 수치를 보이는

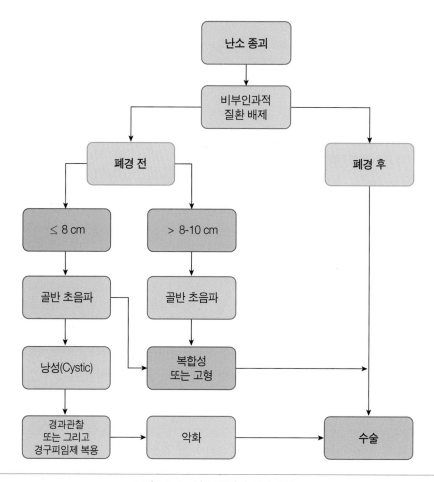

그림 40-1. 난소 종괴의 진단 방법

5 cm 미만 난소 종양의 경우 4~6주 뒤 초음파 추적검사를 고려할 수 있다.

(3) 추적검사에서 크기가 증가하거나, 모양의 변화, 복수의 발생, 혈중 종양표지자 수치가 증가할 경우 수술적 제거를 고려해야 한다.

4) 복합성 난소 종양

(1) 초음파 검사상 다수의 중격(septum), 고형 성분 포함, 불규칙한 두께의 종양벽, 증가된 음영, 복수 등의 소견이 있으면 색 도플러 초음파, 복부골반 전산화단층촬영(CT), 골반 자기공명영상(MRI) 등으로 악성종양과 감별 진단한다.

3. 기능성 난소 낭종(Functional ovarian cysts)

1) 임상적 특성

(1) 담배, 마리화나, 비만 등이 발생을 증가시킬 수 있다.

(2) 경구피임제가 발생 위험도를 감소시키는 것으로 알려져 있어, 낭종 소실을 위해 복합성 경구피임제의 사용을 고려할 수 있다.

(3) 양성 난소 종양으로 대부분 수술적 치료를 필요로 하지 않는다.

2) 종류

(1) 난포낭종(Follicular cyst)

① 가장 흔하다.

② 낭성 난포(cystic follicle)의 크기가 3 cm 이상일 때 진단이 가능하다.

③ 대부분 증상 없이 우연히 발견된다.

④ 염전이나 파열 시 골반통이나 복막자극징후를 동반한다.

⑤ 대부분 8 cm 미만으로, 보통 4~8주 이내 자연 소실된다.

(2) 황체낭종(Corpus luteum cyst)

① 난포낭종보다 상대적으로 발생 빈도가 낮다.

② 파열되는 경우는 생리주기(MCD) 20~26일째 주로 발생하며 우측 난소에 흔하다. 항응고요법(anticoagulation therapy) 중인 여성 혹은 성교(intercourse) 중에 잘 일어나

며, 파열로 인해 혈복강 및 심한 하복부 통증 유발하는 경우 수술적 치료가 필요할 수 있다.

(3) 난포막황체낭종(Theca-lutein cyst)

① 기능성 난소 낭종 중 가장 드물다.

② 임신과 관련 있으며, 대부분 양측성이다.

③ 다태아, 포상기태임신, 융모막암종, 당뇨, Rh 감작(sensitization), 과배란 유도(clomiphene citrate 사용 등)와 연관성 있다.

④ 대부분 저절로 소멸한다.

4. 종양성 난소 종괴(Neoplastic ovarian masses)

1) 유피낭(Dermoid cyst)(그림 40-2)

(1) 양성 성숙 기형종(Mature cystic teratoma)으로도 불리며, 가장 흔한 생식세포(germ cell) 기원의 양성 난소 종양이다.

(2) 대부분의 경우 가임기 여성에서 발견되지만, 25%는 폐경 후 여성에서 발생한다.

(3) 낭종 안은 피지, 머리카락, 피지모낭, 땀분비선, 치아, 연골, 뼈 등으로 채워져 있으며, 대부분 피지로 이뤄진 경우(high-fat content)는 가벼워서 자궁의 앞쪽에 위치하고, 치아나 뼈가 단순 X-ray 검사에서 관찰되기도 한다.

(4) 10%는 양측성으로 발견된다.

(5) 악성전환은 2% 미만으로 드물고, 대개 40세 이상에서 나타난다.

(6) 합병증

① 염전(가장 흔한 합병증, 15%)

② 급성 파열(급성복막염 유발)

③ 내용물의 만성 누출로 인한 육아종성 복막염(granulomatous peritonitis)을 일으켜서 악성으로 오인되기도 한다.

(7) 치료

① 염전된 경우 풀고 난소낭종절제술(ovarian cystectomy)을 시행한다.

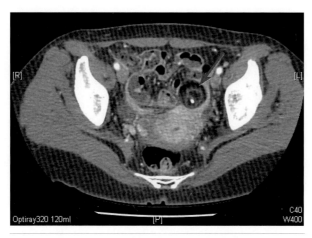

그림 40-2. **유피낭의 골반전산화단층촬영 소견**

② 파열 시 난소낭종절제술 후 복강 세척(peritoneal lavage)을 시행한다.

③ 반대쪽 난소는 잘 관찰하여 이상부위는 조직검사를 시행하며, 초음파검사와 육안소견 상 정상이면 생략해도 된다.

④ 수술 시 종양 내용물이 복강 내로 누출되면 드물게 화학적 복막염(chemical peritonitis)이 유발될 수 있다.

2) 장액성 낭선종(Serous cystadenoma)

(1) 상피세포(epithelial cell) 기원의 양성 난소 종양 중 가장 흔하며, 50~80%를 차지한다.

(2) 호발연령: 주로 40~50대

(3) 약 10% 정도에서 악성으로 진단된다.

(4) 양측성인 경우는 15~20%이며, 크기는 보통 5~15 cm 정도이다.

(5) 육안적 소견은 표면이 매끈하고 분엽화 되어있다. 회색 또는 청회색을 띄지만 낭종내 출혈시 검게 보일 수 있고, 얇은 막을 가지고 있다.

(6) 조직학적 소견은 미세한 유두상(papillary) 돌기와 단층의 편평입방상피세포를 보이며, 15% 정도에서 사종체(psammoma body)가 관찰된다.

(7) 진단

① 골반내진

② 혈중 CA-125 수치가 보통 정상범위이다.

③ 초음파검사상 경계가 명확하고 단방성으로 보이나, 낭샘섬유종인 경우 초음파검사상 고형체가 포함되어 악성 종양과의 감별이 필요하다.

(8) 치료

① 치료는 수술적으로 제거한다.

② 수술범위는 양측성, 악성의 가능성, 유두상 돌기의 존재여부, 임신력 보존 희망을 고려한다.

3) 점액성 낭선종(Mucinous cystadenoma)

(1) 상피세포 기원 양성 난소 종양의 15~20%를 차지한다.

(2) 호발연령: 30~50대

(3) 양측성인 경우는 10% 정도이며, 5~10%에서는 악성으로 확인된다.

(4) 육안 소견은 표면은 매끈하고 가끔 분엽화되어 있으며, 개개의 분엽의 크기가 다양하다. 낭종 외부에 유두상 증식은 없으며, 대개 다방성이고, 점액성 물질로 차있다.

(5) 치료는 수술적으로 제거한다.

4) 브렌너 종양(Brenner tumor)

(1) 상피세포 기원의 양성 난소 종양 중 1% 정도로 드물게 발견된다.

(2) 호발연령: 40~60대

(3) 약 5% 정도에서 악성으로 진단된다.

(4) 육안 소견은 크기가 작고 표면이 매끄러우며, 분엽을 형성하는 경우가 있다.

(5) 조직학적 소견은 섬유조직 안에 상피세포의 군집이 있으며 표피모양세포의 핵이 coffee-bean 모양이다.

(6) 치료는 수술적 제거이다.

5. 기타 난소 종양

1) 자궁내막종(Endometrioma)

(1) 자궁내막증(endometriosis)이 난소에 발생하는 경우로, 초음파상 균일한 저음영의 복합성 난소 종괴를 보인다.

(2) Chocolate-colored fluid가 차있어서 chocolate cyst라고도 한다.

(3) 치료는 약물치료(NSAIDs, progestational agents, danazol, gestrinone, gonadotropin-releasing hormone agonists) 또는 수술적 제거이다.

2) 난관난소농양(Tubo-ovarian abscess)

(1) 골반염 환자에서 초음파검사 또는 복부골반 CT를 통해 진단된다.

(2) 입원하여 광범위 항생제 치료를 시도하며, 75% 정도의 치료 성공률을 보인다.

(3) 항생제 치료에 반응이 없는 경우, 초음파 또는 CT를 이용한 외과적 배농술(drainage)을 시행할 수 있다.

3) 부난소 낭종(Paraovarian cyst)

(1) 중피세포(mesothelium)에서 유래하며, 중신관(mesonephric duct)나 중피세포 봉입낭(mesothelial inclusion cyst)의 잔유물이다.

(2) 대개 양성 낭종이며, 악성빈도는 매우 낮다.

(3) 대개 무증상이며, 우연히 발견된다.

(4) 드물게 출혈, 파열, 염전을 일으킬 수 있다.

4) 난소잔유물증후군(Ovarian remnant syndrome)

(1) 불완전한 일측성 혹은 양측성 난소절제술 후에 기능을 하는 난소가 골반 내에 남아 자라거나 낭종을 형성하는 경우를 일컫는다.

(2) 골반통이나 성교통의 원인이 되기도 한다.

난소암
Ovarian cancer

1. 상피성 난소암의 진단 방법을 설명한다.
2. 상피성 난소암의 역학 및 위험인자를 설명한다.
3. 상피성 난소암의 수술적 치료 원칙을 설명한다.
4. 난소의 경계성 종양 및 악성 종양의 치료 방침을 비교한다.
5. 난소암 치료에 있어 항암화학요법요법의 역할에 대하여 설명한다.
6. 생식 세포종 및 간질 종양을 분류한다.
7. 비상피성 난소암의 조직학적 분류 및 특이 암표지물질의 종류를 설명한다.

- 전세계적으로 발생빈도로 볼 때 여성암 중 8위로, 전체 여성암의 3.4%를 차지하고 있으며, 부인암(여성생식기암) 중 자궁경부암, 자궁체부암에 이어 세번째로 흔한 암이다.
- 전세계적으로 여성암으로 인한 사망 원인 중 8번째이며 부인암 중 자궁경부암에 이어 두번째로 사망률이 높다. 선진국(developed countries)에서는 부인암 중 가장 나쁜 예후를 보인다.
- 국내에서는 여성암 중 11위이며, 전체 여성암의 2%를 차지하고 부인암 중 자궁경부암, 자궁체부암에 이어 세번째로 흔하다.
- 효과적인 조기 진단 방법이 없기 때문에 진단 당시 약 2/3에서 진행된 상태로 발견되므로 예후가 나쁘다. 난소암 전체 5년 생존율은 약 50% 미만이다.
- 난소종양은 상피성 종양, 생식세포 종양, 성기삭-간질 종양으로 구분한다(표 41-1).

표 41-1. **난소 종양의 분류**

Epithelial Tumors
Serous
Mucinous
Endometrioid
Clear cell
Transitional cell
Germ Cell Tumors
Dysgerminoma
Endodermal sinus tumor
Embryonal carcinoma
Polyembryoma
Choriocarcinoma
Teratoma
– Immature
– Mature
Sex Cord Stromal Tumors
Granulosa-stromal cell
– Granulose cell tumor
– Thecoma-fibroma
Sertoli-Leydig cell
Sex cord tumor
Sex cord tumor with annular tubules
Gynandroblastoma
Unclassified and Metastatic

1. 상피성 종양

난소암의 90%를 차지하는 상피성 종양은 배아체강상피(embryonic coelomic epithelium)에서 기원한다.

1) 위험인자

- 난소 상피가 배란으로 인하여 반복적으로 파열되고 복구되는 과정에서 일어나는 자연적 돌연변이가 상피성 난소암의 원인으로 알려져 있고
- 배란을 많이 할수록(불임, 빠른 초경, 늦은 폐경 등) 난소암 발생위험이 증가된다고 알려져 있다.
- 최근에는 상피성 난소암 중 장액성 난소암의 기원이 난소가 아니라 난관(fallopian tube)

이라는 학설이 대두되고 있는데,

- 난관의 장액성 난관 상피내암(serous tubal intraepithelial carcinoma, STIC) 세포들이 난소표면에 착상하여 자라면서 장액성 난소암이 발생하는 것으로 추정하는 학설이 주목받고 있다.

(1) 가족력

난소암, 유방암, 자궁내막암, 대장암의 가족력이 있는 경우 발생 위험이 증가한다.

(2) 환경적 요소

석면(asbestos) 및 활석가루(talc powder) 노출의 경우 발생과 연관 있다는 보고가 있다.

(3) 생식학적 요소

① 발생 위험 감소: 출산, 경구 피임약 사용, 모유 수유, 난관결찰술, 자궁절제술의 과거력
② 발생 위험 증가: 미산부, 불임여성, 빠른 초경, 늦은 폐경

2) 예방

(1) 출산

한 자녀 출산시 30~40% 난소암 발생 위험도 감소한다.

(2) 경구피임약 복용

5년 이상 복용 시 난소암 발생 위험이 50% 감소한다.

(3) 예방적 양측 난소난관절제술

난소암은 거의 예방되지만 원발성 복막암의 발생(2~3%)을 줄이지 못한다.

3) 난소암의 조기선별검진

골반내진, 혈청 CA-125, 골반초음파검사로 선별검진하고 있으나, 초기 난소암은 대부분 무증상이며 확립된 조기 선별검진방법이 없다.

(1) 정기적인 골반 진찰
① 일반 여성의 난소암 선별검진방법
② 초기 난소암을 진단하는 민감도는 낮다.

(2) CA-125
① 혈청 종양표지자로서 상피성 난소암 환자의 80%에서 상승되어 있다.
② 35 U/ml 이상이 비정상
③ 병기 I기인 초기 난소암의 약 50%(민감도 낮음), 진행성 난소암의 85%에서 증가하는 것으로 알려져 있다.
④ 위양성: 임신, 정상생리, 양성 난소 종양, 자궁근종, 자궁내막증, 골반염, 복막염, 췌장염, 간경화 그리고 다양한 기타 장기 악성 종양에서도 혈청 농도가 상승하므로 폐경 전 여성에서는 CA-125검사의 특이도가 낮다.
⑤ 수술전 평가를 위한 CA-125 사용은 폐경 전 여성보다는 폐경 후 여성에서 더 유용한데, 폐경후 여성에서 6 cm 이상 크기의 자궁부속기 종양이 있고 CA-125수치가 35 U/ml 이상 이면 난소암 가능성이 높은 것으로 알려져 있다.
⑥ 낮은 민감도와 특이도로 초기 난소암 진단에는 유용하지 못하지만 난소암 치료에 대한 반응과 재발여부를 평가하는 데 중요하다.

(3) 다른 종양표지자
CA19-9, CEA, CA15-3, CA72-4, HE4, lipid-associated sialic acid, lysophosphatidic acid, OVX1, osteopontin, 프로테오믹스 등의 연구가 진행 중

(4) 질초음파검사
① 악성종양 의심소견
- 고형성분, 돌기형 유두상돌기, 격막이 있는 복합성 난소 낭종
- 낭종벽이 두껍고 복수가 있거나 인근 장기로의 침윤이 보이는 경우

② 양성 예측도는 낮으나 폐경 후 여성에서 민감도는 84%, 특이도는 78%

(5) CA-125와 질초음파검사
CA-125와 질초음파의 병합검사가 단독검사보다 특이도와 양성 예측도 증가한다.

(6) 난소암 조기선별검진방법

① CA-125, 초음파검사, 골반내진 등을 포함한 선별검진방법의 유용성에 대한 뚜렷한 증거는 없으므로, 모든 여성의 정기적인 검진 방법으로 추천되지는 않는다.
② American Cancer Society: 난소암 발생 고위험군에 골반내진, CA-125, 초음파검사의 병합검사 권장
③ American College of Obstetricians and Gynecologists (ACOG)
• 선별검진이 발생 저위험군의 무증상인 여성에서는 유용하지 않음
• 오히려 임상증상에 관심을 가지고 증상이 있을 시 골반내진 권장

4) 유전성 난소암

대부분의 상피성 난소암은 산발성(sporadic)이지만, 5~10%는 유전성으로 발생하며 유전자 변이에 따라 BRCA 유전자 이상군과 Lynch II 증후군이 있다.

(1) BRCA 돌연변이

① 가계 중 난소암이 발생하는 site-specific hereditary ovarian cancer syndrome과 난소암, 유방암이 발생하는 hereditary breast-ovarian cancer syndrome의 원인이다.
② BRCA 1은 17번 염색체 장완 21 (17q21)에 위치하며, BRCA2는 13번 염색체 장완 12~13 (13q12~13)에 위치한다.
③ BRCA1, BRCA2 배돌연변이(germline mutation)가 있는 경우에 유방암의 평생누적위험률은 82%, 난소암의 경우 BRCA1은 54%, BRCA2는 23%이다.
④ 비유전성암에 비하여 10년 젊은 연령에서 난소암이 발생하는 것으로 알려져 있다.
⑤ BRCA1 배돌연변이에 의한 난소암은 대부분 고등급 장액성 난소암(high-grade serous carcinoma)이다.

(2) HNPCC (Hereditary Nonpolyposis Colon Cancer Syndrome): Lynch II Syndrome

① MSH2, MLH1, PMS1, PMS2 돌연변이와 관련된다.
② 대장암, 자궁내막암, 난소암, 소화기암, 비뇨기암 발생 위험이 증가한다.
③ 난소암 발생 위험은 최소 3배 이상 증가한다.

(3) 유전성 난소암 고위험군의 예방 및 진료지침

① 유전자 검사를 포함한 유전상담을 받아야 한다.

② 예방적 수술을 하지 않은 경우는 6개월 마다 질초음파검사를 시행한다.

③ 임신이 필요한 경우 아니면 경구피임약 복용을 권장한다.

④ 임신을 원하지 않거나 출산을 마친 경우 35~40세에 예방적 난관난소절제술이 권장된다.

⑤ 30세부터 매년 유방검사(mammography, 초음파검사, MRI 등)를 시행한다.

⑥ HNPCC가 확인된 경우는 추가로 정기적 대장내시경검사, 자궁내막검사를 시행하고, 출산을 마친 경우 예방적 자궁절제술(hysterectomy)도 고려한다.

2. 임상적 평가

1) 임상양상

① 19%만이 난소에 국한되어 있는 경우(병기 I)에 발견된다.

② 68%가 병기 III 이상의 진행된 상태에서 발견된다.

③ 초기 난소암은 무증상으로 진행되는 경우가 대부분이다.

④ 증상이 있다하더라도 복부 팽만, 소화불량과 같은 비특이적 증상을 보여 진단이 어렵다.

⑤ 진찰 시 골반 종괴+/-복수로 인한 복부 팽만이 가장 중요한 소견이다.

2) 진단

① 수술 전 난소 양성종양을 포함한 다른 종양과의 감별 진단이 필요하다.

② CA-125와 초음파검사 소견을 종합하여 판단한다(예, 자궁부속기 종양이 있으면서 CA-125 100 U/mL 이면 폐경 전 여성의 21.1%, 폐경 후 여성의 74.3%가 난소암일 가능성 있음).

③ 초음파검사 소견이 중요(고형성분, 돌기형 유두상돌기, 격막이 있는 복합성 난소 낭종, 낭종벽이 두껍고 복수가 있거나 인근 장기로의 침윤이 보이는 경우)

④ 증상이 없고, 혈청 CA-125가 정상 범위이며, 상기 초음파 소견이 없는 8~10 cm의 자궁부속기 종괴는 초음파검사 추적 관찰할 수 있다.

⑤ 수술전 평가: 환자 병력, 골반내진 및 자궁경부세포검사, 일반혈액검사 및 생화학적 혈액검사, 심전도, 흉부 X-선 검사, 필요시 폐기능 검사, 심초음파검사

⑥ 복부 및 골반의 컴퓨터 단층촬영(CT), 지기공명영상(MRI), 양전자방출단층촬영술(PET-CT)

- 골반 종괴가 없는 환자에서 간이나 췌장의 원발 종양 여부를 확인
- 다른 장기로의 전이 평가
⑦ 다른 원발 부위에서 난소로의 전이암을 배제하기 위하여 위내시경, 대장내시경, 유방촬영을 시행한다.

3. 병기결정

수술적 병기설정(표 41-3) 및 종양감축수술

① 난소암은 수술을 통해 진단과 병기 설정, 치료가 이루어지므로 철저한 수술이 무엇보다 중요하다.
- 초기 난소암 환자의 경우 철저한 병기설정수술을 통해 병소를 제거하고 정확한 병기를 파악하여 그에 따른 적절한 항암화학요법을 제공함으로써 예후를 향상시킬 수 있다.
- 진행된 난소암 환자에서는 적극적인 종양감축수술을 통해 잔류종양을 최소화하는 것이 생존율을 향상시키는 가장 중요한 예후인자이다.
② 난소암 병기설정수술은 정중절개를 통한 개복수술이 원칙이다.
- 정중 절개: 치골결합(symphysis pubis)에서 칼돌기(검상돌기, xiphoid process)까지 복벽 정중선을 따라 절개하는데, 이러한 절개는 종양의 제거와 횡격막 하면까지 이르는 전체 복강내 시진에 용이하다.
- 일부 환자에서 선택적으로 복강경 등을 이용한 최소침습수술 사용이 시도되기도 하지만 종양학적인 안전성에 대한 근거는 아직 미약하다.
③ 개복 후 종양이 있는 난소를 우선적으로 확인하게 되며, 종양 피막 파열과 피막 침범 여부 등을 확인해야 한다. 동결절편검사를 통해 난소암이 확진되면 복강내 세포세척검사(peritoneal washings for cytology)를 시행한다.
④ 횡격막을 포함한 전체 복막, 대망, 간, 소장, 대장, 장간막, 골반 등 전체 복강 내에 걸쳐 자세한 시진과 촉진을 시행하고 의심스러운 모든 부위에 대해서는 절제 또는 생검을 시행한다.
- 육안적으로 병변이 없는 초기 난소암으로 생각되더라도 미세 전이 가능성이 있으므로 무작위 복막 생검과 결장하 대망절제술은 시행한다.
⑤ 난관난소절제술과 전자궁절제술
⑥ 골반림프절 및 대동맥주위림프절 생검 혹은 절제술

⑦ 충수돌기절제술: 점액성 종양의 경우 시행

⑧ 진행성 난소암에서는 가능한 많은 종양을 제거하여 육안적으로 보이는 잔류종양을 최소화 하는 종양감축수술을 시행한다. 대부분의 진행성 난소암 환자는 복강 내 여러 곳에 전이를 동반하고 있으므로 자궁과 자궁부속기 외에 복막, 횡격막, 간, 담낭, 위, 비

표 41-2. 난소암의 병기설정(2014 FIGO ovarian cancer staging)

I기: 난소에 국한된 종양

IA기	일측난소에 국한; 난소표면에 종양이 없으며, 피막이 깨끗하고 복강내 세척에서 음성.
IB기	양측난소에 국한; 무복수, 난소표면에 종양이 없으며, 피막이 깨끗하고 복강내 세척에서 음성.
IC기	종양이 일측난소 혹은 양측난소에 국한되어 있으면서
	IC1 수술 당시 파열된 경우
	IC2 수술전 피막이 파열되어 있거나 난소표면에 종양이 있는 경우
	IC3 악성세포를 지닌 복수가 있거나 복강내 세척에서 악성세포가 나타날 때

II기: 골반내 파급(골반가장자리 아래, below pelvic brim)을 동반한 일측 혹은 양측 난소에 국한된 종양

IIA기	자궁 혹은 난관으로 파급 혹은 전이
IIB기	다른 골반조직으로 파급

III기: 일측 또는 양측 난소에 종양이 있으면서 골반을 넘어선 복막 전이 혹은 후복막 림프절 전이가 세포학적 혹은 조직학적으로 확인된 경우

IIIA기	후복막 림프절 양성이거나 골반을 넘어선 그러나 복막에 현미경적으로 전이가 확인된 경우
	IIIA1 후복막 림프절 전이만 있는 경우
	IIIA1(i) 전이 크기가 10 mm 이하인 경우
	IIIA1(ii) 전이 크기가 10 mm 초과한 경우
	IIIA2 후복막 림프절전이 여부와는 무관하게 현미경적으로 골반을 벗어난 복막 전이가 확인된 경우
IIIB기	후복막 림프절전이 여부와는 무관하게 골반을 벗어난 복막전이가 확인되며, 그 크기가 2 cm 이하인 경우, 간이나 비장 표면 전이 포함
IIIC기	후복막 림프절전이 여부와는 무관하게 골반을 벗어난 복막전이가 확인되며, 그 크기가 2 cm 초과한 경우, 간이나 비장 표면 전이 포함

IV기: 원격전이 혹은 악성 흉막삼출액이 있을 경우

IVA기	악성 흉막삼출액
IVB기	간실질전이, 비장실질전이, 복강내 장기 외 전이가 있을, 서혜부림프절전이 및 복강외 림프절 전이 포함

표 41-3. 병기설정을 위한 수술방법

복수 및 복강내 체액의 세포학적 검사	결장하 대망절제술
골반, 횡격막하면, 결장주위홈 등의 세척	골반림프절 및 대동맥주위 림프절 생검
전체 복강 내에 걸쳐 자세한 시진과 촉진	양측 난소난관절제술
의심스러운 모든 병변부위는 절제 또는 생검	전자궁절제술
골반벽	
직장과 방광표면	
더글라스와	
결장주위홈	
횡격막	

장, 대장, 소장, 장간막 등 전이가 있는 조직에 대한 다장기절제(multi-organ resec-tion)를 포함한 초근치수술(ultra-radical surgery)을 시행하기도 한다.

4. 상피성 난소암의 병리

중피 세포로 구성된 표면상피와 그 주위의 기질조직으로부터 유래하며 양성 종양, 경계성 종양, 악성 종양으로 분류된다.

5. 전이양상

① 난소암의 전이는 복막을 따라 직접 전이(transcoelomic), 림프계를 통한 전이, 혈행 전이가 있으며 직접 전이가 가장 흔하다
② 직접전이: 암세포가 복강내 체액을 따라 순환하면서 결장주위홈, 장간막을 따라 대망, 횡격막까지 전이하며 모든 복막으로 전이가 가능하다.
③ 림프계: 골반 림프절과 대동맥주위 림프절로 전이
④ 혈행 전이: 간, 비장 또는 폐 전이

6. 예후인자

병기, 종양의 분화도, 종양의 조직학적 분류, 일차 종양감축수술 후 잔류종양의 크기, 환자의 나이, performance status, 복수 양

1) 수술적 병기

상피성 난소암의 5년 생존율에 직접적 영향(표 41-4)

2) 종양의 조직학적 분류

(1) 장액성 종양(Serous tumors)

① 가장 흔한 유형이며 전체 난소암의 약 50%를 차지한다.

② 1/3은 악성, 1/6은 경계성 종양, 1/2는 양성이다.

③ 평균 발생 연령 57세이고

④ 사종체(psammoma body)가 25%에서 보인다.

(2) 점액성 종양(Mucinous tumors)

① 원발성 점액성 종양은 상피성 난소 종양의 8%-10%를 차지한다.

② 점액성 종양의 60%는 병기 I이고 대부분 일측성이다.

③ 크기가 매우 크고 표면은 매끈, 다낭성 낭종을 형성한다.

④ 악성 진단 시 평균 연령 54세이며

⑤ CA-125는 뚜렷하게 증가하지 않을 수 있다.

⑥ 복막가성점액종(pseudomyxoma peritonei): 많은 양의 젤리 모양 점액질 복수를 동반하며 대부분 충수돌기 종양으로부터 이차적으로 발생한다.

(3) 자궁내막양 종양(Endometrioid tumors)

① 상피성 난소 종양의 6~8%를 차지한다.

② 대부분 악성으로 20%만이 경계성 종양이다.

③ 악성 진단시 평균 연령 56세이며

④ 14%에서 자궁내막암, 15~20%이상에서 자궁내막증을 동반하고

표 41-4. 병기에 따른 5년 생존율

병기	5년 생존율(%)	병기	5년 생존율(%)
IA	94	IIC	57
IB	91	IIIA	45
IC	80 I	IIIB	39
IIA	76	IIIC	35
IIB	67	IV	18

⑤ 조기 진단이 많아 장액성 난소암보다 예후가 좋은 것으로 알려져 있다.

(4) 투명세포암(Clear cell carcinoma)
① 난소암의 약 3%를 차지한다.
② 가장 항암제 저항성이 높아 예후 불량하다.
③ 30~35%에서 자궁내막증을 동반하며
④ 50%는 병기 I기에 발견, 평균 15 cm 크기 종괴
⑤ 악성진단 시 평균연령 57세이다.

(5) 이행세포종양(Transitional cell tumor)
① 브렌너 종양과 악성 이행세포암으로 분류됨
② 악성 이행세포종양은 장액성 난소암에 비하여 항암제 감수성이 높다.

3) 세포 분화도

① 독립적 예후인자이며 특히 초기 난소암에서 중요하다.
② Grade 1 (well differentiated), Grade 2 (moderately differentiated), Grade 3 (poorly differentiated)로 분류하며, serous carcinoma의 경우 low-grade serous carcinoma와 high-grade serous carcinoma로 분류한다.

4) 잔류종양

① 일차 수술 시 원발 종양을 포함하여 전이암을 가능한 많이 제거하는 것이 생존율을 향상시키는 중요한 인자로 알려져 있다.
② 전통적으로 적절한 종양감축(optimal cytoreduction)은 수술 후 잔류종양의 최대 직경이 1 cm 이하로 종양감축 된 것으로 정의되어 왔다.
③ 그러나 많은 연구에서 육안적 잔류종양이 없도록(no gross residual disease or microscopic residual disease) 종양감축된 환자들이 가장 긴 생존기간을 갖는 것으로 보고됨으로써, 최근에는 진행성 난소암 환자의 종양감축수술 시 완전한 종양절제를 수술의 궁극적 목표로 하고 있고, 육안적 잔류종양이 없는 상태를 적절한 종양감축이 이루어진 것으로 인정하고 있는 추세이다.

5) 생화학적 요인

① 종양 ploidy는 독립적인 예후인자이다.

② diploid 종양은 보통 병기 IA인 반면 aneuploid 종양은 종종 진행성 난소암

7. 치료

상피성 난소암은 수술적 병기, 세포분화도, 원발성 혹은 재발성 난소암의 유무, 기존 치료에 대한 반응, 환자의 수행능력에 따라 치료방법이 달라짐.

1) 경계성 종양

① 난소암의 약 15%

② 침윤성 난소암보다는 젊은 가임 연령층(40대)에서 호발한다.

③ 대부분 장액성 종양(85%), 다음으로 점액성 종양

④ 침윤성 전이(invasive implants)가 있는 장액성 경계성 종양은 치사율 34%에 달함

⑤ 난소에 국한된 경계성 점액성 종양은 생존율이 100%에 가까운 반면 진행된 경우에 있어서는 생존율이 40~50%에 불과하다.

⑥ 경계성 점액성 난소종양은 충수돌기종양과 관련이 있을 수 있으므로 충수절제술도 함께 시행한다.

⑦ 병기 I 경계성 난소종양의 치료

• 출산을 원치 않는 여성에서의 치료 원칙은 전자궁절제술 및 양측 난소난관절제술을 포함한 병기결정수술

• 출산을 원하는 여성에게는 난소종양절제술 혹은 일측 난관난소절제술을 시행

⑧ 병기 II-IV 경계성 난소종양의 치료

• 종양감축수술(cytoreductive surgery)

• 수술 후 보조항암화학요법은 원칙적으로 추천되지 않는다.

2) 침윤성 난소암

(1) 표준치료

- 철저한 병기결정수술(초기 난소암) 혹은 최대 종양감축수술(진행성 난소암)과 수술후 paclitaxel + carboplatin 복합항암화학요법이 표준치료방법
- 일부 환자에서는 항암화학요법 후 표적치료제를 투여하는 유지요법을 시행

(2) 초기 난소암

① 출산을 원치 않는 여성에서의 치료 원칙은 전자궁절제술 및 양측 난관난소절제술을 포함한 철저한 병기결정수술

② 출산을 원하는 여성은 병기 IA, grade 1, 2인 경우 일측 난관난소절제술을 시행할 수 있음

③ 수술 후 보조항암화학요법은 paclitaxel + carboplatin 3~6회 투여가 원칙이지만 병기 IA, grade 1, 2에서는 항암화학요법을 생략할 수 있음

(3) 진행성 난소암

① 철저한 종양감축수술을 시행하여 잔류종양을 최소화하는 것이 중요하다.

② 수술 후 보조항암화학요법은 paclitaxel + carboplatin 6~8회 투여(표 41-5)

③ Carboplatin(AUC=5-6) + paclitaxel(175 mg/m^2) 3시간에 걸쳐 정주하는 복합요법을 3주마다 6~8회 시행

④ 복합요법을 견디지 못하는 환자는 carboplatin(AUC = 5-6) 단일요법을 시행할 수 있음

⑤ Paclitaxel에 과민성을 보이는 환자에게는 docetaxel, topotecan, gemcitabine이나 lipo-somal doxorubicin으로 대체할 수 있다.

⑥ 수술 후 잔류종양이 1 cm 이하인 병기 III 환자에서는 복강내 항암화학요법도 시행 가능하다.

⑦ 복강내

- 수술 후 잔류종양이 1 cm 이하인 병기 III 환자에서는 정맥 투여에 비해 부작용은 더 많지만 생존율이 의미 있게 증가하므로 복강내 항암화학요법의 대상이 되는 환자에서 가능하면 치료를 받을 기회를 제공하는 것이 타당하다.

⑧ 선행 항암화학요법(Neoadjuvant chemotherapy)

- 종양감축수술을 시행하기 전 일차 치료로서 항암치료를 시행하는 것
- Interval cytoreductive surgery: 통상적으로 3~4회 선행 항암화학요법을 시행한 뒤 이루어지는 일차 종양감축수술을 의미

표 41-5. 진행된 병기의 난소암의 일차 복합 항암화학요법

약제	용량(mg/m²)	투여방법	간격(weeks)	치료 횟수(cycles)
표준약물				
복강내 항암화학요법				
Paclitaxel	135	IV	3, day 1	6
Cisplatin	50-100	IP	day 2	
Paclitaxel	60	IP	day 8	
정맥 항암화학요법				
Paclitaxel	175	IV	3	6-8
Carboplatin	AUC = 5-6	IV		
Paclitaxel	135	IV	3	6-8
Cisplatin	75	IV		
대체 약물				
Docetaxel	75	IV	3	
Doxorubicin, liposomal	35-50	IV	3-4	
Topotecan	1.0-1.25	IV	1	
	4.0	IV	3(daily×-5 days)	
Etoposide	50	PO	3, day 14-21	

- 생존율에 있어 기존의 치료와 큰 차이가 없으나 수술에 의한 이환율(morbidity)을 낮추고 종양의 수술 전 항암제 감수성에 대한 정보를 제공 할 수 있다.
- 선행항암화학요법 후 interval cytoreductive surgery 를 통해 잔류종양 1 cm 이하로 종양감축된 환자에서 수술중 복강내고온항암화학요법(hyperthermic intraperitoneal chemotherapy, HIPEC)을 시행하여 생존율이 향상되었다는 전향적 연구결과가 있다.
⑨ 유지요법: 임상적 완전관해가 온 이후 항암치료를 추가 시행함으로써 재발을 막고 생존율을 향상시킬 수 있다는 배경 하에 다양한 방법(항암제, 표적치료제 등)으로 시도

3) 치료판정 및 추적

(1) 무증상의 환자

① 골반내진을 포함한 신체검사, CA-125, CT가 필요하며 첫 2년은 3개월마다 관찰한다.
② 난소암으로 치료받는 환자의 90% 정도에서 CA-125는 병의 경과와 일치(CA-125가 증가하면 암의 재발을 강력히 시사)

③ Positron emission tomography (PET): 재발 진단에 도움이 될 수 있지만 유용성은 아직 확립되지 않았음(CT에 비해서 위양성률이 더 높음)

④ 이차 추시 수술(Second look operation): 일차 치료 후 임상적으로 잔류암이 없는 난소암 환자에서 치료의 반응을 확인하기 위해 시행할 수 있지만 난소암 환자의 생존율 향상에 도움을 준다는 전향적인 연구가 없으므로 현재는 실제 임상에서 거의 시행되지 않고 있으며, 임상시험 범위 내에서만 허용된다.

(2) 재발성 또는 지속성 난소암 환자

① 이차 종양감축술(Secondary cytoreduction)

- 일차 항암화학요법이 완료된 후 혹은 경과 관찰 중 재발된 종양을 다시 제거하는 수술을 말함
- 일차항암화학요법중에 계속 암이 진행하는 경우는 이차 종양감축수술이 적합하지 않음.
- 재발암의 경우 무병생존기간(disease-free interval)이 최소한 6~12개월 이상이거나 육안적으로 보이는 잔류종양이 없도록 병변을 완전히 제거할 수 있을 때 시행하는 것이 수술로 인한 생존율 향상을 기대할 수 있다고 알려져 있다.
- 재발 병소가 제한적으로(1~3개 이하) 있는 경우 모든 종양을 제거할 가능성이 높음

② 이차 항암화학요법(Second-line chemotherapy)

- 이차 항암화학요법의 목적은 증상을 완화시키고, 삶의 질을 개선하고, 암 진행을 지연시키고, 가능하면 생존기간을 연장하기 위함임
- 일차 항암치료 종료 후 재발 시점에 따라 분류

가. 백금민감성(platinum-sensitive, ≥6개월): 중앙생존기간(12~24개월)

나. 백금저항성(platinum-resistant, <6개월): 중앙생존기간(6~9개월)

다. 백금불응성(platinum-refractory, 일차항암치료 중 진행): 중앙생존기간(3~5개월)

- 백금민감성: 복합항암화학요법(paclitaxel + carboplatin, gemcitabine + carboplatin, liposomal doxorubicin + carboplatin)을 투여(27~65% 반응율)
- 백금저항성 및 불응성: 단일항암화학요법(pacitaxel, docetaxel, topotecan, liposomal doxorubicin, gemcitabine, 경구 etoposide, tamoxifen, bevacizumab)을 투여(10~30% 반응율)

③ 표적치료(Targeted therapy)

- 난소암의 표적치료 중에서는 종양 혈관생성에 중요한 역할을 하는 혈관내피세포성장인자(VEGF, vascular endothelial growth factor)를 표적으로 하는 치료와 종양세포 DNA 복구에 관여하는 효소인 PARP (poly ADP-ribose polymerase)에 작용하는 치료가 대표적이며, 많은 임상시험을 통해 현재 임상에서 활발히 사용되고 있다.

- 혈관내피세포성장인자를 타깃으로 하는 치료는 VEGF를 억제하거나, VEGF 수용체를 억제하거나, 수용체 이하 신호전달 체계의 tyrosine kinase를 억제하는 세 단계의 작용기전을 통해 이루어진다.

- Bevacizumab은 VEGF-A와 결합하여 VEGF가 수용체와 결합하는 것을 억제하는 단일클론항체로서, 암세포 주위에 새로운 혈관이 생성되는 것을 막아 암세포의 증식을 억제하게 된다.

- Bevacizumab은 일차 종양감축수술을 받은 진행성 난소암 환자에서 기존의 항암화학요법과 병용할 경우 무진행생존기간(progression-free survival)을 유의하게 연장시킨다. 재발성 난소암 환자에서 항암화학요법과 병용 후 유지요법으로 단독 투여하여 무진행생존기간을 연장시킨다.

- Bevacizumab의 독성은 고혈압이 가장 흔하고(G3가 7%), 그 외 피로감, 단백뇨, 장천공 등이 보고되었으며 장천공은 장폐색이나 장침윤이 없는 환자를 선별하여 투여하면 피할 수 있다.

- BRCA 유전자에 변이가 있는 경우 암세포는 손상된 DNA를 복구하기 위해 PARP 효소를 이용하는데, PARP 억제제는 이러한 BRCA 변이 양성 난소암 환자에서 PARP 경로를 차단하여 암세포의 성장과 증식을 억제하게 된다.

- Olaparib, niraparib, rucaparib 등이 현재 난소암에서 사용되는 대표적인 PARP 억제제들로, BRCA변이가 있는 일차성 및 재발성 난소암 환자에서 항암화학요법 후 단독 유지요법으로 사용하여 유의한 생존율의 향상을 가져올 수 있다.

④ 방사선치료(Radiation therapy)

- 전복부 방사선 치료는 상대적으로 높은 이환율로 거의 이용되지 않음
- 급만성의 장손상으로 약 30%가 수술을 필요로 하는 장폐색을 유발
- 제한된 경우에 사용할 수 있음

⑤ 호르몬치료(Hormone therapy)

- 재발암에서 tamoxifen은 15~20% 정도의 반응률을 보이고 이외 aromatase inhibitors (letrozole, anastrozole, exemestane) 등이 연구되고 있음

- 독성이 적다는 장점이 있음

8. 생존율

1) 나이

초기 진단시 나이가 50세 이하인 여성이 50세 이상인 여성보다 5년 생존율이 높음
(40% vs. 15%)

2) 병기

5년 생존율은 I기 94%, II기 73%, IIIA 41%, IIIB 25%, IIIC 23%, IV 11% 정도임

3) 잔류종양

① 병기 III 환자에서 육안적 잔류종양이 없는 경우 5년 생존율은 40~75%

② 1 cm 이하 잔류종양이 있는 경우는 30~40%

③ 1 cm 이상 잔류종양이 있는 경우는 5% 정도

4) 신체활동지수

Karnofsky index (KI) <70이 KI >70인 경우보다 생존율 낮음

9. 난소 생식세포종양(Germ cell tumors)

1) 역학

① 난소 종양의 20%를 차지하며, 이중 2~3%가 악성이다.

② 70~80%가 20세 이전에 나타나고 이들 중 1/3이 악성이다.

③ 악성: 평균연령 16~20세, 50~75%는 병기 Ⅰ

④ 평균 생존율은 진행된 병기를 포함하여 60~80%

⑤ 가장 흔한 난소 생식세포종양은 유피낭(Dermoid cyst)이고 가장 흔한 악성 난소생식
세포종양은 미분화세포종(Dysgerminoma)이다.

2) 병리(표 41-6)

① 원시생식세포종(Primitive germ cell tumors)

② 이배엽 혹은 삼배엽 기형종(Biphasic or triphasic teratoma)

③ 단일배엽기형종과 유피낭이 동반된 종양(monodermal teratoma and somatic type tumors associated with dermoid cysts)

3) 진단

① 악성인 경우 급속하게 크기 때문에 급성 골반 동통을 특징적으로 보일 수 있다. 통증은
난소피막의 팽창, 출혈, 괴사, 염전에 의해 발생하며 복부 종괴가 촉지 된다.

② 복부 팽만과 질출혈

③ 종양의 평균 직경은 16 cm이며 초경 전 여성에서 2 cm 이상, 폐경 전 여성에서 8~10
cm 이상의 난소종양이 있으면 일반적으로 수술적 처치를 필요로 한다.

수술 전 평가(표 41-7)

① 혈중 알파태아단백(alpha-fetoprotein; AFP)과 융모성선자극호르몬(human chorionic
gonadotropin; hCG)의 측정(임상적 관찰 및 무증상 재발발견에 매우 유용)

② 태반알칼린인산효소(placental alkaline phosphatase; PLAP)와 젖산탈수소효소(lactate
dehydrogenase; LDH): 미분화세포종의 95%에서 생산(LDH는 질환의 추적 검사에 도
움, 비특이적이므로 임상적 효용성은 적음)

③ 폐와 종격동으로 전이하는 경우가 있으므로 흉부 X선 촬영을 하는 것이 중요하다.

④ 수술 전 CT나 MRI는 후복막림프절 전이 혹은 간전이의 존재나 정도를 평가하는데 도움

표 41-6. **난소 생식세포종양의 세계보건기구 분류**

원시생식세포종(Primitive germ cell tumors)
미분화세포종(Dysgerminoma) 난황낭종(Yolk sac tumor) 　Polyvesicular vitelline tumor 　Hepatoid 　Glandular 배아암종(Embryonal carcinoma) 다배아종(Polyembryoma) 비임신성 융모막암종(Non-gestational choriocarcinoma) 혼합생식세포종(Mixed germ cell tumor; specify component)
이배엽 혹은 삼배엽 기형종(Biphasic or triphasic teratoma)
미성숙기형종(Immature teratoma) 성숙기형종(Mature teratoma) 　Solid 　Cystic(유피낭, dermoid cyst) Fetiform teratoma(homunculus)
단일배엽기형종과 유피낭이 동반된 종양(monodermal teratoma and somatic type tumors associated with dernmoid cysts)
Thyroid tumor group 　Struma ovarii 　　Benign 　　Malignant(specify group) Carcinoid group Neuroectodermal tumor group Carcinoma group Melanocytic group Sarcoma group(specify group) Sebaceous tumor group Pituitary-type tumor group Retinal anlage tumor group
Others

표 41-7. **악성 난소 생식세포종양의 종양표지자 물질**

	AFP	HCG	LDH
Dysgerminoma	−	±	±
Endodermal sinus tumor	+	−	−
Immature teratoma	±	−	−
Embryonal carcinoma	±	+	−
Choriocarcinoma	−	+	−
Polyembryoma	±	+	−
Mixed primitive germ cell tumor	±	±	−

4) 악성종양

(1) 미분화세포종(Dysgerminoma)

① 악성 난소 생식세포종양의 50%를 차지한다.

② 75%는 20~30대에 발생하고 10~15%에서 양측성이다.

③ LDH를 분비한다.

④ 병기 IA의 5년 생존율 95%이고 모든 병기의 5년 생존율 85%이다.

(2) 내배엽동종양(Endodermal sinus tumor)

① 난황낭종양(yolk sac tumor)

② 악성 난소 생식세포종양의 20%로 두번째로 흔하다.

③ Schiller-Duval bodies: 빈 강(space) 내에 유두모양의 돌기가 있고 돌기는 종양세포로 싸여 있으며 돌기의 중앙에 혈관이 존재

④ 알파태아단백(alpha-fetoprotein; AFP)을 분비한다.

⑤ 전체 무병생존기간(disease-free survival) 80% 이상이다.

(3) 미성숙 기형종(Immature teratoma)

① 악성 생식세포종양의 20%, 전체 난소암의 1%를 차지한다.

② 약 50%가 10~20세에 발생한다.

③ 주로 고형성, 낭성인 경우도 있음.

④ 병리조직학적 분화도가 가장 중요한 예후인자이며

⑤ 5년 생존율은 병기 I에서 95%, 진행된 단계에서 75%이다.

(4) 배아암종(Embryonal carcinoma)

① 매우 드문 질환, 평균 연령은 14세

② 알파태아단백과 융모성선자극호르몬 분비한다.

③ 에스트로겐 호르몬이 분비되면 성조숙증 또는 간헐적인 질출혈이 있기도 함

(5) 융모암종(Choriocarcinoma)

① 순수한 비임신성 융모막암종은 매우 드묾

② 조직학적으로는 임신성 융모막암종이 난소에 전이된 형태

③ 대부분 환자는 초경 전, 융모성선자극호르몬을 분비

④ 성조숙증 및 질출혈이 있기도 함

⑤ 최초 진단 시 매우 진행된 단계에서 발견, 예후 불량

(6) 혼합원시생식세포종양(Mixed primitive germ cell tumor)

① 악성 난소생식세포종양의 10%: 혼재된 세포에 대한 철저한 병리적 검사 필요
② 미분화세포종과 내배엽동종양의 혼합이 가장 많음
③ 미분화세포종이 존재할 경우 10%에서 반대편 난소에도 종양이 관찰된다.

5) 치료

(1) 수술

① 일차 치료는 정확한 진단과 치료 목적의 병기설정수술이다.
② 병변이 일측 난소에 국한된 것처럼 보여도 병기설정에 필요한 조직검사는 필수적으로 시행해야 한다.
③ 일차 수술 범위 및 종류는 수술 소견에 따라 결정: 대부분 젊은 여성, 가임능력 보존 고려
④ 대부분 일측 난관난소절제술만 시행 하는데(양측성 종양은 미분화세포종을 제외하고는 매우 드묾), 필요에 따라 골반, 대동맥 림프절 절제술도 시행한다.
⑤ 미분화세포종인 경우 반대편 난소의 조직검사 실시, 동결절편검사에서 반대측 난소에도 병변이 있다면 양측 자궁부속기절제술이 필요할 수도 있다.
⑥ 더 이상 임신을 원하지 않는 경우: 전자궁절제술과 양측 난관난소절제술을 시행
⑦ 전이가 의심되는 경우: 전이 병소의 제거를 포함한 종양감축수술을 시행한다.
⑧ 병기 IA의 미분화세포종, 병기 IA, grade 1의 미성숙 기형종에서는 수술 후 보조항암화학요법 없이 경과 관찰
⑨ 5년 생존율은 90% 이상, 약 15~25%에서 재발한다.

(2) 항암화학요법

① 조직학적 유형에 따라 수술 후 항암치료 여부 결정(병기 IA, grade 1의 미성숙 기형종과 병기 IA의 미분화세포종 제외)한다.
② 미분화세포종: 방사선요법에 민감하지만 가임능력을 잃을 수 있어 항암화학요법을 선호
③ Bleomycin, etoposide, cisplatin (BEP) 복합 항암화학요법 투여한다.
④ 병기설정수술과 보조 항암화학요법으로 예후가 매우 양호

6) 재발성 난소 생식세포종양

① 약 90%는 치료 종료 후 약 2년 내 재발하며, 그 이후에는 재발이 드물다.

② 초기 수술로만 치료가 종료 시: BEP 항암화학요법

③ 초기에 항암화학요법을 한 경우: platinum 기본 약제로 다시 항암화학요법

④ 반응을 보이지 않는 경우 다른 약제들로 복합 항암화학요법 시행

10. 성기삭 간질 종양(Sex cord stromal tumor)

• 전체 난소 종양의 5~8%

• 성기삭(sex-cord)과 배아생식샘(embryonic gonad)의 간엽(mesenchyme)에서 유래한다.

1) 과립막 세포종양(Granulosa cell tumor)

① 성기삭 종양의 70%를 차지

② 에스트로겐 분비와 연관된 증상이 나타날 수 있다.

• 가임기 여성에서는 생리양의 증가, 불규칙한 생리주기, 이차적 무월경 및 자궁내막증식증

• 폐경 후 여성에서는 비정상 자궁출혈

③ 종양표지물질: inhibin

④ Call-Exner body: 종양세포가 소여포형태로 배열된 특징적 형태가 관찰

⑤ 성인형(95%: 주로 폐경후, 평균연령 52세), 연소형의 두 아형으로 분류하며

⑥ 5~10% 이하에서 양측성이다.

(1) 진단 및 임상증상

① 비정상 자궁출혈, 복부팽만 및 복통

② 10 cm 정도의 복부종괴

③ 특징적인 출혈성 경향: 혈복강 발생 가능

④ 자궁내막증식증이 동반될 확률은 3~27%이다.

⑤ 병기 I(90%): 에스트로겐 분비와 연관된 증상

⑥ 연소형의 경우는 가성 성조숙증이 생기며, 혈청 에스트라디올(estradiol)이 증가함

(2) 치료

① 병기 IA 또는 IB: 수술적 치료만으로 충분하며 가임기 여성에서 병기 IA인 경우 일측 난소난관절제술만으로 충분하다.

② 병기 II-IV: 일부에서 수술 후에도 재발의 위험성이 높아 BEP, EP (etoposide, cisplatin) 등의 복합항암화학요법 시행

③ 수술 시 동결절편검사에서 과립막세포종이 진단되었을 경우 반대측 난소의 평가를 포함한 병기설정수술 시행하고, 반대측 난소가 커져 있을 경우 난소 생검을 실시한다.

④ 폐경기 여성: 전자궁절제술 및 양측 난관난소절제술을 시행한다.

⑤ 자궁을 남길 경우는 자궁내막암의 동반 가능성을 배제하기 위한 자궁내막생검 혹은 소파술을 반드시 시행해야 한다.

⑥ 수술 후 보조 항암화학요법: 병의 재발을 막지는 못함

(3) 예후와 생존율

① 종양의 재발은 비교적 늦게 일어남

② 10년 및 20년 생존율은 각각 90%와 75%로 보고

2) 세르톨리라이디히세포종양(Sertoli-Leydig cell tumor)

(1) 역학

① 발생빈도 0.2%

② 주로 25세 미만의 여성

③ 일측성, 크기가 매우 다양, 클수록 미분화형일 가능성이 높음

④ 병기 I이 97%

(2) 진단 및 양상

① Sertoli-Leydig cell은 안드로젠(Androgen)을 분비, 30~50%에서 남성화증상

② 희소월경, 무월경, 여드름, 다모증, 목소리의 남성화, 복부종괴와 관련된 비특이적 증상

③ 종괴의 평균 직경은 16 cm

④ testosterone, androstenedione, AFP 분비

(3) 치료

① 세포 분화도, 환자의 나이, 임신을 원하는 지 여부에 따라 결정

② 임신을 원할 경우: 일측 난관난소절제술을 시행

③ 폐경기 여성: 전자궁절제술 및 양측 난관난소절제술을 시행

④ 예후가 불량한 경우 vincristine, actinomycin−D, cyclophosphamide (VAC) 또는 bleomycin, etoposide, cisplatin (BEP) 복합 항암화학요법 추가 시행

(4) 예후와 생존율

① 병기와 조직학적 분화도와 관련

② 5년 생존율 70~90%

■ 참고문헌

1. 대한산부인과학회. 부인과학. 제6판. 군자출판사; 2021
2. 대한부인종양학회. 부인종양학. 제2판. 군자출판사; 2020
3. 장석준. 난소암의 수술적 치료. 대한의사협회지 2016;59:167-74.

자궁경부의 질환과 종양

Cervical disease and Neoplasia

산부인과학 지침과 개요 · Obstetrics & Gynecology

학습목표

1. 자궁경부암 발생의 고위험군을 나열한다
2. 자궁경부암 발생에 있어 인유두종바이러스(HPV)의 역할과 종류에 따른 위험도를 설명한다.
3. 자궁경부상피내종양을 병리학적 소견에 따라 분류한다.
4. 저등급 편평상피내병변(low-grade squamous intraepithelial lesion)을 정의한다.
5. 자궁경부암 선별검사에 관하여 설명한다.
6. 자궁경부 도말표본의 원리와 진단적 가치를 설명한다.
7. 자궁경부 도말표본의 채취 방법을 설명한다.
8. 자궁경부질세포진검사에서 비정형 소견을 보였을 경우의 처치 방침에 관하여 설명한다.
9. 자궁경부상피내종양의 자연경과(natural history)에 대하여 설명한다.
10. 자궁경부상피내종양의 치료 방법을 병변 형태에 따라 설명한다.
11. 자궁경부의 원추절제술의 적응증을 열거한다.
12. 자궁경부암의 병기 설정을 위한 검사법을 열거한다.
13. 자궁경부암의 예후 인자를 설명한다.
14. 자궁경부암의 외과적 치료의 원칙을 설명한다.
15. 자궁경부암의 방사선조사술의 적용 대상 및 부작용을 설명한다.

1. 역학

1) 발생률

우리나라에서 자궁경부암은 여성에서 발생하는 암종의 3.0%(3,450명, 2018년 중앙암등록통계)를 차지한다. 1999년 이후 지속적인 감소 추세를 보이고 있는데, 2007년까지는 연평균 −4.6%씩 감소하다가 그 이후로는 연평균 −2.2%로 감소폭이 줄어들었다. 그러나, 모든 연령대에서 상피내암(CIS)의 발생은 늘어나고 있다.

2) 호발연령과 위험인자

자궁경부상피내종양은 20~30대, 자궁경부암은 35~39세, 60~64세에 호발한다. 자궁경부암의 위험인자는 어린 나이에 성교를 경험하는 것, 여러 명의 성교 상대자, 이른 임신, 낮은 사회경제적 지위, 성 매개성 감염, 사람면역결핍바이러스등에 의한 면역저하상태, 경구피임약의 장기간 복용, 흡연 등이 있다.

2. 발병기전

1) 인유두종바이러스

① 자궁경부상피내종양의 약 40~80%, 자궁경부암의 98% 이상에서 인유두종바이러스의 DNA가 검출된다. 인유두종바이러스 감염은 대부분 일시적이며, 90%에서 1~2년 내 음전 된다.

② 1년 이상 감염이 없어지지 않는 경우 지속성 감염이라 하며, 지속성 감염 시 자궁경부상피내종양과 자궁경부암의 위험도가 증가한다.

③ 저위험군은 콘딜로마(condyloma)와 관련이 있고 90% 정도는 6, 11아형이 유발한다. 고위험군은 자궁경부상피내종양, 자궁경부암과 관련이 있다. 16아형의 경우 편평세포암종과 관련이 깊으며, 18아형은 선암에서 가장 흔하게 검출된다.

2) 자궁경부상피내종양과 편평상피화생

① 자궁경부 전환구역(transformation zone)의 편평상피화생된 편평상피들은 발암성 요인에 취약하여 인유두종바이러스 감염 시 자궁경부상피내종양으로 전환될 수 있다. 20대에 흔히 발생한다.

② 자궁경부상피내종양은 posterior lip보다는 anterior lip에 호발한다.

③ CIN 2/3가 암종으로 진행하는 데에는 평균 8~12년이 소요된다.

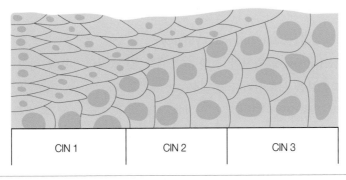

그림 42-1. **자궁경부상피내종양의 등급**

3. 자궁경부상피내종양

1) 등급(Grade)

- CIN1: 형질전환세포(transformed cells)가 상피의 아래 1/3에 국한된 경우
- CIN2: 형질전환세포(transformed cells)가 상피의 아래 2/3에 국한된 경우
- CIN3: 상피의 2/3 이상의 상피세포가 형질전환세포로 대치된 경우(그림 42-1).
- 2014년 WHO 분류(2-tiered system)에 의해 조직 진단도 low-grade squamous in-traepithelial lesion (LSIL (예전 CIN1)), high-grade squamous intraepithelial lesion (HSIL (예전 CIN2, 3))로 양분된다.

2) 진단

(1) 선별검사(자궁경부질세포진검사)

① 시행 대상

i) 일반적인 경우

성경험 유무에 상관없이 21세부터는 선별검사를 시작하고 이후 정기적으로 시행하여야 한다.

ii) 자궁절제술을 시행한 경우

- 양성질환으로 절제 시에는 추후 자궁경부질세포진검사를 시행하지 않아도 된다.
- 자궁경부상피내종양, 자궁경부암으로 절제 시 자궁경부질세포진검사를 계속 시행해야 한다.

② 시행 방법

i) 전통적인 세포진검사(conventional cytology)

　가. 외구(external os)에 위치한 전환구역 세포 및 속자궁경부에 위치한 세포들을 얻어 세포병리검사를 시행한다(그림 42-2).

　나. 채취된 세포는 슬라이드에 문질러 95% 에탄올 등으로 고정 후 검사실로 보낸다.

ii) 액상 세포진검사(liquid-based cytology)(그림 42-2)

　가. brush채로 액상 배지에 담가 검사실로 보낸다.

　나. 액상 배지를 사용할 경우, 직접 슬라이드에 도말한 경우보다,

　　– 비정상 세포를 잘 발견할 수 있고,

　　– 적은 세포로도 검사가 가능하며,

　　– 한 검체를 가지고 반복적인 검사가 가능하고,

　　– 인유두종바이러스 검사를 동시에 실시할 수 있다.

③ 이상소견 시 대처법

i) 부적절한 검체

　가. 속자궁경부세포가 검체에 없으면 부적절한 검체로 판정된다. 위험인자가 없을 경우 1년 후에 자궁경부질세포진검사를 시행한다.

　나. 이전에 ASC-US 이상의 병변, 6개월 내 인유두종바이러스 관련 병변이 있었던 경우, 샘세포이상(glandular abnormality)이 있었던 경우, 면역저하상태 등 위험인자가 있는 경우에는 6개월 후에 자궁경부질세포진검사를 실시한다.

ii) ASC-US (atypical squamous cells of undetermined significance)

그림 42-2. **자궁경부질세포진검사의 다양한 방법(spatula, cytobrush, 액상 세포진 검사용 brush)**

가. 조직검사에서 CIN2/3가 발견될 확률이 5~17%이다.

나. 폐경 후 여성에서는 질점막 위축에 의한 경우가 흔하므로, 3개월 간 여성호르몬 치료 후 다시 자궁경부질세포진검사를 시행하는 것이 바람직하다.

다. 자궁경부질세포진검사에서 ASC-US가 나왔을 경우 대처 방안(3가지)

- 인유두종바이러스 검사
  - 음성일 경우, 1년 후 자궁경부질세포진검사를 시행한다.
  - 고위험군 바이러스 양성으로 나올 경우 질확대경검사를 시행한다.
- 1년 후 자궁경부질세포진검사를 시행한다.
  - 이상소견이 나타나면 질확대경검사를 시행한다.
  - 2번 이상 연속 정상소견으로 나올 경우, 정기 검진 주기로 돌아간다.
- 면역저하환자 등 고위험군에서는 바로 질확대경검사를 시행한다.
  - 병변을 신속하게 발견할 수 있는 장점이 있으나, 불필요한 조직검사의 가능성도 있다.

iii) ASC-H (atypical squamous cells: cannot exclude HSIL)

가. 조직검사에서 CIN2/3가 발견될 확률 24~94%, 암종이 발견될 확률도 0.1~0.2%이다.

나. 반드시 질확대경검사를 해야 하며 병변이 의심되면 조직검사를 시행한다.

다. 질확대경검사에서 병변이 관찰되지 않으면, 자궁경부질세포진검사, 인유두종바이러스 검사를 실시하며 추적 관찰한다.

iv) AGC (atypical glandular cells)

가. 조직검사에서 자궁경부상피내종양이 54%, AIS (adenocarcinoma in situ)가 0~8%, 암종이 1~9%에서 발견된다.

나. 질확대경검사, 속자궁경부긁어냄술을 시행한다.

다. 35세 이상이거나 부정출혈이 있었을 경우 자궁내막생검도 시행한다.

라. 검사 결과에서 이상이 있는 경우, 이상 소견에 따라 추가 검사나 치료를 시행한다.

마. 질확대경검사, 속자궁경부긁어냄술에서 음성일 경우,
  - AGC favor neoplasia는 cold knife conization (CKC)를 시행한다.
  - AGC-NOS는 4~6개월마다 자궁경부질세포진검사를 시행하며 추적 관찰한다.

v) LSIL (low-grade squamous intraepithelial lesion)

질확대경검사를 시행해야 한다.

가. 편평원주이음부를 온전히 관찰하기 어려운 경우, 속자궁경부긁어냄술을 시행한다.

나. 병변이 발견되지 않은 경우 다음과 같이 추적검사를 시행한다. 이들 검사에서 이상이 발견되면, 다시 질확대경검사를 시행한다.
- 6~12개월마다 자궁경부질세포진검사를 반복 또는,
- 12개월 후 인유두종바이러스 검사 시행

vi) HSIL (high-grade squamous intraepithelial lesion)

가. 70~75%에서 CIN2/3, 1~2%에서는 암종이 진단된다.

나. 모든 경우에 질확대경검사와 펀치생검을 시행해야 한다.
- 편평원주이음부가 완전히 관찰되고, 펀치생검에서 자궁경부상피내종양이 나올 경우, 그에 해당되는 치료를 시행한다
- 질확대경검사에서 병변의 범위를 평가하기 어려울 경우에는 환상투열절제술(loop electrosurgical excision procedure; LEEP)을 시행하여야 한다.

(2) 인유두종바이러스 검사

① 분자유전학적 방법을 이용하여 질분비물과 세포에서 인유두종바이러스의 DNA를 검출한다.

② 자궁경부질세포진검사와 함께 선별검사로 사용할 경우 음성예측도가 99~100%이다.

(3) 질확대경검사와 펀치생검

① 자궁경부를 확대해서 관찰하며, 초산과 요오드 용액을 사용하면 병변을 더 용이하게 발견할 수 있다.

② 질확대경검사에서 병변을 시사하는 소견은,
- 초산백상피(acetowhite epithelium)
- mosaicism
- punctation
- 비정형 혈관(atypical vessels)

③ 의심 부위를 펀치생검하여 조직검사를 시행한다.

3) 자궁경부상피내종양의 치료

(1) 융해술(ablation)과 절제술

① 융해술(냉동치료(cryotherapy), carbon dioxide 레이저 치료 등)

② 절제술(환상투열절제술과 cold knife conization (CKC))

- 전환구역 전체를 조직검사할 수 있어 고등급 병변을 놓치지 않고 배제할 수 있는 장점이 있다.
- 자궁경부질세포진검사에서 HSIL이 나온 경우 절제술의 적응증이 되는 경우는,
  - 질확대경검사에서 병변의 경계가 보이지 않을 때
  - 질확대경검사에서 편평원주이음부가 보이지 않을 때
  - 속자궁경부긁어냄술에서 CIN2 또는 CIN3일 때
  - 자궁경부질세포진검사, 펀치생검, 질확대경검사 소견이 불일치할 때
  - 검사 결과 미세침윤이 의심될 때
  - 질확대경검사에서 침윤성 병변을 배제할 수 없는 경우
- 합병증
  자궁경부협착증(cervical stenosis), 자궁경부무력증(cervical incompetence), 감염, 출혈 등

(2) 냉동치료

① 초저온 probe를 병변에 접촉시켜 병변을 파괴하는 방법
② 외래에서 간편하게 시행할 수 있는 장점이 있다.
③ 속자궁경부에 있는 병변은 치료할 수 없다.

(3) Carbon dioxide 레이저 치료

① 7 mm의 깊이로 조직을 파괴할 수 있다.
② 특수한 레이저 장비가 필요하지만 정교한 치료 범위 조절이 가능한 장점이 있다.
③ 질을 광범위하게 침범하는 병변의 경우 유용하다.

(4) 환상투열절제술(그림 42-3)

① loop를 사용하여 자궁경부 병변을 도려내는 치료법
② 국소마취 하에서 시행할 수 있으며, cold knife conization에 비해 간편하고 출혈량이 적다.
③ 조직이 전류에 의해 잘라지기 때문에 절제면 종양 침범 여부를 판단하기 어려운 경우가 있다.

(5) cold knife conization

① 수술도를 사용하여 자궁경부 병변을 도려내는 치료법
② 출혈량이 많다.

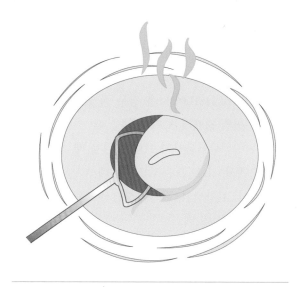

그림 42-3. **환상투열절제술**

③ 검체 크기를 조절할 수 있고, 절제면의 종양존재 여부를 판단하기 좋으며, 속자궁경부를 깊이 도려낼 수 있어 속자궁경부에 위치한 병변을 치료할 때 유용하다.

4) 자궁경부상피내종양 등급과 특수한 상황에서의 치료

(1) 펀치생검에서 CIN1으로 나온 경우

① 2년 후 80% 정도에서 자연적으로 소실되기 때문에 대부분 추적 관찰한다.
② 추적 관찰하는 방법
- 6, 12개월째에 자궁경부질세포진검사를 시행하여 이상이 있을 경우 질확대경검사를 시행
- 12개월째 인유두종바이러스 검사를 시행하여 고위험군 바이러스가 있을 경우 질확대경검사를 시행
- 12개월째 자궁경부질세포진검사와 질확대경검사를 시행

(2) 펀치생검에서 CIN2/3로 나온 경우

① 진행하는 경우가 많기 때문에 반드시 치료해야 한다.
② 질확대경검사에서 전체 병변이 관찰되고, 속자궁경부긁어냄술 음성일 경우에는 암종이 있을 확률이 0.5% 정도로 낮기 때문에 냉동치료나 레이저 치료 등 융해술을 사용할 수 있다.

③ 질확대경검사에서 전체 병변을 관찰할 수 없는 경우에는, 숨겨진 암종이 있을 확률이 7%까지 보고되고 있기 때문에, 반드시 환상투열절제술 등을 시행하여야 한다.

(3) CIN2/3로 환상투열절제술 후 절제면 병변 유무

① 절제면에 종양이 없을 경우

6개월마다 자궁경부질세포진검사를 실시하여 2회 연속 정상 소견이거나 혹은, 6개월마다 자궁경부질세포진검사와 질확대경검사를 동시에 실시하여 연속 정상인 경우 이후 최소 20년 간 정상 선별검사를 시행한다. 또는 인유두종바이러스 검사를 6개월, 12개월에 시행하여 음성이면 정상 선별검사를 권한다.

② 절제면에 종양이 남아있을 경우

자궁경부질세포진검사, 질확대경검사, 속자궁경부긁어냄술을 4~6개월에 시행하며 추적 관찰한다. 혹은, 경우에 따라 다시 절제술을 시행하거나 자궁절제술을 시행할 수 있다.

(4) 임신 중에 자궁경부상피내종양이 의심될 경우

① 펀치생검, 질확대경검사를 시행할 수 있으나, 속자궁경부긁어냄술이나 환상투열절제술은 피한다.

② 침윤성 암종이 의심되지 않는 한 임신 중에 절제술을 시행하지 않으며, 분만 후에 치료한다.

4. 자궁경부암

1) 자궁경부암의 조직학적 아형에 따른 분류

90% 정도는 편평상피세포암, 10% 정도는 선암, 드문 아형으로는 투명세포암, 육종, 림프종이 있다.

2) 진단

(1) 증상과 징후

① 대부분 증상이 없다.

② 증상이 있을 경우는 성교 후 출혈이 가장 흔하고 다음으로 비정상적인 질출혈, 질분비물의 증가, 냄새나는 질분비물, 골반통, 대변/소변 증상을 들 수 있다. 진행된 병변의 경우, 배뇨통이나 하지부종, 편측성 요관 폐쇄 등을 일으키기도 한다.

(2) 신체검진

① 시진 시 자궁경부에 병변이 관찰될 수 있다.

② 내진 시 종괴가 촉진될 수 있다.

③ 직장검사로 자궁천골인대와 자궁주위조직으로의 침윤 여부를 알 수 있다.

④ 서혜부림프절과 쇄골위림프절을 촉진한다

3) 자궁경부암의 병기

① 중요한 예후 결정 인자로서 진행된 병기일수록 예후는 점점 나빠진다.

② 임상적 병기이다. 수술 또는 일차 방사선치료 전에 여러 가지 검사(표 42-1)와 신체검진을 통해 병기를 정하게 된다. 일단 정해진 병기는 이후 수술 소견 등에 의해 변경되지 않는 것이 원칙이었으나, 2018년 개정된 병기에서 수술 후 병리소견(종양의 크기와 범위, 골반림프절과 대동맥곁림프절 전이 등)에 따라 병기를 새로 설정하는 것을 허용하였다.

표 42-1. 병기 설정 방법

신체 검진	• 림프절 촉진 • 부인과진찰 • 직장질진찰(bimanual rectovaginal examination)
영상 검사	• 경정맥신우조영술 • 바륨관장 • 흉부방사선검사 • 골방사선검사
시술 검사	• 펀치생검 • 원추생검 • 자궁경 • 질확대경검사 • 속자궁경부긁어냄술 • 방광경 • 직장경
부가적인 검사	• 컴퓨터단층촬영술 • 림프관조영술 • 초음파촬영술 • 자기공명영상 • radionucleotide scanning • 복강경

③ 2018년 개정된 자궁경부암의 병기는 표 42-2, 그림 42-4와 같다. 개정된 병기에서는 IA 는 침윤 깊이만 의미가 있고, IB를 크기에 따라 IB1 (< 2.0 cm), IB2 (≥ 2.0 cm이며 < 4.0 cm), IB3 (≥ 4.0 cm)로 분류하였다. 종양 크기는 영상검사와 병리소견 모두를 인정하였다. 골반림프절, 대동맥곁림프절 전이는 영상검사만으로도 확정할 수 있게 하여 Stage IIIC1r, Stage IIIC2r로 표기하며 병리소견에서 확인되면 Stage IIIC1p, Stage IIIC2p로 변경 표시한다.

4) 치료

(1) 수술

① 수술 방법

- 개복수술이 권장되고 있다. 개복수술은 대개 low midline 절개를 사용하게 되나, Maylard 절개, Cherney 절개 등의 transverse 절개를 사용하는 경우도 있다.
- 복강에 들어가면, 먼저 철저히 육안 검사를 시행하고, 대동맥곁림프절 촉진도 실시한다.
- 복강경/로봇수술 등의 최소절개수술 방법은 2018년 Ramirez 등이 발표한 연구에서 개복수술에 비해 무병생존기간, 총생존기간이 단축된다고 보고되어, 최근에는 시행 횟수가 감소하고 있다. 환자에게 위험성을 충분히 설명하여 동의 받은 후, 재발 가능성을 최소화하는 노력을 한다는 전제하에 시행하기를 권고하고 있다.

② 자궁절제술의 종류

자궁절제술은 최근 분류법이 표 42-3와 같이 바뀌었다.

(2) 방사선치료

① 외부방사선치료와 근접치료

- 외부방사선치료
  - 범위는 전방으로 자궁체부, 후방으로는 자궁천골인대와 전천골림프절을 포함, 외측으로는 적절하게 골반림프절을 포함한다.
  - 대동맥곁림프절 침범이 확인되거나 의심되는 경우에는 대동맥곁림프절을 포함하여 치료
- 근접치료
  강내(intracavitary) 치료와 조직내(interstitial) 치료

표 42-2. FIGO 자궁경부암 병기(2018)

Stage I

The carcinoma is strictly confined to the cervix uteri (extension to the corpus should be disregarded)
- **IA** Invasive carcinoma that can be diagnosed only by microscopy, with maximum depth of invasion 5 $<mm^a$
  - **IA1** Measured stromal invasion <3 mm in depth
  - **IA2** Measured stromal invasion ≥ 3 mm and <5 mm in depth
- **IB** Invasive carcinoma with mesured deepest invasion ≥ 5 mm (greater than stage IA), lesion limited to the cervix uteri[b]
  - **IB1** Invasive carcinoma ≥ 5 mm depth of stromal invasion and <2 cm in greatest dimension
  - **IB2** Invasive carcinoma ≥ 2 cm and <4 cm in greatest dimension
  - **IB3** Invasive carcinoma ≥ 4 cm in greatest dimension

Stage II

The carcinoma invades beyond the uterus, but has not extended onto the lower third of the vagina or to the pelvic wall
- **IIA** Involvement limited to the upper two-thirds of the vagina without parametrial involvement
  - **IIA1** invasive carcinoma <4 cm in greatest dimension
  - **IIA2** invasive carcinoma ≥ 4 cm in greatest dimension
- **IIB** With parametrial involvement but not up to the pelvic wall

Stage III

The carcinoma involves the lower third of the vagina and/or extends to the pelvic wall and/or causes hydronephrosis or non-functioning sindney and/or involves pelvic and/or paraaortic lymph nodes[c]
- **IIIA** Carcinoam involves the lower third of the vagina, with no extension to the pelvic wall
- **IIIB** Extension to the pelvic wall and/or hydronephrosis or non-functioning kidney (unless known to be due to another cause)
- **IIIC** Involvement of oelvic and/or paraaortic lymph nodes, irrespective of tumor size and extent (with r and p notations)[c]
  - **IIIC1** Pelvic lymph node metastasis only
  - **IIIC2** Paraaortic lymph node metastasis

Stage IV

The carcinoma has extended beyond the true pelvs or has involved (biopsy proven) the mucosa of the bladder or rectum. A bullous edema, as such, does not permit a case to be allotted to stage IV
- **IVA** Spread of the growth to adjacent organs
- **IVB** Spread tp dostant organs

[a] Imaging and pathology can be used, when available, to supplement clinical findings with respect to tumor size and extent, in all stages.
[b] The involvement of vascular/lymphatic spaces does not change the staging. The lateral extent of the lesion is no longer considered.
[c] Adding notation of r (imaging) and p (pathology) t indicate the findings that are used to allocate the case to stage IIIC. for example, if imaging indicates pelvic lymph node metastasis, the stage allocation would be stage IIIC1r and, if confirmed by pathological findings, it would be Stage IIIc 1p. The type of imaging modality or pathology technique used should always be documented. When in doubt, the lower staging should be assigned.

출처: FIGO committee report, *Int J Gynecol Obstet* 2019; 145: 129-135

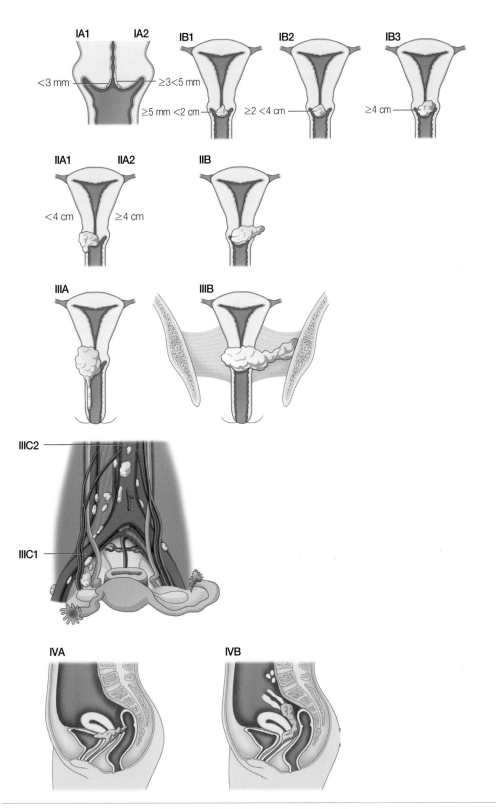

그림 42-4. FIGO 자궁경부암 병기(2018)

표 42-3. 자궁절제술의 종류(Querleu & Morrow, Lancet Oncol 2008)

	Extent of resection	Ureter	Comment
A-minimum resection of paracervix	Paracervix is transected medial to ureter, but lateral to the cervix; uterosacral and vesicouterine ligaments are not transected at a distance from the uterus; vaginal resection—generally at a minimum, without removal of the paracolpos	Palpation or direct visualisation without freeing from bed	
B-transection of paracervix at the ureter	Paracervix is transected at the level of the ureteral tunnel; partial resection of uterosacral and vesicouterine ligaments; no resection of caudal (deep) neural component of the paracervix (caudal to the deep uterine vein); vaginal resection—at least 10 mm of the vagina from the cervix or tumour	Unroofing and rolled laterally	The border between paracervical and iliac (parietal) lymph-nodes is the obturator nerve (the combination of paracervical and parietal lymph-node dissections is a comprehensive pelvic-node dissection, and can be equivalent to that of a type C1 resection)
B1	As described above		..
B2	As described above and with additional removal of the lateral lymph nodes		..
C-transection of paracervix at junction with internal iliac vascular system	Transection of the uterosacral ligaments at the rectum; transection of the vesicouterine ligaments at the bladder; resection 15-20 mm of the vagina from the tumour or cervix and corresponding paracolpos	Completely mobilised	..
C1	With autonomic nerve sparing/preservation		..
C2	Without autonomic nerve sparing/preservation		..
D-laterally extended resection			
D1	Resection of the paracervix at the pelvic side, with vessels arising from internal iliac system, exposing the roots of the sciatic nerve	Completely mobilised	..
D2	Resection of the paracervix at the pelvic side, with hypogastric vessels plus adjacent fascial or muscular structures (laterally extended endopelvic resection)		..

All types of radical hysterectomy are combined with lymph-node dissection: level 1—external and internal iliac level; level 2—level 1 plus common iliac and presacral; level 3—level 2 plus aortic infra-mesenteric; level 4—level 3 plus aortic infrarenal.

② point A와 point B

- Point A: 자궁경부 외구로부터 2 cm 외측, 2 cm 위쪽 지점, 자궁동맥이 요관과 교차하는 부위를 대표한다.
- Point B: Point A의 3 cm 외측 지점을 지칭하며, 폐쇄림프절(obturator lymph node)의 위치와 일치
- Point A에 누적선량 7,500-8,000 cGy, Point B에는 4,500-6,500 cGy를 조사하게 된다.

(3) 항암화학요법

① 크기가 큰 자궁경부암에서 선행항암화학요법으로 사용
② 재발성 자궁경부암에서 고식적 치료로 사용
③ 방사선치료와 함께 동시 항암화학방사선요법으로 사용
④ 대표적인 약물은 cisplatin이다.

5) 치료방법의 선택

(1) 진행되지 않고, 크지 않은 자궁경부암(병기 IA, IB1, IB2, IIA1)의 치료

① **2가지 방법**(수술 또는 동시 항암화학방사선요법)**이 있다.**

치료 방법은 각각의 치료에 따른 합병증, 치료 후 삶의 질, 치료 후 임신 계획 등에 따라 정해지게 된다.

- 수술의 장점
  - 난소 기능을 유지할 수 있다.
  - 질 섬유화가 발생하지 않는다.
  - 동시 항암화학방사선요법에 반응이 낮은 큰 전이 림프절을 제거할 수 있다
  - 질병의 범위를 정확히 알 수 있게 되어 보조요법이 필요 없는 환자들이 동시 항암화학방사선요법을 받지 않게 해 준다.
  - 대동맥곁림프절절제술을 통해 방사선조사영역을 결정하는데 도움을 준다.
- 수술의 단점

  수술 후 동시 항암화학방사선요법을 시행하게 될 경우에는 합병증이 증가할 가능성이 있다.

② **일차 치료로서 수술**

- 자궁절제술

특별한 적응증이 있는 경우를 제외하고는 근치자궁절제술을 시행하게 된다.
- 림프절절제술
  - 병기 IA1: 림프혈관강 침윤이 없으면 림프절절제술을 시행하지 않는다.
  - 병기 IA2: 골반림프절절제술을 시행해야 하지만, 대동맥곁림프절절제술을 시행할 필요는 없다. 그러나, CT/MRI, PET등 수술 전 영상검사에서 대동맥곁림프절 침범이 의심되거나, 수술 중에 골반림프절 침범이 확인될 경우에는 대동맥곁림프절절제술을 시행한다.
  - 병기 IB 이상: 골반림프절절제술 시행, 경우에 따라 대동맥곁림프절절제술 시행

③ 수술 후 보조요법
- 재발 위험군
  - 고위험 요소: 절제면 양성, 림프절 전이, 또는 자궁주위조직 침윤 확인 시
  - 중등도 위험요소: 큰 종양(>4 cm), 1/2 혹은 2/3 이상 기질 침윤, 림프혈관강 침윤 확인 시
  - 고위험 요소 시는 3년 내 40%, 중등도 위험요소 시는 30% 재발 위험이 있다.
- 수술 후 1개 이상의 고위험 요소가 확인될 경우 동시 항암화학방사선요법을 시행하며, 2개 이상의 중등도 위험요소가 확인될 경우 단독 방사선치료를 시행할 수 있다.

④ 일차 치료로서 동시 항암화학방사선요법
자궁경부암에서 일차 치료로 방사선치료를 시행할 경우 반드시 백금계 항암제를 사용한 항암화학요법과 같이 시행한다.

⑤ 향후 임신을 원하는 여성의 치료
- 잘 선택된 환자에서 생식능력 보존수술을 시행할 수 있다.
- 원추절제술 후, IA1 + 림프혈관강 침윤 (−) + 절제면에 잔류 병변 (−) + 속자궁경부긁어냄술 (−)일 때 추가 치료 없이 추적관찰 가능하다.
- 근치자궁경부절제술과 림프절절제술을 시행
  - IA1병기 중 림프혈관강 침윤이 있는 경우
  - 생식능력 보존을 원하는 병기 IA2, IB1

(2) 진행되지 않았으나 지름 4 cm를 넘는 자궁경부암(병기 IB3, IIA2)의 치료

① 국소 재발률이 높아, 수술만 시행할 경우 재발률이 30%에 달한다.

② 동시 항암화학방사선요법, 선행화학요법 후 근치적수술, 그리고 일차 근치적수술 중 어떤 치료가 우월한지 아직 명확하지 않으나 NCCN guideline은 동시 항암화학방사선 요법을 우선적으로(category 1) 권고하고 있다.

(3) 진행된 자궁경부암(병기 IIB 이상)의 치료

동시 항암화학방사선요법

(4) 특수한 상황의 자궁경부암 치료

① 임신 중 진단된 자궁경부암

- 10,000명 당 1.2명 정도이다.
- 임신 자체는 자궁경부암의 예후에 영향을 미치지 않는다.
- 펀치생검은 안전하게 시행할 수 있으나, 속자궁경부긁어냄술은 시행해서는 안 되며, 원추절제는 제1삼분기에 시행 시 출혈, 감염 등으로 33%에서 유산을 유발하므로 가능한 제2삼분기 이후로 미루어야 한다.
- 원추절제술 후 절제면에 병변이 없고 림프혈관강 침윤이 없는 병기 IA1은 만삭분만이 가능하다. 일반적으로 제왕절개분만을 권고한다.
- 원추절제술 후 IA2기이면서 림프혈관강 침윤이 있는 경우 만삭분만을 하거나, 태아폐 성숙 직후 조기분만을 해도 된다. 제왕절개분만 후 변형 근치자궁절제술과 림프절절제 술을 시행한다.
- IB기인 경우, 태아주수나 환자의 요구에 따라 치료를 결정하게 되나, 4주 이상 미루는 것은 바람직하지 않다.
  - 임신 초기일 경우 근치자궁절제술과 림프절절제술을 시행
  - 임신 중기 이후이거나 임신 지속을 원할 경우 위험도에 대해 충분히 설명한 후 태아 가 생존할 수 있는 시기까지 치료를 미룰 수 있으며, 제왕절개분만이 안전하다.
- II기 이상인 경우 방사선 치료를 시행한다.
  - 제1삼분기일 경우 태아를 자궁 안에 둔 채로 동시 항암화학방사선요법을 시행한다.
  - 태아가 생존할 수 있는 주수라면, 제왕절개분만 후 동시 항암화학방사선요법을 시행 한다.

표 42-4. 대한부인종양학회 진료권고안(v3.0)

추적관찰	2년 간 3-4개월 간격
	다음 3년 매 6개월마다
	그 이후 매년
병력청취/신체검사	매 방문 시
자궁경부질세포진검사	1년 1회 권장 혹은, 매 방문 시 시행 가능
실험실 검사	임상적 판단에 따라 선택적으로 시행
골반/복부/흉부 CT, MRI	임상적 판단에 따라 선택적으로 시행
[a]PET	임상적 판단에 따라 선택적으로 시행
종양표지자 검사	임상적 판단에 따라 선택적으로 시행

[a]PET은 고식적인 영상검사로 재발이 발견되지 않거나 재발 여부가 불명확할 경우, 또는 재발의 범위를 확정하는데 도움이 됨
추적관찰 중 질 확장기(dilator)는 방사선치료 후 질협착으로 인한 추적검사의 정확도 감소 및 성기능 장애를 예방하기 위해서 권장됨

(5) 단순자궁절제술 후 조직검사에서 우연히 발견된 자궁경부암

① 림프혈관강 침윤이 없는 미세침윤암은 추가적인 치료는 필요치 않다.

② 침윤암은 근치적수술 또는 동시 항암화학방사선요법을 시행한다.

(6) 샘암종과 샘편평세포암종의 치료

병기가 동일할 경우, 편평세포암종과 치료 방침도 동일하다.

6) 치료 후 추적관찰

자궁경부암 치료 후 추적관찰에 대한 대한부인종양학회의 진료권고안은 표 42-4와 같다. 처음 2년간은 3~4개월 간격, 다음 3년 동안은 매 6개월마다, 그 이후에는 매년 시행하는 것이 원칙이며, 임상적인 상태 및 환경에 따라서 조절한다.

(1) 문진과 신체검진

매 방문 시마다 병력 청취 및 골반진찰을 포함한 신체검사를 시행

① 쇄골위림프절과 서혜부림프절을 주의 깊게 촉진

② 자궁경부질세포진검사는 1년에 1회 시행하는 것을 권장하나 매 방문 시 시행할 수 있다.

(2) 검사

임상적 판단에 따라 선택적으로 시행할 수 있다.

① 흉부 X-선 검사

② CBC, BUN, creatinine, 종양표지자검사

③ CT나 MRI

④ PET

외음부 및 질의 질환
Vulvar neoplasm and
Vaginal disease

학습목표

1. 외음부 및 질의 양성 질환을 분류하고 설명한다.
2. 외음부 및 질의 전암 병변을 분류하고 진단한다.
3. 외음부암과 질암의 진단과 치료를 설명한다.

1. 양성 낭종 및 종양

외음부 및 질의 양성 낭종 또는 양성 종양은 대부분 모발-피지선(pilo-sebaceous gland), 피지선(sebaceous gland), 아포크린 한선(apocrine sweat gland) 등에서 발생하며, 증상이나 감염 소견이 없으면 꼭 치료할 필요는 없다. 외음부의 양성종양은 표 43-1에 요약되어 있다.

1) 표피봉입낭종(Epidermal inclusion cysts)

외음부의 가장 흔한 피하질환으로 모발-피지선(pilo-sebaceous gland) 또는 모낭이 막혀서 생긴다. 보통 병변이 작고, 무증상이지만 때로는 감염으로 인해 농양으로 발전하기도 한다. 치료로는 절개 배농술(Incision and drainage)이나 절제술을 시행한다.

2) 피지 낭종(Sebaceous cysts)

피지선이 막혔을 때 정상적으로 분비되는 피지가 축적되어 낭종을 형성하는 것으로 보통 다발성으로 생기며, 무증상이다. 감염으로 농양이 형성된 경우 절개배농을 한다.

3) 아포크린 한관낭종(Apocrine sweat gland cyst)

아포크린 땀샘은 음부(mons pubis), 대음순(labia majora)에서 발견되며 이것이 막힌 경우 낭종을 형성한다.

4) 스킨선 낭종(Skene's gland cysts)

스킨선(Skene's gland) 또는 요도측선(paraurethral glands)은 요도 개구부(urethra meatus) 바로 옆에 위치한 샘으로 이것이 막힌 경우 낭종을 형성한다. 대부분 크기가 작으며 무증상이나 가끔 커져서 요로폐쇄를 일으키는 경우 절제술이 필요하다.

5) 양성 고형 종양(Benign solid tumors)

외음부 및 질의 가장 흔한 양성 고형 종양은 지방종(lipoma), 혈관종(hemangiomas), 요도 소구(urethral caruncle) 등이다. 이들은 대부분은 무증상이며, 갑자기 크기가 증가하거나 출혈(특히 요도 소구) 등이 동반될 경우에는 절제술을 시행한다.

6) 바르톨린선 낭종과 바르톨린선 농양(Bartholin's gland cyst and abscess)

바르톨린선은 대음순에 양측성으로 존재하며, 점액을 분비한다. 이들 분비선이 막히는 경우 점액이 축적되어 낭종을 형성하며, 대부분 무증상이나 감염에 의해 급속성장하고 통증을 일으키는 농양(Bartholin abscess)이 생길 수 있다. 1~2 cm의 무증상 낭종은 정기적으로 관찰하며, 40세 이후에 처음 생긴 경우에는 바르톨린선암(Bartholin's gland carcinoma)과 감별하기 위해 조직 검사를 시행한다. 증상이 있는 경우, 크기가 큰 경우, 농양이 생긴 경우에는 절개배농, 개창술(marsupialization), 낭종 절제술(cystectomy) 등의 적극적 치료가 필요하다. 수술적 치료 후 빠른 치유와 통증 완화를 위해 좌욕을 시행한다. 항생제는 농양에서 임균(Neisseria gonorrhoeae)이 동정된 경우나 봉와직염(cellulitis)이 동반된 경우에 투여한다.

표 43-1. **외음부 양성종양의 유형**

낭성병소	바르톨린선 기원: 도관낭종 배성기원: 음낭수종 Gartner 낭종, 선종, 유피낭 상피성기원: 표피봉입낭, 모소낭 상피부속기 기원: 한선종, Fox-Fordyce병, 한관종 요도축 기원: 스케네 도관 낭종
고형종양	상피성기원: 첨형콘딜로마, 유경연성 섬유종, 유두종증 상피부속기 기원: 한선종, 피지선종 중배엽성 기원: 섬유종, 혈관종, 림프관종, 평활근종, 지방종, 신경섬유종, 과립세포모세포증 바르톨린 및 전정선 기원: 선섬유종, 점액선종
해부학적이상	헤르니아 요도게실 정맥류
감염	농양(바르톨린, 스케너, 음핵주위) 편평콘딜로마 전염성연속종 화농성육아종
이소성	자궁내막증 이소성 유방조직: 다유방선 낭종

2. 외음부 피부질환(vulvar Dermatoses)

2006년에 ISSVD(international society for the study of vulvovaginal disease 국제외음질환연구회) 는 외음부 피부염을 조직학적인 형태를 기준으로 분류하였다. 종양과 감염에 의한 피부 질환은 제외하였다(Lynch, Moyal-Barracco et al.,2007)(표 43-2).

1) 경피성 태선(Lichen sclerosus)

외음부의 가장 흔한 백색 병소로써 모든 연령에서 발생 가능하지만, 폐경 여성에서 발생할 경우 5~15% 정도는 악성질환과 연관되어 있으므로 감별진단이 중요하다. 전형적인 모양은 외음부가 백색으로 위축되고 피부가 종이같이 얇고 광택이 있으며 이러한 변화가 외음부에서 항문 둘레까지 퍼져 소위 8자 모양을 이룬다. 소음순은 작거나 없으며 대음순이 얇으며 소음순이 대음순에 유착되어 간혹 음핵이 매몰되고 질 입구가 축소되기도 한다. 조직검사로 진단하며 침윤성암이 발견되기도 한다. 외음부암의 10%에서 경피성태선을 동반한다. 대부분 무증상이나 간혹 소양증이나 성교통을 보일 수도 있으며, 치료는 0.05%의 clobetasol 크림과 같은 고효능 국소부신피질호르몬을 사용하며 또한 저효능 국소부신피질호르몬을 유지요법으로 사용한다.

표 43-2. 2006 ISSVD Terminology and Classification of Vulvar Dermatoses

Spongiotic pattern (해면상 피부염)	Atopic dermatitis (아토피피부염) Allergic contact dermatitis (알레르기접촉피부염) Irritant contact dermatitis (자극접촉피부염)
Acanthotic pattern (가시세포증식 피부염)	Psoriasis (건선) Lichen simplex (편평태선)
Lichenoid pattern (태선모양 피부염)	Lichen sclerosus (경화태선) Lichen planus (편평태선)
Dermal homogenization/sclerosis pattern (경화피부염)	Lichen sclerosus
Vesiculobullous pattern (물집수포 피부염)	Pemphigoid Linear IgA disease
Acantholytic pattern (가시페포분리피부염)	Hailey-Hailey disease Darier's disease Papular genotocrural acantholysis
Granulomatous pattern (육아종 피부염)	Crohn's disease
Vasculopathic pattern (혈관변성 피부염)	Aphthous uler Betcet' disease

2) 편평태선(Lichen planus)

주로 30~60대 여성에서 호발하며 약제 유발성, 또는 자발성으로 생기며 병변은 위축성, 염증성 병변으로 반짝거리는 자주색의 부풀어오른 구진(papule)이 특징이다. 증상은 소양증과 함께 염증과 질전정부의 미란을 동반하기도 하며 질유착(vaginal adhesion)을 유발할 수도 있다. 진단은 조직생검으로 하며 치료는 스테로이드 및 난포호르몬 제재(질 위축이 있는 경우)를 국소적으로 사용한다. 질 유착이 생긴 경우 질 확장기(vaginal dilator)를 사용하거나 수술적으로 교정한다.

3) 만성 단순태선(Lichen simplex chronicus)

외음부의 만성적인 자극(긁힘, 문지름 등)으로 반응성 변화를 보이는 만성 염증성 질환으로 상피조직이 하얗게 두꺼워지며, 피부가 벗겨진 소견이 보일 수 있다. 증상은 외음부에 소양증을 보이며 치료는 중간용량 스테로이드(medium potency topical steroids)를 4주에서 6주간 국소적으로 사용한다.

4) 건선(Psoriasis)

만성적인 염증에 의해 발생하는 피부 질환으로 피지선이 많이 분포하는 부위(두피, 얼굴, 액와부, 사타구니, 상체)에 주로 발생한다. 선홍색의 병변으로 관찰되며 인설에 덮혀 있을 수도 있다. 치료는 자외선 치료나 국소적 스테로이드를 사용한다.

3. 외음부 통증증후군(vulvar pain syndrome, vulvodynia)

외음부 통증증후군을 가진 여성은 작열통, 쏘임통, 통증, 건조, 자극감 등을 다양하게 경험한다. 기질적인 원인으로 발생하기도 하며 선행요인이 없는 본태성 외음부 통증증후군도 있다. 기질적인 원인은 접촉성피부염, 곰팡이균이나 트리코모나스 감염, 사람유두종바이러스 감염, 헤르페스 감염 등이 있다.

1) 외음부 안뜰염(vulvar vestibulitis)

외음부 안뜰염의 특징은 접촉이나 질내삽입 때에 심한 통증을 호소하고 외음부 안뜰내 경미한 접촉에 압통을 호소하는 국소 부위가 존재하며 안뜰 내 국한된 홍반(erythema)등이 관찰된다. 전형적으로 안뜰내 국소 부위를 면봉으로 부드럽게 압박시에 심한 작열감을 일으키게 된다. 치료는 다양한데 국소 부신피질호르몬, 에스트로겐, 항생제, 항진균제, 레티노이드 제제 모두 치료에 도움을 주지 못하고 안뜰과 처녀막을 수술적으로 절제하는 것이 증상완화에 도움이 된다.

4. 감염성 질환

1) 질의 감염성 질환

질의 감염성 질환은 여성에서 가장 흔한 질환으로 질 내부는 따뜻하고 습한 환경으로 여러 가지 미생물이 집락(colonization) 하기에 좋다. 질내에는 락토바실라이(lactobacilli), 포도상 구균(staphylococcus), 연쇄상 구균(streptococcus), 디프테로이드(diphtheroid) 균 등이 정상 세균총으로 존재한다. 이 중 lactobacilli (Doderlein's bacilli)가 가장 많이 존재하며 질의 정상 산도의 유지에 중요하다. 질 내부의 정상 산도(pH)는 사춘기 이후 4.5~5.0이며 항생제의 사용이나 식이변화, 전신질환 등으로 정상 세균총의 변화가 유발될수 있으며, 이러한 경우 질 내 감염성 질환이 발생하기 쉽다. 질의 감염성 질환은 재발을 잘 한다.

(1) 세균성 질염

정상 질 세균총의 변화로 혐기성세균(특히 Gardnerella vaginalis)이 과증식하여 생기는 질염으로 크림색의 질 분비물, 소양증, 성교통 등의 증상을 유발한다. 위험인자로는 낮은 사회계층이나 자궁내 피임장치의 사용, 다수의 성적 배우자, 흡연 등이 있으며, 임산부에서 감염 시 조산을 유발할 수 있다.

① 진단
세균성 질염의 진단 Key point
- 생선 비린내 같은 악취를 동반한 질 분비물
- 질 분비물의 산도(pH)가 증가(pH>4.5)
- 질 분비물의 현미경 검사 시 clue cell의 증가 및 백혈구 수가 감소
  - Clue cell: 질 상피세포가 세균으로 덮여 있는 것
- KOH를 분비물에 첨가 시 악취(fishy, amine like)

② 치료
메트로니다졸(metronidazole)이 효과적인 치료로서 하루에 1000 mg을 경구로 1주일 간 투여한다. 또는 Clinadamycin (600 mg/일)을 1주일 투여할 수 있다.

(2) 질 칸디다증(Candidiasis)

질 칸디다증은 질염의 약 30%를 차지하는 흔한 감염증이며, 주로 Candida albicans에 의한 감염으로 발생한다(80~90%). 임산부, 광범위 항생제의 사용이나, 당뇨병 환자 및 세포 면역이 저하된 환자나 면역억제치료를 받는 경우에서 잘 생긴다.

① 증상
외음부 및 질 소양증, 작열감, 배뇨통증, 성교통, 질분비물 등의 증상을 보이며, 이학적 검사에서 외음부의 부종과 발적 소견 보인다. 약 20%의 환자에서는 전형적인 백태(white plaques) 또는 비지 같은 분비물을 보인다.

② 진단

질 산도(pH)는 정상 소견을 보이며, 현미경 검사로 budding yeast가 관찰될 경우 진단할 수 있다. 배양 검사는 가장 민감한 검사법으로 sabouraud agar 배지에 질 분비물을 배양한다.

③ 치료(azole계 항진균제)

- 국소 요법(Topical treatments): Butoconazole, Clotrimazole, Miconazole, Nystatin, Tioconazole, Terconazole
- 경구 항진균제: fluconazole을 150 mg 1회 복용한다.
- 만성적으로 반복 감염이 있을 때는 fluconazole 150 mg 초회 투여 후 72시간 후 동량을 한 번 더 복용하는 것이 효과적이며, 국소요법의 경우 10~14간 치료를 지속한다.

(3) 트리코모나스 질염(Trichomonas vaginitis)

① 증상

Trichomonas vaginalis(편모 운동성의 혐기성 단세포 기생충)에 의한 감염으로 생기며, 증상은 다량의 질 분비물(옅은 녹색을 띠는 분비물), 질 작열감, 소양증, 성교통 등이다. 성적 접촉을 통하여 전파되며, 약 75% 정도 성적 배우자에서 배양 검사에서 양성 소견을 보인다.

② 진단

- 악취가 나는 기포성의 질 분비물
- 딸기 모양의 자궁경부: strawberry cervix(? 약 10%에서 보이는 소견)
- 질 분비물의 산도(pH) > 5.0
- 현미경을 통해 운동성을 가지는 서양배(pear) 모양의 편모를 가지는 원충 발견
- Clue cell(세균성 질염과 동반시 발견)
- Whiff test 양성: 습포 도말한 슬라이드에 KOH 용액 첨가 시 전형적인 악취

③ 치료

경구용 항생제(metronidazole 2 g)을 1회 복용하거나, 또는 국소 clotrimazole 연고를 1주일간 투여한다. 성적 파트너도 함께 치료해야 한다.

2) 외음염

가장 흔한 원인은 칸디다증(candidiasis)이며, 외음부에 홍반을 보이기도 하며 소양증을 동반한다. pH test와 microscopic examination으로 진단할 수 있다.

3) 외음부의 궤양성 질환

외음부의 궤양성 질환은 주로 성접촉에 의한 감염 질환(sexually transmitted infections)에서 생기며, 크론병(Crohn's disease)이나 베체트병(Behcet's disease) 등과 감별진단이 필요하다.

(1) 매독(Syphilis)

① 원인

Treponema pallidum에 의한 감염으로 생기는 전신적 질환으로 매독균은 피부나 점막의 작은 미란과 같은 병소를 통해 침입한다. 초기 병변은 주로 외음부나 질, 자궁경부, 항문, 유두 및 입술 등에 생긴다. 증상은 단계적으로 나타난다.

- 1기 매독: 원인균 침입 후 약 3주가 지나면, 통증이 없는 적색의 둥글고 단단하며, 가장자리가 융기된 1 cm 정도의 궤양성 병변(chancre)이 생기며 국소 림프절염을 동반하기도 한다. 암시야 현미경(dark field microscopy)에서 이동성을 가진 나선상구균(spirochetes)을 관찰할 수 있다.
- 2기 매독: Treponema pallidum 균의 파종(dissemination)으로 발생하며, 초기 병변이 없어진 후 1~3개월 후에 생긴다. 반구진성 발진(maculopapular rash) 또는 축축한 구진(papules)이 나타나며 발진은 특히 손바닥, 발바닥 부위에 잘 생긴다. 모든 병소는 저절로 없어지며, 증상은 대개 없다.
- 3기 매독: 피부와 뼈의 육아종(granuloma)이 특징적이며, 심혈관계 매독(대동맥염 등), 신경 매독(meningovascular disease, paresis, tabes dorsalis)이 나타날 수 있다.

② 진단

1기, 2기, 3기 및 신경매독은 특징적인 임상 징후 및 증상을 보이므로, 의심되는 환자에서는 혈청 채취를 통한 확진 검사가 필요하다. 선별검사로는 비특이적 항체검사(nonspecific antibody test)인 VDRL (Venereal Disease Research Laboratory)과 RPR (Rapid plasma reagin)검사법이 있다. 확진 검사(Specific test)로는 MHATP (microhemagglutination assay for Ab to Treponema pallidum)과 FTA-ABS (fluorescent treponemal Ab-absorption technique) 검사법을 사용하며 이들의 위양성률은 1% 미만이다. 혈청검사에서 양성 소견을 보이

나 증상이 없는 환자의 경우 조기 매독이나 잠복 상태의 매독 감염을 고려해야 한다.

③ 치료

가. 페니실린

- 조기 매독: benzathin penicillin, 240만 단위를 1회 근주
- 감염 1년 이상 경과된 매독: benzathin penicillin, 240만 단위를 주 1회씩, 3주 동안 근주
- 신경 매독: penicillin-G 200만~400만단위를 4시간마다 10~14일간 정맥 주사한 후 benzathin penicillin 240만 단위를 1주 1회씩 3주 동안 투여한다.
  * Jarisch-Herxheimer reaction : Penicillin 치료를 받은 환자가 치료시작 2~8시간 후 피로, 발열, 두통, 발진, 인후두염 등을 호소한다.

나. 대체 약물

페니실린 과민 반응이 있는 환자에선 3세대 세파계 항생제(ceftriaxone) 및 테트라싸이클린(tetracycline), 독시싸이클린(doxycycline) 등으로 대체할 수 있다. 그러나, 신경 매독인 경우에는 대체 약물이 효과가 없으며, 페니실린 탈감작 요법(penicillin desensitization) 후 페니실린을 투여해야 한다.

(2) 헤르페스 감염(Genital herpes)

① 증상

헤르페스 바이러스(Herpes simplex virus)에 의한 감염은 구강, 구순 주위 또는 성기 부위에서 흔하게 발생한다. 증상은 통증이 있는 궤양이 특징이지만, 일부 환자에서는 통증이 미약하거나 없을 수도 있다. 초기에는 피로, 근육통, 오심, 설사, 발열 등의 몸살 증상으로 시작되며, 외음부 작열감이나 소양감과 함께 다발성의 수포가 생긴 후 24~36시간이 경과하면, 통증을 동반한 궤양성 병소로 바뀐다(치유되는데 10~22일정도 걸림). 초기 발병 후 1년에 1회에서 6회 정도까지 재발할 수 있으며, 임산부에서 감염 시 산도(birth canal)에 활동성 병소가 있는 경우, 신생아에게 전파될 수 있으므로 제왕절개술을 시행하는 것이 좋다.

② 진단

환자의 성 생활의 문진과 이학적 검사에서 수포, 궤양 등의 병변 관찰을 통해 헤르페스 감염이 의심되는 경우 병변에서 tzanck 도말 검사를 시행하여 다핵의 거대세포(multinucleated giant cell)를 관찰할 수 있다. 바이러스 배양이 가장 민감도가 높은 진단법이며, 특이 항체 역가(specific antibody titer) 검사법도 사용된다.

③ 치료

좌욕이나 진통제 투여 등이 있으며, acyclovir 400 mg씩 3회 혹은 famciclovir 250 mg씩 3회 혹은 valacyclovir 1.0g 2회를 7~10일간 경구 투여하거나 acyclovir 연고를 병변에 도포함으로써 질병의 기간을 줄여주고, 재발율을 낮출 수 있다.

(3) 연성 하감(Chancroid)

헤모필루스(Haemophilus ducreyi)균에 의한 감염으로 생기며, 남성에서 3~25배 정도 호발하는 성 접촉성 감염이다. 통증이 있고, 경화가 없는 궤양성 병변이 특징적이며 단일 병소가 흔하지만, 드물게 다발성으로 발생하기도 하며, 또 성기 이외의 부위에서 나타나기도 한다. 항문-성기 부위의 어느 곳에서나 생길 수 있으며, 통증이 있는 서혜부 림프절염을 동반할 수 있다. 헤모필루스 균은 배양이 잘 되지 않고, 그람염색법으로는 진단이 어려우므로 대부분 임상적 양상으로 진단한다. 치료는 항생제(ceftriaxone 250 mg 1회 근주, azithromycin 1 g을 1회 경구 복용 또는 erythromycin 500 mg을 7일간 복용)를 투여한다.

(4) 림프육아종(lymphogranuloma venereum)

Chlamydia trachomatis의 감염에 의해 발생하며, 증상은 단계적으로 나타난다.

- 1기: 구진(papule)이 나타나고, 무통성의 얕은 궤양(shallow ulcer)을 보일 수 있다.
- 2기: 서혜부 림프절이 커지고, 통증을 동반한 염증 소견이 보인다. 열, 두통, 근육통, 식욕부진 등의 전신 증상이 동반되기도 한다.
- 3기: 직장결장염, 직장 협착, 직장-질 누공(rectovaginal fistula), 상피병(elephantiasis) 및 항문 소양증이 생기거나 직장에서 점액성 분비물이 나오기도 한다.

치료는 경구 항생제(doxycycline 100mg 2회, 21일간 경구 투여)를 사용하며, 외부성기 또는 직장의 변형이나 협착이 동반된 경우 수술적 치료를 병행한다.

5. 외음부 질 전암 및 악성질환

1) 외음부 전암병변

(1) 파젯 병(Paget's disease)

외음부에 생기는 상피내 종양(intraepithelial neoplasm)의 한 질환으로, 약 4% 정도에서는 자궁경부, 대장, 방광, 담낭, 유방 등에 선암(adenocarcinoma)을 동반한다.

① 진단

60세 이상의 여성에서 흔히 발생하며 만성 염증성 변화를 보인다. 증상은 외음부의 소양증 및 성교통, 통증, 작열감 등이 흔하며, 병변은 벨벳 같은 적색 피부 병변, 습진성 피부 병변과 백색판(white plaque) 등으로 관찰된다. 확진은 조직검사를 통해 공포가 있는 Paget's cells을 포함한 상피내 종양을 확인한다.

② 치료

광범위 국소 절제술(wide local excision)을 시행하며, 대부분 현미경 검사상 육안적 병변 부위보다 더 깊게 병이 존재하므로, 충분한 조직학적 평가를 시행하여야 하며, 육안적 병소의 경계 부위보다 더 넓고 깊게 절제를 해야 한다. 재발을 잘 하는 경향이 있으므로 주의 깊은 추적관찰이 필요하며, 림프절 전이가 없는 경우에는 국소 절제로 완치가 가능하다.

(2) 외음부 상피내 종양(Vulvar intraepithelial neoplasia, VIN)

① 병인

외음부 상피조직내에 세포의 이형성(cellular atypia)으로 85%가 사람유두종바이러스감염 (HPV)과 관련이있지만 HPV DNA는 외음암이 약 40%에서만 검출된다. HPV가 음성인 고령의 외음암 환자들의 전암병변 형태는 대부분 경화성 태선(lichen sclerosus)이다. 이들은 VIN의 80~90%에서 발견되며, 약 60%의 환자에서 자궁경부의 상피내 종양을 동반한다.

위험요인은 콘딜로마, 흡연, 면역 억제 상태 등이며, 젊은 연령의 환자는 다발성 병소를 보이는 경우가 많고, 침윤암으로의 진행이 빠르다. 반면 고령에서는 단일 병소가 흔하며, 침윤암으로의 진행은 비교적 느리다. 폐경 여성(50~60세)에서 호발하나 35세 미만의 여성에서도 생길 수 있으며, 젊은 여성에서 증가추세를 보인다.

② 진단

약 반수의 환자에서 무증상이며, 외음부 소양증, 자극증상 등을 보일 수 있다. 육안적 소견으로 외음부에 생긴 불연속적인 다발성의 병소 또는 흰색, 적색 또는 색소침착이 된 융기 또는 편평한 병변이 관찰된다(그림 43-1). 진단은 병변의 조직검사를 시행한다.

③ 분류

외음 상피내종양은 등급 1~3부터 외음암까지 종양의 생물학적 연속성이 확립되지 않았다. 2004년 ISSVD(국제외음질환연구회)는 외음 상피내종양의 세 단계 분류를 고등급 외음 상피내종양만을 외음 상피내종양으로 분류하는 한 단계 분류체계로 대체하였다. 2015년에 하

표 43-3. **외음 상피내종양의 ISSVD 분류**

2004 용어	2015용어
	저등급 편평상피내병변(LSIL, vulvar condyloma, HPV effect)
VIN usual type 　Warty type 　Basaloid type 　Mixed (warty or basaloid) type	고등급 편평상피내병변(HSIL, vulvar HSIL, VIN usual type)
VIN, differentiated type	분화된 외음 상피내종양(DVIN)

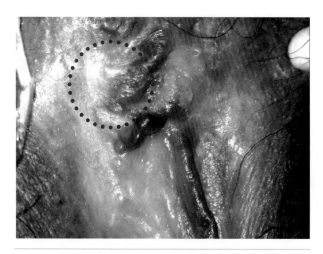

그림 43-1. **외음 상피내종양 3**

부생식기의 HPV 감염과 관련된 편평세포병변의 통일된 명명법에 따라 ISSVD는 외음 상피내종양으로 분류하였다(표 43-3). 2004년 이전 외음 상피내종양 1로 분류되었던 병변이 2015 ISSVD 분류에 따르면 LSIL 로 분류되었다.

④ 치료

VIN 3의 경우 치료를 하지 않으면 5~10%에서 침윤암으로 발전할 수 있으며, 침윤의 증거가 없는 작은 단일 병변인 경우 국소적 절제로 좋은 치료 성적을 보인다. 절제 시에는 절단면이 병변을 충분히 포함하도록 병변 주위로 적어도 5 mm 이상 절제한다. 레이저를 이용한 소작술(laser ablation)은 다발성으로 생긴 병소의 치료에 사용하며 흉터가 작고, 치유가 빠르지만, 조직검사를 할 수 없는 것이 단점이다.

2) 외음암

(1) 병인

외음부에 생기는 악성종양으로 편평상피세포암(squamous cell carcinoma)이 가장 흔하며 (90~92%) 그 외 흑색종(melanoma, 4~10%), 기저세포암(basal cell carcinoma, 2~3%), 평활 근육종이나 악성 섬유성 조직구종 등의 육종(Sarcomas, 1~2%) 등으로 분류된다. 주로 대음 순에 호발하며, 병변은 양배추양상의 덩어리 또는 단단한 궤양성 경결 등의 소견으로 관찰된 다. 전이는 주로 림프선을 통해 이루어지나, 질, 요도, 항문 등으로 직접 전이를 하기도 한다.

(2) 역학

부인과 암의 5% 정도를 차지하며 주로 고연령층(평균 65세)에서 호발한다. 위험 인자로는 인유두종 바이러스(HPV)의 감염, 외음부 상피내 종양(VIN), 자궁경부 상피내 종양(CIN), 경 피성 태선(lichen sclerosus), 편평상피세포 증식증(squamous cell hyperplasia), 흡연, 음주, 면 역저하자, 자궁경부암의 기왕력 등이 있다.

(3) 진단

대부분 특별한 증상이 없어 주기적 선별검사를 통해 진단되는 경우가 많으며, 오랫동안 지 속된 외음부 소양증, 통증, 출혈, 또는 외음부 종괴 등의 증상을 보일 수 있다. 초기에는 염증 소견이나 홍반성 병변으로 관찰되며, 진행되면 병변이 부풀거나 궤양을 형성할 수 있다. 병변 은 대음순과 소음순에서 60%, 음핵에서 15%, 회음부(perineum)에서 약 10%의 빈도로 발견 되며, 병변의 조직검사를 통해 진단한다. 또는 외음부 종괴 등의 증상을 보일수 있다(그림 43- 2, 43-3).

그림 43-2. **외음암 IB기**

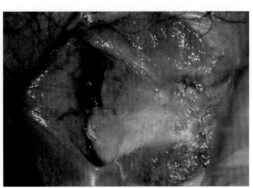

그림 43-3. **외음암 IIIB기**

(4) 병기설정

외음암의 병기는 림프절 전이의 형태와 수를 자세히 기술하고 병기 간 예후를 잘 반영하는 2009년에 개정된 FIGO병기 설정이 현재까지 사용되고 있다(표 43-4).

(5) 예후

외음암은 인접 조직으로 침범하거나, 서혜부와 대퇴부 림프절 또는 혈행성 전이를 통해 진행하며 전체 환자 중 약 30%에서 서혜부-대퇴부 림프절 전이를 보인다. 가장 중요한 단일 예후 인자(prognostic factor)는 림프절 전이 유무이다. 림프절 전이가 없는 환자의 경우 수술적 치료 후 5년 생존률은 약 80%이며, 림프절 양성인 환자의 생존율은 50%로 감소한다.

(6) 치료

원발병소 절제와 림프절 절제술이 기본이며 기질침윤이 > 1 mm이거나 원발 병소가 > 2 cm인 모든 환자에서 서혜부-대퇴부 림프절 절제술(Inguinal-femoral lymph node dissection)이 필요하다.

① **미세침윤암**(T1a; Tumor ≤ 2 cm, invasion ≤ 1 mm)
광범위 국소 절제(Wide local excision)

표 43-4. 2009 외음암의 FIGO 수술적 병기설정

병기	
I	외음에 국한된 암
IA	종양크기 ≤ 2 cm, 병변위치: 외음이나 회음에 국한, 간질침윤: ≤1.0 mm, 림프절전이 없음
IB	종양크기 > 2 cm, 병변위치: 외음이나 회음에 국한, 간질침윤: > 1.0 mm, 림프절전이 없음
II	종양크기에 관계없이 주변조직(요도하부1/3, 질하부1/3, 항문)을 침범함. 림프절전이 없음
III	종양크기나 주변조직(요도하부1/3, 질하부1/3, 항문)의 침범에 관계없이, 서혜대퇴림프절전이 있음
IIIA	(i) 1개의 림프절 전이가 있음, 크기 <5 mm (ii) 1~2개의 림프절 전이가 있음, 크기 ≥5 mm
IIIB	(i) 2개 이상의 림프절 전이가 있음, 크기 <5 mm (ii) 3개의 림프절 전이가 있음, 크기 ≥5 mm
IIIC	림프절 전이가 있고 피막외침범(extracapsular extension)있음
IV	종양이 국소적 침윤(요도상부2/3, 질상부2/3)을 하였거나 원격 전이를 한 경우
IVA	(i) 종양이 요도상부2/3, 질상부2/3침범, 방관점막, 직장점막, 골반뼈에 침범 (ii) 고정되어 있거나 궤양이 동반된 서혜대퇴 림프절 전이가 있음
IVB	골반 림프절 전이를 포함한 원격 전이가 있음

② 조기외음암

가. T1b; Tumor > 2 cm, invasion >1 mm: 광범위 국소 절제와 서혜부−대퇴부 림프절 절제술(radical local excision and Inguinal−femoral lymph node dissection)

나. T2; 종양 크기에 상관없이 주위 조직 침범(요도 하부 1/3, 질 하부 1/3, 항문): 근치적 외음부절제와 서혜부−대퇴부 림프절 절제술(radical vulvectomy and Inguinal−femoral lymph node dissection) 또는 근치적 국소 절제와 서혜부−대퇴부 림프절 절제술(radical local excision and Inguinal−femoral lymph node dissection)

③ 진행된 병기(Large T2, T3)

수술 후 방사선치료 또는 수술 후 항암방사선치료

④ 감시림프절생검

감시림프절은 암세포가 첫번째로 도달하는 림프절로써 암세포가 있을 확률이 가장 크다. 초기 외음암 환자의 약 30% 만이 서혜대퇴 림프절절제술 이후 림프절 전이가 발견되므로 모든 환자에게 서혜대퇴 림프절절제술을 시행하기 보다 림프절 전이가 있을 것으로 생각되는 환자들에게만 시행하는 것이 도움이 된다.

3) 질 상피내 종양(Vaginal intraepithelial neoplasia, VAIN)

(1) 분류

자궁경부 상피내 종양, 자궁경부암, 콘딜로마, HPV 감염 병력과 관련이 있는 질 상피내 이상변변으로, 병변이 상피층(epithelium)에 국한되어있으며. 세포 변화를 포함한 정도에 따라 1, 2, 3 등급으로 분류한다. 한편 최근에는 LAST (lower anogenital squamous terminology standardization) 프로젝트의 분류에 따라 HPV 감염 및 질 상피내종양 1을 질 저등급 편평상피내병변(vaginal LSIL)으로, 질 상피내종양 2, 3을 질 고등급 편평상피내병변(vaginal HSIL)로 분류하고 있다. 고등급 질 상피내종양에서 90%이상, 그리고 질암의 70% 이상에서 HPV 감염과 관련성이 있는것으로 알려져 있다.

(2) 임상특성

호발 연령은 50대 중반에서 후반이며, 선별검사가 확대되고 유병율이 증가하면서 고등급 질 상피내종양의 진단률이 증가하는 양상을 보인다. 흔히 자궁경부 상피내 종양과 연관되어 발생하는데 고등급 질 상피내종양은 70%에서 질 상부 1/3에서 발생한다. 위험인자는 자궁경

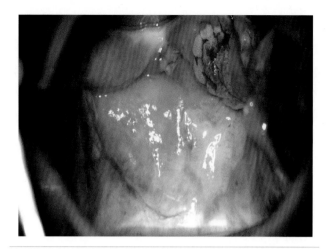

그림 43-4. 질 상피내종양 3(자궁절제술 후 multifocal하게 발생)

부암의 과거력, 흡연, 장기이식을 받았거나 사람면역결핍바이러스 감염과 같이 면역 억제된 상태등이 있다.

(3) 진단

대부분 무증상이며, 자궁경부 세포 도말 검사에서 비정상 소견이 관찰되어 진단된다. 특히 자궁경부세포도말 검사에서 지속적으로 이상 소견을 보이나, 자궁경부 조직 검사는 정상인 경우 질의 상피내종양을 의심할 수 있다. HPV 감염 병력이 있어 자궁절제술 시행한 환자의 경우 질 상피내 종양의 발생 가능성을 고려하여 매년 선별검사를 시행한다. 자궁경부 세포도말 검사에서 비정상 소견을 보이는 경우 질 확대경(colposcopy)으로 자궁경부 및 상부 질 검사를 시행하며 의심되는 병변이 관찰되는 경우 조직검사를 시행한다.

(4) 치료

질 상피내종양 1은 대부분 자연적으로 소실되기 때문에 특별한 치료를 하지 않는다. 질 상피내종양 2 의 일차적 치료는 국소 절제나 또는 레이저 소작술을 시행한다. 다발성 병소를 보이는 경우에는 질내로 5-fluorouracil (5-FU)을 투여하는 방법이 이용되기도 한다. 질 상피내 종양은 재발을 잘 하므로 질 확대경 검사를 포함하여 주기적인 추적관찰이 필요하다.

4) 질암(Invasive cancer of the vagina)

(1) 역학 및 병인

부인과 악성 종양의 약 2~3%를 차지하며, 평균 발생 연령은 약 60세이다. 원발성 질암은 질 부위로 전이된 암과 구분하여야 하며 질에서 발견되는 이차성 암이 전체 질암의 84%를 차지한다. 발생빈도가 매우 드문 악성종양으로, 원인은 아직 밝혀지지 않았다. 젊은 여성은 HPV 감염과 연관성이 있으나 고령의 여성에서는 그 연관성이 확실하지 않다. 조직학적으로는 편평 상피세포암(squamous cell carcinoma)이 가장 흔하며(80~90%), 그 외에 선암(adenocarcinoma), 육종(sarcoma), 흑색종(melanoma) 등이 있다. 태아 때 자궁 내에서 diethylstilbestrol (DES)에 노출에 의해 투명세포암(clear cell carcinoma)이 발생할 수 있다. 편평상피세포암은 주로 질 후벽(posterior wall)과 질 상부 1/3을 포함하는 궤양성 병소나 또는 밖으로 돌출되면서 자라는 병변으로 관찰된다. 전이는 주로 림프선을 통해 전이되거나, 방광 또는 직장으로 직접 전이될 수 있다.

(2) 증상

통증이 없는 질출혈 및 분비물이 가장 흔한 증상이며, 진행된 종양인 경우 배뇨 장애, 혈뇨, 빈뇨 등의 증상을 보일 수 있다.

(3) 진단

질 소양증, 폐경 후 질출혈, 또는 혈성 질분비물을 나타낼 수 있다. 비정상 자궁경부세포진검사를 보일 수 있으며, 의심되는 병변은 조준생검으로 확진한다.

(4) 병기 설정

질은 해부학적으로 방광, 요도 및 직장과 인접해 있으므로 비교적 초기에 이들 장기에 파급될 수 있다. 따라서 치료 전 방광경검사, 소변검사, 직장경검사, 정맥신우조영사진, 흉부 X-선 검사 및 외음부와 서혜부의 시진과 촉진이 필요하다. FIGO 병기는 표 43-5와 같고 임상적

표 43-5. **질암의 FIGO 병기**

I	질벽에 국한
II	질하 조직 침윤, 골반벽 침윤 없음
III	골반벽 침윤
IV	골반을 벗어난 조직으로 침윤 또는 방광이나 직장 점막 침윤
IVA	방광이나 직장 점막 침범 또는 골반 위로 직접 전이
IVB	원격 전이

병기를 결정하는 것은 임상진찰과 X-ray에 의하며 수술 후 그 소견에 따라 바뀔 수 있다.

(5) 치료

① 상부 질에 국한된 1기: 근치적 질절제술 및 골반 림프절 절제술(radical vaginectomy and pelvic lymphadenectomy), 자궁 침범이 있을 경우 근치적 자궁절제술을 시행하며 경계 침윤이 없고 림프절 전이가 없는 경우 추가적인 치료는 필요없다.

② 직장-질 또는 방광-질 누공이 동반된 4기 질암은 전 골반내용 적출술(Pelvic exenteration)을 시행한다.

③ 그 외의 경우(하부질의 2/3 이상 침범된 1기 및 2기, 또는 3, 4기에는 방사선 단독치료를 시행한다.

(6) 예후

진단 당시의 임상 병기 종양의 크기가 중요한 예후인자이다. 전반적인 5년 생존률은 약 52%이다. 병기별 5년 생존률은 1기에서 74%, 2기에서 54%, 3기에서 34%, 4기에서 15%이다.

5) 악성 흑색종(Malignant melanoma)

외음부에서 발생하는 악성 종양으로 빈도는 100,000 명당 0.1~0.19로 드문 질환이지만 외음부의 악성 병변으로는 두번째로 흔하다. 백인 여성에서 호발하며, 소음순(labium minora), 음핵(clitoris) 등에 잘 생긴다. 증상은 대부분 없으며 외음부에 색소가 침착된 병변이 관찰된다. 치료는 편평상피암과 같이 국소적 절제술을 시행하며, 림프절 절제술의 효과는 아직 명확하지 않다. 예후인자로는 침범 깊이가 가장 중요하며, 5년 생존률은 50~60% 정도로 예후가 나쁘다.

6) 기저세포암(Basal cell carcinoma)

광범위 국소 절제로 치료하며, 림프절 전이는 드물기 때문에 림프절 절제술은 필요하지 않다.

자궁내막증식증과 자궁내막암

Endometrial hyperplasia, Endometrial cancer

CHAPTER

44

Obstetrics & Gynecology

산부인과학 지침과 개요

학습목표

1. 자궁내막증식증과 자궁내막암 발생의 관계를 설명한다.
2. 자궁내막증식증의 치료방법을 설명한다.
3. 자궁내막암의 위험인자를 설명한다.
4. 자궁내막암의 진단방법을 설명한다.
5. 자궁내막암의 예후를 결정하는 요인들을 열거한다.
6. 자궁내막암의 치료 전 평가에 관하여 설명한다.

I 자궁내막증식증

자궁내막증식증은 정상적인 증식기 자궁내막(proliferative phased endometrium)과 비교했을 때 기질에 대한 분비샘의 비율의 증가되면서 불규칙한 크기와 모양을 가지는 상태를 말하며, 비정형세포(cellular atypia)를 동반할 수 있다. 프로게스테론의 길항작용 없이 에스트로겐 자극에만 지속적으로 노출된 결과로 발생한다.

비만, 다낭성 난소와 폐경이행기의 무배란 상태, 에스트로겐 분비성 난소종양이나 폐경기 호르몬 치료, 타목시펜 복용 등이 원인이다. 임상적 증상으로는 비정상 자궁출혈이 가장 흔하며, 자궁내막증식증은 자궁내막암의 전구병변이기 때문에 임상적으로 중요하다.

1. 자궁내막증식증의 분류

1) 2014 WHO/자궁내막상피내종양분류법

2014 WHO 분류법과 자궁내막상피내종양(EIN) 분류법이 사용되고 있다. 이 분류법들은 비정형성이 없는 자궁내막증식증은 비종양적 변화이고, 비정형성이 있는 자궁내막증식증은 전암병변임을 반영한다. 2014 WHO 분류는 병리학자가 많이 사용하는 반면 자궁내막상피내종양 분류는 부인종양학자가 지지하는 시스템이다.

표 44-1. 2014 WHO 분류

분류	
비정형성이 없는 자궁내막증식증	Hyperplasia without atypia (non-neoplastic)
비정형 자궁내막증식증	Atypical hyperplasia (endometrial intraepithelial neoplasia, EIN)

표 44-2. 자궁내막상피내종양 분류

EIN 명명법	기능적 분류
자궁내막증식증 (Endometrial hyperplasia)	에스트로겐 영향
자궁내막상피내종양 (Endometrial intraepithelial neoplasia)	전암
자궁내막암 (endometrial cancer)	암

2. 위험요인

대부분 폐경 후 또는 폐경기 전후에 발생하며, 폐경 전 여성 중 불규칙한 배란 주기의 여성에서 위험이 증가한다.

자궁내막증식증의 위험인자
1. 만성 무배란증
2. 비만
3. 미분만부
4. 늦은 폐경
5. 에스트로겐 단독 투여
6. 당뇨(Diabetes)
7. 고혈압
8. 타목시펜(Tamoxifen) 사용
9. 다낭성 난소증후군(Polycystic ovary syndrome)
10. 에스트로겐 생산성 종양(Granulosa-theca cell tumor 등)

3. 진단

1) 질초음파검사

비침습적이고 저렴한 진단 방법이나 선별검사로서 효율성은 높지 않다. 비정상 자궁출혈이 있는 폐경 여성에서 침습적인 조직검사의 필요여부를 결정하는데 도움이 된다. 폐경여성의 자궁내막 두께가 4 mm 이하인 경우 병변이 있을 확률은 매우 낮다.

2) 자궁내막 조직검사(Endometrial biopsy)

자궁내막증식증의 확진검사이다. 자궁내막 조직검사는 자궁내막 흡인생검, 자궁경부확장 긁어냄술, 자궁경수술 등을 통해 시행된다.

4. 치료

자궁내막증식증의 치료는 이형성세포의 존재유무와 가임력 보존 여부를 고려하여야 한다.

1) 프로게스틴 치료(Progestin therapy)

비정형성이 없는 자궁내막증식증에 효과적이다. 비정형성이 있는 자궁내막증식증이 진단된 여성 중 가임력보존을 원하는 경우 사용될 수 있으며 자궁내막암이 내재되어 있는 지에 대한 철저한 검사 후 사용한다.

경구제재로는 메드록시프로게스테론 아세테이트(medroxyprogesterone acetate)와 메게스트롤 아세테이트(megestrol acetate)가 주로 사용된다.

비경구제재로는 레보노르게스트렐 분비 자궁내장치를 사용할 수 있으며, 전신 효과는 최소화하고 자궁내막에 직접 프로게스틴이 전달되기 때문에 프로게스틴에 대한 금기 사항이 있는 여성에서 우선시 된다.

2) 수술적 치료

수술적 치료는 자궁절제술을 시행한다. 비정형성이 있는 자궁내막증식증은 29%에서 자궁내막암으로 진행할 수 있으므로, 자궁절제술이 선택된다. 비정형성이 없는 자궁내막증식증도 프로게스틴 치료에 실패한 경우나 프로게스틴 치료 금기증이 있는 폐경 후 여성에서 시행될 수 있다.

Ⅱ 자궁내막암

자궁내막암은 자궁내막에 생기는 악성 종양으로 우리나라에서 꾸준히 증가하는 추세이다. 암등록사업 연례 보고서에 따르면 2000년에 726건이었던 것이 2003년에는 1000건이 넘었고 2012년 2000건, 2017년에는 약 3000건이 새로 진단되었다. 평균발생 연령은 60세이며 나이가 많을수록 악성화가 심하다.

1. 분류

1) 임상 및 병리적 특성에 따른 분류

① 제1형(type I): 에스트로겐 의존성(Estrogen-dependent)

에스트로겐 자극의 지속적 노출과 관련이 있으며 비정형이 있는 자궁내막증식증으로부터 발생된다. 자궁내막암의 75~85%를 차지한다. 대개 분화가 좋고, 이른 병기에 발견되며, 제2형 암에 비해서 예후가 좋다. 1~2등급 자궁내막양선암이 이에 해당된다.

② 제2형(type II): 에스트로겐 비의존성(Estrogen-independent)

에스트로겐 자극과 무관하며, 위축성 자궁내막에서 발생된다. 분화가 안좋고 진행이 빠르며 제1형에 비해서 예후가 불량하다. 3등급 자궁내막양선암 과 비자궁내막양선암이 해당된다.

2) 조직학적 분류

① 자궁내막양 선암(endomtrioid adenocarcinoma): 자궁내막암의 75~80%를 차지한다.

② 비장궁내막양 선암: 점액성 선암, 투명세포선암, 장액성선암, 혼합형, 선편평세포암이 있다.

2. 위험인자

자궁내막암의 위험인자
1. 미분만부(nulliparity)
2. 난임 또는 무배란
3. 52세 이후의 늦은 폐경
4. 과체중
5. 난포호르몬에 장기간 노출된 경우(다낭성난소증후군, 기능성난소종양)
6. 자궁이 있는 여성에서 에스트로겐 단독 호르몬치료
7. 타목시펜(Tamoxifen) 사용
8. 고혈압, 갑상선기능저하증
9. 비정형 자궁내막증식증
10. 린치 증후군(Lynch syndrome)

3. 유전성 자궁내막암

자궁내막암의 약 5%를 차지한다. 린치 증후군(Lynch syndrome) 혹은 유전성 비용종증 대장암(hereditary nonpolyposis colorectal cancer, HNPCC)으로도 불리우며 DNA 불일치 복구(MMR)유전자의 생식세포 돌연변이에 의해 발생한다. *hMLH1, hMSH2, hMSH6, PMS1, PMS2, EPCAM* 이 이에 해당된다. 이 유전자 변이를 가진 여성이 일생동안 자궁내막암이 걸릴 확률은 32~60%로 알려져 있다. 상염색체 우성으로 유전되며 산발적 암에 비해 10~20년 일찍 발생한다.

4. 선별검사

자궁내막암의 효과적인 선별검사는 없다. 질초음파, 자궁경부질 세포검사, 자궁내막표본 추출 등을 사용해 볼 수 있으나 선별검사로서 민감도가 낮고 비특이적이다. 다만 고위험환자 군에서는 질초음파검사를 시행한 경우 약 반수에서 자궁내막암을 진단할 수 있다. 또한 타목 시펜(Tamoxifen)을 투여 중인 여성에서 출혈이 있으면 반드시 조직검사를 시행해야 한다.

5. 임상 증상

주된 증상은 비정상 자궁출혈 또는 질분비물로 약 90% 환자에서 보인다. 약 5%에서는 증상이 없다. 고령의 경우에서 자궁경부협착이 있는 경우 질출혈은 나타나지 않고 자궁내막 안의 혈종(hematometra)이나 고름자궁(pyometra)이 관찰되기도 한다. 폐경 전 여성에서는 불규칙한 과다월경이나 지속적인 혹은 재발성 비정상 자궁출혈이 동반된다. 폐경 후 여성에서 지속적인 출혈은 자궁내막암을 의심해야 한다. 자궁내막암이 진행하여 자궁이 커져있거나 자궁을 넘어서 전이를 한 경우에는 골반압박 증상, 혈뇨, 빈뇨, 변비, 직장출혈, 복부팽창, 체중감소가 동반될 수 있다.

6. 예후 인자

1) 연령: 독립예후인자이며 고연령일수록 예후가 불량하다.
2) 수술적 병기: 독립예후인자이며 병기가 높을수록 예후가 불량하다.
2) 조직학적 유형: 비자궁내막양(non-endometrioid) 선암이 예후가 불량하다.
3) 종양 등급(tumor grade): 3가지 등급으로 분류가 되며 높을수록 구조적으로 고형종양성 장 비율이 높아서 예후가 불량하다. 핵의 비정형이 있으면 1등급씩 올리고, 관례상 장액성 선암과 투명세포암은 3등급으로 분류한다.
4) 자궁근층 침범: 침범 깊이가 깊을수록 림프절 전이율이 높아서 예후가 불량하다.
5) 림프절 전이: 재발 및 사망과 관련된 독립예후인자이며 전이가 있는 경우 예후가 불량하다.
6) 종양의 크기: 1기 암에서의 독립적 예후인자이다. 크기가 클수록 림프절 전이도 높게 나

타난다.

7) 림프혈관강 침범 (lymphovascular space invasion): 침범이 있는 경우 예후가 불량하다.

8) 복막세포검사: 양성인 경우 1기암에서 재발률의 증가가 보고되지만 다른 예후인자들보다 영향력이 낮고 FIGO 병기에 포함되지 않는다.

9) 호르몬 수용체: 수용체가 없는 경우 예후가 불량하다.

10) DNA 배수성(ploidy), p53 유전자 변이, 현미부수체 불안정성(microsatellite instability, MSI), 복제개수(copy number), POLE 유전자변이 등이 예후에 영향을 준다.

7. 진단

1) 자궁내막조직검사

자궁내막조직검사는 자궁내막암이 의심되는 모든 여성에서 시행해야 한다. 자궁내막 흡인 생검(endometrial aspiration biopsy), 자궁속경부 긁어냄술(endocervical curettage), 자궁내막 긁어냄술(endometrial curettage), 자궁경을 이용한 자궁내막조직생검을 통해서 자궁내막조직을 얻을 수 있다. 자궁경수술시 매질(medrium)에 의한 악성세포의 복강 내 전파의 가능성이 있어 보이나, 재발이나 생존율에 영향을 준다는 증거는 없다.

2) 치료 전 평가

① 문진: 당뇨, 고혈압 등의 내과적 질환을 포함

② 이학적 검사: 자궁경부 및 자궁방결합조직 침윤여부 촉지, 복부 종괴 및 림프절 촉지를 포함.

③ 기본검사: 흉부 방사선검사, 심전도, 혈액검사, 소변검사, 혈청화학검사, 신장 및 간기능검사

④ 진행정도 파악을 위한 검사
- 기초검사: 방광경검사, 대장경검사, 정맥성 신우조영술
- 흉부 및 복부-골반 컴퓨터단층촬영
- 질초음파검사 및 MRI: 경부 및 근층 침범 여부의 판별에 유용
- 양전자방출단층촬영: 림프절 전이 발견에 유용
- 종양표지자, CA125: 진행된 병기와 관련성이 있으며, 치료 반응성 평가에 유용

8. 자궁내막암의 일차적 치료

1) 수술적 치료: 병기설정술 (staging operation)

① 자궁내막암은 수술적 치료로 병기를 설정한다. 수술적 병기는 2009 FIGO 병기체계를 사용하며 예후과 연관성이 높다(표 44-3, 44-4).

② 복강 내 세척세포검사, 전자궁절제술, 양측 난소난관절제술, 림프절절제술을 시행한다. 비자궁내막양 암 환자에서는 충수절제술, 대망절제술, 복막 조직검사를 함께 시행한다. 개복수술 및 복강경, 로봇과 같은 최소침습수술이 시행될 수 있다.

③ 자궁내막양 선암이 종양 크기가 2 cm 이하이고 자궁근증 침윤이 50% 미만인 경우에는 림프절 절제술 생략이 가능하다.

2) 수술 후 보조요법 (adjuvant therapy)

수술적 병기가 결정되면 조직검사 결과에 따라서 수술 후 보조요법 시행여부가 결정된다. 나이, 조직학적 유형, 종양등급, 근층침범 깊이, 림프절 전이, 림프혈관강침윤 등으로 위험군을 분류하여 결정한다.

① 경과관찰: 병기 IA, 종양등급 1,2는 추가치료가 필요하지 않다.

② 질 근접방사선치료(vaginal brachytherapy): 병기 IB, 종양등급1, 2, 림프혈관침습음성인 경우나, 병기 IA, 종양등급 3인 경우, 병기 IA, 종양등급 1,2, 림프혈관침습 양성인 경우에 시행할 경우 골반재발율을 낮출 수 있다.

③ 골반 방사선치료(external pelvic radiation): 병기 IB, 종양등급 3인 경우, 병기 II(자궁

표 44-3. **자궁내막암의 수술적 병기(FIGO surgical staging, 2009)**

Stage I	자궁체부에 국한됨
IA	자궁내막에 국한 혹은 자궁근층의 1/2 미만 침윤
IB	자궁근층의 1/2 이상 침윤
Stage II	자궁경부 기질 침윤
Stage III	국소적 침범
IIIA	종양의 자궁장막 침범 혹은 부속기 침범
IIIB	질의 침범 혹은 자궁주위조직 침범(parametrial involvement)
IIIC1	골반림프절 침범
IIIC2	대동맥주위 림프절 침범
Stage IV	방광 혹은 장점막 침윤 혹은 전신적 침범
IVA	방광 또는 장점막 침범
IVB	복부 및 서혜부 림프절 포함한 원격전이

표 44-4. **자궁내막암의 분화도에 따른 분류**(FIGO definition for grading of endometrial cancer)

Grade	Percentage of solid growth	Differentiation
Grade 1	<5%의 solid portion	Highly differentiated
Grade 2	6%~50%의 solid portion	Moderately differentiated
Grade 3	>50%의 solid portion	Poorly differentiated

Nuclear atypia가 있는 경우 grade 1 상승

경부 침범)인 경우, 자궁주위 골반 전이 및 림프절 전이가 있는 경우에 생존율의 이득이 있다.

④ 확대 방사선치료(extended field radiation): 대동맥주위 림프절 전이가 있는 경우에 시행되며 무병생존율을 높일 수 있다.

⑤ 보조 항암화학요법(adjuvant chemotherapy): 비자궁내막양 암인 장액성 암과 투명세포암은 후향적 연구들을 근거로 보조 항암화학요법이 권유되고 있다. 백금제제와 탁센제제 기반 항암화학요법이 사용되고 있으며, 현재까지 무작위 연구는 없는 실정이다.

3) 고용량 프로게스틴 치료(High-dose progestins treatment)

① 가임력 보존치료(fertility sparing treatment)

가임력 보존을 원하는 여성이 다음의 조건을 충족한다면 자궁절제술 대신 호르몬 치료를 선택할 수 있다. 메드록시프로게스테론 아세테이트, 메게스트롤 아세테이트, 레보노르게스트렐을 포함한 자궁내장치 등이 이용된다. 프로게스틴 사용금기는 프로게스테론 수용체 양성 유방암, 뇌졸중의 현재 또는 과거 병력, 심근경색, 폐혈전증, 심부정액혈전증, 흡연, 프로게스테론 알레르기 등이 있다.

- 조직학적으로 확인된 종양등급 1, 자궁내막양 선암
- 병변이 자궁내막에 국한
- MRI 상 자궁근층의 침범 없음
- 자궁 외 전이 없음
- 프로게스틴 사용금지 사유 없음
- 가임력보존치료가 표준치료가 아님을 정확하게 인지

가임력 보존치료는 표준치료가 아니므로 환자와 충분히 면담을 거친 후 결정되며, 치료효과가 없거나 병변이 진행할 경우, 출산을 모두 완료한 경우에는 자궁절제술을 포함한 병기설정술이 필요하다. 또한 전이에 대한 진단이 늦어져 수술적 치료에 비해 예후가 더 안좋을 수 있다.

② 내과적으로 수술이 불가능한 환자에게서 임상병기가 조기면서 종양등급 1, 프로게스테론 수용체가 있는 경우 사용될 수 있다.

4) 근치적 방사선치료

내과적으로 수술이 불가능한 경우에는 근치적 방사선치료가 시행될 수 있다. 또한 양성질환으로 전자궁절제술 시행 후, 수술 후 조직검사에서 자궁내막암이 진단된 경우처럼 병기설정술이 시행되지 않은 환자에서 골반복부 CT에서 림프절 음성, 종양표지마커 정상이면서 고위험인자를 가진 환자에게 선택될 수 있다. 이 경우 임상적 병기(FIGO 1971)가 사용된다.

5) 항암화학요법

진행된 자궁 내막암에서 항암화학치료가 고식적(palliative) 치료방법으로 시행되고 있다. 백금 제제, 탁센 제제, 안트라사이클린 제제가 사용된다.

9. 치료 종료 후 추적관찰

치료 후 2년간은 3개월마다, 이후 3년간은 6개월마다 시행하며, 이후에는 매년 추적검사를 시행한다. 자궁내막암 환자의 75~80%가 정기적인 진찰을 통해 재발을 진단받는다. 방문 시마다 주요 림프절 촉지 및 복부, 골반 진찰, 자궁경부세포진검사, 흉부 X-ray 검사, 혈청 종양표지자 검사를 시행하며, 복부 CT/MRI 검사는 첫 2년간은 6개월마다, 이후 3년간은 1년간격으로 시행한다.

10. 생존율

자궁내막암은 초기증상이 있어서 조기에 진단되는 경우가 대부분이기 때문에 예후가 좋은 암이다. 5년 생존률은 약 76%이다. 병기별 5년 생존률은 1기에서 87%, 2기에서 76%, 3기에서 59%, 4기에서 18%이다.

11. 자궁내막암의 재발 및 치료

조기 자궁내막암으로 치료한 환자는 15%, 진행성 암은 재발율이 50%까지 확인된다. 이중 50%는 국소재발, 약 30%는 원격전이이다.

1) 재발 부위

일차치료방법에 따라 재발부위 차이가 있다. 수술적 치료만 시행한 경우 53%가 질, 골반에서 재발한다. 수술과 방사선치료를 병행한 경우 약 30%에서 질과 골반 등에서 재발하고, 70%의 재발이 골반 밖에서 발견된다. 골반 이외의 흔한 재발 부위는 폐, 복부, 임파절, 간, 뇌, 뼈 등이 있다.

2) 치료

재발성 자궁내막암은 방사선 치료 단독 혹은 수술, 호르몬치료, 항암화학요법, 표적치료제 등과의 병합으로 치료를 시행하고 있다.

임신영양막병

Gestational Trophoblastic Disease, GTD

1. 임신영양막병을 분류한다.
2. 포상기태의 발생기전을 기술한다.
3. 포상기태의 제거 방법과 원칙을 설명한다.
4. 포상기태와 감별해야 할 질환들을 열거한다.
5. 포상기태 제거 후 추적 관리 원칙을 설명한다.
6. 완전 및 부분 포상기태를 비교하여 설명한다.
7. 포상기태의 초음파 소견을 설명한다.
8. 포상기태의 특징적 단순 흉부 X–선 소견을 설명한다.
9. 전이성 영양막병의 고위험 인자를 열거한다.
10. 영양막병 치료 후 임신에 대하여 설명한다.

　　임신영양막병은 임신과 관련된 영양배엽조직(trophoblastic tissue)의 비정상적인 증식으로 초래되는 질환이다. 이 질환은 조직학적으로 양성과 악성으로 나뉘며, 양성 질환의 경우 완전/ 부분 포상기태(complete/ partial hydatidiform mole), 악성 질환의 경우 침윤성 기태(invasive mole), 융모막암종(choriocarcinoma), 태반부위영양막종양(placental site trophoblastic tumor)으로 분류할 수 있다. 또한 상기 질환은 융모생식샘자극호르몬(human chorionic gonadotropin, hCG)을 생산하는데 이는 질환을 진단하는 종양표지자로 사용될 수 있고 또한 치료의 효과를 측정하는 도구로 유용하게 사용할 수 있다.

1. 포상기태(Hydatidiform mole)

1) 역학

(1) 빈도

- 한국 2.0/1,000임신
- 유럽, 미국 0.6~1.1/1,000임신

(2) 위험인자

- 카로테인(carotene, 비타민 A 전구체) 및 동물성 지방 저섭취
- 40세 이상 2~10배, 청소년 7배 위험도 증가(연령은 완전포상기태와 관련 있고 부분포상기태와는 무관)

2) 임상증상

(1) 완전포상기태(complete mole)

① 질출혈: 가장 흔한 증상(46%), 빈혈(5%)

② 거대자궁(그림 45-1)

③ 자간전증: 27%, 경련은 드물다.

④ 임신 오조(hyperemesis gravidarum): 25%, 특히 자궁이 크고 hCG가 증가된 환자에서 나타난다.

⑤ 갑상선 기능항진증: 7%, 심계항진, 진전(tremor), 증가된 T3, free T4

그림 45-1. 완전포상기태의 육안적 사진

표 45-1. **완전포상기태와 부분포상기태**

항목	완전포상기태	부분포상기태
유전		
가장 흔한 핵형	46,XX	69,XXY
Chromosomal origin	All paternal derived	Extra paternal set
병리		
태아 혹은 배아조직	없음	있음
융모의 포상종창	전반적	부분적
영양배엽세포의 증식	전반적	부분적
융모의 scalloping	없음	있음
기질영양배엽세포의 inclusion	없음	있음
임상 증상		
증상	비정상적 질출혈	계류유산
전형적 증상	흔함	드물다
지속성 GTD		
비전이성	15~25%	3~4%
전이성	4%	0%

⑥ 기태임신 제거수술 시 갑상선 기능항진증 의심되면 마취전 β−아드레날린 차단제를 투여해야 한다.

⑦ 영양배엽세포의 색전증(trophoblastic embolism): 호흡곤란증(2%)

⑧ 난포막황체낭(Theca lutein cyst): 50%, > 직경 6 cm, 과도한 hCG의 영향

(2) 부분포상기태(partial mole)

완전포상기태와 같은 전형적인 임상증상이 나타나는 경우는 드물고 대개 불완전 또는 계류유산의 증상으로 나타난다.

소파수술 후 조직검사 결과로 진단한다(표 45-1).

3) 자연사

① 완전포상기태: 부분적 자궁 침윤 15%, 전이 4%

② 부분포상기태: 3~4%에서 지속성 종양

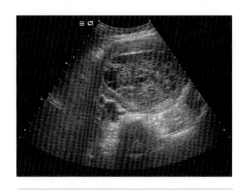

그림 45-2. **포상기태의 초음파사진**

4) 진단

(1) 초음파

완전포상기태의 경우 태아 혹은 양수가 없으며 자궁내 조직은 융모의 종창(swelling)으로 인하여 눈보라 현상(snowstorm pattern)을 보인다(그림 45-2). 양측 난소에 6 cm 이상의 양측성 난포막 황체낭(theca lutein cysts) 소견이 보일 수 있다.

(2) 감별진단

정상 임신, 절박유산(threatened abortion), 자궁외임신, 다태아 임신, erythroblastosis fetalis, 자궁내 감염, 자궁근종, 그 외 임신이 아닌 경우에 비하여 비정상적으로 높은 hCG값을 보이는 질환 등이다.

5) 치료

(1) 흡입소파술(Suction and curettage)

- 자궁의 크기에 관계없이 가장 안전하고 효과적이다.
- 옥시토신 점적주입 → 자궁경부 확대 → 흡입소파 → 긁어냄 소파술

* Rh 음성 환자: 흡입소파술 전 Rh immune globulin을 반드시 투여해야 한다.

(2) 자궁절제술

환자가 더 이상의 자녀를 원하지 않는 경우 고려할 수 있으나, 자궁절제술을 시행한다고 하더라도 전이의 가능성을 완전히 배제할 수 없으며, hCG 추적검사가 필요하다. 자궁절제술

시, 난포막황체낭 소견이 보이더라도, 난소는 수술하지 않고 보존할 수 있다.

(3) 예방적 화학요법(Prophylactic chemotherapy)

고위험 완전포상기태 치료에서 전이를 예방하고 자궁침윤을 감소시키는 효과가 일부 있다고 하여 혈중 hCG를 측정할 수 없는 기관에서 사용할 수 있지만 불필요하게 많은 환자에게 항암제를 투여하게 되므로 예방적 화학요법은 권고하지 않는다.

6) 추적검사

① 포상기태 제거 후 혈청 beta-hCG 측정은 정상치에 도달할 때까지 매주 실시하고, 3회 연속 검사에서 정상치에 도달하면 그 이후 1년 동안 매달 검사하며 이후 3년 동안 매년 검사한다.

② 평균 포상기태 제거 후 혈청 beta-hCG가 정상치에 도달하는 기간은 약 9주이다.

③ 피임: hCG 추적검사 기간 동안 피임하여야 한다. 자궁내 장치는 자궁천공의 위험이 있기 때문에 피하고 경구피임제나 콘돔을 사용한다.

2. 임신영양막신생물(Gestational Trophoblastic Neoplasia, GTN)

1) 비전이성 질환

(1) 국소 침습적 임신영양막신생물(Locally invasive GTN)

① 완전포상기태 제거 후 약 15%에서 발생한다.

② 증상

- 부정기적 질출혈, 난포막황체낭, 자궁의 퇴축부전 또는 비대칭적 비대, 지속적으로 상승된 hCG 수치 등이 있다.
- 질출혈은 영양막 종양의 자궁근층 침입 혹은 자궁내 혈관 침입으로 발생하고 드물게 복강내 출혈을 동반하기도 한다.

(2) 지속성 임신영양막신생물(Persistent GTN)

- 포상기태 제거 후 발생 시: 조직학적으로 포상기태(hydatidiform moles) 또는 융모막암종(choriocarcinoma)의 양상을 보인다.

- 비포상기태 임신 이후 발생 시: 융모막암종(choriocarcinoma) 소견만 관찰된다.

(3) 태반부위영양막종양과 상피모양영양막종양 (Placental-Site Trophoblastic Tumor, PSTT and Epithelioid Trophoblastic Tumor, ETT)

① 흔하지 않지만 중요한 임신성 영양막종양 아형으로, 중간 영양막세포(intermediate trophoblast)로 구성된다.

② 특징
- 종양 크기에 비해 낮은 혈청 hCG와 hPL(human placental lactogen) 수치
- 자궁에 국한되어 나타나는 경향
- 전이 병변은 질병의 후기에 주로 발생하고(metastasizing late in their course), 다른 융모성종양과 달리 항암화학요법에 잘 반응하지 않음

2) 전이성 질환

(1) 완전포상기태 제거 후 4%에서 발생하며, 비포상기태임신 후에도 발생 가능하다.

(2) 주로 융모막암종에 의한 경우가 많은데 이는 융모막암종의 초기 혈관침윤과 광범위 파종성 전이 때문이다.

(3) 전이장소: 폐(80%), 질(30%), 골반(20%), 간(10%), 뇌(10%)

① 폐전이
- 증상: 흉통, 기침, 객혈, 호흡곤란 또는 흉부 X−선상 무증상 병변
- 흉부 X−선 소견: 폐포 또는 눈보라 양상(an alveolar or "snowstorm" pattern), 분리된 둥근 음영(discrete rounded densities), 가슴막삼출액(pleural effusion), 폐동맥색전에 의한 색전성 양상(an embolic pattern caused by pulmonary artery occlusion)
- 호흡기증상은 급성 또는 만성, 수개월 동안 지속성으로 나타날 수 있다.
- 호흡기증상 또는 영상의학적 소견이 급격하게 나타날 수 있기 때문에 원발성 폐질환으로 생각될 수 있다.
- 폐고혈압: 영양배엽세포의 색전증(trophoblastic embolism)에 의한 폐동맥색전이 있는 환자에서 이차적으로 발생하고, 기관 삽관이 필요한 조기 호흡 부전까지 발생 가능하다.

② 질전이
- 질 병변에 혈관 발달이 잘 되어있어 생검 시 과다 출혈 유발할 수 있다.
- 주로 질 원개(fornix)나 요도 아래 발생하며 불규칙 출혈 또는 악취 나는 분비물의 증상을 보인다.

③ 간전이

- 간 침범은 진단이 늦고, 진단 당시 광범위한 종양 침범 정도를 보인다.
- 전이 병변의 간 피막 신장 → 명치 또는 우상복부 통증 유발
- 출혈성 병변으로 진행하면 간 파열과 복강내 출혈로 사망을 초래할 수 있다.

④ 뇌전이

- 뇌전이가 있는 거의 모든 환자에서 폐전이 또는 질전이가 동시에 관찰된다.
- 뇌병변에서 자연적인 출혈이 발생하여 대부분의 환자에서 급성 국소신경학적결손을 일으킨다.

(4) 병기와 예후점수(prognostic score)

① 병기(표 45-2)

- Stage I: 지속적인 hCG 수치가 상승된 소견을 보이면서 자궁에 국한된 병변
- Stage II: 생식기 전이 – 질, 자궁부속기, 자궁광인대(broad ligament))
- Stage III: 폐전이 (자궁, 질, 골반 침범에 관계없이)
- Stage IV: 뇌, 간, 콩팥, 위장관계 전이

② 예후점수제 (prognostic scoring system)(표 45-3)

- 항목: 나이, 선행 임신, 선행 임신부터 발병까지의 기간, hCG 수치, ABO 혈액형, 종양 크기, 전이 장소, 전이 수, 이전 항암치료 결과
- 항암화학요법의 저항성을 예측하거나, 적절한 항암제를 선택할 때 도움을 준다.
- 예후 점수가 6점을 넘으면 고위험군으로 분류하고, 복합항암화학요법, 수술, 방사선치료를 포함하는 복합적인 치료가 필요하다.
- 보통 stage I은 저위험군 점수, stage IV는 고위험군 점수를 보인다.

표 45-2. 임신성 영양막종양의 병기

병기	질병 범위
I	자궁내 병변
II	골반 또는 질전이
III	폐전이
IV	원격전이

표 45-3. 임신영양막신생물(GTN)의 예후점수제(prognostic scoring system)

	0	1	2	4
Age (years)	≤39	>39		
Antecedent pregnancy	Hydatidiform mole	Abortion	Term	
Interval between end of antecedent pregnancy and start of chemotherapy (months)	<4	4~6	7~12	>12
hCG(IU/L) at the time of GTN diagnosis	$<10^3$	10^3~10^4	10^4~10^5	$>10^5$
ABO groups		O or A	B or AB	
Largest tumor, including uterine (cm)	<3	3~5	>5	
Site of metastases		Spleen, kidney	GI tract	Brain, liver
Number of metastases		1~3	4~8	>8
Prior chemotherapy			1 drug	≥2 drugs

Total score: <7, low risk; ≥7, high risk

(5) 진단

① 치료 전 평가
- 환자의 병력 및 진찰 소견
- 혈청 hCG 값의 측정
- 간, 갑상선, 콩팥 기능 검사
- 말초혈액검사(WBC, platelet)

② 전이 병소에 대한 검사
- 흉부 X-선 검사 또는 전산화단층촬영
- 복부 및 골반 초음파 검사 또는 전산화단층촬영
- 두부 전산화단층촬영 또는 자기공명영상촬영
• 골반 검진 및 흉부 X-선 검사에서 음성이면, 다른 장기로의 전이는 드물다.
• 뇌척수액내 hCG 측정: 융모막암종과 전이성 질환 환자에서 두부 전산화단층촬영 또는 자기공명영상촬영에서 정상이어도 중추신경계 전이를 감별하기 위하여 측정할 수 있다. (대뇌 전이가 있을 때 혈장 대 뇌척수액 hCG 비가 60미만을 보임)
• 골반초음파는 광범위한 자궁 침범을 진단하는데 유용하며, 자궁절제술을 시행할 환자를

확인하는데 도움이 될 수 있다.

(6) 치료(표 45-4)

① 저위험군

- 비전이성(stage I), 예후점수가 7점 미만인 경우

가. 자궁절제술 + 항암화학요법
- 가임력 보존을 원하지 않는 환자: 자궁절제술 + 보조 단일항암화학요법이 일차 치료로 가능
- 보조항암화학요법을 하는 이유
- 혈액과 조직에서 항암화학약제의 세포독성 농도를 유지함으로써 수술 후 생존해 있던 종양 세포가 파종되는 것을 줄이기 위해

표 45-4. **임신영양막신생물(GTN)의 치료**

Stage I	
Initial	Single-agent chemotherapy or hysterectomy with adjuvant chemotherapy
Resistant	Combination chemotherapy Hysterectomy with adjuvant chemotherapy Local resection Pelvic infusion
Stages II and III	
Low risk[a]	
Initial	Single-agent chemotherapy
Resistant	Combination chemotherapy
High risk	
Initial	Combination chemotherapy
Resistant	Second-line combination chemotherapy
Stage IV	
Initial	Combination chemotherapy
Brain	Whole brain radiation (3,000 cGy) Craniotomy to manage complications
Liver	Resection or embolization to manage complications
Resistant	Second-line combination chemotherapy Hepatic arterial infusion

[a] Local resection optional.

- 수술 시 보이지 않던 전이를 치료하기 위해
- 자궁절제술은 모든 stage Ⅰ 태반부위영양막종양(PSTT)과 상피모양영양막종양(ETT)에서 시행한다. (상기 두 암종은 항암제에 저항성이 있으므로, 자궁절제술은 비전이성 질환에서 가장 확실한 완치 방법이다.)

나. 단독 항암화학요법(chemotherapy only)
- Stage I, 가임력 보존을 원하는 환자: 단일 항암화학요법(single-agent chemotherapy)
- 단일 항암화학요법에 저항성이 있고, 가임력 보존을 원하는 환자: 복합항함화학요법
- 단일, 복합 항암화학요법에 저항성이 있고, 가임력 보존을 원하는 환자: 국소적 자궁 절제 고려

② **저위험군 전이성 임신영양막신생물**(low-risk metastatic GTN, stage II-III)
- 저위험군에서 일차 단일항암화학요법을 시행했을 때 높은 관해율(80%)을 보인다.

가. 질/골반 전이
- 질 전이병변은 혈관 발달이 잘 되어 있고, 부서지기 쉬운 조직으로 심한 출혈이 있을 수 있다.
- 출혈 조절을 위해 압박 지혈법(packing)이나 국소 절제술을 시행해볼 수 있고, 드물게 동맥색전술을 시행하기도 한다.

나. 폐전이
- 폐전이 치료를 위하여 폐 병변에 대한 수술적 치료는 권고되지 않는데, 강도 높은 항암화학요법 후에도 폐전이 병변이 남아 있는 경우에는 병변의 제거를 위해 수술적 치료를 고려할 수 있다.
- 자궁절제술: 전이성 종양 환자에서 자궁 출혈이나 패혈증을 조절하기 위해 필요할 수 있다.

다. 추적관찰(모든 GTN 환자들에서)
- hCG: 3주 연속 정상값을 보일 때까지 매주 측정
- 12개월 연속 정상값을 보일 때까지 매월 측정
- hCG 추적검사 기간 동안 반드시 피임을 시행한다.

③ 고위험군 전이성 임신영양막신생물(high-risk metastatic GTN, stage II-IV)

- 일차 복합항암화학요법 + 방사선 또는 수술의 선택적 치료

가. 간전이

- 전신 항암화학요법에 저항성이 있는 경우 항암제의 간동맥 주입 시도 가능
- 간절제: 급성출혈 조절 또는 저항성 병변의 절제를 위해 필요할 수 있다.
- 동맥 색전술도 이용될 수 있음.

나. 뇌전이

- 전뇌방사선 치료 또는 정위방사선수술(stereotactic radiosurgery)을 복합항암화학요법과 같이 시행
- 방사선치료가 종양파괴효과(tumoricidal)와 함께 지혈효과도 있어서 항암화학요법과 방사선치료를 함께 시행하면 자발성 뇌출혈의 위험을 감소시킬 수 있다.
- 개두술(craniotomy): 뇌출혈 조절 또는 두개 내압 감소를 위해 시행될 수 있다.

3. 항암화학요법

1) 단일 항암화학요법

비전이성과 저위험 전이성 환자의 경우 Actinomycin-D (ActD) 또는 Methotrexate (MTX)

2) 복합 항암화학요법

① Triple therapy: MTX, ActD, cyclophosphamide
② EMA-CO: Etoposide, MTX, ActD, cyclophosphamide, vincristine
　전이성과 고위험군 환자에서 일차 치료로 선호됨(76~90% 관해율)
③ EMA-EP: Etoposide, MTX, ActD, Etoposide, cisplatin
　EMA-CO에 저항성을 보이는 환자에서 EMA-CO요법의 8일째 약물을 etoposide와 cisplatin로 대체(76% 관해율)

3) 치료 기간:

- hCG가 적어도 3주 연속 정상값을 보일 때까지 시행
- 정상 hCG 수치에 도달한 후에도 재발 위험을 줄이기 위해서 최소 3번의 추가 항암화학 요법을 시행(그림 45-3)

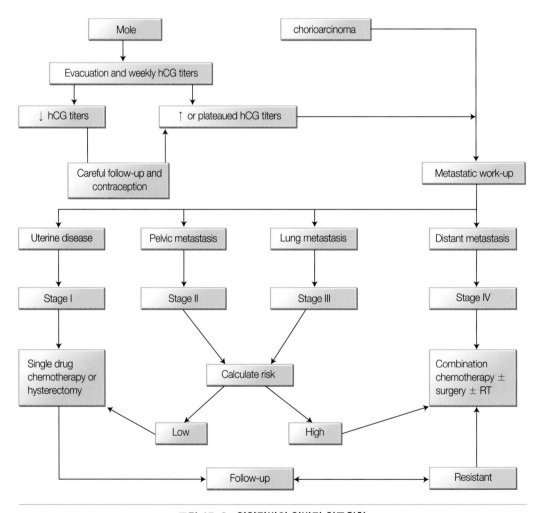

그림 45-3. **영양막병의 일반적 치료원칙**

4) 영양막병 치료 후 임신

(1) 포상기태 임신 후 다음 임신

① 완전 또는 불완전 포상기태 환자에게 후에 정상 임신을 기대할 수 있고, 일반적으로 이후 임신의 합병증을 증가시키지 않는다고 안심시킨다.

② 포상기태 임신 후 다음 임신 시 임신영양막병 확률: 1~1.5%

③ 포상기태 임신 후 다음 임신 시

- 첫 임신 삼분기에 골반 초음파 시행(정상 임신 확인 위해)
- 임신 종결 6후에 hCG 추적검사 시행(숨어있는 영양막병을 배제하기 위해)

(2) 임신영양막신생물 후 다음 임신

성공적인 항암화학요법을 받았을 경우 정상 임신을 기대할 수 있다.

■ 참 고 문 헌 ■

1. 대한산부인과학회. 부인과학. 6th ed. 경기도 파주: 군자출판사; 2021
2. Jonathan S. Berek. Berek & Novak's gynecology. 16th ed. Philadelphia: Wolters Kluwer; 2020

OBSTETRICS & GYNECOLOGY

비뇨부인과와 성학

요실금
Urinary incontinence

산부인과학 지침과 개요 Obstetrics & Gynecology

1. 요실금의 종류를 열거한다.
2. 요실금의 방광 기능 검사 소견을 설명한다.
3. 요실금의 치료법을 설명한다.

1. 배뇨의 생리학

배뇨는 크게 소변이 저장되는 요저장기와 배출되는 요배출기로 나뉘며, 이러한 배뇨는 대뇌겉질과 뇌간에 의한 척수의 하부요로지배 자율신경 및 체신경 조절을 통해 방광, 요도와 골반저가 상호협동작용함으로써 이루어진다. 요저장과 요배출의 실패에 의해 배뇨장애가 초래되며, 환자는 하부요로증상을 호소하게 된다.

1) 방광

방광은 평활근으로 구성된 속이 빈 기관으로 소변을 저장하고 소변이 충만되면 수축하여 요를 배출한다. 방광은 요관구(ureteral orifice) 높이에서 돔(dome)과 바닥(base)으로 나뉘며 돔은 상대적으로 얇아 요저장기에 바닥에 비해 팽창이 더 많이 일어난다. 두 개의 요관구와 내요도구(internal urethral meatus)로 이루어진 삼각형 모양의 평활근을 방광삼각(vesical trigone)이라고 칭하며 나머지 내요도 조직위로 약간 융기되어 있다. 방광삼각은 내요도 위치

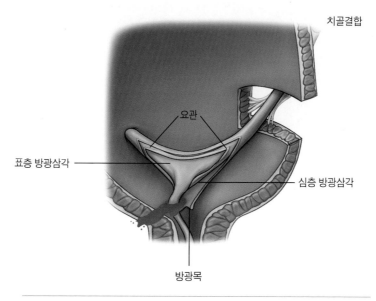

치골결합

요관

표층 방광삼각

심층 방광삼각

방광목

그림 46-1. **방광삼각부의 구조**

에서 바깥으로 퍼져 방광삼각고리(trigonal ring)를 형성하여 방광목 위치에서 요도내강을 둘러싼다(그림 46-1).

2) 요도

여성의 요도는 길이가 3~4 cm 정도 되는 속이 빈 관으로 요도점막은 풍부한 점막하 정맥얼기(venous plexus)에 의해 치밀하게 닫혀 있다. 요도의 가장 바깥층은 가로무늬비뇨생식조임근(striated urogenital sphincter)으로 둘러싸여 있으며 이는 종축의 평활근(longitudinal smooth muscle)과 윤상의 평활근(circular smooth muscle)을 둘러싸고 있다. 가로무늬비뇨생식조임근은 요도 근위부 2/3을 둘러싸고 있는 요도괄약근(urethral sphincter)과 원위부 1/3 부위에서 요도압축근(compressor urethrae)과 요도질조임근(urethrovaginal sphincter muscle)으로 나뉜다(그림 46-2). 요도폐쇄에 기여하는 내인성 요인들로는 요도상피주름의 상피접합유지(epithelial coaptation of urethral lining folds), 요도점막하 정맥얼기, 요도벽의 평활근과 가로무늬근, 요도의 긴장도 등이 있다. 요도는 요도 주위조직들과 함께 앞쪽 질벽의 질주위근막(paravaginal fascia)과 치골질근막(pubovaginal fascia)에 부착되며, 골반내근막(endopelvic fascia)과 앞쪽 질벽으로 이루어진 해먹(hammock)구조가 골반근막 건궁과 항문거근(levator ani muscle) 내측 경

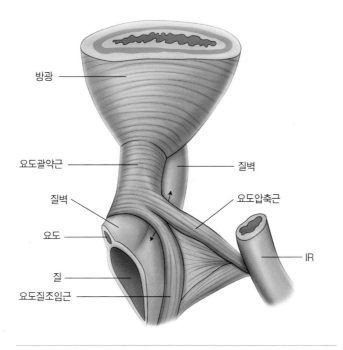

방광

요도괄약근

질벽

요도

질

요도질조임근

질벽

요도압축근

IR

그림 46-2. **요도괄약근의 구조물**

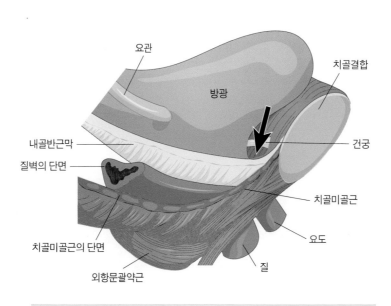

요관

방광

치골결합

내골반근막

질벽의 단면

건궁

치골미골근

요도

치골미골근의 단면

외항문괄약근

질

그림 46-3. **방광목과 요도의 외인성 지지구조**

계의 측면 부착에 의해 안정화된다. 즉 복압이 증가하여 요도에 가해지는 하방의 압력은 해먹같
은 지지층에 의해 요도를 압박함으로써 요도를 닫히게 해준다(그림 46-3).

3) 요자제의 기전

요저장기에는 소변이 충전됨에 따라 방광내압이 증가하지 않게 방광이 팽창되어야하며, 복
압이 상승하여 방광내압이 증가하더라도 소변이 새지 않도록 요도압이 충분히 높게 유지되
어야 한다. 복압성 요자제가 가능하기 위해서는 먼저 해부학적으로 요도의 지지조직들이 충
분히 기능을 하여 증가된 복압에 대항하여 요도를 압박하여 닫히게 해주어야 하며 둘째, 요도
자체의 내인성 괄약근이 정상적으로 작동을 하여 요도를 꽉 조여주어야 한다. 이러한 두 요인
중 하나 또는 두 요인 모두 조금씩 손상이 있게 되면 요실금이 발생하게 된다. 그러므로 복압
요실금은 이러한 두 가지 요인의 손상 정도에 따라 요도의 해부학적 과운동성에 의한 요실금
과 내인성 요도 괄약근 부전증에 의한 요실금으로 분류될 수 있다.

4) 신경지배

하부요로계는 크게 자율신경계(autonomic nervous system)의 교감신경계(sympathetic
nervous system)와 부교감신경계(parasympathetic nervous system), 체신경계(somatic ner-
vous system)를 통해 신경지배를 받게 된다(그림 46-4).

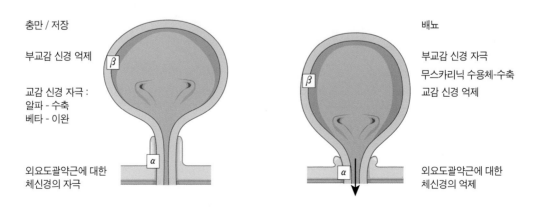

그림 46-4. 소변의 저장과 배출에 관여하는 신경계

(1) 자율신경계

① 교감신경계

소변을 저장하게 하며, 흉 · 요추 척수신경(주로 T11-L2/L3)에서 기원한다.

두 종류의 수용체를 갖는다.

가. 알파 수용체: 요도와 방광목에 분포하여 요도압을 증가시켜 방광출구를 닫는 기능을 한다.

나. 베타 수용체: 방광체부에 분포하여 방광체부를 이완시키는 기능을 한다.

② 부교감신경계

소변을 보게 하며, 천골신경(특히 S2-S4)에서 기원하며, 배뇨근의 무스카리닉 수용체(muscarine receptor)에 작용한다.

(2) 체신경계

요저장기에는 골반저와 요도괄약근을 수축시키고, 요배출기에는 이완시킴으로써 배뇨활동에 관여한다.

2. 요실금

1) 정의

본인의 의지와는 상관없이 불수의적인 소변의 누출(the complaint of any involuntary leakage of urine)이 일어나는 증상을 요실금이라 정의한다.

2) 요실금의 종류

(1) 복압요실금(Stress incontinence)

여성에서 가장 흔한 형태의 요실금으로 기침, 재채기, 운동 등에 의해 복압이 높아질 때 방광압이 요도압보다 올라가면서 소변이 샌다.

(2) 절박요실금(Urgency incontinence)과 과민성 방광(Overactive bladder)

고령여성에서 가장 흔한 형태의 요실금으로, 소변을 참을 수 없는 절박뇨 증상이 있으면서 참을 수 없어 소변이 새는 경우를 절박요실금이라고 한다. 과민성 방광이란 절박요실금의 유무에 관계없이 절박뇨가 주로 빈뇨 및 야간뇨와 같이 있는 경우를 말하며, 이때 하부요로에 감염증 같은 국소적 병변이나 대사 질환이 없어야 하고, 증상으로만 정의되므로 요역동학검사로 확인할 필요는 없다.

(3) 혼합요실금(Mixed incontinence)

복압요실금과 절박요실금이 같이 있는 경우를 말하며 많은 요실금 환자들이 여기에 해당한다.

(4) 기능요실금과 일과성요실금(Functional incintinence and transient incontinence)

기능요실금은 생리적 배뇨기능은 정상이나 다른 신체능력이 저하된 고령 여성에서 흔히 나타난다. 오줌이 나오려고 하는데 미처 화장실을 찾지 못하거나 도착을 못하든지, 속옷을 많이 껴입어서 빨리 내리지 못하는 경우에 발생할 수 있으며, 환경이 개선되거나 옷을 편하게 입으면 해소된다. 일과성요실금은 다른 신체적 요인에 의해 일시적으로 나타나는 요실금으로 그 요인으로 DIAPPERS[섬망(Delirium), 감염(Infection), 위축성요도염 및 질염(Atrophic urethritis and vaginitis), 약물요인(Pharmacologic causes), 심리적 요인(Psychological cause), 과도한 요생산(Excessive urine production), 거동제한(Restricted mobiltiy), 대변막힘(Stool impaction)]을 들 수 있다.

(5) 요도바깥 요실금(Extraurethral incontinence)

선천성 요인으로 방광외번증(bladder exstrophy), 딴곳 요관(ectopic ureter)이 있다. 후천성 요인으로는 방광질 샛길(vesicovaginal fistula)이 가장 흔하다. 전 세계적으로 가장 흔한 원인은 폐쇄분만(obstructed labor)이며 산업화된 나라에서는 수술, 암, 방사선 치료로 인해 발생한다.

3) 요실금의 위험 인자

연구자들마다 차이가 있어서 일반적인 요실금의 요인이라고 말하기에는 무리가 있으나, 고령, 임신, 출산, 비만, 기능장애나 지각장애 등이 요인으로 알려져 있다.

4) 요실금의 진단

하부요로 장애 환자의 진단에 중요한 것은 의사에 의하여 직접 이루어지는 세심한 병력의 청취와 자세하고 전문적인 비뇨부인과적 진찰 소견이다. 아울러 필요한 신체검사와 기능검사 및 방사선이나 초음파 등의 영상 검사를 시행함으로써 추가적인 도움을 받을 수 있다.

(1) 병력청취

전신적인 건강상태, 요실금과 배뇨장애증상(잔뇨감, 배뇨통) 외에도 배변장애증상(변비, 설사, 변실금, 불완전배변) 유무를 확인한다. 이외에도 성기능장애 여부, 요통이나 아래가 빠지는 것 같은 느낌이나 하복통 같은 골반 불쾌감이 없는지 알아본다. 설문지를 이용하여 증상 및 삶의 질에 미치는 영향을 알아볼 수 있다.

(2) 신체검사

환자의 일반적 상태를 살펴보고 기본적인 진찰을 한 다음, 하부요로 기능에 영향을 미칠 수 있는 심혈관 부전증이나 호흡기질환 혹은 신경계질환 유무를 확인하고 부인과적 신체검사도 시행한다.

① **면봉검사**(Q-tip test)

요도를 통해 방광목에 면봉을 밀어 넣은 다음, 아랫배에 힘을 주거나 기침을 시켜 면봉의 축이 변화하는 것을 측정함으로써 요도의 운동성 여부를 측정하는 방법이다. 면봉축의 이동이 수평과 이루는 각도가 30°이상이 되면 요도의 과운동성이 있는 것으로 본다.

② **보니검사**(Bonney test)

질내에 두 손가락 또는 집게(forceps)를 넣고 요도방광이행부에서 상방으로 압력을 가한 상태에서 기침을 시켜 요누출이 있는지 보는 방법으로 압력을 가하지 않은 상태에서는 요누출이 있으나 압력을 가한 후에 요누출이 없어지면 요도 지지조직의 손상을 의미한다.

(3) 일차진료에서 시행하는 검사

① **배뇨일기**(voiding diary : frequency/ volume bladder chart)

요증상을 일기 형식으로 기록하게 하여 요증상을 좀 더 객관적으로 확인하고자 하는 것이 배뇨일기이다. 보통 임상적으로 24시간 동안 소변의 양, 배뇨 횟수, 요실금 횟수, 요실금이 일어난 상황과 양, 야간뇨의 시간 및 양 등을 기록하게 한다

② **소변검사**(urinalysis)

요로감염이나 대사질환, 신장과 요로, 방광의 질환 유무를 알아보기 위하여 반드시 필요한 검사이다.

③ **잔뇨검사**(postvoid residual volume)

배뇨 후 측정한 잔뇨양은 50 ml 이하인 경우 정상으로 정의하는데, 실제로 일어난 배뇨량을 고려해서 정의해야 하며, 총 방광에 차있던 소변양의 적어도 80%는 배뇨를 해야 한다.

④ **기침유발검사**(cough stress test)

방광이 충만한 상태에서 기침을 시켜 보아 소변이 새는지 확인하고 누운 자세에서 유출이 없으면 세워서 확인해야 한다.

⑤ **패드검사**(pad test)

패드를 채운 후 일정시간이 지난 뒤 무게를 재는 검사이다. 24시간 검사에서 4 g, 1시간 검사에서 1 g 이상 패드 무게 증가할 때 양성으로 판정한다.

(4) 요역동학 검사

요역동학검사는 하부요로의 기능에 대한 객관적인 증거를 확보하기 위한 검사이다. 방광충전검사와 방광배출검사로 구분할 수 있다. 방광이 채워질 때 검사하여 요실금을 진단할 수 있고 방광이 비워질 때 검사하여 비정상적이거나 부적절한 소변배출을 평가하게 된다.

① **요역동학검사**(urodynamic test)**를 꼭 해야 하는 경우는 다음과 같다.**
가. 환자의 증상과 일치하지 않는 소견이 있을 때
나. 요실금은 호소하나 다른 방법으로 증명이 되지 않을 때
다. 기본 검사로 진단을 내리기 어려울 때
라. 보존적인 치료에 반응하지 않을 때
마. 과거에 요실금 수술을 받은 적이 있거나 요실금 수술이 고려될 때
바. 신경 질환의 의심이 있을 때
사. 심한 골반장기탈출증이 동반되었을 때
아. 잔뇨량이 많을 때

CHAPTER 46 요실금 · **659**

② **요역동학검사의 종류**

가. 단순 방광충전검사(simple bladder filling test)

나. 다중채널 요역동학검사(multichannel urodynamic studies)

다. 비디오 요역동학검사(video urodynamic studies)

5) 요실금의 치료

치료 목적은 요실금에서 벗어나거나 최대한 정상 생활을 하도록 개선하는 것이다. 치료방법에는 비수술적 치료와 수술적 치료가 있으며 요실금 유형에 따라 다르다.

(1) 비 수술적 치료

① 생활양식의 변화

요실금을 유발하는 요인을 제거하는 방법으로 중등도 이상의 비만여성에서는 체중감량만으로 요실금을 호전시킬 수 있다. 복압이 상승하는 상황(기침, 재채기)에서는 다리를 꼬는 것도 요실금을 예방할 수 있으며, 카페인 섭취를 감소시킴으로써 요실금을 호전시킬 수 있다.

② 물리치료

물리치료에는 골반저근운동, 전기자극치료, 바이오피드백(biofeedback) 치료 등이 있다. 치료효과는 적절한 환자의 선택, 치료자의 지식과 경험, 효과적인 치료과정의 평가, 환자의 노력 등에 많은 영향을 받는다. 골반저근운동 즉 케겔운동은 치료하지 않은 군에 비해 증상이 개선되고, 후에 시행하는 수술에 나쁜 영향을 주지 않는다는 증거가 있어 복압요실금의 일차적 치료로 추천된다.

③ 행동치료와 방광훈련

방광훈련이란 배뇨욕구를 본인의 의지로 조절을 하는 훈련을 함으로써 배뇨 습관을 변화시키는 치료이다. 즉 골반저근 운동을 함으로써 절박뇨 증상을 억제하여 배뇨 시간 간격을 30분 간격으로 점차 늘려가는 방법으로 과민성 방광에서 일차적으로 권하는 치료방법이다.

④ **질내 기구**(페사리)**와 요도기구**(urethral inserts) **사용**

⑤ **약물치료**

가. 복압요실금의 약물치료

– 방광목과 요도는 α-아드레날린 교감신경계에 의해 긴장도가 유지되므로, α-교감신경작용제인 imipramine, ephedrine, pseudoephedrine, phenylpropranolamine, norepinephrine 등은 혈관 긴장도를 증가시켜 요실금을 호전시킬 수 있으나 고혈압과 뇌혈관 사고를 가져올 수 있어 사용이 허가되어 있지 않다. 여성 호르몬제는 요실금의 치료 또는 예방 목적으로 처방해서는 안 된다.

– Duloxetine은 세로토닌 및 노르에피네프린의 재흡수억제제(selective serotonin reuptake inhibitor, SSRI)로, 방광이 흥분된 상태에서는 중추 세로토닌 수용체를 통해 방광수축을 억제하고 세로토닌과 α1-교감신경을 통해 요도괄약근 활성을 높여 복압요실금과 혼합요실금의 치료에 효과적이다.

나. 절박요실금과 과민성 방광의 약물치료

– 방광근의 과활동성을 억제하기 위해 항콜린제를 사용하여 무스카리닉 수용체에서 아세틸콜린의 활성도를 억제함으로써 절박뇨 증상을 치료한다. 항콜린제의 부작용으로 구강건조증이 가장 흔하다.

– β-교감신경작용제인 mirabegron은 방광근의 이완을 증가시켜 방광의 저장능력을 증가시키고 배뇨간격을 늘려 과민성방광 및 절박요실금 증상을 호전시킬 수 있다. 조절되지 않는 고혈압 및 신장이나 간 장애가 있는 여성에게는 주의해서 사용해야 한다.

(2) 수술 치료

수술을 할 것인가는 적절한 진단에 기초하여 비수술적 치료의 결과를 보고 결정해야 한다. 이때 고려해야 할 사항은 요도의 해부학적 과운동성과 내인성요도 괄약근 기능부전증의 중등도, 방광의 용적, 요누출의 정도, 골반장기탈출의 유무, 수술을 요하는 골반내 병리의 유무 등이다.

① **복압요실금의 수술 치료**

복압요실금의 효과적인 수술방법으로 걸이술(traditional pubovaginal sling)과 버치질걸기(Burch colposuspension)를 시행하여 왔다. 1990년 후반 이후부터 최소침습수술이 소개되면서 요실금의 일차적인 수술치료방법으로 시행되고 있다. 이러한 최소 침습수술방법으로는 무긴장성 질테이프술(tension-free vaginal tape), 경폐쇄공 테이프술(transobturator tape)이 있다. 또 요도괄약근부전증을 치료하기 위해 요도내에 충전제(bulking agents) 주입술을 하여 요실금을 치료하기도 한다.

② 절박요실금의 수술 치료

행동요법에 실패하고 약물치료에 반응이 없는 경우, 특히 상부요로계 손상이 예상될 때 시행한다. 신경조절술(neuromodulation)을 하기도 하며, 안되는 경우에는 소장을 이용한 방광 확대 성형술(augmentation cystoplasty)을 한다.

골반장기탈출증
Pelvic organ prolapse

1. 골반장기 탈출증을 분류한다.
2. 골반장기 탈출증의 치료법에 대해 설명한다.

1. 정의

전질벽, 후질벽, 질첨부(자궁 또는 질원개) 중 하나 이상의 부위가 제 위치로부터 하강한 상태를 말한다. 이를 통해 해당 질 부위에 인접한 장기가 질 강 내로 탈출될 수 있다(그림 47-1, 그림 47-2)

2. 진단

1) 증상

무증상일 수도 있으며, 질탈 증상(vaginal bulge symptom), 하중감, 배뇨, 배변, 성기능장애를 비롯한 다양한 증상을 동반할 수도 있다. 이 중 질탈 증상만이 골반장기탈출증에 특이적인 증상이다. 질탈 증상은 질이 튀어나오거나 빠진 것을 보거나 느낄 수 있는 것으로, 대부분 여성들에서는 처녀막(hymen) 하방 0.5 cm 이상의 골반장기탈출이 있을 경우 나타난다.

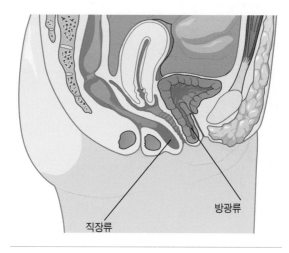

그림 47-1. **방광류와 직장류**

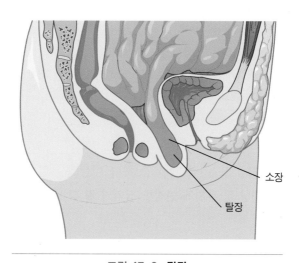

그림 47-2. **탈장**

2) 검사

최대 탈출 정도를 확인할 수 있도록 쇄석위 자세에서 환자에게 발살바법(valsalva maneuver)을 하게 하여 검사한다. 직립 자세에서 한쪽 발을 침대에 올려놓고 생식기가 노출되도록 선 채로 검사하기도 한다.

탈출 부위와 정도에 대한 객관적이고 정량화된 기술을 위해 골반장기탈출증 정량화 시스템인 pelvic organ prolapse quantification (POP-Q) 검사를 이용하여 평가한다. POP-Q 검사는 전질벽, 후질벽, 질첨부의 6개 지점(Aa, Ba, Ap, Bp, C, D)과 3개의 길이(GH, PB, TVL)를 측정하여 기술하는 것이다(표 47-1). 6개 지점은 처녀막을 기준으로 상방에 위치할 경우 음수, 하방에 위치할 경우 양수로 표시하고 cm 또는 0.5 cm 단위로 값을 측정한다. 3개의 길이역시 cm 또는 0.5 cm 단위로 값을 측정하며, TVL을 제외한 모든 값은 최대한의 발살사법을하게 한 상태에서 측정한다(그림 47-3)(표 47-1).

검사를 마친 후 최대 탈출 지점과 TVL의 측정값을 이용하여 골반장기탈출 정도에 대한 병기를 설정할 수 있다(표 47-2).

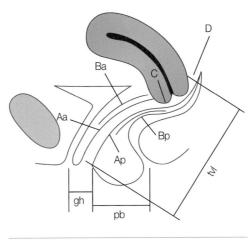

그림 47-3. **POP-Q 표준화시스템**

표 47-1. **POP-Q 검사 항목**

지점	측정 위치	측정값 범위
Aa	처녀막 3 cm 상방 전질벽 지점	–3.0 ~ +3.0
Ba	Aa 상방 나머지 전질벽 중 가장 아래로 처진 지점(최저점)	–3.0 ~ +TVL
C	자궁경부 또는 질원개(자궁이 없는 경우)의 최저점	±TVL
D	후방 질원개(posterior vaginal fornix) 위치 (자궁이 없는 경우 측정 생략)	±TVL
Ap	처녀막 3 cm 상방 후질벽 지점	–3.0 ~ +3.0
Bp	Ap 상방 나머지 후질벽 중 최저점	–3.0 ~ +TVL

GH (genital hiatus, 생식구멍)– 외요도구 중앙부터 처녀막 후방 중심선까지의 길이
PB (perineal body, 회음체)– 생식구멍 후방 경계부터 항문입구 중앙까지의 길이
TVL (total vaginal length, 질전체길이)– 질첨부를 정상 위치로 복원한 상태에서의 최대 질 길이

표 47-2. **POP-Q 병기**

병기	기준
0기	탈출증이 없는 경우. 즉 Aa, Ap, Ba, Bp 지점 측정값이 모두 −3이고, C 지점 측정값은 −TVL과 −(TVL − 2) 사이인 경우
1기	6개 지점 중 최대 탈출 지점의 측정값이 −1보다 작은 경우
2기	6개 지점 중 최대 탈출 지점의 측정값이 −1과 +1 사이인 경우
3기	6개 지점 중 최대 탈출 지점의 측정값이 +1보다는 크나 TVL-2보다는 작은 경우
4기	6개 지점 중 최대 탈출 지점의 측정값이 TVL-2와 같거나 큰 경우

3. 치료

탈출 정도와 관계 없이 무증상인 경우 치료가 필요 없다. 연관된 증상이 있는 경우에는 증상의 중등도와 탈출 정도, 환자의 연령과 건강상태, 활동성, 향후 임신계획, 치료 선호도에 따라 비수술적 또는 수술적 방법을 선택하여 치료한다.

1) 비수술적 치료

(1) 적응증

- 경도 또는 중등도의 탈출증
- 향후 분만계획이 있는 경우
- 환자가 수술을 받기 어려운 상태인 경우
- 환자가 수술을 기피하는 경우

(2) 치료 방법

① 보존적 치료

생활방식개선과 골반저근운동과 같은 물리치료요법이 있다. 생활방식개선으로는 체중감량, 복압 상승을 초래하는 활동 줄이기 등이 있으나 효과가 입증되어 있지는 않다. 골반저근운동은 탈출 정도가 심하지 않은 경우 진행을 막고 연관 증상을 경감시키는데 도움이 될 수 있으나 처녀막 면을 넘는 탈출이 있는 경우에는 덜 효과적이다.

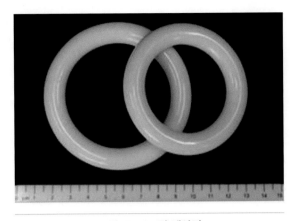

그림 47-4. **링 페사리**

② 페사리

환자가 수술을 받기 힘든 상태이거나 수술을 원치 않는 경우 주로 사용되며, 임신 중 골
반장기탈출증 치료로도 사용된다. 여러 종류의 페사리가 있으나, 삽입과 제거의 편이로
인해 링 페사리가 주로 사용된다(그림 47-4). 페사리 사용과 연관된 합병증으로는 악취
를 동반한 질분비물, 질미란(vaginal erosion), 복압요실금이 있으며, 드물게 방광질 또
는 직장질 샛길, 소장포획, 수신증 등이 발생할 수도 있다. 폐경 여성에서 질위축(vaginal
atrophy)이 있는 경우에는 특별한 금기가 없는 한 질미란 발생 위험을 감소시키기 위해
경질 에스트로겐 치료를 병행한다.

페사리 삽입 후 1~2주 이내 첫 추적방문을 시행하며, 이후에는 3~6개월 간격으로 추적
방문하게 하여 페사리와 질 상태, 합병증 발생 유무를 점검한다.

2) 수술적 치료

수술은 재건술과 폐쇄술로 크게 나뉘며, 재건술은 이식물(graft) 사용 유무, 접근방식(질식,
복식)에 따라 다시 나뉜다. 수술방법의 선택은 탈출의 유형과 정도, 술자의 숙련도와 경험, 환
자의 선호도 등에 달려 있다.

(1) 질재건술

질재건술은 전질벽, 후질벽, 질첨부 중 유의한 탈출이 있는 부위의 지지조직을 봉합 또는
보강하는 수술법이다. 증상을 동반한 골반장기탈출증의 경우 대개 여러 부위의 탈출이 함께

발생하므로, 완전한 재건술을 시행하는데 긴 수술시간이 소요된다. 각 부위의 재건술로 흔히
사용되는 수술법은 아래와 같다.

① 질첨부지지술
- 엉치가시인대고정술(sacrospinous ligament fixation)
- 엉덩꼬리지지술(iliococcygeus suspension)
- 자궁엉치인대지지술(uterosacral ligament suspension)
- 엉치질고정술(sacrocolpopexy)

② 전질벽교정술
- 전질벽봉합술(anterior colporrhaphy)
- 질주위봉합술(paravaginal repair)

③ 후질벽교정술
- 후질벽봉합술(posterior colporrhaphy) ± 회음봉합술(perineorrhaphy)

(2) 질폐쇄술(colpocleisis)
질강을 폐쇄시키는 수술법으로, 재건술과는 달리 성생활을 지속할 수 없는 단점이 있으나
수술에 소요되는 시간이 짧고 출혈량이 많지 않아 수술 이환율이 높은 고령 여성에게 시행하
기 적합하다.

성징, 성기능 장애,
성폭력

Sexuality, Sexual dysfunction
& Sexual assault

Obstetrics & Gynecology

CHAPTER

48

산 부 인 과 학   지 침 과   개 요

1. 여성의 정상 성반응 주기를 요약한다.
2. 성기능장애를 정의하고 종류 및 특징적 증상을 설명한다.
3. 성폭력 피해자의 병력청취와 신체진찰을 하여 법적 증거물을 수집하고, 치료와 추적관리를 설명한다.

1. 성징(Sexuality)

1) 성생활(Sexual activity)

청소년의 성경험 시기가 빨라지고 있으며 미국의 경우 남자와 여자에서 첫 성관계를 갖는 나이는 평균 17세로 최소 20%가 피임을 하지 않고 50%의 여성이 19세 전에 성관계를 갖는 것으로 알려져 있다.

대부분의 젊은 남녀는 여러 명의 상대와 성관계를 갖기 때문에 성매개병(Sexual transmitted diseases, STD)과 원치 않는 임신으로부터 자신을 보호할 수 있어야 한다.

2) 성기의 해부학(Genital anatomy)

대부분의 여성에서 음핵(클리토리스)이 성적으로 가장 중요한 해부학적 구조물로서, 이의 자극은 강렬한 성감과 오르가즘을 유발한다. 많은 여성에서는 음핵 자극을 즐기기 전 감정적인 변화뿐 아니라 생식기 이외의 부위의 자극에 대한 경험이 필요하다. 흥분(Arousal)이 없는 경우, 직접적인 음핵 자극은 불쾌할 수 있으며 고통스럽게 인식될 수 있다. 다른 성적으로 예민한 부위로는 유두, 유방, 음순, 질 등이 있다. 질의 경우 하부 1/3은 접촉에 반응하고 상부 2/3는 압력에 예민하다. "G-spot"은 치골과 자궁 경부 사이의 질 전벽에 위치하고 압력에 상당히 민감한 부분으로 자극하여 극치감을 느낄 때 희석된 소변으로 생각되는 체액의 유출이 발생된다고 알려져 있다.

3) 성반응 주기(Sexual response cycle)

성반응은 정신적, 대인관계, 환경적, 생물학적 요인 등의 복합적인 상호관계에 의해 이루어진다. 성욕구와 각성은 공상, 기억 등과 같은 내적인 요인과 파트너에 의한 외부 자극에 의하여 촉발된다. 적절한 신경 내분비 기능에 의존하며 여러 신경전달물질, 펩티드 및 호르몬이 이를 조절한다.

마스터즈(Masters)와 존슨(Johnson)은 성반응 패턴을 흥분기(E, excitement phase), 상승기(P, plateau phase), 절정기(O, orgasm phase), 해소기(R, resolution phase)의 4단계로 구분한 EPOR 모델을 제시하였다.

(1) 흥분기(E, excitement phase)
- 흥분기는 생리적 성자극과 정신적 성자극 또는 그 밖의 다른 자극에 의하여 일어나며 자극이 시작된 지 20~30초 사이에 나타난다.
- 성 흥분기에는 음부의 팽만, 질윤활의 증가, 유방크기의 증가와 유두의 발기. 피부 민감도의 증가, 혈압, 심박수, 호흡수, 체온, 근육의 긴장도 등의 변화, 가슴, 유방, 얼굴 등의 혈관 확장으로 인한 "sex flush" 등의 변화가 발생한다.
- 질의 내부 2/3에 신장과 확장이 일어남과 동시에 질벽으로부터 질점액이 분비된다.

(2) 상승기(P, plateau phase)
- 흥분기는 곧이어 상승기로 이행한다. 이 단계에서는 긴장된 성교 반응이 나타나는데 유방 및 음순과 질 등이 부풀어오른다. 특히 이 단계에서는 외적인 영향에 대하여 어느 정도 의식하지 않게 되며, 상승기에서 절정기로의 이행은 비교적 쉽게 일어날 수 있다.

(3) 절정기(O, orgasm phase)
- 절정기는 짧고 폭발적이며 3~10초 정도 계속된다.
- 절정기는 질의 바깥쪽 1/3에서 일어나는 규칙적인 수축과, 항문 괄약근이나 경직된 아래쪽의 복근조직을 포함한 전체 골반의 불수의적 수축에 의해서 인지된다.

- 대부분의 여성은 음핵을 직접 자극함으로써 쉽게 오르가즘을 경험할 수 있다.
- 성교 중 유방 자극, 키스 및 음핵 자극은 오르가즘을 경험하는 다른 일반적인 수단이다.
- 많은 여성에서 자궁의 수축을 느낀다.

(4) 해소기(R, resolution phase)

- 절정기 이후에는 급작스러운 이완과 평온함을 경험하게 된다.
- 5~10분 후 몸은 정상 상태로 회복된다.
- 해소기는 완만한 역행 현상으로 이 때 질은 정상적인 크기로 복원되며 자궁은 하강한다.
- 약 15~20%의 여성은 해소기에 도달하기 전에 다중 오르가즘을 경험할 수 있다.

2. 성 반응에 영향을 주는 인자들

1) 정신 건강

- 정신 건강은 여성의 성기능과 가장 밀접한 관련이 있다.
- 자존심의 결여, 불안감, 여성다움의 결여 등 감정의 평온함의 결여는 성적 스트레스의 강력한 예측 인자이다.
- 정신 장애의 임상 기준을 충족하지 못하더라도 정신 건강의 부족은 낮은 성적 욕구와 밀접한 관련이 있다.
- 우울증이 있는 여성의 대부분은 성적 욕구의 결여가 있다. 오르가즘 경험에 미치는 부정적인 영향과 증가된 성적 위험 행동과 강력한 연관성이 있다. 우울증이 있더라도 자위는 계속될 수 있는데, 이때 자기 자극(self-stimulation/masturbation)은 여성의 평온함, 이완 및 수면 개선을 유발할 수는 있으나 성적 충동이나 욕망의 결과는 아니다.

2) 노화

- 일부 연구에서는 노화와 성적 문제와는 큰 상관이 없다고 했으나, 다른 연구에서는 노화에 따라 성에 대한 반응도와 욕구가 40% 정도 감소한다고 분석하였다.
- 여러 연구에 의하면, 나이든 여성이 젊은 여성보다 성적 욕구가 없어지는 것에 대한 스트레스가 적다고 한다.
- 성적 욕구가 감소하기는 하나, 나이든 여성들도 일생동안 성적 만족을 느낄 여지가 있으며 이것은 젊었을 때 성생활과 관련이 있다.

3) 성 호르몬(Sex Hormones)

(1) 에스트로겐

삽입이 파트너와의 성행위의 필수 요소로 인식되면 일부 노인 여성은 에스트로겐 부족으로 인한 불편감과 성교통의 결과로 성적 동기와 관심을 잃게 된다. 폐경 후 유발성 전정통(Postmenopausal provoked vestibulodynia)은 폐경 비뇨생식기증후군(genitourinary syndrome of menopause, GSM)과 동반되는 것으로 인식되며 후자는 성관계로 인한 손상에 취약해지는 질 상피의 탄력 상실 및 얇아짐과 관련이 있다. 에스트로겐 결핍은 여성을 외음부 질염과 요로 감염에 잘 걸리게 하는데, 이 두 가지 모두 성교통 및 성적 자아상 저하에 기여한다.

(2) 테스토스테론

테스토스테론 전구체의 부신 생산은 30대 후반부터 나이가 들면서 점차 감소하나, 대규모 역학 연구에서 테스토스테론의 혈청 수준은 연령의 증가와 상관 관계가 있는 것으로 나타나지 않았다.

4) 연령과 연관된 건강 상태 Age-Associated Health Conditions

노화를 수반하는 질병은 성기능 장애에 영향을 미칠 수 있다. 우울증은 말기 신장 질환, 다발성 경화증 또는 당뇨병을 포함한 만성 질환이 있는 여성의 성기능에 영향을 미치는 주요 요인이다. 일부 성행위(예: 성교) 또는 반응(예: 오르가즘 강도)은 관절염, 심장 또는 호흡기 질환에 의해 제한될 수 있다.

5) 성격 요인

낮은 수준의 욕망과 흥분성에 대해 걱정하는 사람들은 취약한 자존감, 높은 수준의 불안과 죄책감, 부정적인 신체 이미지, 내향성, 그리고 신체화를 특징으로 한다.

6) 파트너와의 관계

파트너의 변화는 여성의 욕망과 대응력을 높이는 주요 요인으로 나타나며, 관계가 지속될수록 타고난 욕망이 감소한다.

7) 파트너의 성기능 장애

8) 불임

9) 약물

알코올과 불법 약제 등의 사용은 정상적인 성반응을 변화시킬 수 있다.

10) 만성 질환

(1) 만성 골반염, 자궁내막증

만성적인 성교통이 발생하면 성흥미 저하, 성흥분장애를 유발할 수 있다.

(2) 다낭난소증후군

다낭난소증후군과 관련된 고안드로겐혈증이 성적 욕구 감소나 각성 장애를 막는다는 증거는 없다. 몇몇 연구에서는 다낭난소증후군과 관련된 비만, 여드름이 원인일 것이라고 추측하고 있다.

(3) 재발성 헤르페스

성병에 두려움은 성적 동기 유발이나 각성에 장애를 일으킬 수 있다.

(4) 태선 경화(Lichen Sclerosis)

음핵의 자극에 따른 통증을 유발할 수 있다. 국소 코르티코스테로이드 투여가 1차 치료법이지만, 국소 테스토스테론 크림을 사용하는 것이 성적 민감성 상실에 도움이 될 수 있다.

(5) 유방암

- 유방암 치료 후 성기능 장애는 유방암 진단 후 약 1년 이상 지속된다.
- 항암화학 요법은 성욕구 감소, 성흥분 감소, 질 건조증, 성교통을 일으킨다.
- 성교통은 유방암 여성의 45% 이상에서 나타나 연고나 오일, 저용량 국소 에스트로겐을 사용하여 관리한다.

- 타목시펜은 성기능을 변화시키지 않지만 방향화효소억제제(aromatase inhibitors)는 에
스트로겐 결핍상태를 유도하여 심한 성교통을 일으킬 수 있다.

(6) 당뇨

당뇨는 성기능장애 및 동반된 우울증과 깊은 상관관계가 있으나 조절된 당뇨 환자와 당뇨의 유병기간 및 합병증과는 관계가 없다.

11) 부인과 질환, 시술 및 치료로 인한 성기능 장애

(1) 복압요실금 수술(Stress Incontinence Surgeries)

대부분의 여성이 동일하거나 전체적으로 성기능이 향상되었다고 하나, 질 전벽 신경에 더 많은 위험을 초래할 수 있는 경폐쇄공 테이프술보다 무긴장성 질테이프술을 시행하는 것이 오르가즘 보존에 더 효과적이다.

(2) 자궁절제술

단순자궁절제술의 경우 수술 방법의 차이(질식, 질상부 절단, 복식)로 의한 성기능의 차이는 아직 근거가 부족하다.

12) 부인암

부인암 여성의 약 55%가 성교통을 겪으며 에스트로겐 결핍 외에도 횡단 신경의 신경종, 신경압박을 유발하는 방사선 관련 흉터 및 혈관계 손상의 원인으로 유발된다.

(1) 자궁경부암

자궁경부암이 있는 여성에서 발생하는 성적인 증상으로는 외과적 폐경으로 인한 질 윤활 감소, 방사선 손상 및 자율 신경 중단 등이 있다.

(2) 자궁내막암

GSM에 대한 경질 에스트로겐 제제의 안전성은 논란의 여지가 있으나 그 사용으로 인한 자궁내막암의 재발률이 증가된다는 확실한 근거는 없다.

(3) 난소암

모든 형태의 치료에서 성적반응과 만족도가 떨어진다.

(4) 외음부 암

수술적 절제술의 정도가 성기능 장애의 정도를 결정하는지에 대해서는 상반되는 결과가 있지만, 레이저 또는 음핵 부분 절제를 받는 여성은 음핵을 살릴 수 있는 여성보다 더 심각한 기능 장애를 보인다.

13) 임신과 산욕기

- 임신으로 인한 육체적, 정신적, 경제적인 스트레스는 성적인 감정과 친근함에 부정적인 영향을 미친다.
- 임신과 출산 후에 생기는 성적 욕구의 저하는 흔하며 일반적으로 정상적인 반응으로 간주된다.
- 성교에 대한 금기 사항이 없다면 임신 중에 일반적인 성관계를 계속하도록 권장할 수 있다.

3. 성기능 장애(Sexual dysfunction)

성적인 문제는 일반 인구에서 매우 흔한 문제로, 약 30%의 여성에서 성적인 흥미가 없다고 하며, 약 10~15%의 여성에서 만성 성교통을 경험한다.

2013년 DSM-5에서는 과거 성욕구 및 흥분장애를 하나로 통합하고, 성통증 장애 및 질경련을 골반생식통증/삽입 장애로 통합하여 최종적으로 3가지 기능장애 즉, 성욕구/흥분장애, 오르가즘장애 및 생식기골반통증/삽입장애로 분류하였다.

1) 진단기준 및 분류

진단되려면 ① 증상이 최소 6개월 동안 존재해야 하며, ② 임상적으로 심각한 고통을 유발해야 하며, ③ 비성적(non-sexual) 정신 장애, 약물 남용의 영향, 약물 또는 의학적 상태, 관계 고통, 파트너에 의한 폭력 등에 의해서는 설명되지 않아야 한다.

여성의 성기능 장애는 다요인이 작용하며 복잡한 생물학적 및 심리 사회적 문제를 동반하고 남성 성기능 장애만큼 명확하지 않아 정량화가 어렵다.

ICD11은 성행위에 대한 규범적 기준이 없음을 인정하여, "유기적" 및 "비유기적" 기능장애를 분리하려고 하지 않고 이전에 주로 정신장애에 분류된 성건강에 관련된 상태에 대한 새로운 장(chapter)을 포함하고 있다. ICD 11 및 DSM-5에는 엄격한 기준을 요구하여 대인관계의 어려움이 아닌, "임상적으로 심각한 고통"을 포함하였으며 ICD 11은 "최소 수개월 지속, 자주 발생"한 경우, DSM-5는 "최소 6개월 지속, 75%이상 발생"한 경우를 진단기준에 포함했다.

(1) 여성 성기능 장애의 DSM-5 진단 및 정의

진단	정의	주석
성욕구/흥분장애 (Female sexual interest/arousal Disorder)	다음 중 최소 3개를 만족함: • 성적 활동에 대한 무관심/관심 감소 • 성적/색정 생각 또는 환상의 부재/감소 • 성적 활동 시작의 감소/없음 및 파트너의 시작에 대해 수용하지 않음 • 전체 또는 거의 모든(약 75%) 성적 만남의 성적 흥분, 성적 활동 중 즐거움의 부재/감소 • 내부 또는 외부의 성적/에로틱한 단서/언어적/시각적 단서들에 성적 관심/각성 감소 • 전체 또는 거의 모든(약 75%) 성적 접촉에서 성적 활동 중 생식기 및/또는 비생식기적 감각이 없거나 감소됨	최소한의 자발적인 성적 사고 또는 성적 경험에 앞서 성관계를 바라는 것이 반드시 장애를 구성하지는 않음
오르가즘 장애 (Female orgasmic disorder)	두 가지 중 적어도 한 가지는 성행위의 전체 또는 거의 모든(약 75%)에 대해 해당함: • 오르가즘의 현저한 지연, 간헐적 또는 존재하지 않음 • 현저하게 감소된 오르가즘 감각의 강도	대부분의 여성은 드물거나 없는 오르가즘으로 낮은 욕구와 낮은 각성을 호소하나 일부 여성은 건강한 각성을 가지나 오르가즘을 경험하지 않음. SSRI가 흔한 원인임.
생식기골반통증/삽입장애 (Genito-pelvic penetration disorder)	다음 중 하나 이상의 문제가 지속되거나 반복적으로 발생함: • 성교 중 질 진입 시 어려움 • 질 성교/진입 시도 중 경혈 또는 골반 통증 • 질 침투의 예상, 예상, 도중 또는 결과로 인한 경락 또는 골반 통증에 대한 공포 또는 불안감 • 질 침투 시도 중 골반 바닥 근육의 두드러진 긴장 또는 조임	두병합됨: 성교통(Dyspareunia)- 질 침투의 시도 또는 결과 혹은 음경-질 성교로 인한 지속적 또는 재발성 통증 질경련(Vaginismus)-음경이나 다른 물체의 질 진입을 허용하는데 지속적이거나 반복적인 어려움, 공포로 인한 회피, 가변적이고 비자발적인 골반 근육 수축

(2) 국제성의학회(ICSM), 2015에 따른 분류 및 정의

① 성욕 저하장애-성적 사고와 성행위에 대한 욕구의 결핍

② 성적 각성장애-성행위가 완료될 때까지 각성을 얻거나 유지할 수 없음

③ 오르가즘 장애-오르가즘의 지연 또는 부재 및/또는 오르가즘 감각의 강도가 현저히 감소

④ 생식기-골반 통증

- 성교 중 질 진입
- 생식기 접촉 시 외음부 또는 골반 통증
- 생식기 접촉 중 또는 결과에 대한 현저한 두려움 또는 불안
- 생식기 접촉 유무에 관계없이 골반저근의 현저한 과장성 또는 과잉 활동

2) 치료

(1) 성 욕구와 흥분 장애(Sexual desire and arousal disorders)의 관리

다양한 여성 성반응 주기를 정상으로 복구하는 것이 여성과 파트너에 있어 상당한 치료효과가 있다.

① 증거 기반 심리 치료: 여성 자신의 성 반응주기에 다양한 휴식(breaking)을 구성하여 치료를 시작할 수 있다. 행동 및 심리 치료가 신체적, 정서적 성적 문제 모두에 도움이 될 가능성이 많다.

② 테스토스테론: 2016년 ICSM 가이드라인에서 높은 생리학적용량의 경피 테스토스테론(+에스트로겐)은 폐경기 여성의 성욕저하장애(HSDD)에 효과적으로 단기간 안정성이 입증되었다.

③ 플리반세린(Flibanserin)

우울증을 표적으로 삼은 약제로 5-HT1A 작용제, 5-HT2A 길항제 및 도파민 D4 수용체에 대한 매우 약한 부분 작용제이다. 효능과 위험에 대해 상충되는 결과가 있으나 성욕을 증가시킬 수 있는 잠재력이 있어 폐경기 전 여성에 대해 FDA 승인을 받았다. 폐경기 여성에서도 효과적이다.

(2) 오르가즘 장애(Orgasmic dysfunction)의 관리

- 평생지속형의 오르가즘 장애가 후천적인 오르가즘 장애보다 흔하다.
- 오르가즘 장애의 흔한 원인으로는 강박적인 자기 관찰, 각성기 동안의 감시, 그리고 불

안감과 부정적인 사고의 동반 등이 있다.
- 근거에 입각한 유일한 치료로는 성적 상상과 동반하여 스스로 자극을 하는 자위(directed masturbation)이다.

(3) 생식기골반통증/삽입장애(Genito-pelvic penetration pain disorder, GPPPD)의 관리

DSM-5에서 성교통(Dyspareunia, 질 침투의 시도 또는 결과로 인한 혹은 음경-질 성교로 인한 지속적 또는 재발성 통증)과 질경련(Vaginismus, 음경이나 다른 물체의 질 진입을 허용하는데 지속적이거나 반복적인 어려움, 공포로 인한 회피, 가변적이고 비자발적인 골반 근육 수축)은 이 분류로 병합되었으며 일반적으로 질 침투에 대한 극심한 두려움과 해부학 및 질 크기에 대한 오해를 가지고 있다. 생식기골반침투통증장애(GPPPD)에는 폐경 후 유발성전정통(PVD), 폐경 후 비뇨생식기증후군(GSM) 및 골반근반사성근긴장항진증(질경련, vaginismus)등이 포함되는 포괄적인 용어이다. GPPPD 치료의 유형을 확립하기 위해서는 자세한 검사가 필요하다.

① 질경련이 있는 경우
- 부부에게 삽입을 제외한 성적 활동을 시작하도록 독려한다.
- 환자에게 질 주위의 자극에 대한 골반 근육의 반사적인 수축에 대해 설명한다.
- 매일 수 분간 질 주위를 스스로 자극하도록 교육한다.
- 거울을 통해 자신의 질 주위를 봄으로써 시각적인 이미지를 추가한다.
- 여성이 준비가 되었으면 4단계의 상황에서 부분적인 질 검사를 시행한다.
- 질 검사가 적절히 시행되었으면 점진적으로 직경이 굵은 삽입물을 사용한다.
- 이질통(allodynia)의 확인을 위해 면봉으로 검사한다.

② 성교통(Dyspareunia)이 있는 경우
- 처음에는 성관계가 배제되더라도 부부가 성적으로 친숙할 수 있게 도와준다.
- 만성 통증을 유발하는 정신적 원인을 확인한다.
- 가능하면 만성 통증을 자극하는 병리, 생리적인 원인에 대해 치료한다.
- 폐경 비뇨생식기증후군(GSM)이 있는 경우 경증에서는 윤활액과 보습제 등의 비호르몬 요법의 사용이 우선되며, 중등 또는 중증 이상의 환자에서는 국소 저용량 여성호르몬(에스트로겐) 치료 및 질내 DHEA, 오스페미펜 등의 약물이 치료에 도움이 된다.

(4) 외음부 자극통(Provoked vestibulodynia)

- 외음부에 탐폰, 내진, 남성 성기, 옷 등이 닿을 때 생기는 통증으로 이학적 검사상 다양한 발적이 있거나 처녀막 주위나 소음순의 안쪽을 자극할 때 환자가 작열감(burning pain)을 느끼는 상태를 말한다.
- 만성 통증 증후군으로 생각되며, 중추와 말초 신경계 모두 관련이 있는 것으로 보인다.
- 신경계가 자극된 원인이 정확히 밝혀져 있지는 않으나 내적 스트레스가 원인으로 생각된다.
- 외음부 자극통을 가지고 있는 환자는 흔히 민감성 장증후군, 기질성 방광염, 월경통, 특히 중년의 여성에게서 섬유근통증후군이 동반된다.
- 만성 통증의 치료 중 심리적 방법으로는 인지행동요법(CBT)와 마음챙김인지치료(MBCT)가 있다.

약물 치료로는 삼환계 우울증약, 항간질약 등이 있으며 국소 마취제나 sodium cromo-glycate 같은 항염증제를 쓸 수 있다. 국소 스테로이드는 신경염을 악화시킬 수 있으므로 피하는 것이 좋다.

3) 중년 이후의 성기능 장애

- 고령 여성의 성기능 장애는 다양한 요인과 관련될 수 있기 때문에, 개인, 대인 관계 및 성적인 측면을 동시에 해결할 수 있는 광범위한 치료 접근법이 필요하다.
- 파트너와 함께 현재의 관계가 젊었을 때와 다르게 새로울 수 있고 더 다양한 요소가 관여함을 이해하는 것이 좋으며, 서로 성적 만족감을 주고받기 위한 방법들을 논하는 것이 좋다.
- 정서적인 좌절, 우울감이 성적 흥분을 방해하므로, 필요 시 정신건강의학과 상담도 고려한다.

4. 성폭력(Sexual assault)

성폭력의 정의는 성을 매개로 상대방의 동의 없이 피해자에게 가해지는 모든 신체적, 언어적, 정신적 폭력을 포괄하는 개념이며 상대방이 원하지 않는데도 일방적으로 음란한 눈짓, 말, 포옹, 신체 접촉, 입맞춤, 성교 등의 강제적인 성행동을 하는 것을 통틀어서 말한다(예: 강간,

강간미수, 성추행, 성희롱, 성기노출, 음란전화 등).

WHO의 추정에 따르면 전 세계 여성의 약 35%가 일생 동안 친밀한 파트너 또는 파트너가 아닌 이에게 신체적 혹은 성적 폭력을 경험한다. 성폭력은 전세계적으로 주요 공중보건 문제로 남아있으며, 미국의 경우 발생률은 10만 명당 27.3건으로 약 18.3%의 여성이 평생동안 성폭력을 경험한 것으로 보고되었고, 국내에서는 성폭력과 관련하여 상담을 받은 사람은 2017년도 한 해 11만 1,123명으로 보고되었다.

성폭력은 폭력, 정복, 통제 및 공격의 범죄이며 성적 강압에서 접촉 학대(원치 않는 키스, 만지거나 애무) 및 강제 강간에 이르는 일련의 성행위를 포함한다. 성학대 생존자 및 폭력 생존자(sexual abuse survivor and assault survivor)라는 용어가 피해자(victim)보다 최근 선호되는 추세이다.

1) 유년기의 성학대(Childhood sexual abuse), 아동 성폭력

- 아동 성폭력이란 '아동에게 가해지는 성폭력'으로 넓게 보면 법상 미성년자인 19세 미만의 아동과 청소년에 대한 강간, 추행 등의 성폭력이라고 할 수 있고, 좁게 보면 13세 미만의 아동에 대한 성적인 행위라고 할 수 있다.
- 유년기의 성폭행은 인생 전체에 영향을 미치는 상황이며 대부분 본인이나 가족에 의해 알려지지 않고 있다. 성인 여성의 최소 20%가 어렸을 때 성적 학대를 받은 것으로 추정된다는 보고도 있다.
- 어린 아동들일수록 성기 애무나 비접촉성 성학대가 잦고, 나이가 들어감에 따라 집 밖에서 주로 낯선 사람에 의해서 성학대를 경험한다.
- 미국 산부인과학회(ACOG)는 모든 여성에게 성학대 병력을 문진할 것을 강력히 권장한다. 아동 학대를 당했다고 신고한 여성 중 50%는 성인이 되어 다시 학대를 당하며 어렸을 때 성적으로 학대를 받은 여성은 성인이 되어도 학대의 영향을 받는다.
- 아동을 대상으로 하는 성폭력이 성인의 경우와 구별되어 다뤄져야 하는 가장 큰 이유는 성폭력 피해자가 정신적으로나 신체적으로 발달하는 과정에 있기 때문이다. 따라서 이들이 겪는 충격이 성인에 비해 훨씬 심각한데, 만일 성폭력 피해 이후 즉각적이면서도 적절한 치료가 이루어지지 못한다면 발달적인 여러 측면에서 치명적인 피해를 입고, 비행, 정신적, 신체적 건강 문제, 물질남용 등 장기적인 부정적인 영향을 받게 된다.
- 유년기에 성학대의 경험이 있었던 청소년기 여성(14세에서 19세)들은 조기에 원치 않은 임신, 성매개병, 매춘, 반사회적 성향, 가출, 거짓말, 절도, 섭식 장애, 다양한 신체 장애 등의 위험도가 높아진다. 무기력감, 무력감 등을 느끼며 만성적으로 우울해지기도 하며,

외상 후 스트레스 장애(Posttraumatic Stress Disorder, PTSD)의 가능성도 성인 피해자보다 높게 나타나며, 자살의 위험도 높다.

2) 강간(Rape)

(1) 정의

① 물리적 완력, 속임수, 협박, 혹은 신체적 위해를 주겠다는 징조나 위협을 이용하여,

② 연령(어린이 혹은 노인), 술이나 약물 복용, 의식불명, 정신장애 혹은 신체장애로 인해 자신의 의사를 분명히 표현할 수 없는 피해자에게, 혹은 의사를 표현할 수 있더라도 동의가 없는 상황에서,

③ 구강, 질, 혹은 항문에 남성외성기, 손가락, 기타 물건을 삽입하는 행위로 정의한다.

미국 통계에 의하면, 성인 여성 8명 중 1명꼴인 13% 정도가 일생에 적어도 한 번 이상 강간 피해자가 되고, 대부분(75~80%)이 친척이나 아는 사람에 의해 발생한다.

3) 강간(rape)의 영향

사건 발생 후 여성은 임신과 성병(예: HIV 감염)을 비롯한 많은 문제를 겪는다. 12~45세 여성의 강간 관련 임신 비율은 5%로 추정되며 청소년은 낮은 피임율과 근친상관 관계에 의해 특히 임신율이 높을 수 있다.

- 성폭력 이후 여성들은 임신, 성매개병병, 성폭력에 대한 비난, 이차 피해, 가족들이 성폭력의 사실을 알게 되는 것 등에 대해 염려한다.
- 성폭력에 대한 피해자의 초기 반응으로는 충격, 감각의 마비, 허탈감, 부정 등이 있다.
- 성폭력이 있고 수주에서 몇달 후 대부분의 피해자들은 정상 생활로 돌아오게 되나, 강간의 경험에 대한 분노, 공포, 죄의식, 당황스러움 등을 억누르고 있을 수 있다.
- 장기적으로 생존자는 일과 가족 관계에 어려움을 겪을 수 있으며 절반이 사건 발생 이후 1년 동안 직장을 잃거나 강제로 그만두고, 절반은 거주지를 변경한다.

4) 성폭력 환자의 진료

(1) 진료 시 유의사항과 담당 의사의 역할

- 출혈, 골절상 등 응급 처치를 요하는 손상을 진단하고 치료한다. 나이가 어린 환자일수

록 성폭력과 동반된 신체적 외상이 있는 경우가 많으며, 외상 여부 및 정도에 대한 객관적 소견 수집에 충실하도록 한다.

- 병력 청취 및 신체 검진을 시작하기 전 피해자 또는 피해자의 법정대리인으로부터 필수적으로 의료지원에 대한 동의 및 응급키트에 대한 서면동의를 받고, 피해자가 원할 경우, 피해자가 원하는 사람이 동석할 수 있도록 하는 동석에 대한 서면동의를 받아야 한다. 특히 의료진은 경찰서를 포함한 수사 기관에 성폭력 사건의 발생 사실을 알리는 것이 의료진의 법적 의무 사항임을 알려야 한다.

- 병력 청취와 피해상황 청취의 기록은, 보호자 혹은 증인의 참관 하에 피해자가 구술한 언어대로 피해 당시 상황을 기록한다.

- 피해 시각, 장소, 가해자의 수, 성적인 접촉의 방법(성기 삽입 여부, 사정 유무, 사정을 어디에 했는지, 콘돔 사용 유무, 구강성교 혹은 항문성교 여부, 기구 사용 여부 및 기구의 종류, 가해자와의 접촉부위-구강, 손, 옷, 머리카락 등), 의식 여부, 폭력 및 흉기 사용 여부 등을 기록한다.

- 내원 전 목욕, 샤워, 칫솔질, 뒷물, 배변, 배뇨를 했는지, 옷을 갈아입거나 털어내는 행위 등을 했는지 여부를 확인하여 기록해야 하며, 마지막으로 정상적인 성교를 한 일시, 월경력, 피임 여부, 임신 여부, 성매개병 감염력 등을 기록한다.

- 피해자가 보여주는 정서적 태도와 행동 양태에 대해서도 관심을 가지며 이를 객관적으로 상세히 기록해 두어야 한다.

(2) 성폭력 환자의 문진

- 피해자의 병력청취 목표는 처치가 필요한 손상 부위를 확인하고 증거물 채취를 돕기 위한 정보를 획득하기 위함이다.

- 증거채취 및 법의학적 검사는 사건 발생 후 72시간 이내에 시행할 것을 권고하며 그 이유는 사건 발생 후 72시간까지 여성 생식기내에서 정자의 유전자를 안정적으로 채취 및 분석할 수 있기 때문이다.

(3) 진찰과 증거 수집

- 성폭력 피해자가 진찰과 증거수집에 동의한 상태에서 시행해야 하며, 보호자 혹은 증인이 될 수 있는 제3자에게 진찰을 참관하도록 한다.

- 신체 진찰 시 발견되는 모든 종류의 외상에 대해서는 위치와 모양, 형태에 대해 자세히 기록하고, 사진이나 그림으로 남긴다.

- 신체적 손상 중 가장 흔한 형태는 얼굴, 목, 팔 등에 생기는 멍과 찰과상 및 출혈이나 통

증을 동반한 생식기의 손상이다.

① 손상의 기록과 분류
② 법적 증거물 수집

법적 증거물의 수집은 여성가족부에서 배포하는 성폭력 응급키트를 사용하면 체계적으로 수집이 가능하다. 수집 전 피해자의 동의서를 반드시 받도록 한다.

성폭력 증거채취 응급키트 단계

구분	내용
1단계	성폭력 피해자 동의서 및 관계인 동의서 작성
2단계	성폭력 피해자 진료기록 작성
3단계	겉옷, 속옷, 이물질 수집
4단계	성폭력 피해자 신체의 부스러기 채취(debris collection)
5단계	가해자의 얼룩 및 타액 채취(stain collection)
6단계	가해자가 흘린 음모 채취(pubic hair combings)
7단계	생식기 증거 채취(genitalia swabs and smears)
8단계	항문 및 직장 내 증거 채취(anorectal swabs)
9단계	구강 내 증거 채취(oral swabs)
10단계	혈액 채취(blood sample)
11단계	소변 채취(urine sample)
12단계	성폭력 증거채취 응급키트 체크리스트 작성

③ 신체검사의 구체적 방법
- "머리부터 발끝까지" 철저하게 신체검사를 시행한다.
- 흔히 관찰되는 성기 손상은 외음부, 회음부, 질 입구의 홍반(erythema)과 작은 파열이다.
- 성적 접촉이 있었던 부위(질, 항문, 구강)에서는 모두 검체를 채취하여 임질과 클라미디아에 대한 검사를 시행해야 한다.
- 자궁경부세포 또는 성기부위의 병변 조직이나 도말물로 HPV 검사를 시행한다.
- 임신 반응 검사, 매독 검사, B형 간염 검사, HIV 검사 등을 시행해야 한다.

5) 치료 및 관리

- 성폭력 피해자에 대한 치료는 임신과 성매개병을 예방하는데 있으며, 모든 성폭력 피해자는 응급 피임법을 제공받아야 한다.
- 임신 가능 연령층의 강간피해자 중 약 5%정도가 강간으로 인해 임신을 하게 된다. 피해자가 이미 임신을 하고 있을 수도 있으므로, 응급피임약을 사용하고자 한다면 반드시 임신확인 검사를 시행하여 현재 임신 상태가 아님을 확인해야 한다.

(1) 응급 피임법

가장 성공적인 피임효과를 얻기 위해서는 성교 후 24시간 이내에 치료하는 것이 좋으며 대개 72시간 이내에 복용하면 응급피임의 효과를 기대할 수 있다. 응급피임약에는 용량이 높은 호르몬이 포함되어 있어 복용 후 오심과 구토, 질출혈 및 피로감을 유발하기도 한다. 만약 피임약 복용 후 2시간 이내에 구토를 하였을 경우에는 첫 용량부터 다시 복용하여야 한다. 피해자에게 약을 복용하기 전에 실패율과 약물 이상반응에 대한 설명을 해야 한다. 다음 월경 예정일 이내에 소퇴성 출혈이 발생하지 않고 월경 예정 날짜가 늦어지는 경우 임신확인 검사를 시행한다.

응급피임법은 아래와 같다.

① 경구 복합 피임약(Yuzpe 방법): 경구 복합 피임약(50 μg ethinyl estradiol + 0.5 mg norgestrel) 두 알을 복용하고, 같은 용량의 피임약 두 알을 12시간 후에 추가로 복용한다.

② 고용량 레보노르제스트렐
- 1.5 mg을 성교 후 72시간 이내에 복용한다.
- 17세 이하의 여성에서도 사용 가능하며 경구 피임약을 복용하는 방법보다 효과가 좋으면서 부작용이 적은 것으로 알려져 있다.

③ 선택적 프로제스테론수용체 조절제(ulipristal) 사용
- 사건 발생 후 120시간 이내에 ulipristal 30 mg을 한번 복용한다.

④ 미페프리스톤(Mifepristone, RU486)
- 국내에서 사용되고 있지 않으나, 프로게스테론 길항제로서 응급 피임에 우수한 효과가 있으며 부작용이 거의 없다. 유산을 위한 용량은 200 mg이나 응급 피임의 목적으로는 10 mg으로도 충분하다.

⑤ 구리 자궁내 장치 삽입
- 구리 자궁내 장치를 착상기 이전(배란 후 7일 이내)에 사용하여 응급 피임을 기대할 수 있다. 이 방법은 호르몬 응급피임약보다 더욱 효과적이며 임신 예방 효과는 99% 이상에 이른다. 착상을 방해하는 것에 기인하므로 수정 후라도 임신을 예방할 수 있다.

(2) 성매개병 예방

성폭력 피해자가 성매개병에 감염될 확률은 43%정도로 매우 높다. 성폭행 후 성매개병에 감염률은 임질 6~12%, 트리코모나스 12%, 클라미디아 2~12%, 매독 5%로 보고되고 있다. 성폭력 과정에서 새로 감염된 것인지 아닌지 이미 가지고 있던 것인지 구별하기 어렵고 대부분의 피해자들이 병원을 재방문하지 않기 때문에 첫 방문 때 시행하는 것이 매우 중요하다.

① 모든 피해자에게 예방 치료가 필요하다. 이 때 사용하는 약물은 임질, 클라미디아, 트리코모나스, 세균질증, 매독, 사람면역결핍바이러스(HIV) 감염에 효과적인 것이어야 한다.

임질	Ceftriaxone 500 mg IM
클라미디아	Doxycycline 100 mg bid 7일
트리코모나스, 세균질증	Metronidazole 500 mg 1일 2회 1주일간 경구 복용
B형간염	- 가해자가 B형간염 보균자인 경우 B형간염 면역글로불린 투여 - 피해자가 이전에 백신을 투약하지 않은 경우 B형간염 백신 주사하고 1~2개월, 4~6개월 후 추가접종 필요 - 피해자가 이전에 백신을 투약했던 경우 B형간염 백신은 한 번만 투약하고 추가 접종은 필요없음.
HIV	상황을 판단하여 경우에 따라 예방권고안을 따른다.
HPV	이전에 백신을 투약하지 않은 9~26세 여성 또는 9~21세 남성에서 백신 주사 권고

- HBV 감염은 노출 후 예방접종을 통해 예방할 수 있으며, HPV 백신은 25세까지의 여성에게 권장된다.
- 임질에 대한 치료: 체중이 150 kg 미만인 경우 Ceftriaxone 500 mg을 1회 근주한다. Ceftriaxone의 투여가 가능하지 않은 경우에는 gentamicin 240 mg 1회 근주+azithromycin 2 g 1회 경구 투여 또는 Cefixime 800 mg 1회 경구 투여한다.
- 클라미디아에 대한 치료: Doxycyclin 100mg 1일 2회 경구 복용한다. 대체요법으로는 azithromycin 1g 1회 경구 투여 또는 levofloxacin 500 mg을 1주일간 1일 1회 경구 투여한다(환자가 강간 피해 당시 임신한 경우 doxycycline 대신 erythromycin 500 mg 하루 네 번 7일간 경구 투여).
- 트리코모나스와 세균질증에 대한 치료: Metronidazole 500 mg 1일 2회 1주일간 경구 복용한다.

② 질, 구강, 혹은 항문 성교가 발생한 경우 B형 간염 항체가 없다면 예방 접종을 시행한다.

③ 깊은 상처가 있거나 물린 상처가 있으면 파상풍(tetanus)에 대한 예방도 시행(0.5 mL 근주)한다. 물린 상처가 있는 경우 3일 동안 amoxicillin/clavulanate 875 mg 하루 두 번 복용하도록 한다.

④ 성폭력에 의한 HIV 감염은 매우 낮고, 직업적 노출에 의한 발병률과 비슷하나 (0.1~0.3%), 가해자가 HIV음성이 아니고 감염의 가능성이 있다면 72시간 안에 HIV 예방이 필요하다. HIV에 대한 예방 조치 유무와 상관없이 HIV에 대한 반복검사를 6주, 3개월, 6개월에 실시해야 한다.

⑤ 임질, 클라미디아, 트리코모나스, 세균질증에 대한 예방적 치료가 시행되지 않았으면, 피해자는 임신과 성매개병에 대한 검사를 위해 1~2주 후 재방문을 하도록 한다.

(3) 정신건강의학과 치료

첫 진찰 시 피해자에게 성폭력이라는 충격적인 사건으로 인한 정신적인 영향이 장기간 지속될 수 있으며 이를 회복하는 데에는 오랜 시간이 걸릴 수도 있음을 알려주어야 한다. 치료진은 정신과적 문제(정신과 질환의 과거력, 현 병력, 자살에 대한 과거력 및 현재 위험도)에 대해 평가하고 지속적인 정신과 추적진료를 권유하도록 한다. 피해자는 사고 후 적어도 1~2주 이내에 정신건강의학 측면에서 추적 면담을 실시해야 한다. 심하게 불안해하는 피해자에게는 항불안제 혹은 진통제(다이아제팜 5 mg 경구 복용 혹은 아티반 1 mg 경구 복용)를 투여할 수 있다.

■ 참고문헌 ■

1. 대한산부인과학회. 부인과학 6판. 서울: 한국: 군자출판사;2021.
2. (제)한국여성인권진흥원 여성·아동폭력피해중앙지원단. 성폭력 피해자 전담의료기관 의료업무 매뉴얼. 서울: 한국; 2014.
3. Berek JS. Berek & Novak's Gynecology 16th ed. Philadelphia: Wolters Kluwer, 2020.
4. US Department of Health and Human Services/Centers for Disease Control and Prevention MMWR/Sexually Transmitted Infections Treatment Guidelines, 2021/July 23, 2021/ Vol. 70/ No. 4

찾아보기
Index

영어